AF238417

ACCESO GRATIS *a la Lectura en la Nube*

Para visualizar el libro electrónico en la nube de lectura envíe junto a su nombre y apellidos una fotografía del código de barras situado en la contraportada del libro y otra del ticket de compra a la dirección:

ebooktirant@tirant.com

En un máximo de 72 horas laborales le enviaremos el código de acceso con sus instrucciones.

ADMINISTRATIVO 2022

ADMINISTRATIVO 2022

ENRIQUE ORTEGA BURGOS
FEDERICO PASTOR RUIZ
Directores

MANUEL GARCÍA-VILLARRUBIA BERNABÉ
LUIS MOLL FERNÁNDEZ-FÍGARES
PEDRO RUBIO ESCOBAR
PEDRO GONZÁLEZ TORROBA
LUIS SÁNCHEZ SOCÍAS
BORJA SÁNCHEZ BARROSO
Coordinadores

tirant lo blanch
Valencia, 2022

En caso de erratas y actualizaciones, la Editorial Tirant lo Blanch publicará la pertinente corrección en la página web www.tirant.com.

Colección dirigida por:

ENRIQUE ORTEGA BURGOS

© Enrique Ortega Burgos
Federico Pastor Ruiz

© TIRANT LO BLANCH
EDITA: TIRANT LO BLANCH
C/ Artes Gráficas, 14 - 46010 - Valencia
TELFS.: 96/361 00 48 - 50
FAX: 96/369 41 51
Email: tlb@tirant.com
www.tirant.com
Librería virtual: www.tirant.es
DEPÓSITO LEGAL: V-1488-2022
ISBN: 978-84-1130-388-0

Si tiene alguna queja o sugerencia, envíenos un mail a: *atencioncliente@tirant.com*. En caso de no ser atendida su sugerencia, por favor, lea en *www.tirant.net/index.php/empresa/politicas-de-empresa* nuestro procedimiento de quejas.

Responsabilidad Social Corporativa: http://www.tirant.net/Docs/RSCTirant.pdf

Índice

Supervivencia de las PYMES en la contratación pública: luces y sombras de las medidas de fomento en la ley de contratos del sector público

Germán Alonso-Alegre Fdez. de Valderrama
*Socio responsable del Dpto. de Derecho Público, Administrativo
y Regulatorio de Mazars Tax & Legal. Experto para la Unión
Europea en el ámbito de la contratación pública*

David Valdés Menéndez
*Abogado Senior especializado en contratos públicos del Dpto. de
Derecho Público, Administrativo y Regulatorio de Mazars Tax & Legal*

1. INTRODUCCIÓN

Tradicionalmente las pequeñas y medianas empresas (PYMES), entendiendo como tales a aquellas empresas que cuentan con menos de 250 trabajadores y cuyo volumen de negocio no sobrepasa los 50 millones de euros, o bien, cuyo balance general anual no exceda los 43 millones de euros[1], han jugado un papel fundamental en el tejido productivo español. Según los últimos datos publicados por el Ministerio de Industria, Comercio y Turismo[2], a fecha 31 de noviembre de 2021, el 99,83% de las empresas registradas en nuestro país eran PYMES, las cuales emplean al 64,23 % del total de asalariados y generan en torno al 61% del valor añadido total en España.

Para acabar de esbozar este concepto de las PYMES podemos también recordar como estas se subdividen en microempresas (menos de 10 asalariados), pequeñas empresas (entre 10 y 49) y medianas empresas (entre 50 y 249). El concepto incluye también a los autónomos sin asalariados, generando en tal caso cada una de esas PYME un empleo por cuenta propia.

Por su parte, la contratación pública constituye uno de los grandes motores de la economía española, representando en el ejercicio 2020 aproximadamente un 11,11% del PIB español[3]. Esta estimación esperamos que se vea incrementada en los próximos años como consecuencia de la contratación pública que se haga con cargo al Mecanismo Europeo de Recuperación y Resiliencia («Next Generation» EU)[4] que inyectará en España unos 140.000 millones de Euros en el periodo 2021-2026, lo que sin duda representa una

---

[1] Concepto de Pyme dado por el artículo 2.1 del anexo I del Reglamento (UE) nº 651/2014 de la Comisión Europea, de 17 de junio de 2014.

[2] https://industria.gob.es/es-es/estadisticas/Paginas/estadisticas-y-publicaciones-sobre-pyme.aspx

[3] Junta Consultiva de Contratación Pública: «Informe trienal relativo a la contratación pública en España, 2018, 2019 y 2020», abril de 2021.

[4] Regulado por el Reglamento (UE) 2021/241 del Parlamento Europeo y del Consejo, de 12 de febrero de 2021, por el que se establece el Mecanismo de Recuperación y Resiliencia, y por el Real Decreto-Ley 36/2020, de 30 de diciembre, por el que se aprueban medidas urgentes para la modernización de la Administración Pública y para la ejecución del Plan de Recuperación, Transformación y Resiliencia, Exposición de motivos.

importante oportunidad de negocio para las PYMES en un escenario económico especialmente complicado.

Sin embargo, a pesar del enorme peso de las PYMES en España, el valor de los contratos públicos firmados con estas empresas representa el 42,2% del total del valor de la contratación pública[5], que realmente será un porcentaje inferior, dado que esa cifra se ha obtenido únicamente de datos de contratos registrados en la Plataforma de Contratación del Sector Público (PLACSP) y en Plataformas autonómicas. Esto pone de manifiesto las dificultades con las que históricamente se han encontrado las pequeñas y medianas empresas a la hora de acceder a este tipo de contratación.

Ante esta problemática, en las dos últimas décadas se han venido implementando diversas medidas tendentes a favorecer el acceso a la contratación pública por parte de las PYMES, tomando éstas un impulso definitivo con la entrada en vigor de las Directivas europeas 2014/23/UE relativa a la adjudicación de contratos de concesión, 2014/24/UE sobre contratación pública, y 2014/25/UE sobre contratación por entidades que operan en los sectores del agua, la energía, los transportes y los servicios postales, todas ellas de fecha 26 de febrero de 2014.

Las Directivas 2014/23/UE y 2014/24/UE fueron traspuestas a nuestro ordenamiento jurídico por la Ley 9/2017, de 8 de noviembre de Contratos de Sector Público (en adelante, también LCSP).

A lo largo del presente capítulo nos centraremos en valorar la eficacia de algunas de las principales medidas adoptadas por la LCSP para el fomento de la contratación pública con las pequeñas y medianas empresas.

---

[5]   Ministerio de Industria, Comercio y Turismo: «Marco estratégico en política de Pymes 2030. Informe de seguimiento anual», marzo de 2021.

2. LUCES Y SOMBRAS DE LAS PRINCIPALES MEDIDAS DE FOMENTO DE LAS PYMES EN LA LEY DE CONTRATOS DEL SECTOR PÚBLICO

La Ley 9/2017, de 8 de noviembre, de Contratos del Sector Público, introdujo en su articulado una batería de medidas que perseguían fomentar la contratación del sector público con las PYMES, manteniendo y mejorando, en algún caso, las que ya aparecían recogidas dentro de la Ley 14/2013, de 27 de septiembre, de apoyo a los emprendedores y su internacionalización, y en la legislación en materia de contratación pública precedente.

Todas estas medidas se han implantado, tanto con la intención de mejorar la eficiencia en el gasto público, como para garantizar el respeto a los principios de igualdad de trato, no discriminación, transparencia, proporcionalidad e integridad.

En este sentido, en primer lugar llama la atención que la LCSP configura el fomento de la contratación pública con las PYMES como un mandato para las entidades del sector público que en todo caso deben de tener presente en los procedimientos de licitación que promuevan, estableciéndose a este respecto, entre otros, en el artículo 1.3 de dicha Ley que «*Se facilitará el acceso a la contratación pública de las pequeñas y medianas empresas, así como de las empresas de economía social*», y en el artículo 28.2 que «*Las entidades del sector público velarán por la eficiencia y el mantenimiento de los términos acordados en la ejecución de los procesos de contratación pública, favorecerán la agilización de trámites, valorarán la incorporación de consideraciones sociales, medioambientales y de innovación como aspectos positivos en los procedimientos de contratación pública y promoverán la participación de la pequeña y mediana empresa y el acceso sin coste a la información, en los términos previstos en la presente Ley*».

A pesar de ello, como se puede observar, no hay mandatos concretos y directos que impongan a los órganos de contratación el fomento de las PYMES, quedando normalmente a su exclusiva voluntad hacerlo o no, ni tampoco se reservan determinados contratos a este tipo de empresas, salvo en casos muy específicos[6].

---

[6] La D.A. Cuarta LCSP reserva contratos a centros especiales de empleo de iniciativa social o empresas de inserción.

Precisamente por lo anterior, a continuación intentaremos analizar la verdadera incidencia y efectividad que han podido tener algunas de estas medidas adoptadas por la Ley de Contratos del Sector Público, una vez transcurridos más de 3 años desde su entrada en vigor[7].

2.1 Medidas para empresas de nueva creación relativas a la acreditación de su solvencia técnica

Aunque realmente no es esta (ni tampoco las restantes que comentaremos), una medida prevista expresamente para PYMES, sino para cualquier empresa de nueva creación, qué duda cabe que podría considerarse más positiva o necesaria para las nuevas PYMES.

La LCSP introduce en sus artículos 88.2, 89.1.h), 90.4 (respectivamente para los contratos de obra inferiores a 500.000 euros, y para los contratos de suministro y de servicios no sujetos a regulación armonizada —esto es, que no superen las cuantías máximas indicadas en la propia LCSP—), la posibilidad de que las empresas de nueva creación[8] acrediten su solvencia técnica básicamente mediante sus recursos materiales y humanos, y no en virtud de su experiencia previa en procedimientos de licitación (al no tenerla por ser precisamente de nueva creación).

La LCSP elimina en este caso el importante obstáculo que tradicionalmente tenían las empresas de nueva creación para la acreditación de la solvencia técnica aportando datos de su experiencia previa. No obstante, a nuestro juicio estas medidas resultan hasta cierto punto insuficientes debido, entre otros aspectos, a que dicha dispensa se produce únicamente para contratos de no tan elevada cuantía, lo que en la práctica supone la exclusión de las empresas de nueva creación de todas las licitaciones que superen dichas cantidades.

---

[7]   La Ley 9/2017, de 8 de noviembre, de Contratos del Sector Público de 26 de febrero de 2014 entró en vigor, con la salvedad indicada en la misma, el día 9 de marzo de 2018.

[8]   Se entiende por empresa de nueva creación aquellas que tengan una antigüedad inferior a 5 años.

De igual manera se ha de reseñar que realmente muchas PYMES, ya sean o no, de nueva creación, tienen medios humanos y materiales limitados, por lo que se suelen encontrar con grandes dificultades a la hora de cumplir con los requisitos de solvencia exigidos por los órganos de contratación, más aún cuando no se prevén medidas tendentes a facilitar la acreditación de la solvencia técnica por parte de aquellas PYMES que no sean de nueva creación por tener una antigüedad superior a 5 años.

Por lo tanto, consideramos que las medidas adoptadas por la LCSP en esta materia no solucionan en la generalidad de los casos los problemas con los que se encuentran muchas PYMES a la hora de acreditar su solvencia técnica. De este modo, y sin perjuicio de que la solvencia debe de quedar debidamente acreditada en todo proceso de licitación para garantizar la efectiva ejecución de los contratos públicos, entendemos que se haría necesario adoptar algunos otros criterios generales que limiten los amplios poderes discrecionales de los órganos de contratación a la hora de determinar los criterios de solvencia técnica, facilitándose decididamente su acreditación a las PYMES, y simplificando y flexibilizando a su vez los tramites procedimentales.

2.2 La división en lotes como regla general de todos los contratos a efectos de fomentar la participación de las PYMES en la contratación pública

La LCSP, a efectos de fomentar la participación de las PYMES en las licitaciones públicas, invierte la regla general que se utilizaba en la anterior normativa, que era la de la necesidad de justificar el hecho de que se produjera una división en lotes del contrato (la regla general era, por tanto, que no existiera división en lotes).

Efectivamente, la nueva regla general establecida en el artículo 99.3 LCSP es la división del contrato en lotes, siempre que la naturaleza o el objeto del contrato lo permitan, y para poder apartarse de esa regla general de división de lotes será necesario que el órgano de contratación justifique debidamente en el expediente, en base a motivos válidos, la no división en lotes del contrato.

Y ello en el entendimiento de que, además de favorecer a las PYMES, la obligatoriedad de la división en lotes de los contratos, como regla general, fomenta de por sí la concurrencia y la competencia entre las empresas, lo que repercute en la obtención por parte del Sector Público de contratos en condiciones más favorables, permitiendo racionalizar los recursos económicos.

Tal y como ha recogido la Resolución del Tribunal Administrativo Central de Recursos Contractuales (en adelante, también TACRC) 993/2018, de 2 de noviembre, del análisis del citado artículo 99.3 LCSP podrían extraerse algunas conclusiones básicas.

La primera sería que la obligación de dividir en lotes tiene una finalidad específica, como es promover la concurrencia de las PYMES en los contratos del sector público; ahora bien, siempre y cuando la naturaleza del contrato lo permita y no existan motivos válidos que justifique la no división. Segunda, que el órgano de contratación debe ser libre para decidir de forma autónoma, y basándose en las razones que estime oportunas, la magnitud de cada expediente y de cada lote. Tercera, que en caso de que se decida no dividir en lotes, deben indicarse las principales razones que expliquen la elección hecha por el poder adjudicador. Y cuarta, que los motivos válidos a que se refiere el artículo 99.3 para justificar la no división en lotes, son de carácter enunciativo, pudiendo existir otros diferentes.

Ya se ha señalado previamente como la LCSP atribuye a los órganos de contratación poderes discrecionales a la hora de implementar medidas de fomento de las PYMES en los expedientes de contratación que éstos promueven; aconteciendo nuevamente ello en relación con la división en lotes, al quedar en la mano de cada órgano la decisión final de dividir en lotes, o de no hacerlo, un determinado contrato.

Aunque en este sentido debemos indicar, al menos en cuanto a la división en lotes, que realmente no se trataría de una facultad absoluta atribuida a los órganos de contratación, sino que la misma puede estar sujeta a control (Resolución 800/2019, de 11 de julio, del TACRC).

Efectivamente, esta discrecionalidad de configuración de los lotes no es viable jurídicamente cuando dicha división se ha realizado de forma arbitraria y en fraude de ley, y así lo ha manifestado también la Resolución 1201/2018, de 28 de diciembre, del TACRC, al establecer que la discrecionalidad en la configuración de los lotes no puede implicar en ningún caso arbitrariedad.

Sin embargo, a pesar de lo anteriormente expuesto, el ejercicio de esta facultad discrecional viene generando en muchas ocasiones, en la práctica, una serie de problemas entre los que podríamos enumerar, por su importancia, los siguientes:

2.2.1 Cumplimiento meramente formal del requisito de motivación de la no división en lotes del contrato

Hemos visto como el artículo 99.3 LCSP establece una regulación de la división en lotes de los contratos en la que se exige, como regla general, que el órgano de contratación justifique motivadamente en el expediente, los supuestos en que no se produzca la división en lotes del contrato (dado que la regla general es que sí exista siempre división en lotes).

Y para facilitar esa justificación, ya anticipa algunos motivos que servirán legalmente como razones válidas de esa posible no división en lotes del contrato: (i) El hecho de que la división en lotes del objeto del contrato conllevase el riesgo de restringir injustificadamente la competencia. Personalmente no nos parece un supuesto muy común, y para aplicarlo el órgano de contratación deberá solicitar informe previo a la autoridad de defensa de la competencia correspondiente; y (ii) el hecho de que la realización independiente de las diversas prestaciones comprendidas en el objeto del contrato dificultara la correcta ejecución del mismo desde el punto de vista técnico; o bien que el riesgo para la correcta ejecución del contrato proceda de la naturaleza del objeto del mismo, al implicar la necesidad de coordinar la ejecución de las diferentes prestaciones, cuestión que podría verse imposibilitada por su división en lotes y ejecución por una pluralidad de contratistas diferentes.

Dada esta cierta amplitud de los términos del artículo 99.3 LCSP, el alcance de la motivación necesaria para justificar la no división en lotes de un contrato ha sido matizada por parte de los Tribunales Administrativos, si bien tampoco han acabado de solucionar los problemas interpretativos derivados de este precepto. A este respecto el TACRC ha manifestado, entre otras, en su Resolución 062/2018, de 29 de febrero, que: *«La motivación no precisa ser un razonamiento exhaustivo y pormenorizado en todos los aspectos y perspectivas, bastando con que sea racional y suficiente, así como su extensión de amplitud suficiente para que los interesados tengan el debido conocimiento de los motivos del acto para poder defender sus derechos e intereses, pudiendo ser los motivos de hechos y de derecho sucintos siempre que sean suficientes, como declara la jurisprudencia tanto del Tribunal Constitucional como del Tribunal Supremo».*

Pero la exigencia de esta motivación «light» ha producido que desde la entrada en vigor de la LCSP vengamos observando como por parte de algunos órganos de contratación se opta por no dividir en lotes contratos que claramente sí admitirían su división, debido a la relativa facilidad para cumplir formalmente con el requisito de motivar la decisión de no dividir en lotes un determinado contrato.

En estos supuestos siempre existe la posibilidad de instar la revisión por parte de los Tribunales del diseño en lotes o no lotes de las licitaciones, por falta de motivación o insuficiencia de esta, arbitrariedad o discriminación, error material o por restricción de la competencia (Resolución 124/2018, de 25 de abril, del Tribunal Administrativo de Contratación Pública de la Comunidad de Madrid). Así pues, habría que analizar en cada caso si los motivos dados por el órgano de contratación en los pliegos y en la memoria justificativa, son suficientes o no, acudiendo en su caso al Tribunal competente, lo que de por sí no siempre es sencillo, especialmente para las PYMES, que normalmente carecen de asesoramiento jurídico especializado.

En todo caso, por ejemplo, la Resolución del Tribunal Catalán de Contratos del Sector Público 291/2020, de 3 de septiembre, en la que se decidía sobre una deficiente justificación de la división en lotes del contrato de suministro de gases medicinales, indica: *«Aunque formalmente el órgano de contratación ha dado cumplimiento a la obligación de justificar la no división en lotes del contrato, vistas las explicaciones esgrimidas por la memoria justificativa, no se aprecia una motivación que resulte adecuada y razonable en los términos exigidos por el artículo 99 de la LCSP, teniendo en cuenta las características específicas de esta licitación. (....). Por todo ello, en este supuesto específico, y ponderando todas las circunstancias que concurren, dada la necesidad e importancia de justificar previamente la decisión de no dividir el contrato en lotes para garantizar la adecuación tanto del objeto del contrato en relación con la finalidad a satisfacer, como de su diseño respecto a los principios de la contratación pública, este Tribunal considera que, más allá de la posible afectación a la eficiencia y coordinación del servicio, no constan de forma suficientemente motivada en la memoria justificativa, ni en los pliegos que rigen el contrato de referencia, las razones concretas de la no división del contrato en lotes porque no quedan apoyadas en una mínima explicación que comporte la suficiencia de la justificación, de acuerdo con el artículo 99 de la LCSP (…)».*

En términos análogos se manifiesta el Tribunal Administrativo de Contratación Pública de la Comunidad de Madrid, en su Resolución 345/2008, de 30 de octubre, en la que estima el recurso interpuesto al entender que *«aunque formalmente se ha cumplido con la obligación de justificar la no división del contrato en lotes, considera el Tribunal que no existe una motivación adecuada y razonable».*

En definitiva, los participantes en los procedimientos de licitación deben estar vigilantes para que efectivamente se cumplan con los requisitos de motivación exigidos en el artículo 99.3 LCSP dado que, en los casos en los que se ha probado la existencia de una división en lotes meramente formal, los Tribunales Administrativos han procedido a la anulación del procedimiento de licitación para que por el órgano de contratación se justifique debidamente los motivos de la no división del contrato en lotes o, en su caso, lo que sería más recomendable, para que sí proceda a la división del contrato en lotes.

2.2.2 División artificiosa en lotes para satisfacer los requisitos del artículo 99.3 LCSP

Otra cuestión que igualmente venimos observando en la práctica diaria, es la, en ocasiones, división artificiosa en lotes de los contratos, para cumplir formalmente con el mandato contenido en el artículo 99.3 de la LCSP, no existiendo realmente una motivación razonable ni del número de lotes ni de su distribución. Efectivamente, algunos órganos de contratación han procedido en determinados supuestos a dividir fraudulentamente, en un reducido número de lotes, contratos de gran tamaño que en la práctica admitirían la formación de varios lotes más; para así de esta forma aparentar que se cumple dicha obligación.

En este sentido debemos señalar que los Tribunales Administrativos de Contratos también se han mostrado contrarios a la realización de este tipo de prácticas por no ajustarse a Derecho, anulando los pliegos y las licitaciones en las que las mismas han sido detectadas.

De este modo, en la Resolución 124/2018, de 25 de abril, del Tribunal Administrativo de Contratación Pública de la Comunidad de Madrid, se establece: *«Por otra parte siendo principios generales de la nueva regulación en materia de contratos mejorar la transparencia, favorecer la igualdad de oportunidades y la no discriminación, promover la libre concurrencia, garantizar el acceso real de la PYME a la licitación, la defensa de la competencia, se debe justificar suficientemente la decisión de dividir en solo dos lotes un contrato que abarca a 13 centros, cuyas características —tamaño, ubicación— es desigual, sin que las razones organizativas aludidas en las memoria (la existencia de una central de compras y su finalidad) sea razón suficiente, ya que la homogeneidad del servicio a través de un protocolo de limpieza y la racionalización en una Central de Compras no están reñidos con la posibilidad de división en lotes. Tampoco es razón admisible la existencia de contrato precedente de idénticas características al que es objeto del recurso en tanto que su régimen jurídico es diferente al estar sometido en su totalidad a la anterior TRLCSP».*

A su vez también hemos venido observado que determinados órganos de contratación, para cumplir de manera meramente formal con el requisito de la división en lotes, han procedido a distribuir los mismos de manera bastante desigual, constituyendo un lote de gran cuantía (normalmente dirigido a una gran empresa) y otro residual.

En este sentido recientemente ha sido dictada por el Tribunal Administrativo Central de Recursos Contractuales, su Resolución 1522/2021, de 5 de noviembre, en la que se acuerda anular la división en lotes del contrato que realizan los pliegos por no favorecer el acceso al contrato a un mayor número de empresas, y retrotraer el procedimiento de contratación al momento anterior a la aprobación de los pliegos.

En concreto indicaba: *«Por el contrario, consideramos que la desigual división en lotes no ha quedado justificada ni en el PCAP, ni en las alegaciones del Órgano de Contratación. Como expone la empresa recurrente, el Preámbulo de la LCSP indica que la razón de la regulación que hace dicha ley de la división del contrato en lotes es la de facilitar el acceso a la contratación pública a un mayor número de empresas, como medida de apoyo a las PYMES. Independientemente del alegado número de habitantes de la Comunidad Autónoma de Cantabria, lo cierto es que el contrato tiene un presupuesto base de licitación aproximado de 4 millones de euros, para los dos pri-*

meros años de duración, susceptible de prorrogarse por otros dos años más. Por lo que el contrato tiene una cierta importancia económica, y con la regulación de los lotes que establecen los pliegos, este Tribunal entiende que no se está facilitando el acceso a la contratación a un mayor número de empresas, y particularmente a las PYMES, y que el contrato admite una división en lotes distinta a la realizada, que sí lo permitiría, lo cual queda a la apreciación discrecional del órgano de contratación».

Reiteramos en base a estas previas consideraciones y resoluciones, que nuevamente los participantes en los procedimientos de licitación deben estar también alerta para comprobar que, aunque efectivamente haya existido cierta división en lotes, la motivación de su número y su distribución sean igualmente razonables y se ajusten al artículo 99.3 LCSP, pudiendo impugnar dichas divisiones en caso de que no consideren que se ajustan a la Ley.

2.3 Medidas relativas a la exigencia de garantías provisional y definitiva

Nuevamente nos encontramos con medidas no previstas exclusivamente para favorecer a las PYMES, pero que beneficiarán especialmente a las mismas. En este sentido, se reitera la excepcionalidad de la garantía provisional (106 LCSP), lo que evitará que esta exigencia limite el acceso de las PYMES a las licitaciones. De esta manera, no procederá tal garantía provisional salvo que, de forma excepcional, y por motivos de interés público, el órgano de contratación lo considere necesario, justificándolo motivadamente.

Respecto de la garantía definitiva, además de que se suprime directamente en los supuestos de reserva de contratos a Centros Especiales de Empleo de iniciativa social y a Empresas de inserción reguladas (DA 4ª LCSP), también se establece la posibilidad de eximir al operador económico de la obligación de constituir dicha garantía definitiva en contratos que tengan por objeto la prestación de servicios sociales o la inclusión social o laboral de personas pertenecientes a colectivos en riesgo de exclusión social, no siendo esta exención aplicable a los contratos de obra ni de concesión de obra (artículo 107.1 LCSP).

Siguiendo con la garantía definitiva, el artículo 108.2 LCSP establece que, cuando así se prevea en los pliegos de cláusulas administrativas particulares, la garantía definitiva en los contratos de obras, de suministros y de servicios, así como en los de concesión de servicios cuando las tarifas las abone la administración contratante, podrá constituirse mediante retención en el precio. Así pues, será en el pliego de cláusulas administrativas particulares dónde se fijará la forma y condiciones de la retención.

Esta última medida trata de paliar las dificultades con las que habitualmente se encuentran las PYMES para acceder a créditos y avales que garanticen la correcta ejecución del contrato, pudiendo mostrarse como una herramienta eficaz en este sentido, puesto que las pequeñas y medianas empresas pueden hacer frente de una manera más sencilla a los gastos que lleva aparejada dicha ejecución del contrato. No obstante, también es verdad que la retención de parte del precio del contrato igualmente podría, en ocasiones, tener impacto en la liquidez a corto plazo de estas empresas, limitando sus ingresos y haciendo más difícil de afrontar pagos a proveedores.

Por último, en este apartado también podemos traer a colación un precepto sí previsto de manera expresa para las PYMES, en relación con la devolución de la garantía definitiva en el plazo máximo de 6 meses. El artículo 111.5 párrafo segundo de la LCSP establece la devolución o cancelación de las garantías a las PYMES[9] en el plazo de 6 meses (en vez del año que de manera genérica —y salvo algunas excepciones— se impone para las restantes entidades), desde la fecha de terminación del contrato, y vencido el plazo de garantía, cuando la recepción formal y la liquidación no hubiese tenido lugar por causas no imputables al contratista.

2.4 Tramitación electrónica de los expedientes de licitación

El preámbulo de la LCSP aboga claramente por una simplificación de los trámites administrativos, apostando decididamente por la contratación

---

[9]   Deben de cumplir para ello el concepto PYME establecido en el Reglamento (CE) nº 800/2008, de la Comisión, de 6 de agosto de 2008, por el que se declaran determinadas categorías de ayuda compatibles con el mercado común en aplicación de los artículos 107 y 108 del Tratado de Funcionamiento de la Unión Europea y no estar controladas directa o indirectamente por otra empresa que no cumpla tales requisitos.

electrónica, estableciéndola como obligatoria desde la entrada en vigor de la Ley. Dicho de otra forma, la contratación pública electrónica es obligatoria en España en todos los procedimientos de contratación pública desde el 9 de marzo de 2018, con independencia del valor estimado del contrato, y así se establece en las Disposiciones Adicionales 15, 16 y 17 LCSP.

Así la cosas, la Administración española, que tradicionalmente ha sido algo reticente a la implantación de este tipo de medios, ha dado en los últimos años un paso al frente habiendo realizado un gran esfuerzo para dotarse de medios técnicos y de herramientas de licitación electrónica (tanto públicas como de desarrollo privado), así como para formar a las unidades que gestionan los procedimientos de contratación pública. El resultado es un importante avance de la contratación pública electrónica en España, que según algunos Informes publicados, ha pasado de representar un 49,96 % de las licitaciones en 2018 a un 83,3% en 2020[10].

Sin embargo, nuestra práctica nos dice que estas cifras no son enteramente extrapolables (de hecho para el cálculo de estos porcentajes se reseña en los Informes que se ha considerado únicamente la forma de presentación electrónica de la oferta respecto del total de licitaciones publicadas en la Plataforma de Contratación del Sector Público —PLACSP— por los órganos de contratación con Perfil de contratante alojado en ella), y que las Administraciones públicas españolas todavía siguen sin desarrollar en la actualidad una plena —o muy mayoritaria— compra pública mediante licitaciones electrónicas.

En este sentido debemos señalar que la pandemia de la COVID-19 ha puesto de manifiesto la necesidad de una utilización efectiva de la Administración electrónica y de la contratación pública electrónica. La utilización de medios electrónicos —una vez que se tienen implantados, con el primer esfuerzo tanto económico como de formación que ello requiere—, simplifica y agiliza notablemente los procedimientos de licitación, haciéndolos definitivamente más transparentes y, en consecuencia, las PYMES deberían disponer de esta manera de mayores posibilidades para acceder a licitaciones a las que en otras circunstancias tal vez no pudieran acceder, o lo harían con

---

[10] Junta Consultiva de Contratación Pública: «Informe trienal relativo a la contratación pública en España, 2018, 2019 y 2020», publicado en abril de 2021.

mayor dificultad (por ejemplo, al tener lugar en Comunidades Autónomas diferentes a la suya).

En todo caso, en relación con estos procedimientos de contratación electrónica, hemos venido observando que el uso de tales herramientas aún plantea problemas para los usuarios de estas (y ello especialmente en las PYMES, por carecer en ocasiones de personal especializado y de los correspondientes medios materiales), derivados de la complejidad de algunas de las plataformas de contratación pública y de la falta de coordinación entre estas.

También son recurrentes los problemas de los licitadores relacionados con la firma electrónica, así como con el envío de la documentación que debe de incluirse en cada uno de los sobres, puesto que en muchos procedimientos de licitación la misma es tremendamente voluminosa y las páginas web no soportan su peso. Además, todavía existe un debe en cuanto a la formación en el manejo de estas herramientas, si bien la situación a este respecto ha mejorado significativamente.

Por lo tanto, a pesar de que la situación de la contratación electrónica ha mejorado desde la entrada en vigor de la Ley de Contratos del Sector Público, la Administración debe continuar avanzando en su mejora, difusión e implementación total, reforzando la coordinación entre las diversas plataformas de contratación pública y llevando a cabo formaciones especificas relativas a la licitación pública electrónica.

Sin perjuicio de lo anterior, para finalizar debemos señalar que en la actualidad nos encontramos en un escenario potencialmente favorable para lograr una mayor implantación de las licitación electrónica (de manera esencial en las PYMES) debido a que se estima que un 33%[11] de los recursos que España reciba del Mecanismo Europeo de Recuperación y Resiliencia («Next Generation» EU)[12] se destinaran a la digitalización, por lo que está en manos de los poderes públicos dar un impulso definitivo a la modernización

---

[11]   Datos obtenidos del documento del Gobierno de España: https://www.lamoncloa. gob.es/presidente/actividades/Documents/2020/07102020_PlanRecuperacion.pdf

[12]   Regulado por el Reglamento (UE) 2021/241, del Parlamento Europeo y del Consejo, de 12 de febrero de 2021, por el que se establece el Mecanismo de Recuperación y Resiliencia, y por el Real Decreto-Ley 36/2020, de 30 de diciembre, por el que se aprueban medidas urgentes para la modernización de la Administración Pública y pa-

de la Administración a estos efectos, siempre que se prevean ayudas de fácil acceso para ello, lo que en estos momentos todavía está por ver.

2.5 Posibilidad de prever en los pliegos el pago directo a subcontratistas

De por sí, la propia figura de la subcontratación, regulada en los artículos 215 y siguientes LCSP, suele ser favorecedora de la participación de ciertas empresas en la contratación pública, en particular de las PYMES, o de algunas de ellas que tal vez no tengan medios suficientes, o incluso músculo financiero, para licitar directamente.

Desarrollando algo más esta figura, la Disposición Adicional 51 de la LCSP establece la posibilidad de que se realicen pagos directos a los subcontratistas, siempre que el órgano de contratación lo prevea en los pliegos de cláusulas administrativas y que se cumpla lo establecido para que pueda darse la mencionada subcontratación (arts. 215 y siguientes LCSP).

En tales casos se permite al subcontratista que cuente con la conformidad para recibir pagos directos, ceder sus derechos de cobro conforme a lo previsto para la transmisión general de dichos derechos de cobro (art. 200 LCSP). A su vez, los pagos efectuados a favor del subcontratista se entenderán realizados por cuenta del contratista principal; y en ningún caso será imputable a la Administración el retraso en el pago derivado de la falta de conformidad del contratista principal a la factura presentada por el subcontratista.

Como se puede observar, la reseñada DA 51ª recoge la antigua reivindicación de muchas PYMES que intervenían en las licitaciones como empresas subcontratadas, de aumentar las garantías de cobro con respecto a los contratistas principales, siendo esta una medida de gran utilidad a tales efectos.

---

ra la ejecución del Plan de Recuperación, Transformación y Resiliencia, Exposición de motivos.

Sin embargo, observamos como se deja nuevamente en manos de la Administración la facultad de implementar esta medida (*«siempre que se prevea en los pliegos»*), por lo que esta carecerá de virtualidad en un gran número de licitaciones en las que expresamente no se contemple, limitándose en dichos supuestos las posibilidades de cobro de muchas PYMES que en casos de impago se verán abocadas a largos y costos procesos judiciales, los cuales serían fácilmente evitables de tratarse esta medida de un mandato imperativo para la Administración.

3. CONCLUSIONES

En una economía globalizada, donde las grandes corporaciones juegan un papel preeminente, la participación de las PYMES en la contratación pública ofrece indudables beneficios que no pueden ser ignorados, ya que permite una relación directa de estas empresas y de sus trabajadores, con todo el tejido empresarial y la mano de obra que conllevan, con las entidades públicas. Además estas empresas poseen habitualmente un mayor arraigo en el territorio en el que desarrollan su actividad, repercutiendo de manera directa en la economía local y en la propia cohesión social, siendo fundamentales para la transición de la UE y de España hacia una economía sostenible.

Por tanto, un incremento de la adjudicación de contratos a las PYMES tendrá un efecto multiplicador en el fomento del empleo y el crecimiento sostenible, con un importante impacto en las comunidades locales, generando, asimismo, una mayor competencia en los procedimientos de licitación pública, lo que permitirá obtener al Sector Público bienes y servicios en unas condiciones más ventajosas, con la consiguiente racionalización del uso de recursos públicos.

En este sentido, las medidas implantadas por la Ley 9/2017, de 8 de noviembre, de Contratos del Sector Público, están permitiendo lograr algunos avances en el porcentaje de PYMES que participan en licitaciones públicas. El valor de la contratación con PYMES ha aumentado, pasando del 35,2% del valor económico de la contratación pública en 2018 al 42,2% en 2020, resultando también significativo que, en cuanto a número de contratos, el 62,9% de todos los contratos públicos formalizados en 2020 se han realizado con PYMES[13]. En todo caso, y como ya expusimos en nuestra introducción, estos datos serán algo inferiores, en cuento que estas cifras se han obtenido únicamente de datos de contratos registrados en la Plataforma de Contratación del Sector Público (PLACSP) y en Plataformas autonómicas.

Pero a pesar de esta cierta mejora, teniendo en cuenta, como también vimos en la introducción, que el peso de las PYMES —en cuanto a empresas registradas en España— es del 99,83%[14], empleando al 64,23% del total de asalariados y generando en torno al 61% del valor añadido total, la contratación con PYMES sigue estando por debajo de los objetivos fijados; y muchas de las medidas implantadas por la LCSP (en ocasiones por la discrecionalidad de su utilización por parte de los órganos de contratación) no han logrado conseguir los resultados perseguidos con las misma, por lo que se sigue haciendo necesario que la Administración continúe avanzando en esta materia, implantando definitivamente medidas que apuesten de una vez por todas por impulsar y proteger a las PYMES y su digitalización, sin que ello conlleve una merma de la calidad de los servicios públicos.

Bibliografía

Junta Consultiva de Contratación Pública del Estado, Informe 6/2016 *«Posible fraccionamiento del objeto del contrato en contrato de mantenimiento de parque automovilístico»*, de 27 de abril de 2017.

Ayuntamiento de Madrid, *«Guía de contratación pública municipal para PYMES, autónomos y entidades del tercer sector»*, mayo de 2018.

Ministerio de Industria, Comercio y Turismo, *«Guía práctica de la contratación Pública para las PYME»*, diciembre 2019.

Ministerio de Industria, Comercio y Turismo y Ayuntamiento de Valladolid, *«Guía básica para las entidades del sector público»* (2019).

Junta Consultiva de Contratación Pública del Estado, Informe 12/2020 *«sobre diversas cuestiones referentes a un contrato dividido en lotes»*, de 29 de julio de 2020.

Presidencia del Gobierno, *«Plan de Recuperación, transformación y resiliencia»*, octubre 2020.

---

[13]   Datos obtenidos del «Informe trienal relativo a la contratación pública en España, 2018, 2019 y 2020» de la Junta Consultiva de Contratación Pública, publicado en abril de 2021.

[14]   https://industria.gob.es/es-es/estadisticas/Paginas/estadisticas-y-publicaciones-sobre-pyme.aspx

Comisión Nacional de los Mercados y la Competencia (CNMC), «Guía sobre Contratación Pública y Competencia», diciembre 2020.

Oficina Independiente de Regulación y Supervisión de la Contratación (OIReScon), *«Informe Anual de Supervisión de la contratación pública de España de 2020 (IAS 2020)»*, diciembre de 2020.

Ministerio de Industria, Comercio y Turismo, *«Marco estratégico en política de Pymes 2030. Informe de seguimiento anual»*, marzo 2021.

Junta Consultiva de Contratación Pública, *«Informe trienal relativo a la contratación pública en España, 2018, 2019 y 2020»*, abril 2021.

Consejo de Europa (2021), *«Informe de la Comisión sobre Aplicación y mejores prácticas de las políticas nacionales de contratación pública en el Mercado Interior»*, 20 de mayo de 2021.

Análisis y evolución de las principales figuras de colaboración público-privada. ¿Cuál ha sido el impacto del real decreto-ley 36/2020 tras un año en vigor?

Antonio Luis Bañón Rodríguez
*Asociado Sénior - Departamento de Derecho Público
y Sectores Regulados de Deloitte Legal*

Guillermo Bernabéu Torregrosa
*Abogado - Departamento de Derecho Público y
Sectores Regulados de Deloitte Legal*

SUMARIO: 1. LA COLABORACIÓN PÚBLICO-PRIVADA: DEFINICIÓN, CARACTERÍSTICAS Y POTENCIAL. 2. LOS OBJETIVOS MARCADOS POR EL REAL DECRETO-LEY 36/2020 EN MATERIA DE COLABORACIÓN PÚBLICO PRIVADA. 3. PROBLEMÁTICAS DETECTADAS EN LA APLICACIÓN DE LAS DISTINTAS FÓRMULAS DE COLABORACIÓN PÚBLICO-PRIVADA. 3.1 Selección del socio privado. 3.2 Ausencia de desarrollo específico de las previsiones del RD-ley 36/2020. 4. CONCLUSIONES.

1. LA COLABORACIÓN PÚBLICO-PRIVADA: DEFINICIÓN, CARACTERÍSTICAS Y POTENCIAL

A día de hoy no existe una definición uniforme y precisa en la normativa de lo que se entiende por colaboración público-privada (en adelante, «**CPP**») y, si preguntásemos por ella, no encontraríamos definiciones bien acotadas, sino que el único denominador común de las respuestas dadas sería que para que ésta se pueda dar es necesario que tanto entidades del sector público como del sector privado pusiesen en común medios, de cualesquiera naturaleza, para perseguir un objetivo compartido.

En este sentido se pronuncia el «*Libro Verde sobre la colaboración público privada y el Derecho comunitario en materia de contratación pública y concesiones*» (en adelante, el «**Libro**») cuando se refiere a que la CPP carece de definición en el ámbito comunitario y que, en general, se entiende por ésta a «*las diferentes formas de cooperación entre las autoridades públicas y el mundo empresarial, cuyo objetivo es garantizar la financiación, construcción, renovación, gestión o el mantenimiento de una infraestructura o la prestación de un servicio*».

Como se puede apreciar, se trata de una definición muy amplia; lógico si se piensa en la gran cantidad de ordenamientos jurídicos que conviven bajo el paraguas de la Unión Europea, cada uno de ellos con sus fobias y sus filias, que impiden sintetizar en una única definición los matices y perspectivas que cada uno de estos ordenamientos presenta.

Sin embargo, a pesar de la vaguedad de la definición, el Libro esboza los siguientes elementos comunes como definitorios de la CPP:

- La **duración** relativamente larga de la relación, que implica la cooperación entre el socio público y el privado en diferentes aspectos del proyecto que se va a realizar.

- El **modo de financiación del proyecto**, en parte garantizado por el sector privado, en ocasiones a través de una compleja organización entre diversos participantes. No obstante, la financiación privada puede completarse con financiación pública, que puede llegar a ser muy elevada.

- El importante papel del **operador económico**, que participa en diferentes etapas del proyecto (diseño, realización, ejecución y financiación). El socio público, por su parte, se concentra esencialmente en definir los objetivos que han de alcanzarse en materia de interés público, calidad de los servicios propuestos y política de precios, al tiempo que garantiza el control del cumplimiento de dichos objetivos.

- El **reparto de los riesgos** entre el socio público y el privado, al que se le transfieren riesgos que habitualmente soporta el sector público. No obstante, las operaciones de CPP no implican necesariamente que el socio privado asuma todos los riesgos derivados de la operación, ni siquiera la mayor parte de ellos. El reparto preciso de los riesgos se realiza caso por caso, en función de las capacidades respectivas de las partes en cuestión para evaluarlos, controlarlos y gestionarlos.

Además, también establece una distinción que no es baladí: la diferenciación entre la CPP de tipo puramente contractual –en las que la colaboración entre los sectores público y privado se basa en vínculos exclusivamente convencionales– y la institucionalizada –que implica la cooperación entre los sectores público y privado en el seno de una entidad diferente, creada *ex novo*–.

Mientras que el modelo arquetípico de las relaciones de CPP de carácter contractual sería el modelo concesional a través del cual un ente privado asume la responsabilidad de la ejecución y explotación de una obra o de la prestación de un servicio (en ambos casos, de titularidad pública), el modelo de relaciones institucionalizadas estaría representado, principalmente, por las sociedades de economía mixta.

Debe de señalarse a este respecto que, aunque *stricto sensu*, las concesiones puedan ser consideradas como fórmulas de CPP, lo cierto es que, hoy en día, su objeto se relaciona en mayor medida con el ámbito de la contratación pública, por lo que, a efectos del presente artículo, no se las tendrá en cuenta como tales.

Una vez establecido lo anterior, y en lo que respecta a las ventajas de la CPP, ésta plantea ventajas para todos los integrantes de ésta. Por un lado, para el sector privado supone importantes ventajas: acceder a grandes proyectos que no se harían sin la participación del sector público, apertura de nuevos mercados, compartir riesgos, oportunidades de negocio, e incluso obtener beneficios sin riesgo operacional. Asimismo, para el sector público supone, en teoría, reducir costes en la prestación de servicios, obtener conocimiento y *expertise* de los que no dispone, compartir o transferir el riesgo, controlar mejor los costes y los plazos de ejecución y acceder a mayor financiación e inversión[1].

Teniendo en cuenta esta primera introducción, se exponen a continuación cuáles han sido los avances más recientes en la implementación de este tipo de relaciones de colaboración y cuáles son las principales deficiencias normativas que se han detectado a este respecto.

2. LOS OBJETIVOS MARCADOS POR EL REAL DECRETO-LEY 36/2020 EN MATERIA DE COLABORACIÓN PÚBLICO PRIVADA

Al amparo del programa *Next Generation EU*[2], el pasado 31 de diciembre de 2020, se publicó en el Boletín Oficial del Estado el Real Decreto-ley 36/2020, de 30 de diciembre, por el que se aprueban medidas urgentes para la modernización de la Administración Pública y para la ejecución del Plan De Recuperación, Transformación Y Resiliencia *(Tol 8246331)* (en lo sucesivo, el «**RD-ley 36/2020**») que tiene por objeto la implementación de las modificaciones normativas necesarias para permitir una ágil y eficiente selección, seguimiento, evaluación y coordinación de los distintos proyectos integrantes del Plan de Recuperación, Transformación y Resiliencia (en adelante, el «**PRTR**») ante el gran reto de optimizar la absorción de los fondos europeos que se canalizarán a través del programa *Next Generation EU*.

---

[1] ALSINA BURGUÉS, Victoria y GONZÁLEZ DE MOLINA, Eduardo: *«La colaboración público-privada como vector de innovación: casos de éxito en España»* (2019).

[2] European Commission, Directorate-General for Budget, *The EU's 2021-2027 long-term budget & NextGenerationEU: facts and figures*, Publications Office, 2021, https://data.europa.eu/doi/10.2761/808559: *«In 2020, the European Union provided an unprecedented response to the coronavirus crisis that hit Europe and the world. At its heart is a stimulus package worth EUR 2018 trillion in current prices (EUR 1.8 trillion in 2018 prices). It consists of the EU's long-term budget for 2021 to 2027 of EUR 1.211 trillion (EUR 1.074 trillion in 2018 prices), topped up by EUR 806.9 billion (EUR 750 billion in 2018 prices) through NextGenerationEU, a temporary instrument to power the recovery»*

El RD-ley 36/2020 *(Tol 8246331)*, en su Exposición de motivos, señala que para el desarrollo de los planes europeos será necesaria la colaboración de todos los actores, públicos y también privados por lo que la participación y la gobernanza multinivel será necesaria. Con el fin de desarrollar esta fórmula, el texto en cuestión plantea nuevas fórmulas de colaboración público-privada a la vez que desarrolla el contenido de otras preexistentes.

Así, siendo sin duda una de las más esperadas novedades, se desarrolla la regulación de una nueva figura: los Proyectos Estratégicos para la Recuperación y Transformación Económica (en lo sucesivo, «**PERTE**»), que se introduce con vocación de permanencia, sin limitarse, por tanto, a la implementación del PRTR. Este instrumento de colaboración público-privada pretende servir como un punto de conexión entre la iniciativa pública y privada para ofrecer un marco jurídico previsible, en el que se puedan desarrollar soluciones innovadoras, estratégicas y colaborativas.

De acuerdo con el RD-ley 36/2020 *(Tol 8246331)*, la ejecución de los PERTE podrá llevarse a cabo a través de cualquiera de los mecanismos previstos en el ordenamiento, estableciéndose en la norma que el Ministerio proponente deberá acompañar al proponerlo una memoria que especifique los mecanismos de CPP proyectados y los criterios para identificar a posibles interesados.

Además de la posibilidad de confeccionar un PERTE, con la finalidad de dinamizar los mecanismos de colaboración público-privada, el RD-ley 36/2020 *(Tol 8246331)* también resalta en su articulado los siguientes instrumentos de colaboración público-privada:

- Agrupación de personas físicas o jurídicas, públicas o privadas sin personalidad, en los términos previstos en el apartado 3 del artículo 11 de la Ley 38/2003, de 17 de noviembre, General de Subvenciones *(Tol 318687)*.

- Consorcio entendido como entidades de derecho público, con personalidad jurídica propia y diferenciada, creadas por varias Administraciones Públicas o entidades integrantes del Sector Público institucional, entre sí o con participación de entidades privadas, para el desarrollo de actividades de interés común a todas ellas dentro del ámbito de sus competencias, en los términos previstos en el artículo

118 y siguientes de la Ley 40/2015, de 1 de octubre, de Régimen Jurídico del Sector Público *(Tol 5494100)* (en adelante, la «**LRJSP**»).

- Sociedades de Economía Mixta. El diseño de las sociedades de capital con participación pública, en tanto entidades de naturaleza privada, es extremadamente flexible, puesto que su sujeción a la normativa mercantil dota a dicho instrumento de una mayor capacidad de adaptación de la que se tendría bajo el paraguas de las normas administrativas. Sin embargo, esta flexibilidad atiende a ciertas particularidades en función del tipo de sociedad de capital con participación pública de que se trate. Así, dentro de las sociedades con participación de capital público caben distinguir dos regímenes distintos dependiendo del grado de participación de ese capital. Podríamos hablar de (i) las sociedades de economía mixta con una participación pública mayoritaria; y (ii) las sociedades mercantiles con participación pública minoritaria, que a pesar de regirse por normativa similar en lo que se refiere a su constitución y en la selección del socio privado, la primera posee una serie de prerrogativas en relación con la adjudicación de ciertos contratos del Sector Público y la normativa del programa *Next Generation EU* articulados a través del RD-ley 36/2020.

- Convenios de colaboración. Si bien esta figura no se encuentra prevista dentro de las recogidas en el Capítulo VII del Título IV, «*Instrumentos de colaboración público-privada para la ejecución del Plan de Recuperación, Transformación y Resiliencia de la Economía Española*», sino dentro del Capítulo IV relativo a las «*Medidas de agilización de los convenios financiables con fondos europeos*», no debe de olvidarse que el artículo 47 de la LRJSP *(Tol 5494100)* permite que este tipo de instrumentos se formalicen con sujetos de derecho privado, por lo que, a pesar de que su regulación se encuentra separada del resto de figuras, consideramos que debe de tenerse en cuenta como una alternativa a estos efectos.

Así, el Título IV del RD Ley 36/2020 *(Tol 8246331)*, con el fin de que la ejecución del PRTR pueda llevarse a cabo de la forma inmediata para que los efectos previstos sobre la economía española se comiencen a notar lo antes posible[3], incorpora un conjunto de especialidades en materia de gestión y control presupuestario, en los procedimientos de elaboración normativa y la tramitación de los procedimientos administrativos, en la contratación pública, los convenios administrativos, las subvenciones, y algunas técnicas de colaboración público-privada[4], todo ello con el fin de adaptar la regulación ya existente a las necesidades concretas de esta situación excepcional.

Sin embargo, la idea principal que debe subrayarse es que el RD-ley 36/2020 no decide las estructuras posibles de colaboración público-privada ni los mecanismos de licitación o ayudas públicas, en el sentido de restringir o encauzar los proyectos del Plan hacia un único vehículo jurídico. Las Administraciones Públicas competentes podrán elegir el instrumento más adecuado para estructurar o vehicular los proyectos conforme a su carácter, extensión, condición tractora, volumen de inversión o eje sectorial, por mencionar algunos. Por tanto, el espíritu último del texto es el de dotar a las distintas Administraciones Públicas de diferentes instrumentos que les ayuden a canalizar los fondos europeos de una manera ágil y eficaz y, sobre todo, flexible.

3. PROBLEMÁTICAS DETECTADAS EN LA APLICACIÓN DE LAS DISTINTAS FÓRMULAS DE COLABORACIÓN PÚBLICO-PRIVADA

El aspecto extrajurídico que más se ha destacado en las críticas efectuadas a la forma en la que se están tramitando los fondos europeos es, sin lugar a duda, el exceso de optimismo en relación con la capacidad de las distintas Administraciones Públicas para llegar a gestionarlas con la adecuada eficacia, eficiencia y celeridad, dado que en muchos casos se recela de que éstas cuenten con los recursos necesarios para ello en el corto plazo en el que se pretende que lo hagan. Así, no es de extrañar que, hasta la fecha, solo hayan

---

[3]   Exposición de Motivos del Real Decreto-ley 36/2020 *(Tol 8246331).*

[4]   La concesión y el procedimiento administrativo: Dos instituciones administrativas en simbiosis. 30 de noviembre de 2021. Coordinador: Josep Ramón Fuentes i Gasó. *(Tol 8677688)*

sido aprobados tres PERTEs, y siendo solo uno de ellos -el destinado al desarrollo del vehículo eléctrico y conectado- el que ha recibido un cierto grado de desarrollo normativo[5].

Sin embargo, y en relación con los aspectos jurídicos en sentido estricto, los PERTEs no han sido la única figura que ha recibido críticas, en tanto que, con el transcurso del tiempo, se han podido apreciar las deficiencias regulatorias de algunas figuras de CPP ya presentes en nuestro ordenamiento jurídico que, ya sea por deficiencias normativas o por la omisión de determinados aspectos fundamentales para dotar de seguridad jurídicas a los actores que actúen en dicho ámbito, han suscitado controversia en determinados puntos que deben de ser abordados.

A continuación, entramos a valorar las dos problemáticas detectadas de mayor calado en relación con las figuras de CPP.

3.1 Selección del socio privado

En primer lugar, una de las deficiencias más relevantes del RD-ley 36/2020 *(Tol 8246331)* a este respecto es el de haber tratado de desarrollar fórmulas de colaboración público-privada sin haber subsanado los problemas de los que éstas adolecían con carácter previo.

Así, el artículo 59 de dicha norma permite, por ejemplo, la canalización de fondos europeos a través de la figura del convenio de colaboración prevista en los artículos 47 y siguientes de la LRJSP *(Tol 5494100)*, y que son definidos como *«los acuerdos con efectos jurídicos adoptados por las Administraciones Públicas, los organismos públicos y entidades de derecho público vinculados o dependientes o las Universidades públicas entre sí o con sujetos de derecho privado para un fin común»*.

Además, es importante destacar que existe una previsión adicional en el artículo 47 de la LRJSP *(Tol 5494100)* relativa a que dichos convenios *«no podrán tener por objeto prestaciones propias de los contratos. En tal caso, su naturale-*

---

[5]   Real Decreto-ley 29/2021, de 21 de diciembre, por el que se adoptan medidas urgentes en el ámbito energético para el fomento de la movilidad eléctrica, el autoconsumo y el despliegue de energías renovable *(Tol 8695062)*.

za y régimen jurídico se ajustará a lo previsto en la legislación de contratos del sector público».

El problema surge al analizar el procedimiento de formación de los convenios, dado que en la LRJSP *(Tol 5494100)* se establece que éstos se perfeccionan por la prestación del consentimiento de las partes, no requiriéndose ningún tipo de procedimiento caracterizado por la publicidad y la concurrencia, lo que hace que la figura del convenio de colaboración sea, en muchas ocasiones, una tapadera de relaciones con entidades privadas que, en última instancia, sí poseen caracteres de relación contractual.

Este problema es compartido por otras de las figuras de colaboración público-privada. Así, el artículo 67 del RD-ley 36/2020 *(Tol 8246331)* establece que las bases reguladoras para la concesión de subvenciones de actividades vinculadas con el PRTR podrán establecer que puedan ser beneficiarias las agrupaciones de personas físicas o jurídicas, públicas o privadas sin personalidad, en los términos previstos en el apartado 3 del artículo 11 de la LGS.

Si acudimos a la normativa de subvenciones ahí señalada encontramos una previsión similar, aunque más desarrollada, ya que además de lo anterior añade que estas comunidades o unidades económicas potencialmente adjudicatarias de la ayuda deben de poder llevar a cabo los proyectos, actividades o comportamientos o encontrarse en la situación que motiva la concesión de la subvención.

Sin embargo, una vez más, no se establece ningún procedimiento competitivo para seleccionar a los candidatos junto a los cuales el ente del sector público pueda concurrir a la convocatoria en cuestión, limitándose a establecer que *«los miembros de la agrupación deberán suscribir, con carácter previo a la formulación de la solicitud, un acuerdo interno que regule su funcionamiento, sin que sea necesario que se constituyan en forma jurídica alguna para ello».*

Lo mismo puede decirse de la figura de los consorcios público-privados, no encontrándose ni en el RD-ley 36/2020 *(Tol 8246331)* ni en la LRJSP *(Tol 5494100)* ningún procedimiento para seleccionar al potencial colaborador en el consorcio.

Esta situación genera un perjuicio evidente y es que, a la hora de seleccionar a un sujeto privado para participar en un proyecto de CPP, el riesgo de arbitrariedad es elevado, máxime si se tiene en cuenta que, dada la flexibilidad que otorga el no estar sujeto a regulación alguna a este respecto puede provocar que muchos de los receptores públicos de los fondos provenientes del PRTR opten por este tipo de fórmulas y traten de evitar otras que sí poseen ese grado de desarrollo.

Este es un problema que también afecta, aunque de manera parcial, como se verá más adelante, a las sociedades de economía mixta, si bien éstas sí que poseen un proceso de selección del socio privado, que ha sido desarrollado tanto por la jurisprudencia como por diferentes instrumentos de *soft law*, como la «*Comunicación interpretativa de la Comisión relativa a la aplicación del Derecho comunitario en materia de contratación pública y concesiones a la colaboración público-privada institucionalizada (CPPI)*» (en adelante, la «**Comunicación**»).

Sin embargo, los convenios de colaboración, las agrupaciones o los consorcios público-privados no pueden beneficiarse de lo dispuesto en la Comunicación, pues su ámbito de aplicación se circunscribe a la CPPI, entendiéndose por ésta la «*cooperación entre socios del sector público y del sector privado que crean una entidad de capital mixto para la ejecución de contratos públicos o concesiones*», no creándose en ninguno de los casos anteriores una personalidad jurídica *ex novo* que justifique su aplicación. En cualquier caso, las antedichas fórmulas deben de ser catalogadas como relaciones de colaboración puramente contractuales, tal y como se entiende en el sentido expuesto en el Libro.

Siendo este el caso, deben de diferenciarse distintos escenarios según pueda entenderse que el objeto de la CPP es la ejecución de un contrato en el sentido de la LCSP o no.

Si el objeto de la CPP es la ejecución de un contrato:

a) En el caso de que el objeto de las actividades a desempeñar estuviesen cubiertas por las Directivas en materia de contratación pública, la solución sería clara, pues en este caso entrarían en aplicación las disposiciones de la Ley 9/2017, de 8 de noviembre, de Contratos del Sector Público *(Tol 6414318)* (en adelante, la «**LCSP**») lo que implica la necesidad de celebrar un procedimiento de licitación para seleccionar al socio privado de acuerdo con el régimen aplicable, de la misma forma en la que se haría con una sociedad de economía mixta.

A este respecto, cabe destacar la ausencia de un procedimiento específico para llevar a cabo la antedicha selección. No se prevé en la LCSP *(Tol 6414318)* ni en la LRJSP *(Tol 5494100)* un cauce de creación *ad hoc* para el caso en el que se trate de constituir una sociedad de economía mixta para la realización de un determinado proyecto, por lo que los requisitos necesarios para su constitución deben de ser extraídos de los diferentes instrumentos de *soft law* existentes, así como de las resoluciones de los órganos jurisdiccionales y administrativos aplicables a cada caso concreto.

En este sentido, la sentencia 1610/2019 del Tribunal Supremo de 20 de noviembre de 2019 *(Tol 7591955)* establece lo siguiente:

> *«Debemos partir de la consideración, aceptada por la sentencia de instancia, de que la selección del socio privado en una sociedad de economía mixta ha de efectuarse de conformidad con las normas establecidas en el propio TRLCSP para la adjudicación del contrato cuya ejecución constituya su objeto (disposición adicional 29ª del TRLCSP)».*

No obstante, nótese que la anterior resolución hace referencia, de manera exclusiva, a la formación de sociedades de economía mixta, no existiendo referencia alguna al resto de fórmulas de colaboración público-privada. A pesar este extremo, parece lógico pensar que, en tanto que la actividad objeto de la CPP recaería sobre el ámbito objetivo de la LCSP y de las Directivas en materia de contratación pública, su formación también deberá de someterse a las mismas reglas.

b) Si, por el contrario, el objeto de la CPP, aunque ésta se articule a través de una sociedad de economía mixta, no se encuentra cubierto por las Directivas en materia de contratación pública, el escenario se torna más complicado, dado que las previsiones de la LCSP *(Tol 6414318)* no serían, en principio, de aplicación. Sin embargo, el Tribunal Constitucional ha tenido la oportunidad de pronunciarse a este respecto en relación con los ya extintos contratos de gestión de servicios públicos en su sentencia 84/2015 de 30 abr. 2015, Rec. 1884/2013 *(Tol 5171554)* (el énfasis es nuestro):

> *«A este respecto, aun cuando el contrato de gestión de servicios públicos no es un contrato armonizado (art. 13 TRLCSP), esto es, no está sujeto ni a la Directiva 2004/18/CE ni a la Directiva 2014/24/UE, que deroga la anterior y está aún pen-*

diente de transposición, *la encomienda por una autoridad pública a un tercero de la prestación de actividades de servicios, debe respetar el principio de igualdad de trato y sus expresiones específicas,* que son la prohibición de discriminar en razón de la nacionalidad, y los artículos 43 y 49 del Tratado CE (sobre la libertad de establecimiento y la libre prestación de servicios, respectivamente. Así lo ha afirmado la Comisión europea [Comunicación interpretativa relativa a la aplicación del derecho comunitario en materia de contratación pública y concesiones a la colaboración público-privada institucionalizada (DOUE 12-4-2008) y el Tribunal de Justicia de la Unión europea (por todas, Sentencia 14 de noviembre de 2013, Caso Belgacom NV contra Interkommunale voor Teledistributie van het Gewest Antwerpen (Integan) y Otros)».

En este mismo sentido se pronuncia la Comunicación, si bien solo en relación con la CPPI, que establece un grado de vinculación diferente a esta normativa en función de si el objeto del contrato se encuentra enteramente cubierto por las Directivas en materia de contratación pública. Así, se establece que «*cuando la misión asignada a una entidad de capital mixto es la ejecución de un contrato público enteramente cubierto por las directivas sobre los contratos públicos, el procedimiento de selección del socio privado está determinado por esas directivas. Cuando se trata de una concesión de obras o de un contrato público parcialmente cubiertos por dichas directivas, paralelamente a las disposiciones pertinentes de las citadas directivas, son aplicables las normas y los principios fundamentales del Tratado CE. En el caso de los servicios que figuran en el anexo II B de la Directiva 2004/18/CE, se aplicarán los principios fundamentales del Tratado CE a que se refieren los artículos 43 y 49 cuando esos contratos puedan considerarse de interés indudable para las empresas situadas en un Estado miembro distinto del de la entidad adjudicadora en cuestión. Por último, en el caso de una concesión de servicios o de un contrato público no cubierto por las directivas sobre los contratos públicos, la selección de un socio privado se ha de hacer con arreglo a los principios del Tratado CE*».

Ahora bien, una vez establecido lo anterior, cabría preguntarse qué ocurriría en el caso de que el ámbito de actuación de una colaboración público-privada no se circunscribiese a la ejecución de un contrato. Cabe recordar a este respecto que el artículo 2 de la LCSP *(Tol 6414318)* define a los contratos del sector público de la siguiente manera:

«*Son contratos del sector público y, en consecuencia, están sometidos a la presente Ley en la forma y términos previstos en la misma, los contratos onerosos,*

cualquiera que sea su naturaleza jurídica, que celebren las entidades enumera-
das en el artículo 3.
Se entenderá que un contrato tiene carácter oneroso en los casos en que el
contratista obtenga algún tipo de beneficio económico, ya sea de forma directa
o indirecta»

Como se puede apreciar, la definición presentada en la LCSP *(Tol 6414318)* es excepcionalmente amplia, siendo esto lógico si lo que se pretende es que los integrantes del sector público no eludan dicha normativa y se sometan así a los procedimientos y principios de ésta. La importancia de lo anterior reside en que el cumplimiento de los principios de la contratación pública y, muy especialmente en este caso, los de libertad de acceso a las licitaciones, publicidad y transparencia, constituyen garantías fundamentales para evitar que se produzcan arbitrariedades en la asignación del erario. Es decir, que la existencia y la necesidad de cumplimiento de los antedichos principios, así como el de todos los preceptos de la normativa en materia de contratación pública, se justifica, en este caso, como una salvaguarda para que el carácter oneroso de los contratos lleve aparejado un proceso de selección del socio privado caracterizado por la concurrencia y la transparencia, permitiendo así a la entidad oferente obtener la mejor oferta calidad-precio.

Así pues, el cumplimiento de la normativa en materia de contratación está vinculado de manera indisoluble al carácter oneroso de los contratos.

A *sensu contrario*, podría entenderse que las fórmulas de colaboración público-privada que pudieran eludir ese carácter oneroso también podrían eludir las responsabilidades y requerimientos de la normativa.

Lo anterior es congruente con la previsión del artículo 47 de la LRJSP *(Tol 5494100)*, en el que se establece que los convenios *«no podrán tener por objeto prestaciones propias de los contratos»* dado que, en tal caso, su naturaleza y régimen jurídico se ajustará a lo previsto en la legislación de contratos del sector público. Dicho de otro modo, es precisamente esa falta de onerosidad en el objeto de los convenios de colaboración lo que justifica su exención de la normativa de contratos, no estando, por tanto, sujetos a las obligaciones en materia de publicidad y concurrencia.

Lo mismo podría decirse de las agrupaciones y de los consorcios previstos, respectivamente, en los artículos 67 y 68 del RD-ley 36/2020 *(Tol*

8246331), dado que, si su objeto, cualquiera que éste sea, no tuviese carácter oneroso, podrían eludir la normativa de contratación del sector público, pudiéndose incluso defender que la entidad del sector público en cuestión tuviese plena discrecionalidad para elegir a su socio. De hecho, en el caso específico de los consorcios, el artículo 120.3 de la LRJSP *(Tol 5494100)* establece de manera expresa que, en el caso de que en uno de ellos participe una entidad privada, éste no podrá tener ánimo de lucro.

El problema de la anterior caracterización de estas fórmulas de colaboración público-privada reside en que, de darse como correcta la anterior descripción, es decir, que éstas no permiten en ningún caso que los participantes privados tengan, ni directa ni indirectamente, beneficio económico, es difícil imaginar qué interés podrían tener éstos en la CPP.

De hecho, el problema anteriormente descrito no es el único que podría presentarse dado que, ya no es solo que, en el caso de que no pudiese existir ningún elemento de onerosidad, los participantes privados no tuviesen ningún interés en participar, sino que, aún de ser así y participar igualmente (quizás entidades privadas sin ánimo de lucro, como puedan ser, por ejemplo, fundaciones), es difícilmente defendible que los integrantes privados no estarían obteniendo beneficios económicos por el mero hecho de participar. Esto es así porque, en última instancia, la canalización de los fondos *Next Generation* va a llevarse a cabo, principalmente, a través de subvenciones y contratos públicos, estando expresamente previsto, para el caso de las agrupaciones, que en el acuerdo de constitución de los mismos se dejarán reflejados, entre otros aspectos, la *«propiedad de los resultados»*[6].

Algo parecido ocurre en el caso de los consorcios público-privados, siendo el ejemplo más representativo el consorcio anunciado para montar la primera fábrica de baterías[7]. Nótese a este respecto que, desde que se anunció y hasta el día de hoy, no se han vuelto a tener noticias sobre el avance en la ejecución de este proyecto, pero aun dejando este extremo de lado, es difícil creer que dicha colaboración no vaya a tener una repercusión

---

[6] Artículo 67.2 f) del RD-ley 36/2020 *(Tol 8246331).*

[7] https://www.lamoncloa.gob.es/serviciosdeprensa/notasprensa/industria/Paginas/2021/040321-maroto-seat.aspx

económica beneficiosa para las partes integrantes, lo cual no solo sería esperable, sino también deseable, teniendo en cuenta que es ese lucro el que va a estimular que diferentes figuras privadas se acerquen a la Administración Pública, teniendo ésta, por ello, un mayor elenco de potenciales integrantes de la colaboración.

A todo lo anterior habría que sumarle la definición extremadamente amplia que la jurisprudencia europea ha fijado del concepto de la onerosidad. En este sentido, en las Conclusiones del Abogado General SR. Michal Bobek presentadas el 28 de mayo de 2020 en el Asunto C–367/19 establecen lo siguiente:

> *«Por consiguiente, un contrato oneroso es, ante todo, un contrato sinalagmático que implica que las partes se obligan la una frente a la otra a efectuar prestaciones precisas y recíprocas. La naturaleza de dichas prestaciones debe determinarse desde la formación del contrato. Dichas prestaciones deben ser exigibles sobre la base de dicho contrato. En cambio, la contrapartida que cabe exigir es más flexible. No tiene que consistir necesariamente en una compensación de naturaleza monetaria. Lo importante es que la contrapartida sea clara, precisa y exigible sobre la base del contrato suscrito».*

Por tanto, actualmente ni siquiera es necesario para que un contrato sea considerado como oneroso que la contrapartida sea de naturaleza monetaria, sino que simplemente debe de existir una contrapartida o, dicho de otra forma, que se trate de una relación sinalagmática. De hecho, doctrinalmente ya se han puesto de manifiesto las posibles incongruencias en la diferenciación entre los convenios de colaboración y los contratos[8].

En conclusión, con el fin de establecer mejoras en la selección de los socios privados en el marco de las diferentes fórmulas de CPP, sería necesario, por un lado, poner finalmente de manifiesto el carácter esencialmente oneroso de la CPP y, por otro, positivizar un procedimiento específico de selección del socio privado que cumpla con los principios del TFUE, evitando así la tentación de que los sujetos de naturaleza pública traten de acudir a instrumentos en los cuales no exista ningún tipo de fiscalización a este respecto.

---

[8]   http://obcp.es/opiniones/el-caracter-oneroso-de-los-contratos-publicos

3.2 Ausencia de desarrollo específico de las previsiones del RD-ley 36/2020

Como ya se ha señalado anteriormente, tan solo han sido objeto de aprobación tres PERTEs y solamente uno de ellos ha sido objeto de desarrollo normativo relevante. Y es que, a pesar de no tener tal consideración, podría decirse que el contenido del RD-ley 36/2020 *(Tol 8246331)* posee un marcado carácter programático, esto es, que gran parte de su contenido está destinado a desplegarse a través de la aplicación de normas o actos aprobados con posterioridad. El motivo es que la mayor parte de los fondos destinados a desarrollar el PRTR tienen fijadas como principales vías de aplicación las subvenciones y los contratos del sector público, siendo estos instrumentos objeto de normativas específicas preexistentes.

Un ejemplo muy ilustrativo de esta falta de desarrollo lo podemos encontrar en Real Decreto 853/2021, de 5 de octubre, por el que se regulan los programas de ayuda en materia de rehabilitación residencial y vivienda social del Plan de Recuperación, Transformación y Resiliencia *(Tol 8603067)* (en adelante, el «**Real Decreto 853/2021**»), que en su exposición de motivos V señala la congruencia entre éste y el RD-ley 36/2020 *(Tol 8246331)*[9]. Así, el Real Decreto 853/2021 *(Tol 8603067)*, que dota de un marco regulatorio en relación con los fondos provenientes del PRTR destinados a la rehabilitación de viviendas, a pesar de establecer las líneas generales de aplicación de éstos, no termina de aclarar cuáles serán las fórmulas específicas a través de las cuales se desarrollarán.

Este punto es relevante porque el plazo máximo para la ejecución de proyectos vinculados al PRTR es diciembre de 2026[10] lo que, unido a la falta de claridad a este respecto y a lo dilatado que puede ser un proceso para la

---

[9]   *«Asimismo, se ajusta a lo establecido en el Real Decreto-ley 36/2020, de 30 de diciembre, por el que se aprueban medidas urgentes para la modernización de la Administración Pública y para la ejecución del Plan de Recuperación, Transformación y Resiliencia, con la finalidad de acometer un proceso de modernización de la Administración Pública que le proporcione las herramientas necesarias para acometer la ejecución del Plan y la mejor gestión de fondos, impulsando la colaboración público-privada entre las administraciones públicas y el sector privado»*

[10]   Oficina Independiente de Regulación y Supervisión de la Contratación: *«Guía Básica Plan de Recuperación, Transformación y Resiliencia».* 7 de septiembre de 2021.

constitución de una fórmula de CPP, puede poner en peligro la ejecución de proyectos vinculados a dicho Plan. Así, pensemos por ejemplo en la ejecución de un proyecto concreto vinculado al PRTR a través de una sociedad de economía mixta, la que, tal y como se ha señalado anteriormente ha de constituirse de conformidad con las normas establecidas en la normativa de contratación pública para la adjudicación del contrato cuya ejecución constituya su objeto.

Esto se traduce en que, en el caso de que se quiera ejecutar un contrato de obras vinculado al PRTR, será necesario cumplir con los plazos previstos en la LCSP *(Tol 6414318)* para este tipo de contratos lo que, unido a la posibilidad de que se interpongan sucesivos recursos, tanto ante los Tribunales Administrativos como ante los Tribunales de lo contencioso, puede provocar que el procedimiento se dilate sustancialmente. A lo anterior habría que sumar el hecho de que, aunque se adjudique el contrato en un plazo razonable, existen multitud de trámites subsiguientes a este momento que deben de formalizarse con el fin de constituir la sociedad de economía mixta, y puede transcurrir incluso más tiempo desde este momento hasta que la sociedad inicie su actividad de forma efectiva.

Este vicio también es predicable del resto de fórmulas de CPP previstas en el RD-ley 36/2020, desde los PERTEs, debido a su escaso grado de concreción actual, hasta los convenios de colaboración, los consorcios o las agrupaciones.

Si bien es cierto que se han hecho algunos esfuerzos por agilizar la tramitación de estos aspectos, como puede ser la exención de la habilitación legal en el caso de los consorcios[11] o la posibilidad de adjudicar de manera los contratos de concesión de obras y servicios a aquellas sociedades de economía mixta que cumplan con los requisitos del artículo 69 del RD-ley 36/2020 *(Tol 8246331)*, esto no sería suficiente para cumplir con los exigentes plazos marcados en el PRTR.

A esta falta de agilidad a la hora de formalizar las diferentes fórmulas de CPP se le debe de añadir las medidas tomadas a la hora de acelerar la ejecución de las subvenciones vinculadas al PRTR, en tanto que, tal y como

---

[11]　Artículo 68.2 del RD-ley 36/2020 *(Tol 8246331)*.

se señala en el artículo 61 del RD-ley 36/2020 *(Tol 8246331)*, «*Las bases reguladoras de las subvenciones financiables con fondos europeos podrán incorporar la convocatoria de las mismas*», todo ello con el fin de impulsar su tramitación.

Esta medida, junto al resto de medidas previstas con este mismo fin[12], puede conllevar una falta de congruencia entre la celeridad dotada al procedimiento de la convocatoria de las ayudas y la lentitud en la constitución de las fórmulas de CPP. En consecuencia, esta disonancia podría traducirse en que, derivada de la falta de previsión específica acerca de las vías a través de las cuales se van a materializar los fondos, ni los actores de naturaleza pública ni los de naturaleza privada tengan el tiempo suficiente para reaccionar, impidiéndoles de esta manera articular los mecanismos adecuados para que la CPP pueda finalmente materializarse.

4. CONCLUSIONES

Tal y como reza la Exposición de motivos del RD-ley 36/2020, la necesaria comunión entre el desarrollo de los planes europeos y la colaboración de todos los actores, públicos y también privados, se torna indisoluble, no como una mera herramienta para aunar recursos y poder de esta manera canalizar los fondos *Next Generation EU* en tiempo y forma, sino como una fórmula que permita que éstos se filtren a todos los estratos de la sociedad, habilitando de esta manera que el *expertise* que se desarrolle a lo largo de la ejecución de los proyectos pueda llegar al sector privado.

Lo anterior es relevante en la medida en que solo de esta manera podrá conseguirse que el tejido productivo evolucione, siendo éste la base del crecimiento futuro y la diferencia entre un estímulo temporal y una transformación estructural del modelo productivo. Sin embargo, para llegar a este punto, es necesario tener en cuenta dos aspectos esenciales.

---

[12]　Artículo 61.2 del RD-ley 36/2020 *(Tol 8246331)*: «*Para la tramitación de la aprobación de las bases reguladoras y la convocatoria de estas subvenciones tan solo serán exigibles el informe de los Servicios Jurídicos correspondientes, y el informe de la Intervención Delegada al que hace referencia el artículo 17.1, párrafo segundo, de la Ley 38/2003, de 17 de noviembre, General de Subvenciones, que, en todo caso será emitido en el plazo improrrogable de diez días naturales*».

Por un lado, es necesario establecer un procedimiento de selección de los socios privados que evite arbitrariedades o irregularidades en la asignación de fondos. Esta regulación serviría, de un lado, para salvaguardar los intereses de los contribuyentes, al establecer un control formal sobre la decisión de adjudicación y, de otro, para reflejar el carácter oneroso de las relaciones de CPP, lo que entendemos, incentivaría la participación de los sujetos privados y permitiría además al sector público de elegir dentro de un mayor elenco más competitivo, al socio más capacitado.

Por el otro, y asumiendo que el procedimiento de CPP estaría sujeto a dilaciones que podrían ser justificadas, es imperativa una previsión más detallada del plan de acción que se va a seguir en el reparto y asignación de los fondos con el fin de que, tanto los actores privados como los públicos, puedan coordinar sus esfuerzos con el suficiente grado de antelación como para cumplir con los exigentes plazos previstos en el PRTR.

Los daños sufridos por los empleados públicos en acto de servicio: a vueltas con el principio de indemnidad

Ana María Barrachina Andrés
Letrado-Asesor Jurídico del Ayuntamiento de Alicante

SUMARIO: 1. EL PRINCIPIO DE INDEMNIDAD EN LA FUNCIÓN PÚBLICA. 2. DAÑOS PRODUCIDOS POR LA ADMINISTRACIÓN A LA QUE SE SIRVE. 3. DAÑOS PRODUCIDOS POR OTROS EMPLEADOS PÚBLICOS O AUTORIDADES. 4. DAÑOS PRODUCIDOS POR TERCEROS AJENOS A LA ADMINISTRACIÓN. 4.1 Cuestiones procedimentales. 4.1.1 Plazo para efectuar la reclamación. 4.1.2 Plazo para resolver y régimen del silencio administrativo. 4.1.3 Legitimación pasiva de la Administración. 4.2 Cuestiones procesales: recursos contra las sentencias. 4.3 Cuestiones materiales: montante de la indemnización. 5. CONCLUSIÓN.

1. EL PRINCIPIO DE INDEMNIDAD EN LA FUNCIÓN PÚBLICA

De forma general, la indemnidad se define como el principio que obliga al resarcimiento íntegro del daño o lesión ocasionados o al pago íntegro del valor de lo expropiado (Diccionario RAE del Español Jurídico). Supone el derecho de toda persona a quedar indemne, a ser íntegramente reparada por todos los daños —con independencia de su calificación y cuantificación— que sufra y que, obviamente, se le hayan causado sin su intervención, si bien esta última afirmación ha de ser matizada, pues frecuentemente existen casos en los que el sujeto dañado puede haber colaborado en mayor o menor medida, con mayor o menor intensidad, en la producción del resultado lesivo; en tales casos, su intervención servirá para modular el régimen de responsabilidad.

La Constitución consagra en su artículo 106 el derecho de los particulares a ser indemnizados por toda lesión que sufran en cualquiera de sus bienes y derechos, salvo en los casos de fuerza mayor, siempre que la lesión sea consecuencia del funcionamiento de los servicios públicos. Sobre este precepto descansa el régimen de la responsabilidad patrimonial de las Administraciones, que se desarrolla en la Ley 39/2015, de 1 de octubre, del Procedimiento Administrativo Común de las Administraciones Públicas, y en la Ley 40/2015, de 1 de octubre, de Régimen Jurídico del Sector Público.

Sin embargo, en el ámbito del empleo público debe tenerse en cuenta la especial vinculación que poseen los empleados públicos con relación a las Administraciones Públicas en las que prestan servicio, vinculación que excede la propia y general de los ciudadanos. En efecto, la relación de empleo, sea estatutaria o sea laboral, se desenvuelve con arreglo a sus propias normas, sin que en tal relación pueda contemplarse a los empleados públicos como meros ciudadanos. Al contrario, la Administración ocupa la posición de empleadora, lo que le genera un conjunto de obligaciones protectoras de sus trabajadores.

En este campo, nuestra norma de cabecera va a ser el Real Decreto Legislativo 5/2015, de 30 de octubre, por el que se aprueba el Texto Refundido del Estatuto Básico del Empleado Público (en adelante TREBEP), norma ésta que posee carácter básico (artículo 149.1.18ª de la Constitución) y resulta aplicable al conjunto de las Administraciones Públicas. El TREBEP dedica su Título III a los derechos de los empleados públicos, reconociendo en su artículo 14 un amplio haz de derechos individuales. Destacaremos ahora los plasmados en sus letras d (sobre la percepción de indemnizaciones por razón del servicio), f (sobre la defensa jurídica y protección de la Administración Pública en los procedimientos que se sigan ante cualquier orden jurisdiccional como consecuencia del ejercicio legítimo de sus funciones o cargos públicos), l (sobre el derecho a recibir protección eficaz en materia de seguridad y salud en el trabajo) y o (sobre el derecho a las prestaciones de la Seguridad Social correspondientes al régimen que sea aplicable). Igualmente, debemos tomar en consideración el artículo 28 del TREBEP, que en materia retributiva establece que los funcionarios percibirán las indemnizaciones correspondientes por razón del servicio. Por otra parte, el artículo 4.2.d) del Real Decreto Legislativo 2/2015, de 23 de octubre, por el que se aprueba el texto refundido de la Ley del Estatuto de los Trabajadores, reconoce a los trabajadores sometidos a relaciones reguladas por el Derecho Laboral el derecho a su integridad física y a una adecuada política de prevención de riesgos laborales; además, el artículo 19 reconoce el derecho a una protección eficaz en materia de seguridad y salud en el trabajo, correlativo a la obligación de observar las medidas legales y reglamentarias de seguridad y salud en el trabajo.

Sobre la base de estos postulados, podemos efectuar ahora la primera de nuestras afirmaciones: el empleado público tiene derecho a ser protegido y resarcido por los daños que sufra en el legítimo ejercicio de sus funciones, pudiendo distinguir dos vertientes en la producción u origen del daño, según éste sea causado por la actuación activa u omisiva de la Administración a la que sirve, sus empleados y sus agentes, o si dicho daño es causado mediante la intervención de un tercero ajeno a la misma.

Como veremos en los siguientes apartados, la casuística se revela enorme, lo que dificulta el establecimiento de reglas generales o comunes.

2. DAÑOS PRODUCIDOS POR LA ADMINISTRACIÓN A LA QUE SE SIRVE

En este punto nos vamos a adentrar en los casos en los que el empleado público resulta dañado cuando media una actuación de su propia Administración, que bien por acción o bien por omisión no ha activado los resortes necesarios para garantizar una efectiva protección en el trabajo. Hablamos, así, de las contingencias profesionales: los accidentes de trabajo y las enfermedades profesionales, vinculadas por razones espacio-temporales a la prestación del servicio.

Comenzando por las enfermedades profesionales, se definen en el artículo 157 del Real Decreto Legislativo 8/2015, de 30 de octubre, por el que se aprueba el texto refundido de la Ley General de la Seguridad Social, como las contraídas a consecuencia del trabajo ejecutado por cuenta ajena en las actividades que se especifiquen en el cuadro que se apruebe por las disposiciones de aplicación y desarrollo de esta ley, y que estén provocadas por la acción de los elementos o sustancias que en dicho cuadro se indiquen para cada enfermedad profesional. Por su parte, se define el accidente de trabajo en el artículo 156 del mismo Real Decreto Legislativo 8/2015, como toda lesión corporal sufrida por el trabajador con ocasión o por consecuencia del trabajo ejecutado por cuenta ajena, incluyéndose también las lesiones producidas en el trayecto habitual entre el centro de trabajo y el domicilio del trabajador (accidente de trabajo *in itinere*). Engloba únicamente las lesiones corporales, quedando fuera de su ámbito aplicativo los daños en bienes materiales del empleado (por ejemplo, rotura de las gafas tras caída en centro de trabajo).

Las contingencias profesionales, especialmente los accidentes de trabajo, pueden responder, principalmente, a dos causas: de un lado, pueden ser fortuitos, en el sentido de que no media culpa ni responsabilidad de nadie, ni de la Administración titular del centro de trabajo, ni tampoco del empleado accidentado (pensemos, por ejemplo, en una caída fortuita en el centro de trabajo con resultado de esguince); de otro lado, pueden ser provocados/ agravados por el incumplimiento de las normas sobre prevención de riesgos laborales a que está obligada la Administración empleadora ex artículo 3.1 de la Ley 31/1995, de 8 de noviembre, de prevención de Riesgos Laborales, incumplimiento que puede apreciarse tanto si las medidas preventivas establecidas fueran inadecuadas como insuficientes, o cuando simplemente no existan (pensemos, ahora, en esa misma caída pero debida a la falta de la adecuada señalización de un escalón).

En el primer caso, el del accidente de trabajo fortuito, en su producción no media negligencia, ni culpa ni dolo imputables al trabajador ni al empleador. Por ello, el trabajador quedará amparado y protegido mediante la prestación de asistencia sanitaria unida a las prestaciones económicas que, por incapacidad temporal y en su caso permanente, tenga derecho a lucrar de conformidad con el correspondiente régimen protector de Seguridad Social o similar. Además, en el caso de que la Administración empleadora tenga acordadas mejoras sobre este régimen protector de la Seguridad Social, o incluso en el caso de que tenga asegurados los riesgos derivados de los accidentes de trabajo, el trabajador tendrá derecho a su lucro.

En el segundo caso, la anterior protección del trabajador podrá verse incrementada de dos maneras: primeramente, con el aumento del importe de las prestaciones a consecuencia de la imposición del recargo sobre las mismas previsto en el artículo 164 del Real Decreto Legislativo 8/2015, de 30 de octubre, por el que se aprueba el texto refundido de la Ley General de la Seguridad Social, por la falta de adopción de las medidas de seguridad requeridas y adecuadas en relación al trabajo desempeñado; y además y en segundo lugar, con el resarcimiento de los daños causados mediante una indemnización que el empleado público deberá reclamar de su Administración empleadora. Téngase en cuenta que el incumplimiento de las normas de prevención de riesgos laborales puede dar lugar, además, a la imposición de las correspondientes sanciones administrativas, y al respecto el artículo 42.3 de la Ley 31/1995, de 8 de noviembre, de prevención de Riesgos Laborales, destaca la compatibilidad de éstas con los recargos de prestaciones económicas del sistema de Seguridad Social y con las indemnizaciones por los daños y perjuicios causados.

Y aquí encontramos una cuestión sumamente importante: ¿cómo debe realizarse esta reclamación indemnizatoria y cuál es el órgano jurisdiccional competente para decidirla?

Acudiremos a la Ley 36/2011, de 10 de octubre, reguladora de la Jurisdicción Social, en cuyo artículo 2.b) se atribuye la competencia a los órganos de la jurisdicción social en relación con las acciones que puedan ejercitar los trabajadores o sus causahabientes contra el empresario o contra aquéllos a quienes se les atribuya legal, convencional o contractualmente responsabilidad, por los daños originados en el ámbito de la prestación de servicios o que tengan su causa en accidentes de trabajo o enfermedades profesionales, incluida la acción directa contra la aseguradora y sin perjuicio de la acción de repetición que pudiera corresponder ante el orden competente. Este precepto parece quedar limitado a las acciones que se ejercitan en el marco del contrato de trabajo sometido a la normativa laboral, de Derecho Privado. No obstante, el apartado e) del precepto se va a referir de forma expresa al personal funcionario al determinar la competencia del orden jurisdiccional social para garantizar el cumplimiento de las obligaciones legales y convencionales en materia de prevención de riesgos laborales, tanto frente al empresario como frente a otros sujetos obligados legal o convencionalmente, así como para conocer de la impugnación de las actuaciones de las Administraciones públicas en dicha materia respecto de todos sus empleados, bien sean éstos funcionarios, personal estatutario de los servicios de salud o personal laboral, que podrán ejercer sus acciones, a estos fines, en igualdad de condiciones con los trabajadores por cuenta ajena, incluida la reclamación de responsabilidad derivada de los daños sufridos como consecuencia del incumplimiento de la normativa de prevención de riesgos laborales que forma parte de la relación funcionarial, estatutaria o laboral; y siempre sin perjuicio de las competencias plenas de la Inspección de Trabajo y Seguridad Social en el ejercicio de sus funciones.

No obstante, parece que se produce cierta colisión con la Ley 29/1998, de 13 de julio, reguladora de la Jurisdicción Contencioso-Administrativa, en cuyo artículo 2.e) se declara la competencia de este orden contencioso-administrativo para conocer de las cuestiones que se susciten en relación a la responsabilidad patrimonial de las Administraciones públicas, *cualquiera que sea la naturaleza de la actividad o el tipo de relación de que derive*, no pudiendo ser demandadas aquellas por este motivo ante los órdenes jurisdiccionales civil o social, aun cuando en la producción del daño concurran con particulares o cuenten con un seguro de responsabilidad. Sin embargo, como más adelante veremos, la protección de los empleados públicos no se canaliza a través del instituto de la responsabilidad patrimonial de la Administración empleadora, sino mediante el principio de indemnidad.

En cualquier caso, la Sala Especial de Conflictos de Competencia del Tribunal Supremo, en Auto nº 12/2019, de 6 de mayo, ha determinado claramente que la competencia resulta legalmente atribuida al orden jurisdiccional social, valorando con énfasis lo dispuesto en la Exposición de Motivos de la Ley 36/2011, de 10 de octubre, reguladora de la Jurisdicción Social, que aboga por racionalizar la distribución competencial entre los órdenes jurisdiccionales en el ámbito de las relaciones laborales en evitación del denominado «peregrinaje de jurisdicciones»; de este modo, concluye el Tribunal Supremo afirmando que el orden social se convierte en el garante del cumplimiento de la normativa de prevención de riesgos laborales, incluso en el caso de que no se hayan derivado daños de su incumplimiento; esta garantía alcanza no solo a los trabajadores sujetos a relación laboral, sino también a los funcionarios públicos y al personal estatutario.

Así pues, entendemos que los daños sufridos por empleados públicos en acto de servicio, sin mediar culpa, negligencia o dolo por su parte, sean personal laboral o lo sean funcionarios, y que sean debidos a la intervención directa activa u omisiva de su Administración empleadora principalmente por el incumplimiento de las normas en materia de prevención de riesgos laborales, deben ser reclamados finalmente ante los órganos de la jurisdicción social.

3. DAÑOS PRODUCIDOS POR OTROS EMPLEADOS PÚBLICOS O AUTORIDADES

No es infrecuente, desgraciadamente, que los conflictos que pueden existir durante la convivencia más o menos prolongada de un grupo de personas se desarrollen también en el campo laboral, en el centro de trabajo y durante la jornada ordinaria. Existen situaciones de confrontación entre los diversos trabajadores que no pocas veces desembocan en conductas intolerables para la buena marcha de la organización. Algunas veces, tales conductas, las más graves, tienen incidencia en la salud del trabajador afectado como sujeto pasivo o destinatario de las mismas. Nos referimos, como ya habrá advertido el lector, a los casos de acoso laboral o *mobbing*.

El acoso laboral puede constituir un delito. Así aparece tipificado en el artículo 173 del Código Penal, que castiga con pena de prisión de seis meses a dos años a los que, en el ámbito de cualquier relación laboral o funcionarial y prevaliéndose de su relación de superioridad, realicen contra otro de forma reiterada actos hostiles o humillantes que, sin llegar a constituir trato degradante, supongan grave acoso contra la víctima. Obviamente, la transcendencia penal solo puede predicarse de las conductas más graves por su intensidad, duración temporal o reiteración. Las conductas de acoso indudablemente provocan daños en el trabajador que las sufre, daños que se somatizan en el plano físico y moral.

Siendo consciente de esta problemática, y debiendo la Administración garantizar la adecuada protección de la salud de sus empleados, debe estar atenta a la manifestación de estas conductas lesivas, activando de inmediato los mecanismos tendentes a su cesación, reproche al causante y protección de la víctima. Para ello, es necesario que la Administración sea conocedora del conflicto generado, siendo recomendable que el trabajador sometido al hostigamiento efectúe la denuncia correspondiente; de esta forma, con el conocimiento de los hechos que tal denuncia proporciona, la Administración quedará vinculada al necesario cumplimiento de sus obligaciones sin que pueda excusarse en el desconocimiento de la situación conflictiva. Para ello, son diversos los protocolos de actuación frente al acoso laboral aprobados por las Administraciones, cuya importancia y trascendencia se revela en la Sentencia del Tribunal Constitucional nº 56/2019, de 6 de mayo (recurso de amparo 901/2018), a cuyo tenor: *«si la administración hubiera aplicado correctamente el protocolo, habría puesto remedio a la vulneración del derecho a la integridad moral del recurrente (art. 15 CE); al no hacerlo, ha agravado la lesión. Para el demandante de amparo resultó objetivamente humillante que se archivara su denuncia y que se hiciera con el argumento de que pudo al menos manifestar su opinión durante el descanso funcionarial en una cafetería fuera de la Gerencia; admitiendo expresamente que los trabajadores restantes despachaban individualmente dentro del edificio y tenían atribuido un ámbito funcional propio».*

Ello es así porque, al margen de las acciones que el trabajador lesionado en su salud pueda ejercitar directamente contra el sujeto activo del daño, esto es contra el compañero o superior acosador, y al margen también de la responsabilidad penal, disciplinaria o de cualquier otro orden que pueda imputarse al mismo, es la Administración empleadora la responsable en última instancia de garantizar la adecuada protección de la salud y de la integridad de sus empleados. De ahí que la falta de atención a esta problemática pueda constituirse en la base de una reclamación por los daños sufridos, en el sentido de que pudiendo y debiendo intervenir, la Administración adoptó una postura de total pasividad ante el conflicto, provocando incluso su agravamiento y, con ello, el aumento de los daños y perjuicios padecidos por la víctima.

Desde luego, si el conflicto alcanza dimensiones propias del Derecho Penal, la responsabilidad personal de los autores que, a su vez, sean empleados públicos o autoridades de la Administración en cuyo seno se comete el delito, no va a excluir de ninguna manera la responsabilidad civil de ésta. A estos efectos, el artículo 121 del Código Penal establece que el Estado, la Comunidad Autónoma, la provincia, la isla, el municipio y demás entes públicos, según los casos, responden subsidiariamente de los daños causados por los penalmente responsables de los delitos dolosos o culposos, cuando éstos sean autoridad, agentes y contratados de la misma o funcionarios públicos en el ejercicio de sus cargos o funciones siempre que la lesión sea consecuencia directa del funcionamiento de los servicios públicos que les estuvieren confiados, sin perjuicio de la responsabilidad patrimonial derivada del funcionamiento normal o anormal de dichos servicios exigible conforme a las normas de procedimiento administrativo, y sin que, en ningún caso, pueda darse una duplicidad indemnizatoria; añade el precepto que si se exigiera en el proceso penal la responsabilidad civil de la autoridad, agentes y contratados de la misma o funcionarios públicos, la pretensión deberá dirigirse simultáneamente contra la Administración o ente público presuntamente responsable civil subsidiario.

Clarificado el tema penal, pudiera ocurrir no obstante que las conductas generadoras del daño en el empleado público no alcanzasen la intensidad requerida para el inicio de actuaciones penales, si bien no por ello deben quedar sin reproche pues el propio TREBEP en su artículo 95.2.o) califica como infracción muy grave el acoso laboral.

Son varios los pronunciamientos relevantes en relación a las conductas constitutivas de acoso laboral protagonizadas por empleados, destacando sobre todos ellos la reciente sentencia nº 763/2020 del Juzgado de lo Contencioso-Administrativo Uno de Elche (Alicante) dictada en el recurso contencioso-administrativa 14/2019, seguido por el procedimiento especial para la protección de los derechos fundamentales, sentencia que condena al Ayuntamiento implicado al abono de una indemnización por la falta de activación del protocolo interno frente al acoso, lo que fue generador de la vulneración del derecho fundamental a la integridad reconocido en el artículo 15 de la Carta Magna.

Ahora bien, y como señalábamos en el apartado anterior, la jurisdicción competente para la reclamación de indemnizaciones a cargo de la Administración es la social en tanto en cuanto los daños deriven de la inobservancia de las acciones protectoras de la salud de los trabajadores, comprendidos los funcionarios y el personal estatutario (artículo 2.e Ley 36/2011). Así se ha pronunciado la Sala de lo Social del Tribunal Supremo, reiterando pronunciamiento anteriores, en su sentencia n° 487/2021 (recurso de casación para la unificación de doctrina 1634/2019). Y ello aunque la reclamación se canalice a través del proceso especial para la protección de los derechos fundamentales, por cuanto la atribución competencial al orden social, en materia de prevención de riesgos laborales, es plena.

4. DAÑOS PRODUCIDOS POR TERCEROS AJENOS A LA ADMINISTRACIÓN

Este campo resulta el más novedoso en cuanto ha sido objeto de recientes pronunciamientos de la Sala Tercera del Tribunal Supremo. Partiendo de la protección que la Administración, como empleadora, debe procurar a sus trabajadores en el legítimo ejercicio de sus funciones, son frecuentes los casos en que los que se producen daños causados directamente por la intervención de un tercero. En estos supuestos, es fácil pensar que la Administración es ajena a la dinámica productora del daño, sin que medie tampoco incumplimiento de sus obligaciones en materia de prevención de riesgos laborales ni exista culpa *in vigilando* o *in eligendo*. Esto es, la Administración, como entidad, no interviene a la producción del daño, puesto que no existe acción u omisión administrativa que lo provoque, contribuya o aumente; es el tercero el que despliega una conducta generadora de un daño para el empleado público que cumple adecuadamente sus cometidos.

Nuestro enfoque se sitúa principalmente en los daños que sufren los miembros de los Cuerpos y Fuerzas de Seguridad cuando, en el desarrollo de funciones operativas, son lesionados por terceros. Es ante este tipo de situaciones sobre las que el Tribunal Supremo ha desarrollado una jurisprudencia, analizando supuestos en los que el tercero causante del daño había sido condenado penalmente y, posteriormente, se había declarado su insolvencia respecto al pago de las indemnizaciones económicas, dejando con ello al empleado público lesionado sin obtener el resarcimiento de los daños padecidos; en suma, no lográndose la plena efectividad del principio de indemnidad.

El Tribunal Supremo considera que en tales casos —condena penal del tercero responsable y su posterior declaración judicial de insolvencia— el empleado público tiene el derecho a reclamar de la Administración por los daños sufridos, en una suerte de sustitución del responsable al pago de las indemnizaciones que correspondan.

Sentado lo anterior, los problemas que afronta el Tribunal Supremo comienzan por el análisis del tipo de acción que asiste al empleado dañado y del procedimiento por el que debe canalizarse su ejercicio. La respuesta que se dé a ambas cuestiones constituirá la clave de bóveda del régimen resarcitorio a favor de los empleados públicos. Y en este punto, las sentencias dictadas hasta la fecha dejan sentado que no estamos en el ámbito de la responsabilidad patrimonial de las Administraciones Públicas, sino que estamos tratando con el principio de indemnidad. Así, la Sentencia nº 956/2020 (recurso de casación 2519/2018) conoció del litigio entablado entre un Mozo de Escuadra y la Generalidad de Cataluña por la reclamación efectuada por el primero al haber sido lesionado en acto de servicio por una tercera persona que a la postre resultó condenada penalmente, siendo posteriormente declarada su insolvencia; esta sentencia fija la siguiente doctrina: Las lesiones y perjuicios sufridos por los agentes de policía como consecuencia de acciones ilícitas de las personas sobre las que ejercen, sin culpa o negligencia por su parte, las funciones que son propias de su cargo deben ser resarcidos por la Administración, mediante el principio del resarcimiento o de indemnidad, principio general que rige para los empleados públicos. La base de este pronunciamiento la encontramos en los artículos 14.d) y 28 del TREBEP, si bien el Tribunal Supremo también se apoya en el artículo 1729 del Código Civil afirmando que «*el principio general de resarcimiento o indemnidad es un principio inherente al sentido instrumental de toda Administración. En la medida en que quienes la sirven no actúan en interés propio sino en el público —en el de todos— si sufren daño o perjuicio en el servicio, sin mediar culpa o negligencia, se les debe resarcir directamente por la propia Administración en cuyo nombre actúan. Por eso, venga o no expresado en preceptos concretos, hay que recordar que el artículo 1729 del Código civil establece la obligación de que el mandante indemnice al mandatario todos los daños y perjuicios que le haya causado el cumplimiento del mandato sin culpa ni imprudencia del mismo mandatario».*

La exclusión del campo de la responsabilidad patrimonial no debe quedarse en el plano testimonial, sino que tiene verdadera trascendencia jurídica en un triple plano: procedimental, procesal y material.

4.1 Cuestiones procedimentales

4.1.1 Plazo para efectuar la reclamación

Resulta especialmente relevante todo lo referido al plazo para efectuar la reclamación. Es bien sabido que conforme el artículo 67.1 de la Ley 39/2015, de 1 de octubre, del Procedimiento Administrativo Común de las Administraciones Públicas, el plazo para reclamar por la vía de la responsabilidad patrimonial es de un año desde la producción del hecho o del acto que motive la indemnización o la manifestación de su efecto lesivo, si bien en los casos de daños de carácter físico o psíquico a las personas, el plazo empezará a computarse desde la curación o la determinación del alcance de las secuelas. El inicio de este plazo de un año ha sido matizado por el propio Tribunal Supremo cuando el lesionado se ha visto inmerso ante un procedimiento tendente al reconocimiento de la incapacidad laboral permanente en alguno de sus grados, sea este procedimiento seguido en vía administrativa ante los órganos gestores de la Seguridad Social, sea posteriormente mantenido en la oportuna vía judicial tramitada ante los órganos de las jurisdicción social competente para conocer del asunto (artículo 2.o de la Ley 36/2011, reguladora de la Jurisdicción Social); en estos casos, si el lesionado con declaración de incapacidad permanente formula posteriormente reclamación de responsabilidad patrimonial contra la Administración Pública que considera responsable del daño, tiene declarado el Tribunal Supremo en su Sentencia n° 463/2019 (recurso de casación 4399/2017) *que «el "dies a quo" del cómputo del plazo de prescripción para el ejercicio de una acción de responsabilidad patrimonial por los perjuicios causados por una prestación médica de los servicios públicos (o, como en este caso, de una Mutua laboral) es el de la fecha de curación, o como aquí acontece, desde la fecha en la que, con conocimiento del afectado, quedaron definitivamente estabilizadas las secuelas,*

con independencia y al margen de que, con base en esas mismas secuelas, se siga
expediente para la declaración de incapacidad y cualquiera que sea su resultado». O
lo que es lo mismo, que el plazo para reclamar por la vía de la responsabilidad patrimonial no queda interrumpido por el ejercicio de las acciones
necesarias para procurar el reconocimiento de la incapacidad permanente
en alguno de sus grados.

Dicho lo anterior, y como quiera que el Tribunal Supremo ha dejado
sentado que las reclamaciones por el principio de indemnidad que estamos
analizando pertenecen a la esfera de los asuntos de personal al servicio de las
Administraciones Públicas, aquel plazo de un año propio del sistema de responsabilidad patrimonial no resultará aplicable. Por ello, podremos concluir
que el plazo para reclamar en supuestos como los que analizamos es el de
cuatro años previsto en el artículo 25 de la Ley 47/2003, de 26 de noviembre, General Presupuestaria.

4.1.2 Plazo para resolver y régimen del silencio administrativo

En cuanto al plazo de duración del procedimiento, y a falta de una norma general que lo discipline (y sin perjuicio de normas sectoriales de aplicación a determinados colectivos), la Administración está obligada a dictar
resolución expresa en el plazo de tres meses al considerar aplicable el artículo
21.3 de la Ley 39/2015.

Igualmente, el régimen del silencio administrativo ante la falta de resolución expresa en plazo tampoco será necesariamente el previsto para
las reclamaciones de responsabilidad patrimonial. Con respecto a éstas,
dispone el artículo 24.1 de la Ley 39/2015 que el silencio tiene efectos
desestimatorios, silencio que se produce por el transcurso del plazo de seis
meses desde que se inició el procedimiento sin que haya recaído y se notifique resolución expresa (artículo 91.3 de la Ley 39/2015). No resultando
de aplicación este régimen, podríamos pensar que el criterio general habrá
de ser el del sentido estimatorio del silencio en aplicación del artículo 24
de la Ley 39/2015. Sin embargo, hemos de tener presentes las previsiones
que, al respecto, en materia de silencios administrativos, incorpora el Real
Decreto 1777/1994, de 5 de agosto, de adecuación de las normas reguladoras de los procedimientos de gestión de personal a la Ley 30/1992, de 26
de noviembre, de Régimen Jurídico de las Administraciones Públicas y del

Procedimiento Administrativo Común. Esta norma, que ha sido declarada vigente por el Tribunal Supremo en su Sentencia nº 710/2019 (recurso de casación 246/2016), establece en su artículo 2.k) el sentido negativo del silencio en relación a las solicitudes relativas a procedimientos, no incluido en el apartado 1 del artículo 3 de este Real Decreto, cuya resolución implique efectos económicos actuales o pueda producirlos en cualquier otro momento.

4.1.3 Legitimación pasiva de la Administración

Finalmente, también resulta interesante analizar qué concreta Administración es la que debe resarcir al empleado público dañado, si lo es aquella con respecto a la cual se mantiene la relación de empleo o si, en cambio, lo es aquella que resulte titular de la competencia pública en base a la que actúa el empleado público. Esta cuestión se ha planteado con ocasión de la reclamación efectuada por un Policía Local ante la Administración General del Estado como titular de las competencias en materia de seguridad pública. En la respuesta ofrecida por el Tribunal Supremo en su sentencia nº 1003/2020 (recurso de casación 6071/2018) se recuerda que el principio general de resarcimiento o indemnidad es inherente al sentido instrumental de toda Administración pública, y que por ello *«en la medida en que quienes sirven a la Administración no actúan en interés propio sino en el público —en el de todos— si sufren daños o perjuicio en el servicio, sin mediar culpa o negligencia, se les debe resarcir directamente, a ellos o a sus herederos, por la Administración en cuyo nombre actúan, en este caso, por el Ayuntamiento de Barcelona».* No deja lugar a dudas: la Administración responsable del abono de las indemnizaciones en base al principio de indemnidad es la Administración empleadora, al ser ésta la Administración de la que se depende y a la que se prestan los servicios. Esta doctrina se reitera por el Tribunal Supremo en su sentencia nº 913/2021 (recurso de casación 7834/2019), sentencia que introduce un importante matiz en relación a la prescripción de la reclamación al señalar que a estos efectos no puede computarse todo el tiempo transcurrido desde que originariamente el empleado público presentó su reclamación ante la Administración General del Estado hasta que se le notifique esa sentencia.

4.1.4. Cuestiones relativas al previo proceso penal

Y por último, dos apuntes relativos al previo proceso penal que fundamenta la reclamación indemnizatoria: (i) en la jurisprudencia que analizamos se parte mayoritariamente de la existencia de una condena penal firme impuesta al tercero responsable del daño causado al empleado público, así como de la declaración judicial de insolvencia. Sin embargo, encontramos una Sentencia del Tribunal Supremo que también alude a la posibilidad de que el tercero causante no sea localizado. Es la sentencia n° 1207/2020 (recurso de casación 6137/2017), que analiza el caso de una agente del Cuerpo de Mozos de Escuadra que sufre lesiones causadas por una persona extranjera que pese a ser identificada, no pudo ser localizada por el Juzgado de Instrucción, siendo el asunto penal sobreseído; con todo y con ello, en el asunto penal obraba informe forense relativo a las lesiones. Nótese que en este caso, el tercero responsable estaba identificado, aunque no localizado. Y (ii) el hecho de que la Administración empleadora no haya sido parte en el previo proceso penal no es razón que le permita desvincularse del resarcimiento indemnizatorio basado en el principio de indemnidad; el Tribunal Supremo señala en su Sentencia n° 18/2021 (recurso de casación 2278/2018) que en caso de insolvencia del condenado penalmente debe asegurarse al empleado público la restitución en la posición en la que se encontraba antes de ser lesionado y de padecer las consecuencias morales de la lesión sufrida en el ejercicio de su cometido público.

4.2 Cuestiones procesales: recursos contra las sentencias

Ocurre que, en ocasiones, las reclamaciones de los funcionarios ante la Administración no obtienen respuesta favorable, siendo necesario reclamar la tutela de los Juzgados y Tribunales del orden contencioso-administrativo. En el plano procesal, propio de la posterior vía judicial, el sometimiento de la material al ámbito del principio de indemnidad supone, al mismo tiempo, reconocer que estamos ante cuestiones litigiosas en materia de personal al servicio de las Administraciones Públicas, lo que resulta de suma importancia en relación al régimen de recursos contra las sentencias de instancia.

Como norma general, el acceso a la segunda instancia a través de la interposición de un recurso de apelación ante sentencia de un Juzgado/Juzgado Central de lo Contencioso-Administrativo, está limitado a aquellos asuntos en los que la cuantía litigiosa fuera superior a treinta mil euros; es el artículo 81.1.a de la Ley 29/1998, de 13 de julio, reguladora de la Jurisdicción Contencioso-administrativa, el que impone esta limitación. Al mismo tiempo, el artículo 86.1 de la ley procesal permite la interposición de recurso de casación contra sentencias dictadas en única instancia (esto es, contra sentencias no apelables) por órganos unipersonales —como lo son los Juzgados de lo Contencioso-Administrativo y los Juzgados Centrales de lo Contencioso-Administrativo— cuando dichas sentencias contengan doctrina que se repute gravemente dañosa para los intereses generales y además sean susceptibles de extensión de efectos; por tanto, el acceso directo a la casación está constreñido por la suma de dos requisitos: doctrina gravemente dañosa para los intereses generales y sentencia susceptible de extensión de efectos. Esta extensión de efectos se regula en el art. 110 de la Ley 29/1998, que posibilita que las sentencias estimatorias de recursos contencioso-administrativos que contengan el reconocimiento de una situación jurídica individualizada a favor del demandante y hayan sido dictadas en litigios en materia tributaria, de personal al servicio de la Administración Pública y de unidad de mercado, extiendan sus efectos a otros posibles afectados que se encuentren en la misma situación jurídica.

Así las cosas, y como regla general, tratándose de sentencias dictadas por Juzgados de lo Contencioso-Administrativo, el recurso de apelación que puede interponerse frente a las mismas queda limitado a los litigios cuya cuantía sea superior a treinta mil euros (artículo 81.1.a de la Ley 29/1998, de 13 de julio, reguladora de la Jurisdicción Contencioso-administrativa), lo que cierra la puerta de acceso a la segunda instancia a todos aquellos asuntos cuya *summa gravaminis* sea inferior. Sin embargo, al tener declarado el Tribunal Supremo que este tipo de reclamaciones fundadas en el principio de indemnidad tiene cabida en la materia de personal al servicio de las Administraciones Públicas, es posible impugnar las sentencias dictadas en única instancia por órganos jurisdiccionales unipersonales directamente ante el Tribunal Supremo a través del recurso de casación con arreglo al artículo 86.1, segundo párrafo, de la Ley 29/1998, de 13 de julio, reguladora de la Jurisdicción Contencioso-administrativa, en el bien entendido de que procederá su planteamiento ante sentencias dictadas por los Juzgados de lo Contencioso-Administrativo que sean condenatorias para las Administraciones. Dicho de otro modo, las reclamaciones judiciales basadas en el principio de indemnidad cuya cuantía no excede de treinta mil euros y que finalicen con sentencia estimatoria a favor del empleado público dictada por un Juzgado de lo Contencioso-Administrativo o por un Juzgado Central de lo Contencioso-Administrativo tienen acceso al recurso de casación ante el Tribunal Supremo. Porque son sentencias dictadas en asuntos de personal al servicio de las Administraciones Públicas (y no en materia de responsabilidad patrimonial) que condenan al reconocimiento de una situación jurídica individualizada (y por tanto son susceptibles de extensión de efectos conforme al artículo 110.1 de la Ley 29/1998, de 13 de julio, reguladora de la Jurisdicción Contencioso-administrativa. Obviamente, el planteamiento de recurso de casación en tales supuestos queda limitado a la Administración Pública demandada, pues solo las sentencias condenatorias son susceptibles de contener doctrina gravemente dañosa para los intereses generales y de producir la extensión de sus efectos; el empleado público que vea desestimada su pretensión en instancia no podrá acudir directamente al recurso de casación, sin perjuicio de la articulación de recurso de apelación en el caso de que la suma de lo reclamado sea superior a treinta mil euros.

De otro modo, es decir, en el caso de que el Tribunal Supremo no hubiera determinado que la materia ante la que nos encontramos es propia de las cuestiones de personal al servicio de las Administraciones Públicas, el régimen impugnatorio de las sentencias habría sido el general: apelación por cualquiera de las partes litigantes en caso de que la cuantía del recurso contencioso-administrativo fuera superior a treinta mil euros, firmeza de la sentencia de instancia en caso contrario.

Sin duda, el posicionamiento claro y rotundo del Tribunal Supremo abre una vía impugnatoria para todos aquellos asuntos de escasa cuantía, garantizándose así además la función normofiláctica propia del recurso de casación.

4.3 Cuestiones materiales: montante de la indemnización

Aclaradas las cuestiones procedimentales, el Tribunal Supremo avanza en sus pronunciamientos para adentrarse, también, en el importe de las indemnizaciones que deben ser satisfechas al empleado público lesionado. Y es que la duda surge a la hora de determinar el *cuantum* de las mismas, si existe alguna normativa que resulte directamente aplicable y las pueda limitar o si, por el contrario, el empleado público tiene derecho a reclamar de su Administración la cantidad reconocida en la sentencia penal firme y a cuyo pago fue condenado el tercero responsable directo de los daños.

En un primer momento, el Tribunal Supremo se inclinó por la aplicación del Real Decreto 462/2002, de 24 de mayo, sobre indemnizaciones por razón del servicio. Así, por ejemplo, en la Sentencia nº 956/2020 (recurso de casación 2519/2018), afirmaba que «*el principio de resarcimiento que se ha enunciado también está presente y no es totalmente ajeno, contra lo que se defiende en el recurso, al fundamento dogmático de las indemnizaciones por razón del servicio de los artículos 14 d) y 28 del Real Decreto Legislativo 5/2015, de 30 de octubre, por el que se aprueba el texto refundido de la Ley del Estatuto Básico del Empleado Público ni al artículo 23.4 de la Ley 30/1984. Son éstas las del Real Decreto 462/2002, de 24 de mayo, en el que existen supuestos excepcionales, como muestra su disposición adicional sexta*». También en la Sentencia nº 1003/2020 (recurso de casación 6071/2018) afirmó el Tribunal Supremo que las indemnizaciones por razón del servicio de los artículos 14 d) y 28 del TREBEP eran las que resultan del Real Decreto 462/2002, de 24 de mayo, sobre indemnizaciones por razón del servicio. Esta norma contiene una disposición adicional, la sexta, que parece dar cabida a este tipo de resarcimiento.

No obstante, a lo largo del año 2021 el Tribunal Supremo ha ido modulando su doctrina en este punto, concretando y precisando más el régimen indemnizatorio hasta llegar a la conclusión de que la cantidad que debe ser objeto de indemnización en base al principio de indemnidad es aquella a la que asciende la indemnización reconocida en la sentencia firme dictada en el previo proceso penal. La primera sentencia que encontramos en este sentido es la Sentencia nº 910/2021 (recurso de casación 7824/2019) que aborda la cuestión relativa a «*si, en el marco del principio de indemnidad, la cantidad reconocida en vía penal por daños y perjuicios ha de ser o no reconocida de modo automático como resarcimiento en vía administrativa o contencioso-administrativa, y de no ser así, concretar qué tipo de daños pueden considerarse como antijurídicos a efectos de su resarcimiento por la Administración y cuáles han de ser soportados por los policías*». La problemática se planteaba por cuanto la Administración empleadora no fue parte en el previo proceso penal, viéndose así privada de poder discutir el montante indemnizatorio a que tendría derecho su empleado. En su defensa, el funcionario afectado alegaba que la Administración Pública sí había estado representada procesalmente a través de la intervención del Ministerio Fiscal que había velado por el interés público y por el de la víctima, y a la postre se había mostrado conforme con la sentencia penal y con ello, con que el agente policial recibiera una determinada y concreta indemnización; añadía el funcionario que el montante indemnizatorio además había sido determinado por otro agente de la Administración Pública, por el Médico Forense. El Tribunal Supremo zanja la cuestión en su Sentencia nº 910/2021 (recurso de casación 7824/2019) fijando como doctrina casacional que la cantidad reconocida con carácter firme en vía penal como resarcimiento es la que debe ser reconocida como indemnidad. Apuntala este pronunciamiento en la consideración de que los complementos retributivos por el concepto de peligrosidad no ofrecen la cobertura completa del principio de indemnidad, pero además es clara la sentencia al afirmar que la Administración responsable del resarcimiento tampoco ha discutido que la indemnización fijada en el orden jurisdiccional penal no sea correcta. Y como dato de capital importancia, esta sentencia apunta a la posibilidad que tendrá la Administración pagadora de la indemnización de reclamar al responsable penal condenado, afirmando que «de devenir solvente el condenado está en manos de la Administración efectuar la correspondiente reclamación».

De este modo, el Tribunal Supremo se inclina por reconocer al empleado público lesionado el montante íntegro de la indemnización reconocida previamente y con carácter firme en un proceso penal. Este pronunciamiento se ha reiterado en las Sentencias nº 947/2021 (recurso de casación 764/2020), nº 983/2021 (recurso de casación 187/2020) y nº 1384/2021 (recurso de casación 2599/2020).

5. CONCLUSIÓN

Con el análisis de la legislación apuntada y de los diversos pronunciamientos judiciales, podemos afirmar el reconocimiento del derecho del empleado público a verse totalmente resarcido por los daños que sufra en el legítimo ejercicio de sus funciones. La Administración empleadora tanto de personal laboral como de personal funcionario o estatutario, queda compelida a responder a las pretensiones indemnizatorias de sus trabajadores.

En unos casos, cuando los daños causados tengan su origen en la falta de adopción de medidas protectoras de la salud o en la inobservancia de las mismas, será la jurisdicción social la competente para conocer y decidir sobre estas reclamaciones, sin que los órganos de lo contencioso-administrativo tenga intervención y aun cuando dicho daño sea consecuencia de las acciones desplegadas por otros empleados públicos o autoridades de la Administración empleadora. Esta competencia social es plena, y afecta a todos los empleados público con independencia de la naturaleza —laboral, funcionarial o estatutaria— de la relación de empleo.

En otros casos, cuando los daños sean directamente imputables a terceros ajenos a la relación de servicio, la Administración empleadora también quedará obligada a responder ante sus empleados si el tercero causante del daño es condenado penalmente y posteriormente se declara su insolvencia; en tales casos, las acciones judiciales que pudieran entablarse quedarán sometidas al conocimiento por la jurisdicción contencioso-administrativa en el caso de que los afectados fueran funcionarios o personal estatutario.

En definitiva, se reconoce el derecho del empleado público a resultar indemne por todos aquellos daños que se enmarquen en la relación de servicio que le une con su Administración. Y se garantiza con ello la plena efectividad de los derechos reconocidos en el artículo 14 del TREBEP con los que encabezamos este trabajo.

Contratación pública estratégica: obstáculos para su implementación y alguna propuesta de mejora

María Burzaco Samper
Profesora Propia Agregada de Derecho Administrativo
Universidad Pontificia Comillas

1. INTRODUCCIÓN

Es común la afirmación de que la llamada «contratación pública estratégica» característica de las Directivas de 2014, comporta un cambio de paradigma consistente en concebir la contratación pública como inversión y no como gasto; como medio para implementar políticas públicas de variado signo sirviendo así a objetivos colaterales al aprovisionamiento de los bienes y servicios que constituyen el fin más inmediato de cada contrato.

Indudablemente ese camino es de largo recorrido: no sólo porque su aterrizaje en las Directivas viene de trabajos previos ya lejanos en el tiempo[1], sino también porque su puesta en práctica está resultando compleja y exige algo más que las meras previsiones normativas.

Es también sabido que la traslación de las Directivas de 2014 ha dado como resultado una ley —Ley 9/2017, de 8 de noviembre, de Contratos del Sector Público (LCSP)— extensa, reglamentista incluso[2], no siempre

---

[1] Sobre los antecedentes, GIMENO FELIÚ, J. M., *El nuevo paquete legislativo comunitario sobre contratación pública. De la burocracia a la estrategia.* Thomson Aranzadi/Ministerio de Economía y Competitividad/ Universidad de Zaragoza, Cizur Menor (Navarra), 2014. En el aspecto social, del mismo autor, «Las condiciones sociales en la contratación pública: posibilidades y límites», *Anuario del Gobierno Local*, 2017, págs. 247 y ss. Es significativo que ya en el año 2008, el Informe de la Junta Consultiva de Contratación Administrativa de Aragón núm. 17/2008, de 21 de julio, ya manifestara que «la contratación no puede ser considerada un fin en sí mismo sino que debe ser visualizada como una potestad o herramienta jurídica al servicio de los poderes públicos para el cumplimiento efectivo de sus fines o sus políticas públicas. Es decir, la contratación puede —y debe, diría— ser una técnica que permitiera conseguir objetivos sociales, ambientales o de investigación, en la convicción de que los mismos comportan una adecuada comprensión de cómo deben canalizarse los fondos públicos» (págs. 2-3). Disponible en: https://www.aragon.es/documents/20127/674325/172008.pdf/fadd10ec-7a13-a914-3eff-3a1ea93e9652

[2] El afán por la regulación pormenorizada ha propiciado la invasión de competencias autonómicas. Véase el clarificador análisis acerca de lo «básico» realizado por PÉREZ FERNÁNDEZ, J. M., «La cuestión competencial en el ámbito de la contratación del sector público: la delimitación de lo básico en la doctrina constitucional (STC 68/2021, de 18 de marzo)», *Revista de Administración Pública*, núm. 216, 2021, págs. 189-221.

coherente y mediatizada por los casos de corrupción vividos en nuestro país[3].

En este escenario, la idea de la contratación como «palanca de acción pública»[4] se reconduce a tres ámbitos fundamentales de objetivos: sociales, medioambientales y de innovación. Indudablemente, para que tales fines se cumplan, es precisa su traslación a la actividad contractual, tránsito que evidencia algunas dificultades que se examinarán a lo largo de este trabajo.

Por lo demás, resulta preocupante que la contratación pública en España siga teniendo una deficiente valoración por parte de las autoridades europeas. Si nos atenemos al cuadro de indicadores del mercado único en relación con la contratación pública en general, el desempeño de España en 2020 fue «*insatisfactorio*» en la combinación de los doce factores analizados

---

[3] En este punto se ha destacado la incorporación del principio de integridad, ya en su formulación como tal principio (arts. 1 LCSP), ya en sus diversas manifestaciones (vgr. prohibiciones para contratar o normas sobre conflictos de intereses: art. 71.1 b) y art. 64 LCSP, respectivamente). Ciertamente las cifras sobre corrupción dan cuenta de la envergadura del problema: la Oficina Independiente de Regulación y Supervisión de la Contratación (OIRESCON), en el último resumen ejecutivo del Informe anual de supervisión de la contratación pública, indica que «casi un 20% de las comunicaciones o denuncias que se recibieron en 2019 por las Oficinas y Agencias de Prevención y Lucha contra el Fraude y la Corrupción se refería a la contratación pública», aunque la ausencia de una Estrategia nacional antifraude sigue dificultando la detección de algunas de estas conductas.
Este resumen ejecutivo puede consultarse en: https://www.hacienda.gob.es/RSC/ OIReScon/informe-anual-supervision-2020/ias-2020-resumen-ejecutivo-es.pdf
Sin perjuicio de los datos, estamos de acuerdo con BAÑO LEÓN cuando, denunciando la sobrerregulación, apunta que la causa de la corrupción no está en la legislación de contratos, de manera que «es un craso error rigidificar la legislación contractual porque ni se combaten con ello las causas de la corrupción ni se mejora la eficiencia de la Administración. Antes al contrario se hace extraordinariamente difícil la gestión administrativa como afirman en privado la mayoría de gestores públicos». BAÑO LEÓN, J. M., «La Ley de Contratos del Sector Público y gestión de lo público. ¿Regulación o sobrerregulación?», *Revista Aragonesa de Administración Pública* (monográfico dedicado a la ley de Contratos del Sector Público), Núm. extra 2018, pág. 17.

[4] Empleamos la sugestiva expresión del Congreso celebrado en la Universidad de Estrasburgo, y cuyas actas están publicadas en MULLER, E., *La commande publique, un levier pour l'action publique?*, Paris: Dalloz, 2018.

(y que versan sobre aspectos como la publicidad y transparencia, el acceso de las Pyme a las licitaciones, concurrencia competitiva, manejo de criterios de adjudicación que consigan la mejor calidad-precio, coordinación horizontal, celeridad de los procedimientos…)[5]. Urge cambiar este panorama cuando la situación provocada por la COVID-19 hace especialmente perentoria la exigencia de que los fondos destinados a contratación pública sirvan a objetivos de interés general acuciantes en nuestro país.

2. LA TRANSVERSALIDAD DE LA CONTRATACIÓN PÚBLICA ESTRATÉGICA EN LA LCSP

2.1 La contratación pública estratégica como «idea fuerza». Las dificultades derivadas de su aparente versatilidad

Como destaca Gallego Córcoles, el compromiso de la LCSP con la contratación pública estratégica «late en toda la norma»[6], sirviendo de apertura a la misma, reiterándola como principio y recorriendo los diversos elementos de la actividad contractual.

De acuerdo con el art. 1.3 LCSP «en toda la contratación pública se incorporarán de manera transversal criterios sociales y medioambientales siempre que guarde relación con el objeto del contrato, en la convicción de que su inclusión proporciona una mejor relación calidad precio en la prestación contractual, así como una mayor y mejor eficiencia en la utilización de los fondos públicos».

Ciertamente la «estrategia» ha de ir necesariamente conectada, si no a objetivos concretos, sí a ámbitos que aporten el marco de actuación; esto es, los tres ejes antes mencionados que traza la LCSP —social, ambiental e innovación—, al que en ocasiones se suma el componente ético.

---

[5]   https://single-market-scoreboard.ec.europa.eu/policy_areas/public-procurement_en

[6]   GALLEGO CÓRCOLES, I., «La integración de cláusulas sociales, ambientales y de innovación en la contratación pública», *Documentación Administrativa. Nueva Época*, enero–diciembre 2017, pág. 97.

La primera característica de estas esferas es su amplitud, de suerte que, aparentemente, en cada una de ellas cabe multitud de fines de interés general. Prueba evidente de ello son las múltiples estrategias, planes,… e instrumentos de esa índole (ya generales, ya de corte sectorial) que prevén la contratación como un medio idóneo para la consecución de sus objetivos[7].

Una versatilidad que, si bien puede parecer una ventaja, termina siendo un problema cuando tales fines tratan de aterrizarse en cada concreto contrato. Profundizaremos en esta cuestión al analizar la casuística conflictual.

Con todo, esa amplitud puede presentar también algunas ventajas:

a) En primer lugar, porque se cohonesta con el carácter expansivo que tiene la misión encomendada a las Administraciones Públicas que, conforme al mandato constitucional, «sirve(n) con objetividad los

---

[7]   Sin ánimo agotador y centrándonos en España:
       – *En materia ambiental*: Orden PCI/86/2019, de 31 de enero, por la que se publica el Acuerdo del Consejo de Ministros de 7 de diciembre de 2018, por el que se aprueba el Plan de Contratación Pública Ecológica de la Administración General del Estado, sus organismos autónomos y las entidades gestoras de la Seguridad Social (2018-2025) (*BOE* núm. 30, de 4 de febrero de 2019). Previamente, por Real Decreto 6/2018, de 12 de enero se creó la Comisión Interministerial para la incorporación de criterios ecológicos en la contratación pública (*BOE* núm. 19, de 22 de enero de 2018)
       – *En materia social*: Orden PCI/566/2019, de 21 de mayo, por la que se publica el Acuerdo del Consejo de Ministros de 12 de abril de 2019, por el que se aprueba el Plan para el impulso de la contratación pública socialmente responsable en el marco de la Ley 9/2017, de 8 de noviembre, de Contratos del Sector Público, por la que se transponen al ordenamiento jurídico español las Directivas del Parlamento Europeo y del Consejo 2014/23/UE y 2014/24/UE, de 26 de febrero de 2014. (*BOE* núm. 125, de 25 de mayo de 2019). Este plan vino precedido por Real Decreto 94/2018, de 2 de marzo, de la Comisión Interministerial para la incorporación de criterios sociales en la contratación pública (*BOE* núm. 57, de 6 de marzo de 2018).
       – *En innovación*: Estrategia Española de Ciencia, Tecnología e Innovación 2021-2027 (https://www.ciencia.gob.es/gesdamdoc-servlet/?uuid=e8183a4d-3164-4f30-ac5f-d75f1ad55059&workspace=dam&formato=pdf)
       Por su parte, la Estrategia de Desarrollo Sostenible 2030 —que insta al refuerzo del alineamiento de los futuros marcos normativos y de la contratación y compra pública con los principios y ejes articuladores de la Agenda 2030—, recoge también las diversas iniciativas autonómicas en estas líneas estratégicas. Disponible en: https://www.agenda2030.gob.es/recursos/docs/informe-progreso21-eds-2030.pdf?fbclid=IwAR1r6Br3i0jtnQ8r5baP5wdPU6qp_ou71h7pttQ8uE1ig3X0JO4GPSpHQ84

intereses generales» (art. 103.1 CE) y que actualmente no pueden desgajarse de los Objetivos de Desarrollo Sostenible (ODS)[8]. No es difícil encontrar la conexión entre contratación pública y los diecisiete ODS y sus ciento sesenta y nueve metas concretas: de manera directa, por la alusión expresa contenida en la meta 12.7[9]; indirectamente, conformando objetivos a los que debe atenderse a través de los medios con los que cuenten los Estados, entre ellos la actividad contractual.

b) La LCSP incorpora una serie de previsiones que intentan aportar racionalidad a la contratación, de manera que las entidades del sector público «no podrán celebrar otros contratos que aquellos que sean necesarios para el cumplimiento y realización de sus fines institucionales», lo que finalmente ha de trasladarse a la justificación sobre la necesidad a cubrir y la idoneidad del contrato para satisfacerla (art. 28.1 LCSP). De igual modo, «programarán la actividad de contratación pública, que desarrollarán en un ejercicio presupuestario o períodos plurianuales y darán a conocer su plan de contratación anticipadamente» mediante la correspondiente publicidad (art. 28.4 LCSP)

Se subraya de este modo la exigencia de planificar o programar la actividad contractual lo que, finalmente, exige la anticipación de los objetivos a cumplir, las necesidades derivadas de los mismos y los contratos precisos para satisfacerlas[10]. Ejercicio de previsión en el que habrán de integrarse los fines propios de la contratación pública

---

[8]   Asamblea General de Naciones Unidas, *Transformar nuestro mundo: la Agenda 2030 para el Desarrollo Sostenible*, Resolución aprobada por la Asamblea General el 25 de septiembre de 2015. A/RES/70/1. Disponible en: https://www.un.org/ga/search/view_doc.asp?symbol=A/RES/70/1&Lang=S

[9]   Dicha meta consiste en «promover prácticas de adquisición pública que sean sostenibles, de conformidad con las políticas y prioridades nacionales».

[10]   Como elocuentemente advierte DELGADO FERNÁNDEZ, «La orden de programar la contratación pública no ofrece duda alguna, no hay contradicción en ninguna parte de la LCSP, no existe ninguna posibilidad de encontrar ningún precepto que permita no realizar dicha programación». DELGADO FERNÁNDEZ, M. R., «La necesidad de la planificación de la contratación como garantía de transparencia, del uso estratégico de la contratación pública y del uso adecuado de los procedimientos de contratación». *Gabilex-Revista del Gabinete Jurídico de Castilla-La Mancha*, núm. ex-

estratégica. No en vano, la aún pendiente Estrategia Nacional de Contratación Pública establece como uno de los objetivos a perseguir «utilizar las posibilidades de la contratación pública para apoyar políticas ambientales, sociales y de innovación» (art. 334.2 e) LCSP)[11].

c) En este contexto contractual la doctrina reivindica el principio de buena Administración y su valor como «guía para los gestores públicos en la toma de decisiones»[12]. Así las cosas, el principio habilitaría un acotamiento de la discrecionalidad[13] que se proyectaría en dos vertientes fundamentales: i) en la definición de las necesidades públicas que requieren cobertura mediante la celebración de contratos y la idoneidad de estos para satisfacerlas; ii) en la redacción de los distintos extremos que componen el contenido de los pliegos de cláusulas administrativas («ley del contrato», como afirma la jurisprudencia) y que abordaremos a continuación.

2.2 Concretando objetivos de políticas públicas: los elementos para su integración en los contratos

La comentada transversalidad debe concretarse, materializándose en los elementos del contrato, cumpliendo así el art. 28.2 LCSP que determina que las entidades del sector público «valorarán la incorporación de consideraciones sociales, medioambientales y de innovación como aspectos positivos en

---

traordinario sobre «Un año de compra pública con la LCSP 2017», marzo 2019, pág. 40.

[11]   Recordemos que esta se define como un «instrumento jurídico vinculante» que debe aprobar la OIRESCON. Ésta, en su Plan estratégico 2020-2024 (pág. 23) recoge entre sus objetivos específicos la aprobación de dicha estrategia, así como el conjunto de medidas que la acompañan. Véase: https://www.hacienda.gob.es/RSC/OIReScon/plan-estrategico/plan-estrategico-oirescon-2020-2024.pdf

[12]   PONCE SOLÉ, J., «Ciencias sociales, Derecho Administrativo y buena gestión pública. De la lucha contra las inmunidades del poder a la batalla por un buen gobierno y una buena administración mediante un diálogo fructífero», *Gestión y análisis de políticas públicas. Nueva Época*, núm. 11, enero-junio 2014, pág. 36.

[13]   PONCE SOLÉ, J., «La discrecionalidad no puede ser arbitrariedad y debe ser buena administración», *Revista española de derecho administrativo*, núm. 175, 2016, págs. 57-84.

los procedimientos de contratación pública». Tal incorporación puede verificarse en los siguientes elementos del contrato:

a) *Requisitos de los contratistas*: de acuerdo con el art. 65.1 LCSP se exige que las personas naturales o jurídicas, españolas o extranjeras que contraten con el sector público, tengan plena capacidad de obrar, no estén incursas en prohibición de contratar y acrediten solvencia económica y financiera y técnica o profesional. Algunos de estos requisitos permiten condicionar, siquiera en parte, los comportamientos empresariales fomentando el cumplimiento de normas de garantía de calidad o de gestión ambiental mediante la obtención de las correspondientes certificaciones. Por vía negativa, las prohibiciones para contratar penalizan a las empresas que incumplan con determinadas obligaciones legales o hayan incurrido en algunas de las conductas establecidas en el art. 71 LCSP.

b) *Criterios de adjudicación*[14]: son los que rigen la licitación y sirven de referencia en la valoración de las ofertas de los licitadores. Deben recogerse en el pliego de cláusulas administrativas particulares (PCAP) o en el documento descriptivo, así como en el anuncio de licitación. Manteniendo la costumbre de la legislación española, la ley aporta un listado exhaustivo de criterios de adjudicación, aunque con carácter meramente ejemplificativo.

Precisamente en esa lista del art. 145.2 LCSP se incorpora una relación de dispar extensión de criterios sociales, ambientales (los de innovación no pasan del mero rótulo), en una muestra más del compromiso por la compra pública estratégica.

c) *Condiciones especiales de ejecución*[15]: como indica su propia denominación son obligaciones que se imponen al adjudicatario del contrato y tratan de orientar determinadas actuaciones de éste en el plano

---

[14]   Sobre la formulación de los criterios de adjudicación, FERNÁNDEZ ACEVEDO, R., «Los criterios de adjudicación de los contratos públicos», en AA.VV. (dir. GAMERO CASADO, E. y GALLEGO CÓRCOLES, I.), *Tratado de Contratos del Sector público,* Valencia: Tirant lo Blanch, págs. 1417-1483.

[15]   En cuanto a los requisitos que deben cumplir estas condiciones, Resolución TACRC núm. 74/2020, de 23 de enero (Fundamento 9°)

social, ambiental, ético… Las sucesivas reformas normativas han ido ampliando su importancia, hasta el punto de que la ley actual obliga a que los pliegos incorporen al menos una condición especial de ejecución de las recogidas en el art. 202.2 LCSP.

A este listado deben añadirse figuras singulares reguladas en la LCSP y que han venido siendo el cauce natural de la contratación estratégica, sobre todo en su sentido social: nos referimos a las reservas de contratos reguladas en las Disposiciones Adicionales 4ª y 48ª LCSP[16].

---

[16]   Las limitaciones de este trabajo no nos permiten un estudio de las reservas, por lo que nos remitimos a BURZACO SAMPER, M. «Concurrencia competitiva, igualdad entre licitadores y discriminación positiva en las reservas de contratos: un análisis desde los conflictos», *CIRIEC-España. Revista Jurídica de Economía Social y Cooperativa*, núm. 35/2019, págs. 169-212. Véase también MORENO MOLINA, J. A., *Contratación pública socialmente responsable. Inclusión de las personas con discapacidad*, Valencia: Tirant lo Blanch, 2022, págs. 161-198 y 204-209.

En torno a las reservas se ha producido una notable conflictividad derivada en buena medida de las limitaciones en cuanto a las entidades beneficiarias recogidas en la DA 4ª LCSP y su cuestionado ajuste al art. 20, apartado 1 de la Directiva 2014/24/UE. Planteada cuestión prejudicial por el TSJ País Vasco, ésta se ha resuelto recientemente por STJUE de 6 de octubre de 2021 (Asunto C-598/19), en la que se declara que dicho artículo de la Directiva «debe interpretarse en el sentido de que no se opone a que un Estado miembro imponga requisitos adicionales a los enunciados en dicha disposición, excluyendo así de los procedimientos de adjudicación de contratos públicos reservados a determinados operadores económicos que cumplan los requisitos establecidos en dicha disposición, siempre que dicho Estado miembro respete los principios de igualdad de trato y de proporcionalidad». Así las cosas, ha de entenderse adecuada a la Directiva la opción del legislador español de prever las reservas únicamente para los centros especiales de empleo de iniciativa social y las empresas de inserción. Con todo, los órganos de recursos contractuales mantienen opiniones dispares sobre si las eventuales reservas deben incluir a ambos tipos de entidades (Resolución del Tribunal Administrativo Central de Recursos Contractuales —en adelante TACRC— núm. 1298/2020, de 4 de diciembre) o, por el contrario, el órgano de contratación puede limitarlo solo a uno de ellos, atendiendo a sus diferentes fines y características (p.ej. Acuerdo del Tribunal Administrativo de Contratación Pública de la Comunidad de Madrid núm. 191/2021, de 29 de abril).

3. LOS PROBLEMAS QUE EVIDENCIA
LA APLICACIÓN PRÁCTICA

Lo comentada hasta ahora nos coloca en un escenario aparentemente halagüeño: la contratación pública estratégica salpica la ley impregnando no sólo los principios que presiden la regulación, sino los aspectos concretos que conforman los contratos.

No obstante, la realidad no ha ido a la par y los conflictos sobre cláusulas estratégicas así lo demuestran:

a) La casuística revela la importancia de los matices que presenta cada caso, lo que finalmente ha llevado a un continuo proceso «ensayo-error» basado en la necesidad constante de cohonestar elementos que actúan en direcciones a veces contrapuestas.

Centrémonos, por ejemplo, en el interminable listado de criterios de adjudicación de carácter social: pues bien, muchos de los criterios mencionados en el precepto legal han sido objeto de recursos contra PCAP; recursos que han sido estimados por entender que no cumplían los requisitos exigidos a los criterios de adjudicación[17]. Singularmente problemática es la vinculación al objeto del contrato: en algunos casos porque impera una interpretación de dudoso encaje con la dicción de la legislación vigente[18]; en otros, porque el órgano

---

[17] Los requisitos que actualmente se establecen en el art. 145.5 LCSP vienen a reproducir los exigidos por asentada jurisprudencia del TJUE, a saber: a) vinculación con el objeto del contrato; b) que los criterios no confieran a la entidad adjudicadora una libertad incondicional de elección; c) que se mencionen expresamente en los PCAP o en el anuncio de licitación; d) que respeten los principios fundamentales de la contratación pública (transparencia, concurrencia competitiva, igualdad y no discriminación).

[18] Las reiteradas dificultades para cumplir el requisito de vinculación al objeto del contrato requerirían una flexibilización del mismo, que ha tratado de llevarse a cabo a través de dos elementos entrelazados: a) una conceptuación más amplia de la propia noción de «vinculación al objeto del contrato», que se define en el art. 145.6 LCSP; b) la integración del «ciclo de vida» como concepto sobre el que pivota dicha vinculación, definido asimismo con notable amplitud (art. 148.1 LCSP).

Estos aspectos positivos no impiden advertir las dificultades que entraña incorporar al contrato tales elementos y, por lo que respecta al ciclo de vida, la complejidad de

de contratación no lleva a cabo una redacción matizada del criterio[19] o, incluso, fuerza el objeto del contrato para provocar dicha vinculación[20]; o, finalmente, por una combinación de los factores anteriores a los que se suma la inercia en el modo de entender el requisito por parte de los órganos de recursos contractuales. Ello no impide que puedan encontrarse ya resoluciones que aventuran un cambio de tendencia[21].

b) Uno de los escollos más importantes está en el conservadurismo en las prácticas contractuales y la dificultad para incorporar perspectivas y elementos nuevos que permitan aprovechar el potencial que encierra la LCSP. Buen ejemplo es la cuantificación del valor social de las empresas en la que destacados economistas trabajan desde hace tiempo; un aspecto que bien podría incluirse como criterio de solvencia exigido a los licitadores, favoreciendo así que la responsabilidad social empresarial no se ciña al mero maquillaje[22].

---

su cálculo en términos de coste-eficacia. Sobre esta cuestión, SOLA TEYSSIERE, J., «El coste de ciclo de vida como criterio de adjudicación del contrato», *Contratación administrativa práctica*, núm. 151, 2017. La Ley 11092/2017; DELGADO FERNÁNDEZ, M. R., «El cálculo del coste del ciclo de vida en la contratación administrativa», *revista del Gabinete Jurídico de Castilla-La Mancha. Gabilex,* núm. 7, septiembre 2016, págs. 129 y ss.

[19]   Vgr. Resolución TACRC 1103/2021, de 9 de septiembre, en relación con un criterio de adjudicación que valoraba la estabilidad en el empleo, concretado en el mayor porcentaje de plantilla fija de la empresa licitadora. En este caso se anuló el criterio porque la valoración iba referida al conjunto de la plantilla y no del personal adscrito a la prestación del servicio objeto del contrato. En similares términos, Resoluciones TACRC núms. 298/2021, de 26 de marzo y 885/2021, de 23 de julio.

[20]   Vgr. Resolución TACRC núm. 198/2017, de 2 de marzo de 2018.

[21]   Vgr. Resolución TACRC núm. 632/2018, de 29 de junio. Especialmente significativo es el Acuerdo TACP de la Comunidad de Madrid 108/2019, de 20 de marzo en el que se evidencia que una interpretación rigorista del criterio de vinculación al objeto del contrato, «simplemente vacía de contenido la previsión legal sobre la inclusión de cláusulas sociales».

[22]   En nuestro país, son referencia obligada los trabajos de RETOLAZA, J. L., SAN-JOSE, L. & RUIZ-ROQUEÑI, M., «Monetarizing the social value: theory and evidence», *CIRIEC-España, Revista de Economía Pública, Social y Cooperativa*, núm. 83, 2015, págs. 43-62; RETOZALA, J. L. et al. «Incorporando el valor social en las lici-

c) Las peculiaridades derivadas de nuestro Estado multinivel se reflejan también en lo contractual ya que ciertas previsiones pueden comportar extralimitaciones en el ámbito constitucional de competencias de cada ente territorial[23].

Todos estos problemas no son exclusivos de nuestro país. El reciente informe de Comisión Europea «Aplicación y mejoras prácticas de las políticas nacionales de contratación pública en el mercado interior»[24]pone de relieve las dificultades que los Estados miembros están encontrando en la aplicación práctica de la contratación pública estratégica. Separando los tres ámbitos en los que ésta se despliega, el informe sintetiza las principales tachas, incluyendo también ejemplos de buenas prácticas:

1) Se advierten problemas derivados de la ambigüedad de los términos, cuestión que no se queda en un mero escollo lingüístico, sino que propicia trabas para cumplir el requisito de vinculación al objeto del contrato o encajar en el concepto de ciclo de vida.

---

taciones públicas: un modelo integral», *CIRIEC-España, Revista de Economía Pública, Social y Cooperativa*, núm. 85, 2015, págs. 55-82.

[23] Así, algunas de las objeciones al Anteproyecto de Ley de Uso Estratégico de la Contratación pública de la Comunidad Autónoma de Aragón, ponen el acento en que la regulación de la innovación puede invadir la competencia estatal en materia de legislación mercantil. El anteproyecto está disponible en: https://www.aragon.es/documents/20127/46060224/Proyecto+Toma+consideraci%C3%B3n+G.A.+Versi%C3%B3n++22.11.2021.pdf/166c9611-ae64-497f-f116-b42e6da65e91?t=1638450572546
El informe a dicho anteproyecto, de 21 de diciembre de 2021, se ha elaborado por GIMENO FELIÚ y puede consultarse en: http://www.obcp.es/sites/default/files/2022-01/INFORME%20Observatorio%20para%20compra%20de%20Organismos%20Pu%CC%81blicos%20de%20Investigacion%20.%20ARAGON.pdf
Recoge asimismo ciertas tachas competenciales el Informe 14/2018, de 13 de junio de la Junta Consultiva de Contratación Administrativa de Aragón (en especial, pág. 35)

[24] COM (2021) 245 final. 20 de mayo de 2021 (en especial, págs. 9 a 12)
La falta de aprovechamiento del potencial de la contratación pública para construir un desarrollo más sostenible e integrador ya se había advertido antes: vgr. Resolución del Parlamento Europeo de 4 de octubre de 2018 sobre el paquete de medidas de la estrategia de contratación pública [2017/2278/(INI)].

Es asimismo problemático el control posterior, tanto del cumplimiento de las cláusulas como de su eficacia.

Y se insiste en la falta de profesionalización de los gestores encargados de la contratación pública[25] y la resistencia al cambio de las organizaciones.

2) En cuanto a las buenas prácticas, el informe refiere catálogos de criterios para diferentes productos y servicios, impartición de formación o creaciones de comisiones (como en el caso de España) llamadas a orientar en la inclusión de este tipo de cláusulas.

Este diagnóstico avala la conclusión del informe sobre la pertinencia de «aplicar de manera más estricta las consideraciones de la contratación pública estratégica a fin de contribuir a una recuperación integradora, promover una transición justa y fortalecer la resiliciencia socioeconómica»[26]. En este contexto, son singularmente valiosas las recomendaciones, guías, códigos de buenas prácticas, modelos de pliegos… que ayudan a implementar este objetivo[27].

---

[25] GIMENO FELIÚ apunta que la profesionalización se conecta: i) con la formación y capacitación de los sujetos implicados en la contratación pública, alejándolos de funciones meramente burocráticas e integrándolos en la «planificación estratégica y la gestión de proyectos y riesgos»; ii) con el respeto a un código ético que evite conflictos de intereses, y permita dotar a tales sujetos de «herramientas para detectar las prácticas colusorias y diseñar estrategias que lo impidan». GIMENO FELIÚ, J. M., «¿Es nuestra contratación estratégica?», 2019, pág. 45.

[26] COM (2021) 245 final, pág. 12.

[27] Dichas aportaciones vienen no sólo de instancias públicas, sino también desde la iniciativa privada (especialmente el tercer sector y/o expertos en distintos ámbitos).
Destaca la labor de la Unión Europea. Véase COMISIÓN EUROPEA. *Adquisiciones sociales — Una guía para considerar aspectos sociales en las contrataciones públicas*. 2ª edición (2021/C 237/01). *DOUE* núm. C 237/1, de 18 de junio de 2021.
Asimismo: *Adquisiciones ecológicas. Manual sobre la contratación pública ecológica*, 2016 (https://ec.europa.eu/environment/gpp/pdf/handbook_2016_es.pdf).
Contratación pública para una economía circular. Orientación y buenas prácticas (https://ec.europa.eu/environment/gpp/pdf/cp_european_commission_brochure_es.pdf) Anuncio de la Comisión. Orientaciones sobre la contratación pública en materia de innovación. C (2018) 3051 final (https://ec.europa.eu/transparency/regdoc/rep/3/2018/ES/C-2018-3051-F1— ES-MAIN-PART-1.PDF).

4. LA CRISIS RESULTANTE DE LA COVID-19, LOS INSTRUMENTOS PARA LA RECUPERACIÓN Y SU INCIDENCIA EN MATERIA DE CONTRATACIÓN PÚBLICA

La situación crítica derivada de la COVID-19 se ha sentido en todos los países, aunque el impacto varía en su gravedad. Por lo que concierne a España el reciente informe de la Fundación Foessa[28] es demoledor, y nos sitúa en un escenario en el que ha crecido la desigualdad social, con un incremento dramático de los trabajadores pobres y personas en exclusión social o en situación de carencia material severa; de igual modo se ha intensificado la brecha de género y la llamada brecha digital que sufren igualmente los colectivos excluidos. En términos generales los indicadores muestran la extensión de la exclusión a amplios sectores de población, de manera que menos de la mitad de los hogares gozan de una integración social plena: de acuerdo con el informe el Índice Sintético de Exclusión Social (ISES) ha aumentado un 31% para el conjunto de los hogares[29].

En este contexto, los fondos europeos surgen como el remedio frente a todo mal, ligando la contratación pública, entre otros instrumentos, a los retos de esta situación de crisis[30]. Europa retoma la noción de estrategia en múltiples frentes a través de *Next Generation EU*, un plan de recuperación de 800.000 millones de euros que pretende una Europa post-covid «más ecológica, más digital, más resiliente y mejor adaptada a los retos actuales y futuros»[31].

---

[28] FUNDACIÓN FOESSA. *Evolución de la cohesión social y las consecuencias de la CO-VID-19 en España*, Madrid, 2022.

[29] P. 14 de las Conclusiones. Éstas pueden consultarse en: https://www.caritas.es/main-files/uploads/2022/01/Conclusiones-Informe-FOESSA-2022.pdf

[30] Sobre esta cuestión, GIMENO FELIÚ, J. M., «Los fondos europeos "next generation" como elemento de transformación de la gestión de la contratación pública: hacia una nueva cultura funcional y no formal», *Revista española de Derecho Administrativo*, núm. 214/2021. BIB 2021/4623.

[31] Plan de recuperación para Europa | Comisión Europea. El plan de compone de dos elementos fundamentales: el más relevante de ellos es el Mecanismo para la Recuperación y Resiliencia, al que se acompañan fondos de REACT-EU (Ayuda a la Recuperación para la Cohesión y los Territorios de Europa). Sobre estas cuestiones: Reglamento (UE) 2020/2094 del Consejo de 14 de diciembre de 2020 por el que se

Desde ese punto de partida, surge el Real Decreto-Ley 36/2020, de 30 de diciembre, por el que se aprueban medidas urgentes para la modernización de la Administración Pública y para la ejecución del Plan de Recuperación, Transformación y Resiliencia[32], del que destaca:

a) Capítulo III, del Título IV RD-Ley 36/2020, que establece reglas especiales en materia de contratación pública, aunque circunscritas esencialmente a aspectos procedimentales. En este sentido, se incluye una batería de medidas que trata de flexibilizar el cumplimiento de determinados requisitos (p.ej. autorización para contratar), así como acelerar la contratación; objetivo que trata de conseguirse ampliando los supuestos de determinadas modalidades procedimentales (abierto simplificado, tanto en su versión ordinaria como abreviada) o mediante la tramitación urgente[33]. De igual modo, se prevén normas

---

establece un Instrumento de Recuperación de la Unión Europea para apoyar la recuperación tras la crisis de la COVID-19 (*DOUE* núm. L 433, de 22 de diciembre de 2020) y Reglamento (UE) 2021/241 del Parlamento Europeo y del Consejo de 12 de febrero de 2021 por el que se establece el Mecanismo de Recuperación y Resiliencia (*DOUE* núm. L 57/17, de 18 de febrero de 2021)

[32]   En adelante RD-Ley 36/2020. En cuanto al plan, emplearemos las siglas PRTR. Esta norma ha sido desarrollada por Orden HFP/1031/2021, de 29 de septiembre, por la que se establece el procedimiento y formato de la información a proporcionar por las Entidades del Sector Público Estatal, Autonómico y Local para el seguimiento del cumplimiento de hitos y objetivos y de ejecución presupuestaria y contable de las medidas de los componentes del Plan de Recuperación, Transformación y Resiliencia; y Orden HFP/1030/2021, de 29 de septiembre, por la que se configura el sistema de gestión del Plan de Recuperación, Transformación y Resiliencia (publicadas en *BOE* núm. 234, de 30 de septiembre de 2021). Ambas tratan de aportar mecanismos para facilitar la gestión de los fondos de manera eficiente y controlada, estableciendo asimismo sistemas de seguimiento de los proyectos financiados.

[33]   El art. 50.1 RD-Ley 36/2020 establece que «los órganos de contratación deberán examinar si la situación de urgencia impide la tramitación ordinaria de los procedimientos de licitación», de suerte que en tales supuestos aplicarán la tramitación urgente siempre justificadamente. Recordemos que esta modalidad de tramitación implica un acortamiento de los plazos y de acuerdo con el mencionado art. 119 LCSP se contempla para contratos inaplazables o cuya adjudicación convenga acelerar por razones de interés público. Abundante jurisprudencia y doctrina de órganos de recursos contractuales señala que estas circunstancias deben motivarse en el expediente de contratación, toda vez que la reducción de los plazos puede afectar a ciertos principios de la contratación pública (señaladamente el principio de igualdad entre licitadores y

más laxas en relación con los encargos a medios propios y se reducen los plazos, tanto de interposición como de resolución, del recurso especial en materia de contratación pública.

b) Mención aparte merece la previsión del art. 54.1 RD-Ley 36/2020, conforme al cual, «con el fin de homogeneizar y agilizar los procesos de contratación por parte de los diferentes centros gestores, se promoverá la elaboración de pliegos-tipo de cláusulas técnicas y administrativas, correspondientes a los contratos a celebrar para la gestión de los fondos procedentes del Plan de Recuperación, Transformación y Resiliencia, *que incorporen todos los criterios verdes, digitales, de innovación, de potenciación de pymes y de responsabilidad social que se consideren necesarios y estén amparados por la norma legal correspondiente*» (la cursiva es nuestra)

Este apartado pone de nuevo en primera línea la contratación pública estratégica, aunque, *a priori*, de manera algo más limitada que en la LCSP: en primer lugar, porque la alusión a lo social va como adjetivo de «responsabilidad» y, por tanto, aparentemente en línea con el que se maneja el término en el ámbito empresarial. Creemos que habría sido más coherente con la LCSP manejar esta noción de «responsabilidad social» en un sentido más amplio, abarcando todos aquellos aspectos que la ley recoge.

c) Se crea una nueva figura de colaboración público-privada, los Proyectos Estratégicos para la Recuperación y Transformación Eco-

---

el de libre concurrencia). Precisamente la Junta Consultiva de Contratación Pública del Estado ha tenido que salir al paso de iniciales ideas erróneas sobre la eventual habilitación general de la tramitación urgente para todos aquellos contratos financiados con fondos del PRTR. Mediante Instrucción de 11 de marzo de 2021 aclaró que las normas de Derecho Comunitario impiden una declaración *ex lege* de urgencia para todas las licitaciones con cargo a estos fondos; y, recordando que ésta es una forma de tramitación excepcional, subraya la importancia de motivar en cada contrato la causa de la urgencia que quedaría reducida a «los casos en los que los plazos establecidos sean realmente impracticables, debiéndose dejar constancia de la justificación en el expediente y publicar tal circunstancia en el anuncio de licitación del contrato». Disponible en: https://www.hacienda.gob.es/Documentacion/Publico/D.G.%20 PATRIMONIO/Junta%20Consultiva/informes/Informes2021/instruccionJCC-PEurgenciaPRTR.pdf

nómica (PERTES), que se definen de manera intencionadamente ambigua como «aquellos proyectos de carácter estratégico con gran capacidad de arrastre para el crecimiento económico, el empleo y la competitividad de la economía española» (art. 8.1 RD-Ley 36/2020). Igual dosis de indeterminación encierran los criterios para su declaración, que abarcan desde «su importante contribución» al crecimiento económico, creación de empleo, competitividad de la industria y economía española hasta la capacidad para «combinar conocimientos, experiencia, recursos financieros y actores económicos» para remediar deficiencias del mercado y retos sociales «a los que no se podría hacer frente de otra manera»; o su «importante carácter innovador» o «importante valor añadido» en I+D+i[34];…

Por el momento, los PERTE aprobados tienen por objeto el desarrollo del vehículo eléctrico y conectado[35]; la salud de vanguardia[36]; y las energías renovables, hidrógeno renovable y almacenamiento[37]. Dos más están anunciados —«Economía social de los cuidados» y «En español: nueva economía de la lengua»— y otros dos en estudio —Aeroespacial y Cadena agroalimentaria inteligente y sostenible—.

La reciente Instrucción de la Junta Consultiva de Contratación Pública del Estado de 23 de diciembre de 2021, «sobre aspectos a incorporar en los expedientes y en los pliegos rectores de los contratos que se vayan a financiar con fondos procedentes del Plan de Recuperación, Transformación y

---

[34]   La reiteración del adjetivo «importante» a lo largo de todo el art. 8 es llamativa. Más allá del innecesario énfasis, este tipo de adjetivos grandilocuentes encierran una apreciable dosis de discrecionalidad en su apreciación, máxime si atendemos a que los PERTE son aprobados por el Consejo de Ministros.

[35]   Consejo de Ministros de 13 de julio de 2021. https://planderecuperacion.gob.es/ como-acceder-a-los-fondos/pertes/perte-del-vehiculo-electrico-y-conectado

[36]   Consejo de Ministros de 30 de noviembre de 2021. https://planderecuperacion.gob. es/como-acceder-a-los-fondos/pertes/perte-para-la-salud-de-vanguardia

[37]   Consejo de Ministros de 14 de diciembre de 2021. https://planderecuperacion.gob. es/como-acceder-a-los-fondos/pertes/perte-de-energias-renovables-hidrogeno-renovable-y-almacenamiento

Resiliencia»[38] pone de relieve que la preocupación esencial se sitúa en los principios específicos del plan, la definición adecuada de los hitos y objetivos como parámetros de control, y, nuevamente, la obsesión por evitar el fraude, la corrupción y los conflictos de intereses. De los aspectos propios de la contratación pública estratégica, la instrucción apenas se ocupa, más allá de meras referencias al etiquetado verde y etiquetado digital.

5. CONCLUSIONES

Puede decirse que las expectativas sobre la contratación pública estratégica se mueven entre el optimismo, la decepción y la necesidad de su reactivación.

La contratación pública estratégica y sus adjetivaciones derivadas —contratación pública socialmente responsable, contratación pública verde, compra pública innovadora…— son un ejemplo más de que «el papel todo lo aguanta». Profundamente sugestivo, el término parece lograr la cuadratura del círculo: ingentes cantidades de fondos públicos (aun con diferencias entre países, nos movemos en una horquilla del 14 al 20% del PIB)[39] que servirían para cumplir simultáneamente la necesidad pública, —objeto inmediato del contrato—, y fines de interés general, objetivos de políticas públicas, que se verían beneficiados del propio contrato. En suma, la contratación como instrumento de intervención económico-social.

Desde las Directivas de 2014, los informes anuales de la Comisión acerca de la contratación pública ponen de manifiesto las dificultades que encierra este aspecto estratégico, lo que finalmente provoca un desarrollo aún insuficiente del mismo.

Sin despreciar los obstáculos existentes, la LCSP aporta elementos que permiten salvarlos. En este sentido:

---

[38]   Esta Instrucción puede consultarse en: https://www.hacienda.gob.es/Documentacion/Publico/D.G.%20PATRIMONIO/Junta%20Consultiva/informes/Informes2021/2021-075instruccionPRTR.pdf

[39]   OECD, *Government at a Glance,* Paris, OECD Publishing, 2019, pág. 134.

a) Se advierte la voluntad por parte de las Administraciones Públicas de aprovechar el potencial que encierran los contratos públicos para la consecución de objetivos sociales, ambientales y de innovación. Las estimaciones de recursos formulados contra cláusulas de este tipo en los contratos demuestran deficiencias en la implementación, pero no falta de interés en su utilización: son buen ejemplo la constitución de Comisiones interministeriales como las citadas en este trabajo, la elaboración de guías o, más cercana en el tiempo, la Carta de Zaragoza[40].

b) Los tres ámbitos sobre los que pivota la contratación pública estratégica no son equiparables en dificultad, y, a nuestro juicio, las cláusulas sociales o las de innovación son más complejas en su diseño que las ambientales[41].

c) Los requisitos que han de cumplir los elementos en los que cabe integrar este tipo de cláusulas (sobre todo, criterios de adjudicación y condiciones especiales de ejecución) deben aprovechar las posibilidades que ofrecen las Directivas y, por extensión, la LCSP. Nos referimos en concreto al modo de concebir el objeto del contrato desde el prisma del ciclo de vida.

Un elemento que ha empezado ya a emplearse, pero adquirirá un protagonismo indiscutible en el futuro es la inteligencia artificial aplicada a la

---

[40] *Carta de Zaragoza: Manifiesto por una compra pública responsable.* Dirigido a los poderes públicos para el impulso de la compra pública medioambiental y socialmente responsable como herramienta para la promoción de una economía más justa, equitativa y sostenible. Por una nueva estrategia que contribuya al cumplimiento de los Objetivos de Desarrollo Sostenible y a la transformación económica de la UE a través del contrato público. 10 de noviembre de 2021. Este documento, que cuenta con un número apreciable de adhesiones, puede consultarse en: http://www.obcp.es/index.php/noticias/carta-de-zaragoza-manifiesto-por-una-compra-publica-responsable

[41] Recientemente, el Plan de Acción para la Economía Social de la Comisión Europea denunciaba que, pese a las posibilidades que ofrecen las Directivas de 2014, un porcentaje importante de los contratos se basan en el precio y la compra pública socialmente responsable está menos desarrollada y es menos conocida que la compra pública verde. COMISIÓN EUROPEA. *Building an economy that works for people: an action plan for the social economy*, diciembre de 2021, págs. 9-10. Disponible en: https://ec.europa.eu/social/main.jsp?catId=1537&langId=es

contratación pública, no sólo en términos de gestión (más eficaz y eficiente), sino también de diseño de los procesos (vgr. algoritmos verdes) y de control y lucha contra el fraude y la corrupción[42].

El objetivo último es el que verbaliza la Carta de Zaragoza, en la que se aboga «por un sistema de contratación pública abierto, responsable, cooperativo, transparente, innovador, sostenible y transformador»[43].

Bibliografía

BAÑO LEÓN, J. M., «La Ley de Contratos del Sector Público y gestión de lo público. ¿Regulación o sobrerregulación?», *Revista Aragonesa de Administración Pública* (monográfico dedicado a la ley de Contratos del Sector Público), Núm. extra 2018, págs. 11-19.

BURZACO SAMPER, M. «Concurrencia competitiva, igualdad entre licitadores y discriminación positiva en las reservas de contratos: un análisis desde los conflictos», *CIRIEC-España. Revista Jurídica de Economía Social y Cooperativa*, núm. 35/2019, págs. 169-212.

DELGADO FERNÁNDEZ, M. R., «El cálculo del coste del ciclo de vida en la contratación administrativa», *Revista del Gabinete Jurídico de Castilla-La Mancha Gabilex,* núm. 7, septiembre 2016, págs. 114-152.

DELGADO FERNÁNDEZ, M. R., «La necesidad de la planificación de la contratación como garantía de transparencia, del uso estratégico de la contratación pública y del uso adecuado de los procedimientos de contratación». *Gabilex-Revista del Gabinete Jurídico de Castilla-La Mancha*, núm. extraordinario sobre «Un año de compra pública con la LCSP 2017», Volumen II; marzo 2019, págs. 20-40.

FERNÁNDEZ ACEVEDO, R., «Los criterios de adjudicación de los contratos públicos», en AA.VV. (dir. GAMERO CASADO, E. y GALLEGO CÓRCOLES, I.), *Tratado de Contratos del Sector público,* Valencia: Tirant lo Blanch, págs. 1417-1483.

FUNDACIÓN FOESSA. *Evolución de la cohesión social y las consecuencias de la COVID-19 en España*, Madrid, 2022. Disponible en: https://caritas365-my.sharepoint.com/personal/cominc_caritas_es/_layouts/15/onedrive.aspx?id=%2Fpersonal%2Fcominc%5Fcaritas%5Fes%2FDocuments%2FSensibilizaci%C3%B3n%2FFOESSA%2FWEB%2FDocumentos%20enlazados%2FInforme%20FOESSA%202022%2Epdf&parent=%2Fpersonal

---

[42]   VESTRI, G., «La inteligencia artificial ante el desafío de la transparencia algorítmica. una aproximación desde la perspectiva jurídico-administrativa», *Revista Aragonesa de Administración Pública,* núm. 56, 2021, págs. 368-398.

[43]   Carta de Zaragoza, *op. cit.,* pág. 3.

%2Fcominc%5Fcaritas%5Fes%2FDocuments%2FSensibilizaci%C3%B3n%2FFOESSA %2FWEB%2FDocumentos%20enlazados

GALLEGO CÓRCOLES, I., «La integración de cláusulas sociales, ambientales y de innovación en la contratación pública», *Documentación Administrativa. Nueva Época*, enero-diciembre 2017, págs. 92-113.

GIMENO FELIÚ, J. M., «¿Es nuestra contratación pública estratégica?», 2019: https:// www.ivap.euskadi.eus/contenidos/evento/2019_0_3_22/es_def/Gimeno.pdf

GIMENO FELIÚ, J. M., «Las condiciones sociales en la contratación pública: posibilidades y límites», *Anuario del Gobierno Local*, 2017, págs. 241-287.

GIMENO FELIÚ, J. M., «Los fondos europeos "next generation" como elemento de transformación de la gestión de la contratación pública: hacia una nueva cultura funcional y no formal», *Revista española de Derecho Administrativo*, núm. 214/2021. BIB 2021/4623.

GIMENO FELIÚ, J. M., *El nuevo paquete legislativo comunitario sobre contratación pública. De la burocracia a la estrategia.* Thomson Aranzadi/Ministerio de Economía y Competitividad/ Universidad de Zaragoza, Cizur Menor (Navarra), 2014.

MORENO MOLINA, J. A., *Contratación pública socialmente responsable. Inclusión de las personas con* discapacidad, Valencia: Tirant lo Blanch, 2022.

MULLER, E., *La commande publique, un levier pour l'action publique?*, Paris: Dalloz, 2018.

PÉREZ FERNÁNDEZ, J. M., «La cuestión competencial en el ámbito de la contratación del sector público: la delimitación de lo básico en la doctrina constitucional (STC 68/2021, de 18 de marzo)», *Revista de Administración Pública*, núm. 216, 2021, págs. 189-221.

PONCE SOLÉ, J., «Ciencias sociales, Derecho Administrativo y buena gestión pública. De la lucha contra las inmunidades del poder a la batalla por un buen gobierno y una buena administración mediante un diálogo fructífero», *Gestión y análisis de políticas públicas. Nueva Época*, núm. 11, enero-junio 2014, pág. 36.

PONCE SOLÉ, J., «La discrecionalidad no puede ser arbitrariedad y debe ser buena administración», *Revista española de derecho administrativo*, núm. 175, 2016, págs. 57-84.

RETOLAZA, J. L., SAN-JOSE, L. & RUIZ-ROQUEÑI, M. «Monetarizing the social value: theory and evidence», *CIRIEC-España, Revista de Economía Pública, Social y Cooperativa*, núm. 83, págs. 43-62.

RETOZALA, J. L. et al. «Incorporando el valor social en las licitaciones públicas: un modelo integral», *CIRIEC-España, Revista de Economía Pública, Social y Cooperativa*, núm. 85, págs. 55-82.

SOLA TEYSSIERE, J., «El coste de ciclo de vida como criterio de adjudicación del contrato», *Contratación administrativa práctica*, núm. 151, 2017. La Ley 11092/2017

VESTRI, G., «La inteligencia artificial ante el desafío de la transparencia algorítmica. Una aproximación desde la perspectiva jurídico-administrativa», *Revista Aragonesa de Administración Pública,* núm. 56, 2021, págs. 368-398.

El principio de la buena administración. Visión práctica

HELENA CEBALLOS REVILLA
TAE Ayuntamiento de Santa Cruz de Bezana
GADE por la Universidad de Cantabria

SUMARIO: 1. INTRODUCCIÓN. 2. CONCEPTO Y NATURALEZA JURÍDICA. 2.1 Aproximación conceptual. 2.2 Naturaleza jurídica. 2.2.1 De principio informador a derecho fundamental europeo. 2.2.2 Contenido del derecho a la buena Administración. 3. LA BUENA ADMINISTRACIÓN EN LA CONSTITUCIÓN. 4. APLICACIÓN PRÁCTICA Y EFECTOS ECONÓMICOS. 4.1 En la contratación pública. 4.2 En materia de revisión y gestión tributaria. 4.3 En el ámbito de la función pública. 4.4 En materia de medio ambiente y urbanismo. 4.5 Alguna jurisprudencia menor. 5. CONCLUSIÓN.

«El Gobierno forma la Administración, pero la Administración sostiene a los Gobiernos. Punto esencialísimo en nuestros días, porque no hay que olvidarlo, las revoluciones políticas pueden hacerse en segundos, en minutos; pero la revolución, si no va seguida de la evolución y no obtiene el apoyo de la administración, fracasa»

(José Gascón y Marín, «Oliván y la Ciencia de la Administración», 1944)

1. INTRODUCCIÓN

En estos tiempos de convulsa incertidumbre, presididos por los efectos de la COVID-19 y sus poli-variantes, con una crisis sanitaria aposentada tras los rescoldos de la mayor crisis económico-financiera mundial de todos los tiempos —junto a la particular y simultánea crisis del mercado inmobiliario español—, a lo que se unen las actuales de la energía (luz y gas), la escasez de materias primas y de mano de obra cualificada, amén de las rutinarias crisis migratorias o las más novedosas crisis humanitarias como arma geopolítica internacional, unido a la avalancha de información y desinformación en la actual sociedad del conocimiento, se impone un análisis sosegado para abordar los retos que debe afrontar la Buena Administración, centrada en los ciudadanos como individuos receptores de la políticas ejecutadas por servidores públicos, dotados de los medios y recursos necesarios.

Es incuestionable la vertiente multidisciplinar de la *buena administración* que, ligada al buen gobierno (dirección política) e integrada en la gobernanza (proceso inter estructural de toma de decisiones) es una institución con ramificaciones no sólo jurídicas, sino sociales, políticas y económicas, con un indudable componente que apela a la profesionalidad e integridad, focalizadas en el honesto trabajo de los empleados públicos dedicados a servir a la ciudadanía (*civil servant*), dentro de un Estado Social y Democrático de Derecho tanto o más garante de los derechos de los ciudadanos y de la búsqueda de la excelencia como del control del exceso en las prerrogativas de la Administración, a fin de alcanzar la prestación eficaz de los servicios para colectividad (*civil service*). Y aunque la ética pueda parecer que es al Derecho, lo que el agua al aceite, lo cierto es que en el ámbito público se entremezclan pese al formalismo del racionalismo positivista[1].

La *buena administración* gira en torno a personas que sirven a personas y no es exclusiva de la Ciencia de la Administración, sino de las Ciencias sociales, globalmente consideradas (ética, política, economía, geografía y demografía, información y comunicación, etc.), con reflejo en el Derecho Administrativo positivo. Se trata de algo más que un principio rector o informador, frente a lo sostenido por quienes predican su carácter de *soft-law*. Es un principio metajurídico y derecho subjetivo de amplio espectro extensible a todos los ámbitos del poder público, con capacidad de ser invocado ante los Tribunales.

El art. 41 de la Carta de los Derechos Fundamentales de la Unión Europea[2] otorga al ciudadano europeo el derecho fundamental al control y participación en la *res pública* para exigir una gestión y administración imparcial, equitativa y eficiente, como instrumento útil de control del poder. La Buena Administración abre la puerta a una reconsideración de las instituciones tradicionales del Derecho Administrativo, vía ineludible para poder afrontar con éxito los desafíos actuales que van desde de la implantación de la *compliance* como mecanismo para prevenir la corrupción en el sector público, pasando por la responsabilidad patrimonial positivizando estánda-

---

[1]   Vid. José Luis MELIÁN GIL «*Paradigma de la buena Administración*» (pág. 48-58), estudio realizado en el marco del Proyecto de Investigación «El Derecho administrativo bajo el prisma del principio de buena administración», MICINN, DER 2010/18993 y Jaime RODRÍGUEZ-ARANA en Cap. IX del Homenaje de AIDA al Profesor D. Jesús González Pérez (pág. 2-5/25).

[2]   «*1. Toda persona tiene derecho a que las instituciones, órganos y organismos de la Unión traten sus asuntos imparcial y equitativamente y dentro de un plazo razonable. 2. Este derecho incluye en particular: a) el derecho de toda persona a ser oída antes de que se tome en contra suya una medida individual que la afecte desfavorablemente; b) el derecho de toda persona a acceder al expediente que le concierna, dentro del respeto de los intereses legítimos de la confidencialidad y del secreto profesional y comercial; c) la obligación que incumbe a la administración de motivar sus decisiones. 3. Toda persona tiene derecho a la reparación por la Unión de los daños causados por sus instituciones o sus agentes en el ejercicio de sus funciones, de conformidad con los principios generales comunes a los Derechos de los Estados miembros. 4. Toda persona podrá dirigirse a las instituciones de la Unión en una de las lenguas de los Tratados y deberá recibir una contestación en esa misma lengua*».

res de calidad y potenciando la personal derivada de culpa o negligencia, ahondando en la doble vertiente de la buena administración para elaborar un Estatuto del Buen Ciudadano plasmando sus derechos y obligaciones o, por citar algunos de los desafíos futuros, abordar el equilibrio entre la transparencia y la protección de datos digitales con la Administración electrónica, el uso masivo de datos *(big y little data)*, la inteligencia artificial (AI) y la amenaza de alogaritmos perniciosos de control de tendencias o la galopante ciberdelincuencia, cuyos tentáculos también han alcanzado a distintas Administraciones[3].

2. CONCEPTO Y NATURALEZA JURÍDICA

2.1 Aproximación conceptual

Aunque no exista un concepto técnico-jurídico, la *buena administración* puede definirse como el reconocimiento a todo ciudadano de la UE de un conjunto de derechos subjetivos ante las instituciones europeas a que sus asuntos sean tratados de forma equitativa, imparcial y dentro de un plazo razonable, en una lista abierta de derechos como son: i) el derecho de audiencia de ser oído antes de que se adopte una medida individual desfavorable, ii) el derecho de acceso al expediente que le afecte, iii) el derecho a recibir respuesta debidamente motivada y iv) el derecho a indemnización de daños. Es una institución jurídica en permanente evolución gracias a las aportaciones jurisprudenciales; configurándose como un derecho fundamental europeo en constante desarrollo, que se completa con el artículo 43 de la Carta (Defensor del Pueblo Europeo) y queda limitado en los términos de los artículos 51 y 53 de la misma.

Partiendo del carácter instrumental de la Administración pública y del Derecho Administrativo, como herramientas al servicio del ciudadano, uni-

---

[3] Sentencias de la Sala de lo Penal de la Audiencia Nacional (P.A. 13/2019) seguido por delitos de organización criminal, con estafa masiva continuada contra particulares y 76 entidades del sector público entre Ayuntamientos grandes y pequeños, Diputaciones Provinciales, Servicios autonómicos de Salud y Universidades *(Tol 8001092, Tol 8427566, Tol 8344562).*

do a su carácter medial para conseguir los objetivos de un buen gobierno en cuanto a aplicar políticas tendentes a garantizar los derechos de los ciudadanos en intercomunicación armónica con el interés general, también puede conceptuarse de forma negativa desde una doble perspectiva:

1°- Desde los límites de indisponibilidad de las potestades públicas, vedados jurisprudencialmente a los particulares, como se indica en el FD Quinto de la STS 3 de julio de 2007, rec. 11377/2004 *(Tol 19871987)* en cuanto a la elección por el particular del procedimiento seguir, o en la STS 17 de marzo de 2009 (rec. 4672/2008) sobre la imposibilidad de los particulares de disponer de las facultades de planificación y ejecución viaria.

2°- Desde que se produce la mala gestión de la res pública, cuando la Administración no actúa o lo hace al margen de las garantías del ciudadano incurriendo en arbitrariedad, parcialidad, falta de objetividad, de equidad, de ausencia de contradicción y de motivación de sus actos o con desprecio al uso de las lenguas oficiales en la UE.

Y, aunque cabe diferenciarlo del *buen gobierno*, está íntimamente ligada al mismo por el nexo de la transparencia[4]. De hecho, la Constitución española regula el Gobierno y la Administración en su Título IV, pero distinguiendo entre la función ejecutiva y directiva del primero (art. 97) respecto la finalidad primordialmente servicial e instrumental de la segunda (art. 103.1).

2.2 Naturaleza jurídica

2.2.1 De principio informador a derecho fundamental europeo

La buena administración es una figura de arraigada tradición en la cultura jurídica occidental, como derecho implícito en los textos constitucionales de los estados miembros incluido nuestra Constitución[5], y que aparece en la jurisprudencia, tanto nacional como comunitaria antes de proclamarse

---

[4]   Ley 19/2013, de 9 de diciembre, de Transparencia, Acceso a la Información Pública y Buen Gobierno (LTAIBG).

[5]   STS 30 de enero de 2012 *(Tol 2412388)* en materia de subvenciones que se remite a la STS 23 de mayo de 2005 (rec. 214/2002), sobre el derecho a la buena administración en su vertiente de la obligación administrativa de motivar sus decisiones.

la Carta, y después como principio informador, con valor hermenéutico que no adquirió fuerza jurídica vinculante, como derecho fundamental europeo, hasta la entrada en vigor del Tratado de Lisboa. En cuanto a los antecedentes y su evolución a derecho fundamental destaca esa construcción eminentemente jurisprudencial[6].

La Carta fue proclamada en el Consejo Europeo de Niza 8/10, de 7 diciembre de 2000, pero no pasó a formar parte del derecho originario de la Unión Europea hasta su incorporación en el Tratado de Lisboa de 13 de diciembre de 2007 que modificó el Tratado de la UE y el Tratado constitutivo de la Comunidad Europea, y que entró en vigor el 1 de diciembre de 2009. Sin embargo, Europa aún no dispone de mecanismos efectivos de defensa ante la violación de sus derechos fundamentales, pues aunque dispone de un Defensor del Pueblo Europeo, no está formalmente adherida al Convenio Europeo de Derechos Humanos del Consejo de Europa ni tiene articulado un recurso de amparo europeo. Surge entonces el debate doctrinal sobre su naturaleza jurídica como principio general del derecho, directriz o mandato de optimización[7], derecho fundamental con máximo nivel de protección o derecho subjetivo público.

Dejando a un lado las primigenias posturas negacionistas de la efectividad jurídica de la Carta, Susana Viñuales ha analizado[8] las repercusiones de la buena administración sosteniendo que, aunque formalmente configurada como derecho fundamental, carece de medios específicos de protección al no existir una concepción dogmática del derecho fundamental en el ámbito de la UE, concluyendo que la calificación como tal no comporta consecuencias jurídicas específicas que permitan diferenciarlo de otros derechos públicos subjetivos ordinarios y entiende que se trata de un principio rector de la actuación de la Administración europea más cercano a los conceptos de buen gobierno o buena gobernanza.

---

[6]   Susana VIÑUALES FERREIRO (págs. 5 a 8) en «*El art. 41 de la Carta Europea de los Derechos Fundamentales. Visión crítica*» y Juli PONCE SOLÉ (pág. 71 a 88) en «*La lucha por el buen gobierno y el derecho a una buena administración mediante el estándar jurídico de diligencia debida*».

[7]   Eva NIETO GARRIDO (2010). «*Dº Administrativo en el Tratado de Lisboa*», Cap. II (págs. 55-68).

[8]   Cfr.: Obra citada, págs. 8 y 9.

Frente a ello cabe oponer la postura de José L. Melián, sustentada en el art. 6.1 del Tratado de la Unión Europea que reconoce la fuerza vinculante a la Carta, confiriéndolo el mismo valor que los Tratados y que, partiendo de esa premisa, entiende que el derecho fundamental europeo a la buena administración está incorporado a nuestro ordenamiento jurídico interno, tras ser asumido como derecho propio por la Ley Orgánica 1/2008 de 30 de julio que autorizó la ratificación por España del Tratado de Lisboa; razón por la que cabría interpretarlo conforme dispone el artículo 10.2 de nuestra Constitución[9], resultando invocables directamente y conforme el art. 53 de la Constitución.

Por su parte, Juli Ponce Solé sostiene que dentro del Derecho Administrativo Global ha surgido un *derecho subjetivo nuevo bajo el sol,* de última generación, dentro de la tríada *expediente, decisión y motivación,* que exige la debida diligencia y cuidado en el proceso congruente y motivado de toma de decisiones, considerando como funciones del Dº Administrativo del S. XXI, la de batallar por el buen gobierno y la buena administración, además de prevenir la corrupción contrarrestando la *hibrys* (desmesura y megalomanía en el ejercicio del poder) con el fomento de la prudencia y el sabio ejercicio del poder (*phronesis*), para evitar la inoperancia de la disciplina administrativa ya declarada en el ámbito jurisdiccional penal respecto la corrupción urbanística[10].

La incertidumbre deriva, tanto de un desconocimiento muy generalizado de la Carta entre los operadores jurídicos como del alcance limitado que se deduce del artículo 51 de la Carta al indicar que sus disposiciones *«están dirigidas a las instituciones, órganos y organismos de la Unión, respetando el principio de subsidiariedad, así como a los Estados miembros únicamente cuando apliquen el Derecho de la Unión».* Lo que unido al sistema de fuentes de los derechos fundamentales de la Unión y la propia distinción de la Carta entre principios generales y derechos con ese alcance limitado (art. 51.1), genera aún mayor confusión y, de ahí, deviene su escasa aplicación.

---

[9]   José Luis MELIÁN. *«La Buena Administración como institución jurídica»* (págs. 31-32).

[10]   Cfr.: Obra citada, págs. 91-92, 100 a 103 y 167.

2.2.2 Contenido del derecho a la buena Administración

La Agencia de los Derechos Fundamentales de la Unión Europea (FRA)[11] ha elaborado un Manual con las directrices de *Aplicación de la Carta de los Derechos Fundamentales de la Unión Europea* dirigido, básicamente, a autoridades nacionales para la elaborar normas y políticas de ámbito nacional; documento publicado en 2020 que carece de valor normativo, no constituye una interpretación vinculante ni refleja la postura de la Comisión Europea; pero contiene orientaciones prácticas basadas en la interpretación que esta Agencia hace la numerosa jurisprudencia que cita del TJUE, como único intérprete de la Carta; ya que, según la FRA, el efecto de la Carta en el ámbito nacional se apoya, en los principios de primacía y efecto directo y, por tanto, los órganos jurisdiccionales nacionales están obligados a interpretar las medidas nacionales conforme la Carta al aplicar el Derecho de la Unión y, si las normas nacionales entraran en conflicto con la Carta las entiende inaplicables directamente. Según esta Agencia, la Carta siempre es vinculante para los órganos de la Unión, pero únicamente vincula a los Estados miembros cuando apliquen el Derecho de la Unión conforme su artículo 51.

La diligencia debida, la resolución en plazo, la motivación de las decisiones que afecten a los particulares y la responsabilidad por los daños derivados de la actividad administrativa son manifestaciones de la buena administración del art. 41 de la Carta, aglutinando toda una serie de derechos subjetivos de carácter público. Y la apertura o transparencia constituye la herramienta más útil para materializar el derecho de acceso a la información, fomentando la participación[12].

---

[11] Agencia descentralizada que tiene por misión el asesoramiento a instituciones europeas y gobiernos nacionales en la materia.

[12] La transparencia es básica, pero sin caer en los excesos que resten tiempo y dedicación a la función pública; excesos, como por ejemplo, en cuanto a facilitar información ya disponible en la *web*, reelaborar la información por encima de los estándares impuestos L. 19/2013 (LTAIBG), responder cuestionarios ampliados con respecto los iniciales antes de recurrir ante Consejo CTBG; organismo cuyas decisiones, de rango muy superior incluso a las resoluciones del Defensor del Pueblo, sólo pueden ser recurridas ante los Juzgados centrales de lo contencioso-administrativo adscritos a la Audiencia Nacional en Madrid, limitando así las posibilidad de su control. Ser «*más papista que el papa*» en materia de transparencia es un ejemplo claro de la «*teoría del péndulo*» (en los

Son numerosísimos los ámbitos a los que puede aplicarse, bien sea por la transposición de las directivas comunitarias (Vgr.: Directiva Bolskestein de liberalización de servicios) o por el efecto de directo de las no transpuestas[13] junto con Reglamentos comunitarios y todo el Derecho Derivado de la UE aplicable a procedimientos administrativos, legales y judiciales que, en caso de no acogerse a ese derecho fundamental podrían llegar al TJUE, en materias que van desde la contratación pública, defensa de la competencia y concentración de empresas[14], hasta la estrategia en la ordenación territorial y el impacto en el medio ambiente, pasando por legislación en transparencia, temporalidad en el empleo público, el nuevo marco educativo común (MCES) tras la implantación del Plan Bolonia o la gestión y distribución de fondos europeos (los últimos, *Next Generation* para paliar efectos de la pandemia), por citar sólo algunos de los ámbitos o áreas afectadas, conforme esa interpretación orientativa de la FRA.

---

extremos del todo o nada), de cuyo destino en nuestra integración europea ya hablara, Luis DÍEZ DEL CORRAL, jurista, historiador y politólogo español en *El rapto de Europa*, 1974, ed. Alianza Editorial (pág. 132-135), reeditada en 2018.

[13]   España tiene retraso considerable en la transposición de diversas directivas (en torno a 20) en transporte (espacio común ferroviario), energías renovables, tecnología, canales para denunciar la infracción del derecho de la UE o Directiva Whistleblowing, medios audiovisuales, derechos digitales de autor, etc…

[14]   Donde la Sentencia del TJUE de 16 de enero de 2019, asunto C–265/17 P (UPS/Comisión) da un paso más al conectar los derechos de equidad, acceso al expediente y a ser oído con el derecho, no ya de defensa, sino a preparar una mejor defensa de haberse conocido las modificaciones introducidas en el modelo econométrico predictivo, finalmente empleado por la Comisión, en su decisión (anulada) sobre el control de una operación de concentración de empresas (modificación no comunicada, con cambio de las reglas del juego a mitad de partida); algo que, estando de acuerdo con Tomás Ramón Fernández (RAP 209, mayo-agosto, 2019, pág. 256), permite encauzar la eficacia invalidante del vicio del art. 48 LPACAP a otro estadio, pasando de la tradicional indefensión absoluta (desconocimiento total), a la de pérdida de las posibilidades reales de defensa (por desconocer un cambio respecto algo inicialmente conocido).

3. LA BUENA ADMINISTRACIÓN
EN LA CONSTITUCIÓN

«(…) Proteger a todos los españoles y pueblos de España en el ejercicio de los derechos humanos, sus culturas y tradiciones, lenguas e instituciones.
Promover el progreso de la cultura, la economía para asegurar a todos una digna calidad de vida.
Establecer una sociedad democrática avanzada».

(Constitución Española, 27 de diciembre 1978, Preámbulo)

En la actualidad, cuando el proceso constituyente que alumbró la norma de convivencia más duradera y eficaz en la historia de España está siendo cuestionado políticamente, con una sociedad donde el dogmatismo del pensamiento único se está perfilando con sesgos censores y sectarios, cobra especial relevancia la *misión constitucional* de la Administración Pública[15].

De hecho, la doctrina viene incidiendo sobre la importancia del *Derecho Administrativo Constitucional*[16], aparte de la función promocional de los poderes públicos, y esto, al margen de la inexplicable carencia, en el diseño curricular de nuestro sistema educativo, de una disciplina sobre la Constitución que, de haber existido, podría haber suavizado, sino evitado, muchos de los conflictos territoriales, lingüísticos e independentistas, agudizados desde 2007, que vienen alterando la paz social de nuestro país.

En este sentido, es más imperioso que nunca resaltar los valores superiores de nuestro ordenamiento jurídico, como Estado Social y Democrático de Derecho, cuando el artículo 1 de la CE propugna los de la libertad, justicia, igualdad y pluralismo político, cuyo respeto parece tan olvidado hoy en día; poniéndolos en relación con los siguientes preceptos de nuestra Carta Magna, que de apelan tanto al buen gobierno como a la buena administración:

1.- El art. 9.2 sobre el mandato a los poderes públicos de promover que la libertad e igualdad del individuo y de los grupos en que se integra sean

---

[15] RODRÍGUEZ-ARANA, Jaime (2019). Capítulo IX. *Buena Administración y Ética pública*. Homenaje al Profesor D. Jesús González Pérez.

[16] Cfr. Obra de José Luis MELIÁN, *La Buena Administración como institución jurídica* (pág. 16).

reales y efectivas; es decir el objetivo es ayudar a hacer realidad y materializar esos derechos; imponiendo, asimismo, la obligación de remover los obstáculos que lo impidan o dificulten su plenitud y facilitando la participación de todos los ciudadanos en la vida política, económica, cultural y social.

2.- El art. 9.3 que, entre las garantías jurídicas de los derechos y libertades individuales, prohíbe la arbitrariedad de los poderes públicos.

3.- El art. 10 CE, relacionado con los principios de su preámbulo y dentro del Título I sobre los derechos y deberes fundamentales, fija los fundamentos del orden político y la paz social: la dignidad de la personal, los derechos inviolables que le son inherentes, el libre desarrollo de la personalidad y el respeto y a los derechos de los demás. Su apartado segundo, puesto en relación con el artículo 93 CE (soporte básico de integración de otros ordenamientos jurídicos con el nuestro mediante la cesión del ejercicio de competencias) y el valor hermenéutico de la Carta en la interpretación de los derechos fundamentales (STC 292/2000, de 30 de noviembre, cuyo FJ 8 cita, precisamente, la Carta de Niza).

4.- El art. 31 sobre la contribución al sistema tributario no confiscatorio, conforme los principios de capacidad económica, igualdad y progresividad unidos a la asignación equitativa del gasto público atendiendo a criterios de eficiencia y economía. (Deber de todo buen ciudadano).

5.- El art. 103.1, dentro de su Título IV sobre el Gobierno y la Administración, impone el deber a ésta de *servir con objetividad el interés* general bajo los principios de eficacia, jerarquía, descentralización, desconcentración y coordinación, con sometimiento pleno a la ley y al derecho; precepto donde cobran relevancia la libertad solidaria y la ética pública[17].

6.- El art. 105 regula la participación ciudadana mediante la audiencia, no sólo a los procedimientos administrativos que les afecten, sino también a los archivos y registros administrativos con las limitaciones constitucionales recogidas en su apartado b), así como al procedimiento de elaboración de las disposiciones administrativas que les afecten.

---

[17]   Jaime RODRÍGUEZ-ARANA *«El principio al buen gobierno y la buena administración».* (pág 59).

7.- El art. 106.2 implanta el régimen de responsabilidad patrimonial de la Administración Pública; pero no necesariamente objetiva, y también extensible a la de justicia (art. 122 CE).

8.- El art. 135 impone el principio de estabilidad presupuestaria y la limitación al déficit estructural conforme los márgenes fijados por la Unión Europea.

9.- El art. 138.2 y 139.1 tratan del principio de solidaridad e igualdad territorial, asentados en la indisoluble unidad de la Nación española, que no podrá implicar privilegios económicos o sociales entre sus ciudadanos pese a las diferencias entre los Estatutos de Autonomía y con respeto a los derechos históricos forales y sobre la modificación del régimen fiscal y económico de Canarias (Disposiciones Adicionales Primera y Tercera de la CE).

Preceptos, todos ellos, que debieran estar grabados a fuego en la mente de todos los servidores públicos, en el más amplio de los sentidos (autoridades, cargos y empleados).

4. APLICACIÓN PRÁCTICA Y EFECTOS ECONÓMICOS

> *«¿No cree S. S. que uno de los mayores recursos en toda Hacienda municipal es el orden, la buena administración? ¿No conocemos muchas pingües fortunas que quedan como anuladas y en ruinas por mala administración? Pues si procuramos mejorar la Administración, algo aportamos a la Hacienda municipal; aportamos mucho. S. del C. Leg. 1907, pág. 7029».*

(Ideario de D. Antonio Maura sobre la vida local)[18]

4.1 En la contratación pública

La *buena administración* implica un correcto funcionamiento del aparato administrativo para servir con objetividad y eficacia al interés general. Una maquinaria que debe estar bien «engrasada» con medios y recursos suficien-

---

[18] Homenaje en el primer centenario del nacimiento de un gran español. Instituto de Estudios de la Administración Pública, 1994, (pág. 213-214).

tes. Y, uno de los pilares esenciales de su engranaje, además de la asignación racional de los recursos, estriba en la contratación pública y la colaboración público privada para la ejecución de las políticas encaminadas a satisfacer las necesidades básicas del estado del bienestar, actualmente en declive. Así, la buena administración implica aplicar debidamente los principios de igualdad, libre concurrencia y estabilidad presupuestaria definidos en el art. 1 de la Ley 9/2017 de Contratos del Sector Público; gestión que corresponderá al aparato administrativo no sólo al momento de elaborar unos pliegos, contrastando los precios de mercado, incorporando los criterios de sostenibilidad económica, ambiental y, en su caso, los de carácter social; sino velando para impedir la colusión anticompetitiva entre ofertantes[19] y verificando la correcta ejecución de los contratos (uno de sus aspectos más olvidados a nivel municipal, básicamente, por falta de medios).

La implantación de los Tribunales Administrativos de Recursos Contractuales y órganos consultivos en materia de contratación, favorecen la buena administración evitando que los conflictos lleguen a la vía judicial, aligerando la carga y tiempo de respuesta en sede jurisdiccional. En tal sentido se han venido dictando informes y resoluciones sobre la correcta aplicación del principio de la buena administración en cuanto a la subsanación de errores y aclaración de ofertas con respecto a los principios básicos de trato igualitario y libre concurrencia de los licitadores, apelando a la jurisprudencia comunitaria (Sentencia del Tribunal General de 10 de diciembre de 2009, Asunto T-195/08 Antwerpse Bouwwerken vs. Comisión) que considera contraria al principio de buena administración la desestimación de las ofertas sin ejercer esa facultad de solicitar aclaraciones, cuando la ambigüedad detectada en su formulación puede explicarse de un modo simple y disiparse fácilmente[20].

---

[19]   El art. 132.3 del TRLCSP 9/2017 de 8 de noviembre, obliga a los órganos de contratación a notificar a la CNMC hechos o indicios que puedan constituir infracciones a la legislación de defensa de la competencia (acuerdo, decisión o recomendación colectiva, o práctica concertada o paralela de los licitadores para impedir, restringir o falsear la competencia en el proceso de contratación).

[20]   Así, la Resolución del Tribunal Administrativo de Recursos Contractuales (TA-CRC) nº 899/2019 de 1 de agosto de 2019 desestima el recurso de la UTE contra el acuerdo de exclusión de una de las ofertas en la licitación sobre el servicio de mantenimiento, conservación y reparación de terminales y edificios anexos al aeropuerto

En sentido similar ya se pronunciaba, el 25 de marzo de 2014, el informe sobre la consulta solicitada por el Alcalde del valle de Egüés a la Junta Consultiva de Contratación Pública de Navarra (Informe nº 1/2014), invocando el apartado 56 de esa misma sentencia del Tribunal General. Y en la misma línea, pero en sentido inverso está la Resolución del TARC de Andalucía nº 119/2019, de 24 de abril de 2019 que niega la vulneración del principio de buena administración[21] por no haber sido solicitada la aclaración.

En el plano jurisdiccional puede citarse la STS de 3 de mayo de 2007 (rec. 4693/2003) respecto la adquisición por el Ayuntamiento de Tenerife de once parcelas (Frente de Playa) conforme a un convenio urbanístico para reordenar el ámbito de la playa Las Teresitas, cuando sostiene:

> *«Por todas estas circunstancias el precio de la compraventa no ha contado con el soporte (informe pericial) exigido por el precepto que se cita como infringido en la demanda (11 del Reglamento de Bienes de las Entidades Locales, aprobado por Real Decreto 1372/1986, de 13 de julio), ni con un sistema de fijación que acredite la corrección de mismo de modo fehaciente (artículo 118 del mismo Reglamento) por lo que, en consecuencia, no resulta cumplido el principio de buena administración, exigido por el artículo 4 del Texto Refundido de la Ley de Contratos de las Administraciones Públicas, aprobado por Real Decreto Legislativo 2/2000, de 16 de junio. Por las razones expresadas, el Informe de Valoración que hemos analizado no cuenta con las exigencias necesarias para constituir un elemento objetivo de control administrativo en el trámite de determinación del precio de la compraventa que nos vemos obligados a anular»*

En esta materia también procede citar la STS 30 de abril de 2012 [rec. 1869/2011 *(Tol 2543088)*] sobre el acceso al expediente de clasificación de un contratista, que concibe la buena administración como un derecho de última generación en el que se integra el derecho de los ciudadanos al acceso a los archivos y registros administrativos (art. 105.b. CE) *«y que, al igual que el derecho de audiencia o la obligación de motivar las decisiones administrativas, como*

---

de Barcelona-El Prat, apoyándose en dicha doctrina ya aplicada en resoluciones anteriores del TACRC (nº 127/2019 y nº 608/2018).

21   Ambas Comunidades Autónomas, como otras varias, tienen expresamente recogido el derecho a la buena Administración (art. 7 de la Ley Foral 15/2004 de 3 de diciembre, de la Administración de la Comunidad Foral de Navarra y Estatuto Autonomía de Andalucía).

decíamos, íntegra el contenido del derecho a una buena administración, derecho de última generación.(…) Pues bien, para que sea efectivo el derecho de acceso de los ciudadanos a la documentación que se encuentra en poder de las Administraciones Públicas es necesario, desde luego, que la Administración sea profesional, objetiva, participativa y servicial, pero sobre todo es imprescindible que la Administración respete la Ley».

4.2 En materia de revisión y gestión tributaria

Uno de los ámbitos más relevantes en el que se está reflejando la aplicación de la buena administración es el de la gestión tributaria, donde la Administración ostenta, aún más si cabe, el privilegio de autotutela y ejecutividad de sus actos. Se está exigiendo una conducta más diligente que evite las disfunciones derivadas de su actuación (u omisión) haciendo primar la garantía efectiva y plena de los derechos del contribuyente. En este ámbito, a pesar de los TEAC y de los Tribunales Económicos-Administrativo y Jurados municipales en los municipios de gran población, la litigiosidad es enorme y la labor a interpretativa del Tribunal Supremo sigue aplicando la buena administración, como un principio metajurídico implícito en nuestra Constitución.

Así, la STS núm. 665/2017 de 17 de abril (rec. 785/2016)[22] destaca la proyección general del principio y afirma que *«no se detiene en la mera observancia estricta del procedimiento y trámites, sino que más allá reclama la plena efectividad de las garantías y derechos reconocidos legal y constitucionalmente al contribuyente».* Y, en el mismo sentido, el FD Cuarto de la Sentencia núm. 1.909/2017, de 5 de diciembre de 2017 (rec. 1727/2016) respecto una sanción por la regularización por rendimiento de capital mobiliario en el IRPF y el plazo de la Administración tributaria para culminar la inspección desde que

---

[22]   Que, en su FD Tercero señala: *«Evitar la doble imposición y la prohibición del enriquecimiento injusto en el ámbito tributario enlaza con un sistema tributario basado en el principio superior de Justicia y el de contribuir al sostenimiento de los gastos públicos conforme a la capacidad económica de cada uno; lo que constituye un mandato a los responsables de gestionar el sistema impositivo, a la propia Administración Tributaria, de observar el deber de cuidado y la debida diligencia para su efectividad y de garantizar la protección jurídica que haga inviable la doble imposición y el enriquecimiento injusto de la Administración».*

recibiera el expediente remitido por el órgano económico administrativo, tras la retroacción de actuaciones decretada.

Por otro lado, la STS nº 586/2020, de 28 de mayo de 2020 (rec. 5751/2017) en cuyo FD Tercero interpreta los límites del principio de ejecutividad de los actos tributarios y del silencio administrativo, apelando a la buena administración en la Constitución, como principio metajurídico inspirador de otros. Al igual que la STS núm. 741/2020, de 11 de junio de 2020 (rec. 3887/2017) en un asunto sobre la aplicación de los plazos de prescripción en ingresos indebidos, cuando en su FD Tercero, apela al principio en su vertiente del «*deber de cuidado y la debida diligencia para su efectividad y la de garantizar la protección jurídica haga que impida el enriquecimiento injusto*»

También procede citar la STS núm. 1309/2020, de 15 de octubre (rec. 1652/2019) relativa al aplazamiento de la deuda solicitado en período ejecutivo y antes de dictarse providencia de apremio, en cuyo FD Tercero, fija jurisprudencia señalando que «*el principio de buena administración impide que la Administración tributaria dicte providencia de apremio respecto de deudas tributarias sin contestar previamente las solicitudes de aplazamiento o fraccionamiento de dichas deudas formuladas por el contribuyente, incluso cuando tales solicitudes han sido efectuadas en período ejecutivo de cobro*». O la STS núm. 361/2021 del 15 de marzo de 2021 (rec. 526/2020) que, en sus FD Tercero y Cuarto, exige, conforme al principio de buena administración, que las dilaciones del procedimiento, aunque sean por causa no imputable a la Administración, deben constar expresamente motivadas en el acuerdo de derivación de responsabilidad.

En el ámbito tributario local hay que destacar la STS núm. 815/2018, de 21 de mayo de 2018 (rec. 113/2017) interpretando los artículos 108 LBRL, 14.2 LRHL y 25.1 LJCA, en relación con los artículos 24.1 y 106.1 CE, en cuanto a la imposibilidad de inadmitir el recurso de reposición preceptivo cuando se fundamentara exclusivamente en la inconstitucionalidad de la norma legal que da cobertura al acto tributario impugnados (IIVTNU); sentencia que obliga a retrotraer las actuaciones para que el Juzgado en la instancia resolviera sobre el fondo, fijando jurisprudencia en su FD Quinto.2 y, aunque no cite expresamente la buena, está inspirada en sus postulados al considerar la inutilidad, ineficacia y demora innecesarias de exigir la carga procesal de un obligado recurso de reposición cuando nunca podría estimarse el mismo en vía administrativa por el órgano llamado a resolverlo, al carecer éste de las atribuciones para ello ni disponer de cauce procesal para plantear la cuestión ante el Tribunal Constitucional, concluyendo, en su FD Cuarto.10:

> *«En otras palabras, el privilegio de la tutela reduplicativa ha de ser objeto de una interpretación moderadora, en aras de la tutela judicial efectiva, evitando demoras innecesarias y anodinas que postergan el control judicial de la Administración».*

En ese mismo sentido de evitar trámites innecesarios y en esa materia (tras la declaración de inconstitucionalidad parcial del IIVTNU, ahora ya total), aparece la STS núm. 752/2021 de 27 de mayo de 2021, [rec. 5864/2019 *(Tol 8463864)*] rechazando que el juzgador en la instancia obligue a un Ayuntamiento a tramitar ante el Consejo de Estado la revisión de actos nulos de pleno derecho al no darse ninguno de los supuestos del art. 217.1.a,e,f y g) LGT, añadiendo que, darse otros supuestos de nulidad tributaria, correspondía a dicho órgano jurisdiccional analizarlo y haberlo resuelto, en un caso de revisión de oficio y devolución de ingresos indebidos derivados de liquidaciones firmes anteriores a la STC 59/2017.

Lo que enlaza con la mala praxis, contraria al principio de buena administración, de algún Ayuntamiento de gran población donde, a pesar de tener regulada la preceptiva figura del Tribunal Económico-Administrativo Municipal (BOC nº 207, de 26/10/2004, pág. 10142), creada con la pretensión de aligerar la carga de recursos judiciales, aún sigue sin constituir el mismo y pendiente de implantarlo poniendo en riesgo la gestión recaudatoria no firme desde 2003 (vid. Auto TS de admisión nº 38/2022 del RCA/2928/2021, de 12 de enero de 2022).

Por último, la Sentencia núm. 885/2021 de 21/06/2021 [rec. 6194/2019 *(Tol 8499528)*] hace un resumen de la jurisprudencia sobre el principio de buena administración en materia tributaria, con cita, entre otras de la STS de 17/04/2017 ya mencionada y de la STS de 18 de diciembre de 2019 (rec. 4442/2018), pronunciándose sobre su alcance cuando existe falta de comunicación entre distintos registros de la Administración tributaria:

> *(...) A tal respecto, si unos órganos no se ponen en contacto con otros y omiten la necesaria comunicación de lo que por razón de su cargo conocen, tal proceder negligente entraña una grave patología indebida del funcionamiento desde la perspectiva del principio de buena administración —y la buena fe— del que no*

puede obtener la Administración ventaja alguna, conforme al aforismo de que nadie se puede beneficiar de sus propias torpezas (allegans turpitudinem propriam non valet).

4.3 En el ámbito de la función pública

La STS núm. 1365/2020 de 21 de octubre de 2020 [Rec. 196/2019 *(Tol 8165857)*] obliga a la reclasificación y valoración de un puesto de trabajo cuando se incrementan sus funciones, resultando ajustado a derecho asignar un nivel del complemento de destino fuera del intervalo legal debido a la indefinida duración de la D. Transitoria Tercera del Estatuto del Empleado Público. Esta sentencia hace primar los principio básicos de la buena actuación administrativa sobre la propia ley cuando en su FD Quinto, con remisión otra sentencia anterior (STS 06/03/2013, rec. 4004/2010) cuestiona abiertamente lo que denomina *«derecho transitorio infinito»* fijando jurisprudencia al concluir que: *«se puede asignar a un puesto de trabajo un nivel que se encuentre fuera del intervalo legalmente establecido cuando, como en el caso de autos, la duración temporal de la disposición transitoria del Estatuto del Empleado Público se prolonga indefinidamente en el tiempo».* Y, apoyándose en esa misma doctrina, la STS núm. 727/2021 de 24 de mayo [Rec. 5577/2019 (Tol 8454907] reconoce que la atribución de nuevas competencias de gran calado, debe repercutir en una nueva valoración para otro puesto de trabajo.

4.4 En materia de medio ambiente y urbanismo

En cuanto a la aplicación de la buena administración también está la STS núm. 21/2020, de 15 de enero de 2020 [rec. 3835/2018 *(Tol 7698930)*] sobre los mapas del ruido y las responsabilidad municipal por no ejecutar su propio planeamiento general y provocar su inactividad un conflicto vecinal; al igual que la STS de 20/11/2015 [rec. 1203/2014 *(Tol 5596219)*] que asocia el derecho al trámite y los efectos del silencio positivo como mecanismo frente a la falta de respuesta de una solicitud de declaración de caducidad de una concesión demanial de costas (pantanales); sentencia que aplica el principio de buena administración, también con proyección general, y al margen de la limitación del art. 51 de la Carta por remisión al FD 8º de la STS 11 de julio de 2014 [rec. 5219/201 *(Tol 4475572)*] en estos términos:

«Así lo vino a entender acertadamente la resolución judicial impugnada; y ciertamente tal exigencia puede deducirse incluso, no sólo de nuestro propio ordenamiento interno, sino también del derecho a la buena administración reconocido por la normativa europea (artículo 41 de la Carta de Derechos Fundamentales de la Unión Europea: con proyección general, no obstante lo establecido también por el artículo 51 de dicha Carta, porque resulta difícil establecer y explicar un distinto nivel de enjuiciamiento, según se aplique o no el Derecho de la Unión Europea por los operadores en el ámbito interno»

Este es un ámbito donde el principio de cautela o prevención (la debida diligencia) se manifiesta más con más contundencia, tal y como se deduce del FD Cuarto de la STS núm. 1683/2017 de 7 de noviembre [rec. 2228/2016 *(Tol 6427839)*] que atendiendo a dicho principio desestimó recurso contra la sentencia que confirmaba la modificación de un PGOU por inestabilidad de terrenos residenciales.

Por otro lado, la STS núm. 716/2016 de 30/03/2016 (rec. 4059/2013) trata del proceso de adjudicación de parques eólicos en Galicia, no aprecia desviación de poder por cambio normativo coincidiendo con cambio en parlamento y ejecutivo de la Xunta, considerando (FD Quinto), que la decisión de suspender el curso del procedimiento en tanto se aprobaba la nueva ley, *«viene impuesta por los principios de eficiencia y buena administración que deben presidir el actuar de la Administración en general y por el mínima afectación que ha de presidir el actuar administrativo y que se ha visto confirmado por el legislador».*

Sin embargo, la STS de 10 de julio de 2014, REC: 3288/2011 *(Tol 4438097)* sobre las selección de un proyecto de un parque eólico en otra autonomía, estimó el recurso al considerar insuficientemente motivada la decisión adoptada, con cita expresa al derecho de los ciudadanos a una buena administración, que implica la obligación que incumbe a la *Administración* de motivar sus decisiones.

Existe toda una doctrina del Tribunal Supremo que apela a la motivación como otra manifestación del derecho a la buena administración en materia de planificación, gestión, y disciplina urbanística, autorizaciones administrativas, concesiones mineras, hidrocarburos, gases efecto invernadero, fomento, derecho subvencional, elaboración de disposiciones normativas y control del impacto normativo, incluso con Sentencias que, más allá de la motivación, exigen una *motivación de calidad* en la memoria del PGOU (STS de 4/12/2014, rec. 1527/2012)[23]

4.5 Alguna jurisprudencia menor

En materia de contratación, cabe citar la Sentencia nº 365/2019 de 12 de septiembre del Juzgado de lo Contenciosos-Administrativo nº 2 de Alicante (rec. 28/2019), donde se debatía una cláusula 11 sobre desempate en el proceso de licitación para enajenar una parcela del Patrimonio Municipal del Suelo, que se decantaba por quien hubiera presentado la oferta en primer lugar; cláusula anulada en vía administrativa antes de abrir las ofertas con desistimiento del proceso, tras los recursos de reposición de dos licitadores. La sentencia pondera, de un lado, el que no se cite disposición normativa alguna que haya sido infringida para dejar sin efecto la cláusula conflictiva y desistir del procedimiento y, de otro, el que no exista fundamento razonable para premiar o hacer de mejor condición al que primero presento su oferta, dado que todos los días del plazo de presentación de ofertas son igualmente hábiles y tan válido es presentar la documentación el primer día como el último, concluyendo correcta la anulación de cláusula, cuando señala:

> *«En definitiva, la actuación de la Administración se ajusta a derecho, moviéndose la misma en el terreno de la discrecionalidad para adoptar decisiones que respeten el principio de buena administración y garanticen la igualdad de opciones o posibilidades de todos los aspirantes que toman parte en el procedimiento».*

Si bien, esta sentencia ha sido revocada en apelación por la STSJ Valencia nº 591/2021 de 13 de julio 2021 (rec. 410/2019), sin mencionar el citado principio, señalando que:

> *«El criterio no infringe precepto alguno del ordenamiento jurídico, eso lo reconoce la sentencia apelada, la propuesta de los recurrentes en vía administrativa es que el sorteo "era más objetivo" y se presta menos al uso de información privilegiada que beneficiaría al licitador que tuviese un conocimiento previo que le permitiera durante más tiempo preparar la oferta. No negamos que podría haber optado la Administración por el criterio del "sorteo" en lugar de por "primero en presentación", ahora bien, desde el momento que optó por el segundo ejerció*

---

[23] Cfr. Obra citada Juli PONCE SOLÉ (págs. 71 a 88).

su "discrecionalidad" y lo convirtió el "ley del concurso que nos ocupa" que sólo puede ser modificada cuando infrinja el ordenamiento jurídico».

Es un ejemplo de cómo la buena administración se topa el racionalismo positivista considerando que solamente debe modificar la ley del concurso si fuera vulnerado el ordenamiento jurídico, como si este principio no formara parte del mismo, y con el dogmatismo sobre la discrecionalidad tradicional en cuanto a la facultad de la Administración de elegir entre dos soluciones, jurídicamente indiferentes, por ser igual de justas; pero el control judicial de la discrecionalidad debiera ir más allá y poder atisbar los beneficios de buena administración[24], que ni siquiera se citan de pasada en esta sentencia. Y, parafraseando a Melián, *la jurisprudencia ya se ha preguntado «si en un Estado de Derecho puede admitirse la existencia a priori de algo indiferente jurídicamente»* refiriéndose a la STS de 13 de junio de 2000 (rec. 8008/1994), relativa a los límites de la discrecionalidad en la adjudicación de los contratos públicos y que, ya entonces apelaba a la buena administración en su FD Quinto.

Por otro lado, hay Tribunales que siguen considerando, en el mejor de los casos, a la Buena Administración como un principio meramente orientativo, sin efectos económicos y, en todo caso, por debajo incluso de disposiciones generales autonómicas. Así sucede con la STJ Cantabria núm. 160/2021, de 10 de junio de 2021 [rec. 298/2019 *(Tol 8489195)*], respecto a una subvención autonómica para financiar obras de adaptación por Comunidades de Propietarios, otorgada con exclusión de la vivienda de una copropietarias que, habiendo interpuesto recurso en vía administrativa y solicitadas medidas cautelares para evitar la pérdida de finalidad del recurso, acabó demandado tras más de dos años sin resolverse el mismo y haberle sido negado el acceso al expediente; momento en que la Administración dictó resolución extemporánea durante el trámite de contestación a la demanda; pero limitándose a reconocer el derecho a la inclusión de la vivienda en aquella subvención según un informe favorable obrante en el expediente años atrás; resolución que, de haber sido adoptada en plazo, habría permitido que la recurrente recibiera la parte correspondiente de la subvención

---

[24]   Juli PONCE SOLÉ «La discrecionalidad no puede ser arbitrariedad y debe ser buena administración», *Revista Española de Derecho Administrativo*, nº 175, enero–marzo 2016.

otorgada a la Comunidad por la inversión realizada; circunstancia que ya no podía materializarse debido al retraso en dictar la misma y la no adopción de ninguna de las medidas cautelares propuestas en su momento.

El principio de buena administración respecto a esa resolución tardía, fue rechazado por la Sentencia, pese a haber dictado Auto negando la terminación del proceso por satisfacción extraprocesal. La Sentencia, en su FD Tercero, limitado exclusivamente a las medidas cautelares y con una visión contraria a la doctrina jurisprudencial sobre la buena administración y los indudables efectos económicos que se deducen de la misma, no sólo nada indica obre la pírrica resolución fuera de plazo, sino que cuestiona el carácter económico del principio haciendo primar el Decreto de convocatoria de la subvención autonómica que deriva su ejecución a la Comunidad de Propietarios en cuanto su reparto de la subvención y, además la resolución judicial cierra el círculo, negando la posibilidad a futuro de una reclamación de responsabilidad patrimonial; litigio que, a mayores, también podría recaer ante esa misma Sala, la única en Cantabria.

De haber sido aplicado correctamente el principio de buena administración, cabría haber inaplicado judicialmente —vía art. 6 LOPJ— el abusivo precepto autonómico que deja en manos de un tercero (la Comunidad de Propietarios) la potestad indisponible de ejecutar sus actos (reparto de una subvención pública) y tampoco habrían sido negados los innegables efectos económicos del principio, siendo más que evidente responsabilidad autonómica que, contado con informe favorable al recurso en vía administrativa, de haber sido éste resuelto en plazo evitaría el deambular jurisdiccional que se desprende del contenido de la resolución judicial; es decir el el tener que acudir a la vía civil contra la Comunidad para, en su caso, ejercitar la acción de enriquecimiento injusto tras lo declarado en esa sentencia de lo contencioso, que no puede citarse como un buen ejemplo de buena administración de justicia.

5. CONCLUSIÓN

En definitiva, la Buena Administración constituye mucho más que un principio procedimental de la actuación administrativa, puede ser invocado directamente ante los Tribunales como derecho fundamental europeo en las áreas donde resulte aplicable el Derecho de la Unión y, en todo caso, como derecho subjetivo público interno y principio metajurídico en constante y permanente evolución jurisprudencial; doctrina de la que se deduce con meridiana claridad las repercusiones económicas de su correcta aplicación. Negar los efectos de Buena Administración es negar la realidad, y como diría Ortega y Gasset, *«Toda realidad ignorada prepara su venganza»*.

Bibliografía

GAMERO CASADO, Eduardo (Coord.) [et al.]. (2014). *«Simplificación del procedimiento administrativo y Mejora de la Regulación. Una metodología para la eficacia y el derecho a la buena administración»*. Ed. Tirant lo Blanch.

GARRIDO MAYOL, Vicente (2012). *«Principio de buena administración y gobernanza en la contratación pública»* Estudios Deusto. olección de Derecho Constitucional (Dir. Raúl Canosa Usera). Ed. Reus S.A.

GASCÓN Y MARÍN, José. (1944, Madrid) *«Oliván y la ciencia de la Administración»*, pág. 17 Estudios del Centenario de los iniciadores de la ciencia jurídico-administrativa española. Publicaciones del Instituto de Estudios de la Administración Local.

MEILÁN GIL, José Luis, (2013). *«La buena Administración como institución jurídica»*. Revista Andaluza de Administración Pública núm. 87, Sevilla, septiembre–diciembre (2013).

PONCE SOLÉ, Juli (2019) *«La lucha por el buen gobierno y el derecho a una buena administración mediante el estándar jurídico de diligencia debida»* Editorial Alcalá. Universidad de Alcalá, Servicio de Publicaciones. Defensor del Pueblo, [DL 2019] y *«La discrecionalidad no puede ser arbitrariedad y debe ser buena administración»*, Revista Española de Derecho Administrativo, nº 175, enero- marzo 2016.

RODRÍGUEZ-ARANA, Jaime (2012). *«El ciudadano y el poder publico: El principio al buen gobierno y la buena administración»*. Colección de Derecho Constitucional (Dir. Raúl Canosa Usera). Ed. Reus S.A. y *«El principio al buen gobierno y la buena administración»*. (2006) Ed. Aranzadi, S.A.

RODRÍGUEZ-ARANA, Jaime (2019). *«Capítulo IX. Buena Administración y Ética pública»* en Homenaje al Profesor D. Jesús González Pérez. Asociación de Derecho Internacional de Derecho Administrativo (AIDA). Coordinadores: Jorge Vargas Morgado, Juan Alejandro Martínez Navarro, Juan Carlos Benalcázar Guerrón *(Tol 7687701)*.

VIÑUALES FERREIRO, Susana (2017). *«El art. 41 de la Carta Europea de los Derechos Fundamentales. Visión crítica»* Estudios Deusto.

La integración de la clasificación de terceros

Borja Fernández Burgueño
Abogado de derecho administrativo en Hogan Lovells International LLP

SUMARIO: 1. INTRODUCCIÓN. 2. MARCO NORMATIVO. 2.1 Posibilidad general de integración de solvencia con medios de terceros. 2.2 La integración de la clasificación mediante la subcontratación de trabajos especializados. 2.3 La obligación de subcontratar parte del contrato con empresas clasificadas. 2.4 La posibilidad de acudir a la solvencia de sociedades del grupo para obtener la clasificación propia. 3. DOS CORRIENTES INTERPRETATIVAS CONTRAPUESTAS SOBRE LA POSIBILIDAD DE INTEGRAR LA CLASIFICACIÓN DE TERCEROS. 3.1 Interpretación restrictiva: no es posible integrar la clasificación, salvo en el supuesto de la subcontratación de trabajos especializados en contratos anteriores a la Ley 25/2013. 3.2 Interpretación alternativa: en términos generales, sí es posible integrar la clasificación de terceros, si bien esta posibilidad está sujeta a ciertos límites. 3.3 El derecho de la UE, favorable a la integración de la solvencia a través de terceros, podría decantar la balanza hacia la posibilidad de integrar la clasificación. 4. CONCLUSIONES.

1. INTRODUCCIÓN

En este capítulo se analiza el estado actual del debate sobre si es posible que una empresa que carezca de la clasificación requerida para participar en una licitación acuda a terceras empresas para integrar su clasificación.

Esta cuestión, que todavía no está resuelta, ha adquirido una especial actualidad ya que, de acuerdo con Real Decreto 773/2015, de 28 de agosto *(Tol 5411522)*, según fue modificado por el Real Decreto 716/2019, de 5 de diciembre *(Tol 7606791)*, a partir del 1 de enero de 2022 las clasificaciones de empresas otorgadas con anterioridad a la entrada en vigor del Real Decreto 773/2015 *(Tol 5411522)* (comúnmente llamadas «clasificaciones en letras») y que no hayan sido renovadas de acuerdo con la normativa en vigor («clasificaciones en números»), perderán su vigencia.

Ante la pérdida sobrevenida de la vigencia de sus clasificaciones, muchas empresas deberán buscar fórmulas para no ser excluidas de contratos en licitación o, en su caso, encontrarse ante un supuesto de resolución de un contrato en ejecución[1]. A buen seguro, gran parte de ellas valorarán la posibilidad de acudir a la clasificación de sociedades del mismo u otros grupos empresariales. No obstante, como se verá a continuación, la posibilidad de integrar la clasificación de terceras empresas no se trata de una cuestión pacífica y, en los casos en los que se permite, se encuentra sujeta a ciertas limitaciones.

Con estos mimbres, comenzamos.

---

[1] Adviértase que la necesidad de resolver un contrato por pérdida sobrevenida de la clasificación requerida se trata de una cuestión controvertida respecto de la cual se pueden encontrar pronunciamientos a favor y en contra, entre los que se encuentra, entre otros, el Informe núm. 27/1997 de 14 julio, de la Junta Consultiva de Contratación Administrativa Estatal *(Tol 4444706)*, en el que se concluye que «*el requisito de la clasificación en la Ley de Contratos de las Administraciones Públicas aparece referido al momento de la adjudicación del contrato, por lo que la pérdida posterior de tal clasificación no debe producir efecto en la ejecución del contrato*». Para evitar interpretaciones dispares sobre los efectos de la pérdida de clasificación sobrevenida, cada vez es más frecuente encontrarse con pliegos en los que, expresamente, se indica que la pérdida sobrevenida de la solvencia o, específicamente, de la clasificación será causa de resolución del contrato.

2. MARCO NORMATIVO

Para poder contratar con las Administraciones Públicas, es necesario poseer la correspondiente solvencia económica, financiera, y técnica o profesional, que dependerá del tipo de prestaciones que se deban ejecutar. En determinados contratos esa solvencia se debe o se puede acreditar mediante la clasificación.

El marco normativo sobre los contratos a los que les son exigible la clasificación ha ido evolucionando. Actualmente, la clasificación únicamente se requiere en contratos de obras cuyo valor estimado sea igual o superior a 500.000 euros Para los contratos de servicios, la clasificación se alza como un medio alternativo y opcional de acreditar la solvencia y para el resto de contratos la clasificación no es exigible.

La posibilidad, requisitos y límites de la integración de la clasificación de terceros es una cuestión que la normativa de contratación pública nunca ha tratado de forma clara.

Para resolver esta cuestión, debemos poner el foco: (2.1) en la regulación de la posibilidad general de integración de solvencia con medios de terceros; (2.2) en la —derogada— normativa sobre la integración de la clasificación mediante la subcontratación de trabajos especializados; (2.3) en la potestad de los órganos de contratación de incluir la obligación de subcontratar parte del contrato con empresas clasificadas; y (2.4) en la posibilidad de acudir a la solvencia de sociedades del grupo para obtener la clasificación propia.

2.1 Posibilidad general de integración de solvencia con medios de terceros

El actual artículo 75 de la vigente Ley 9/2017, de 8 de noviembre, de Contratos del Sector Público *(Tol 6414318)* (en adelante, la LCSP de 2017), regula la posibilidad genérica de integración de la solvencia con medios externos en los siguientes términos: «*[p]ara acreditar la solvencia necesaria para celebrar un contrato determinado, el empresario podrá basarse en la solvencia y medios de otras entidades, independientemente de la naturaleza jurídica de los vínculos que tenga con ellas, siempre que demuestre que durante toda la duración de la ejecución del contrato dispondrá efectivamente de esa solvencia y medios, y la entidad a la que recurra no esté incursa en una prohibición de contratar […]*».

Este artículo tiene sus raíces en el artículo 63 del texto refundido de la Ley de Contratos del Sector Público, aprobado por Real Decreto Legislativo 3/2011, de 14 de noviembre *(Tol 2269022)* (en adelante, TRLCSP) y en el artículo 52 de la Ley 30/2007, de 30 de octubre, de Contratos del Sector Público *(Tol 1155974)* (en adelante, LCSP de 2007), ambos con un contenido material, en lo que nos ocupa, similar, aunque más escueto, al actual artículo 75 de la LCSP de 2017 *(Tol 6414318).*

Esta posibilidad genérica de acudir a medios de terceros para integrar la solvencia exigida también se encuentra en sintonía con los artículos 47.2 y 48.3 de la derogada Directiva 2004/18/CE del Parlamento Europeo y del Consejo de 31 de marzo de 2004 sobre coordinación de los procedimientos de adjudicación de los contratos públicos de obras, de suministro y de servicios *(Tol 502159)*; con el artículo 63 de la vigente Directiva 2014/24/UE del Parlamento Europeo y del Consejo, de 26 de febrero de 2014, sobre contratación pública *(Tol 4149062)*; así como con el artículo 38.2 de la Directiva 2014/23/UE del Parlamento Europeo y del Consejo, de 26 de febrero de 2014, relativa a la adjudicación de contratos de concesión *(Tol 4149061).*

Atendiendo únicamente a lo dispuesto en estos artículos y en la medida en que la clasificación es una forma de acreditar la clasificación, el lector podría concluir que, en términos generales, está permitida la integración de la clasificación a través de medios de terceros. No obstante, como veremos en este capítulo, esta interpretación no es unánime y, en todo caso, estaría sujeta a ciertos límites.

2.2 La integración de la clasificación mediante la subcontratación de trabajos especializados

Para resolver la cuestión que aborda en este capítulo, es necesario hacer mención a una previsión normativa actualmente derogada.

Nos referimos al párrafo segundo del artículo 54.1 de la LCSP de 2007 *(Tol 1155974)* —equivalente a la redacción original del artículo 65.1 del TRLCSP *(Tol 2269022)*—, que, bajo la rúbrica «exigencia de clasificación», establecía que «*[e]n el caso de que una parte de la prestación objeto del contrato tenga que ser realizada por empresas especializadas que cuenten con una determinada habilitación o autorización profesional, la clasificación en el grupo correspondiente a esa especialización, en caso de ser exigida, podrá suplirse por el compromiso del empresario de subcontratar la ejecución de esta porción con otros empresarios que dispongan de la habilitación y, en su caso, clasificación necesarias, siempre que el importe de la parte que debe ser ejecutada por éstos no exceda del 50% del precio del contrato».*

Este párrafo, que fue trasladado al artículo 65.1 del TRLCSP *(Tol 2269022)*, acabó derogado por la Ley 25/2013, de 27 de diciembre, de impulso de la factura electrónica y creación del registro contable de facturas en el Sector Público *(Tol 4048662)* (en adelante, la Ley 25/2013), sin que el Legislador haya decidido reincorporarlo en el cuerpo de la actual LCSP de 2017 *(Tol 6414318)*. Por tanto, esta previsión no aplica a todos aquellos contratos que se sujeten la normativa de contratación pública posterior a la Ley 25/2013 *(Tol 4048662)*.

Como se verá en los siguientes apartados, con la normativa de contratación pública anterior a la entrada de la Ley 25/2013 *(Tol 4048662)*, se podía llegar a entender que la posibilidad de integrar la clasificación de terceros se encontraba limitada al supuesto de los artículos 54.1 de la LCSP de 2007 y 65.1 del TRLCSP *(Tol 2269022)* (es decir, para partes del contrato que deban ser realizadas por empresas especializadas y con un límite del 50%), sin que fuera posible acudir a esta posibilidad en los demás supuestos. Siguiendo esta interpretación, tras la entrada en vigor de la Ley 25/2013 *(Tol 4048662)*, y la consecuente derogación de dicha posibilidad, surge la duda sobre si los licitadores pueden seguir acudiendo a terceros para integrar su clasificación y, en su caso, bajo qué condiciones.

Estas dudas interpretativas sobre el alcance de la modificación del TRLCSP *(Tol 2269022)* llevada a cabo por la Ley 25/2013 *(Tol 4048662)* no se despejan en el preámbulo de dicha Ley, en el que no encontramos referencia alguna al motivo por el que se derogó el citado párrafo.

2.3 La obligación de subcontratar parte del contrato con empresas clasificadas

No resulta ocioso hacer una breve mención al artículo 36.3 del Reglamento General de la Ley de Contratos de las Administraciones Públicas aprobado por Real Decreto 1098/2001, de 12 de octubre *(Tol 412996)* (en adelante el RGLCAP), que establece que «*[c]uando en el conjunto de las obras se dé la circunstancia de que una parte de ellas tenga que ser realizada por casas especializadas, como es el caso de determinadas instalaciones, podrá establecerse en el pliego de cláusulas administrativas particulares la obligación del contratista, salvo que estuviera clasificado en la especialidad de que se trate, de subcontratar esta parte de la obra con otro u otros clasificados en el subgrupo o subgrupos correspondientes y no le será exigible al principal la clasificación en ellos. El importe de todas las obras sujetas a esta obligación de subcontratar no podrá exceder del 50 por 100 del precio del contrato».*

Sobre este artículo, cuyo contenido material podría ser de cuestionable vigencia con la LCSP de 2017 *(Tol 6414318)*, se debe advertir que de su redacción se desprende que regula una potestad del órgano de contratación —«*podrá establecerse en el pliego de cláusulas administrativas particulares*»—, de tal forma que, más que asimilarlo a una norma general de integración de la clasificación de terceros, debe ponerse en relación con los antiguos artículos 227.7 del TRLCSP *(Tol 2269022)* y 210.7 de la LCSP de 2007 *(Tol 1155974)* [no tienen equivalencia directa en la actual LCSP de 2017 *(Tol 6414318)*], en los que se establecía que «*[l]os órganos de contratación podrán imponer al contratista, advirtiéndolo en el anuncio o en los pliegos, la subcontratación con terceros no vinculados al mismo, de determinadas partes de la prestación que no excedan en su conjunto del 50% del importe del presupuesto del contrato, cuando gocen de una sustantividad propia dentro del conjunto que las haga susceptibles de ejecución separada, por tener que ser realizadas por empresas que cuenten con una determinada habilitación profesional o poder atribuirse su realización a empresas con una clasificación adecuada para realizarla. [...]*».

2.4 La posibilidad de acudir a la solvencia de sociedades del grupo para obtener la clasificación propia

Por último, para cerrar el repaso del marco normativo, debemos detenernos en el artículo 79.3 de la LCSP de 2017 *(Tol 6414318)*, que dispone que «*[e]n el supuesto de personas jurídicas pertenecientes a un grupo de sociedades, y a efectos de la valoración de su solvencia económica, financiera, técnica o profesional, se podrá tener en cuenta a las sociedades pertenecientes al grupo, siempre y cuando la persona jurídica en cuestión acredite que tendrá efectivamente a su disposición, durante el plazo a que se refiere el apartado 2 del artículo 82 [—"anualmente el mantenimiento de la solvencia económica y financiera y, cada tres años, el de la solvencia técnica y profesional"—], los medios de dichas sociedades necesarios para la ejecución de los contratos».*

Los precedentes de este artículo los encontramos en el artículo 67.3 del TRLCSP *(Tol 2269022)* y en el artículo 56 de la LCSP de 2007 *(Tol 1155974)*, ambos con un contenido material idéntico vigente artículo 79.3 de la LCSP de 2017 *(Tol 6414318)*.

No obstante, esta previsión no se refiere, al menos no de forma directa, a la posibilidad de integrar la clasificación de terceros, cuando esta sea requerida para un contrato concreto, sino a la opción de acudir a la solvencia de otra sociedad del grupo para obtener una clasificación propia. Por tanto, este artículo, más allá de poder acudir a él como criterio interpretativo, no resuelve la problemática que se aborda en este capítulo.

3. DOS CORRIENTES INTERPRETATIVAS CONTRAPUESTAS SOBRE LA POSIBILIDAD DE INTEGRAR LA CLASIFICACIÓN DE TERCEROS

Como veremos en este apartado, actualmente conviven dos interpretaciones contrapuestas sobre la posibilidad de integrar la clasificación de terceros.

Por un lado, se puede identificar una interpretación restrictiva de acuerdo con la cual únicamente sería posible integrar la clasificación en el supuesto previsto en los artículos 54.1 de la LCSP de 2007 *(Tol 1155974)* y 65.1 del TRLCSP *(Tol 2269022)* siempre y cuando se realice a través de la subcontratación de trabajos especializados y se trate de contratos anteriores a la entrada en vigor de la Ley 25/2013 *(Tol 4048662)*.

Por otro lado, existe otra interpretación menos restrictiva de acuerdo con la cual, partiendo del régimen genérico de integración de la solvencia con medios externos que se regula en el actual artículo 75 LCSP de 2017 *(Tol 6414318)* y, previamente, en los artículos 63 del TRLCSP *(Tol 2269022)* y 52 de la LCSP de 2007, se llega a la conclusión de que es posible integrar la clasificación de terceros más allá del supuesto de subcontratación de trabajos especializados previsto en los artículos 54.1 de la LCSP de 2007 *(Tol*

1155974) y 65.1 del TRLCSP *(Tol 2269022)* —previo a la Ley 25/2013 *(Tol 4048662)*—.

3.1 Interpretación restrictiva: no es posible integrar la clasificación, salvo en el supuesto de la subcontratación de trabajos especializados en contratos anteriores a la Ley 25/2013

Existen numerosos pronunciamientos en los que se ha sostenido que, fuera del supuesto de los artículos 54.1 de la LCSP de 2007 *(Tol 1155974)* y 65.1 del TRLCSP *(Tol 2269022)* [previo a la Ley 25/2013 *(Tol 4048662)*], no cabe la integración de la clasificación por medios externos, al entenderse que los artículos de la normativa de contratación pública que regulan la integración de la solvencia de terceros —artículos 52 de la LCSP de 2007 *(Tol 1155974)*, 63 del TRLCSP *(Tol 2269022)* y 75 de la LCSP de 2017 *(Tol 6414318)*— no aplican al requisito de la clasificación.

En este sentido, entre otras, podemos citar la Resolución 45/2011, de 3 de febrero de 2012, del Tribunal Administrativo Central de Recursos Contractuales (en adelante, TACRC), relativa a la exclusión de un licitador de un concurso para la adjudicación de un servicio de vigilancia por no contar con la clasificación requerida. Entre otros motivos de impugnación, el licitador recurrente argumentó que, en virtud del artículo 52 de la LCSP de 2007 *(Tol 1155974)*—, podía integrar la clasificación requerida mediante la subcontratación de un tercero. No obstante, el TACRC rechazó esta interpretación afirmando que el «*artículo 52.1 aludido se contrae, exclusivamente, a la acreditación de la solvencia técnica, sin que quepa su extensión a la estricta clasificación*». En su lugar, el TACRC consideró que la posibilidad de integrar la clasificación de terceros quedaba limitada a lo previsto en el artículo 54.1 de la LCSP de 2007 *(Tol 1155974)*, siempre y cuando se cumplieran los presupuestos objetivos de aplicación del tal precepto y con la condición de que se haya «*hecho valer dicha opción, si aplicable fuera, al tiempo de formular su oferta*».

En la misma línea, también podemos referirnos a la Sentencia de la Audiencia Nacional (Sala de lo Contencioso-Administrativo, Sección 5ª), de 5 de noviembre de 2012, en el recurso contencioso-administrativo núm. 131/2011 *(Tol 2686265)*, que versó sobre un contrato de obras (obras de demolición y construcción de la nueva residencia de la Embajada de España en Rabat) en el que una empresa fue excluida de la licitación por no acreditar la posesión de las clasificaciones requeridas, que pretendía integrar mediante la subcontratación con empresas que sí las tenían. En dicho caso, a pesar de que en los pliegos de la licitación objeto del recurso se contemplaba la posibilidad de acudir a la subcontratación para «*suplir la clasificación exigida en un determinado grupo*», la Audiencia Nacional consideró que esa referencia era un error puesto que «*en ningún caso la posibilidad de subcontratar significa poder suplir la clasificación exigida en el Pliego de Cláusulas Administrativas Particulares a través de subcontratistas*». Abundando en esta interpretación restrictiva, la Audiencia Nacional señaló que «*la posibilidad de subcontratar no significa poder suplir la clasificación exigida en el Pliego de Cláusulas a través de subcontratistas y, por otra parte, la posibilidad de subcontratar no exime al contratista de acreditar la clasificación exigida. La subcontratación está sujeta a la reunión de los requisitos establecidos en el artículo 210.2 de la Ley 30/2007 que en ningún momento contempla la posibilidad de suplir una falta de clasificación del contratista por el subcontratista*». Por último, en cuanto a la posibilidad de integrar la clasificación prevista en el artículo 54.1 de la LCSP de 2007 *(Tol 1155974)*, la Audiencia Nacional consideró que no podía aplicar al caso de autos porque, bajo su interpretación, estaba restringida a la subcontratación de trabajos especializados, en los que sea necesario involucrar a «*empresas especializadas "que cuenten con una determinada habilitación o autorización profesional", lo que no es el caso de las obras litigiosas*»[2].

Abundando en esta interpretación restrictiva se puede citar la Sentencia, de 16 enero 2013, de la Audiencia Nacional (Sala de lo Contencioso-Administrativo, Sección 6ª), en el recurso contencioso-administrativo núm. 303/2011 *(Tol 3007799)*, en la que se analizó si una empresa podía subcontratar una parte de la ejecución de un contrato de servicio de vigilancia para la que no tenía la clasificación requerida. En dicha sentencia «*[l]a cuestión*

---

[2]   Esta sentencia de la Audiencia Nacional incluyó un voto particular formulado por la Ilma. Sra. Magistrada Dª Concepción Mónica Montero Elena a favor de la posibilidad de integrar la clasificación de terceros a través de la subcontratación puesto que, bajo su criterio, sí que concurrían en dicho caso los supuestos necesarios para aplicar el artículo 54.1 de la LCSP de 2007 *(Tol 1155974)* en la medida en que entendió que los trabajos de demolición y construcción objeto del contrato tenían un carácter especializado.

discutida por tanto se centra en determinar si puede acudirse a la subcontratación para suplir la clasificación». En ella, la Audiencia Nacional, refiriéndose al artículo 54 LCSP de 2007 *(Tol 1155974)* [artículo 65.1 del TRLCSP *(Tol 2269022)* previo a la Ley 25/2013 *(Tol 4048662)*], señaló que *«[l]a interpretación de este precepto no ha estado exenta de problemas, en la medida en que si bien se admite la subcontratación, sólo parece que se admita este instrumento para suplir la clasificación respecto de una parte de la prestación objeto del contrato tenga que ser realizada por empresas especializadas que cuenten con una determinada habilitación o autorización profesional. A pesar de las dudas interpretativas que el precepto plantea —y que se han reflejado en distintas Resoluciones del TARC—, hemos de decantarnos en sentido de que la clasificación sólo puede ser suplida mediante la contratación respecto de la parte de las prestaciones que hayan de realizarse por empresas especializadas, pero no con carácter general».* De esta forma, la Audiencia Nacional concluyó que *«del artículo 54 antes citado, resulta que la regla general es que es requisito indispensable que el empresario se encuentre debidamente clasificado, siendo excepciones los casos en que no se exige clasificación. Por ello han de ser interpretadas, tales excepciones, en sentido estricto. Así las cosas, la posibilidad de subcontratar para suplir la clasificación se circunscribe, en el precepto citado, a los casos en que una parte de la prestación objeto del contrato tenga que ser realizada por empresas especializadas que cuenten con una determinada habilitación o autorización profesional; y sólo en tal caso es posible acudir a tal instrumento para suplir la clasificación».*

Esta corriente interpretativa de la Audiencia Nacional contraria a la posibilidad de integrar la clasificación (más allá del supuestos específico de los trabajos especializados) ha servido de base para que otros tribunales rechacen la integración de ciertas habilitaciones profesionales a través de la subcontratación. Ese fue el caso, por ejemplo, en la Sentencia del Tribunal Superior de Justicia de Islas Canarias (Sala de lo Contencioso-Administrativo) núm. 46/2014 de 14 febrero de 2014 *(Tol 4496728)*, en la Sentencia núm. 94/2019 de 8 febrero de 2019 del Tribunal Superior de Justicia de Madrid, (Sala de lo Contencioso-Administrativo, Sección 3ª) *(Tol 7101488)*, confirmatoria de la Resolución 148/2017, de 10 de mayo de 2017, del Tribunal Administrativo de Contratación Pública de la Comunidad de Madrid (en adelante, TACPCAM) o en la Resolución 479/2013 del TACRC de 30 octubre de 2013, en las que, en todas ellas, se cita la Sentencia de 16 enero 2013 de la Audiencia Nacional *(Tol 3007799)*, a la que hemos hecho referencia en el párrafo anterior.

De acuerdo con la corriente interpretativa que se acaba de exponer en este apartado, la posibilidad de integrar la clasificación de un tercero quedaría limitada estrictamente al supuestos en los que sea necesario acudir a empresas especializadas y estaría limitada a los requisitos contemplados en los artículos 54.1 de la LCSP de 2007 *(Tol 1155974)* y 65.1 del TRLCSP *(Tol 2269022)* [en su redacción anterior a la Ley 25/2013 *(Tol 4048662)*], ya que, según esta corriente, el régimen general de integración de la solvencia con medios externos no es extensible a la estricta clasificación. En consecuencia, como corolario lógico de esta interpretación, con la entrada en vigor de la Ley 25/2013 *(Tol 4048662)* se cerró la puerta a la posibilidad de integrar la clasificación de terceros.

Esa fue, por ejemplo, la interpretación que siguió el Tribunal Administrativo de Recursos Contractuales de Castilla y León (en adelante, el TARCCyL) en su Resolución 95/2014 de 30 de diciembre de 2014, en la que se indica que «*debe tenerse presente que la Ley 25/2013, de 27 de diciembre, de impulso de la factura electrónica y creación del registro contable de facturas en el Sector Público, derogó el segundo párrafo del artículo 65.1 del TRLCSP*», resultando, como señala la ya citada Sentencia de la Audiencia Nacional de 16 enero 2013 *(Tol 3007799)*, que «*la posibilidad de subcontratar para suplir la clasificación se circunscribe, en el precepto citado, a los casos en que una parte de la prestación objeto del contrato tenga que ser realizada por empresas especializadas que cuenten con una determinada habilitación o autorización profesional; y sólo en tal caso es posible acudir a tal instrumento para suplir la clasificación*». Por tanto, de acuerdo con la interpretación del TARCCyL, con la derogación del segundo párrafo del artículo 65.1 del TRLCSP *(Tol 2269022)* se derogó también la posibilidad de integrar la clasificación de terceros.

En definitiva, existe una corriente interpretativa restrictiva que, partiendo de la redacción de los artículos 54.1 de la LCSP de 2007 *(Tol 1155974)* y 65.1 del TRLCSP *(Tol 2269022)*, llega a la conclusión de que, fuera de los supuestos contemplados en esos artículos (es decir, la subcontratación de trabajos especializados), no es posible acudir a la integración de la clasificación de terceros. No obstante, como veremos en el siguiente apartado, esta corriente restrictiva convive con otra mucho más permisiva.

3.2 Interpretación alternativa: en términos generales, sí es posible integrar la clasificación de terceros, si bien esta posibilidad está sujeta a ciertos límites

Separándose de la interpretación expuesta en el apartado anterior, se puede identificar otra corriente que sí permite la integración de la clasificación a través de terceros más allá del supuesto derogado previsto en los artículos 54.1 de la LCSP de 2007 *(Tol 1155974)* y 65.1 del TRLCSP *(Tol 2269022)* [en su redacción anterior a la Ley 25/2013 *(Tol 4048662)*] en virtud del régimen genérico de integración de la solvencia con medios externos que se regula en el actual artículo 75 LCSP de 2017 *(Tol 6414318)* y, previamente, los artículos 63 del TRLCSP *(Tol 2269022)* y 52 de la LCSP de 2007 *(Tol 1155974)*.

Como principal exponente de esta corriente destaca que Tribunal Administrativo de Contratación Pública de la Comunidad de Madrid (en adelante, TACPCAM), cuyas resoluciones en esta materia han sido seguidas por otros tribunales administrativos de contratación.

La Resolución 18/2014, de 29 de enero de 2014, del TACPCAM, relativa a la contratación de un servicio de retirada y eliminación de residuos, analiza si es posible acudir tanto a la clasificación de una empresa del mismo grupo empresarial de la cual la licitadora era matriz, como a la clasificación de otra empresa tercera de un grupo distinto en virtud del artículo 63 del TRLCSP *(Tol 2269022)*.

Comenzando por la integración de la clasificación de una sociedad del mismo grupo, el TACPCAM, con base en el doctrina de la Junta Consultiva de Contratación Administrativa del Estado (Informe 45/02, de 28 de febrero de 2003) y de la Junta Consultiva de Contratación Administrativa de la Comunidad de Madrid (informe 6/2010, de 21 de diciembre), concluye que es posible, señalando «*que entre empresas pertenecientes al mismo grupo de sociedades no es exigible la subcontratación por no tener la consideración de tercero*» —esta interpretación estaría en línea con la Resolución 167/2019, de 22 de febrero, del TARC, en la que se concluye que «*debe considerarse que los medios de la filial participada al 100% no son verdaderamente externos de la entidad licitadora sino propios de la misma*»—. Por tanto, de acuerdo con el TACPCAM, dado que para integrar la clasificación de una empresa del mismo grupo no es necesario acudir a la figura de la subcontratación, esta posibilidad sigue abierta incluso en aquellos supuestos en los que los pliegos prohíban la subcontratación. Así lo explica: «*A pesar de la prohibición de subcontratar que figura en el PCAP cabe recordar que el artículo 227.2.e) del TRLCSP establece que las prestaciones parciales que el adjudicatario subcontrate con terceros no podrán exceder del porcentaje que se fije en el PCAP, en este caso 0%, aunque para el cómputo de este porcentaje no se tendrán en cuenta los subcontratos concluidos con empresas vinculadas con el contratista principal, entendiéndose por tales las que se encuentren en alguno de los supuestos previstos en el artículo 42 del Código de Comercio*».

Por otro lado, en cuanto a la posibilidad de integrar la clasificación de una empresa de un grupo distinto, el TACPCAM considera que «*hemos de estar, de nuevo, al tenor de lo establecido en el citado artículo 63 del TRLCSP, que permite al empresario basarse en la solvencia y medios de otras entidades ajenas, independientemente de la naturaleza jurídica de los vínculos que tenga con ellos, siempre que demuestre que, para la ejecución del contrato, dispone efectivamente de esos medios. Por lo tanto, este artículo amplía la posibilidad de utilizar o integrar la solvencia más allá del concepto de grupo empresarial al que nos hemos referido anteriormente*». Ahora bien, de acuerdo con la interpretación del TACPCAM, la integración de la clasificación de empresas no pertenecientes al mismo grupo queda condicionada a que los pliegos admitan la posibilidad de subcontratar las prestaciones del contrato, ya que, entiende, «*cualquier otra manera de ejecución con medios ajenos ha de considerarse subcontratación*». En este sentido, señala el TACPCAM, para integrar la clasificación de terceras empresas de grupos distintos no es «*suficiente una mera declaración de cesión de la clasificación si además no se concreta cómo se realizará el compromiso de puesta a disposición efectiva de los medios con que cuenta la empresa. Por otro lado, tampoco se comprende cómo se pueden utilizar los medios de una empresa ajena cuyos medios se dicen poner a disposición sin que esa ejecución con medios ajenos constituya un supuesto de subcontratación no permitida en el PCAP, cuando se trata de empresas que no pertenecen al mismo grupo*».

Entre otros pronunciamientos del TACPCAM en los que también se ha permitido la integración de la clasificación por medio de terceros, destacamos la Resolución núm. 207/2014, de 26 de noviembre de 2014, en la que la empresa licitadora excluida había pretendido acudir a la clasificación de una empresa portuguesa aportando, a tal efecto, una declaración de cesión de solvencia por parte de dicha entidad. En esta resolución, el TACPCAM vuelve a señalar que, «*de conformidad con lo dispuesto en el artículo 63 del TRLCSP es posible que los licitadores puedan acreditar con medios externos su solvencia sin que sea necesaria su pertenencia a ningún grupo empresarial e independientemente del vínculo jurídico existente entre las distintas entidades. La vinculación puede ser indirecta a través de agrupaciones de empresarios, subcontratación, etc.».*

Ahora bien, se debe destacar que esta doctrina del TACPCAM favorable a la integración de la clasificación de terceras empresas tiene ciertos límites. No cabe, según sostiene el TACPCAM, que la licitadora carezca por completo de la solvencia requerida y que la totalidad de esta sea suplida por terceros a través del mecanismo de la integración. A este respecto, podemos citar la Resolución núm. 103/2016, de 1 de junio de 2016 del TACPCAM, en la que, si bien se reconoce la posibilidad de integrar la clasificación con medios externos en los términos en los que nos hemos referido en los párrafos anteriores, finalmente no se permite en dicho caso porque la entidad licitadora carecía completamente de solvencia (era una empresa nueva sin experiencia alguna creada tras el anuncio de licitación) y tenía que integrar la totalidad de la solvencia a través de terceros: «*Sin embargo la integración de la solvencia en este tipo de contratos de servicios, necesariamente requiere que la licitadora posea alguna solvencia, y que ésta deba completarse, sin que pueda suplirse totalmente por la de empresas ajenas, puesto que en ese caso, la licitadora vendría a ser una mera empresa intermediaria*»

Además del TACPCAM, otros tribunales administrativos de contratación también han admitido la posibilidad de integrar la clasificación de otras empresas.

En este sentido, destaca la resolución 525/2016, de 1 de julio de 2016 del TACRC, en la que señala que, «*como dijimos en nuestras resoluciones 196/2013 y 273/2013, para acreditar la solvencia de la licitadora debería admitirse el certificado de clasificación de la empresa matriz del grupo, junto con la declaración de ésta poniendo a disposición de la licitadora los medios que necesite para la ejecución del contrato si resulta adjudicataria*».

Igualmente, el TACRC, en su resolución núm. 13/2016 de 12 de enero de 2016, que versó sobre un acuerdo de exclusión de una empresa licitadora de un contrato de servicio de vigilancia, señaló que «*debe admitirse, en principio, que para acreditar su clasificación los licitadores que concurran en UTE no solo pueden completar su clasificación y solvencia acumulativamente teniendo en cuenta la de todos los componentes de la UTE, sino que incluso pueden recurrir a la de los em-*

presarios con los que pretenden subcontratar la prestación». Por tanto, declaró el TA-CRC, *«el licitador podrá completar su solvencia, en este caso la falta de clasificación, recurriendo a la subcontratación».* Ahora bien, matizó el TACRC, *«quien pretenda completar su propia solvencia y capacidad con medios ajenos debe también, no obstante, por propia disposición legal, demostrar que "dispone efectivamente de esos medios", es decir, a él corresponde la carga de la prueba de dicha disponibilidad».* En dicho caso el licitador únicamente presentó una declaración unilateral por la que esa empresa se comprometía por sí sola a subcontratar la ejecución de diversas prestaciones incluidas en el objeto del contrato, declaración unilateral que el tribunal consideró *«absolutamente insuficiente al no acreditar la disponibilidad efectiva de tales medios, no habiéndose incorporado el compromiso (mediante declaración o contrato) de dicha entidad».*

Resulta también relevante la Resolución 220/2019, de 8 de marzo de 2019, del TACRC, que derivó de un recurso interpuesto por dos empresas bajo el compromiso de constituir una UTE, que fueron excluidas de la licitación de un contrato de obras, en el que una de ellas pretendía suplir la clasificación requerida acudiendo a una empresa no clasificada de otro Estado de la UE, alegando que para los empresarios no españoles la clasificación no es exigible [art. 78.1 de la LCSP de 2017 *(Tol 6414318)*]. En esta Resolución el TACRC señaló, en primer lugar, que para poder acudir a la clasificación de un tercero es necesario que la empresa licitadora cuente, al menos, con alguna clasificación como contratista de obras. De acuerdo con la interpretación que sostuvo el TACRC en esa resolución, si bien *«tanto la solvencia económica y financiera como la solvencia técnica y profesional puedan completarse acudiendo a medios externos, es condición previa a dicha integración que el licitador disponga de alguna solvencia propia, circunstancia que IECISA no acreditó, al no estar clasificada como contratista de obras. El no haber acreditado ningún tipo de solvencia constituiría, per se, causa de exclusión».* A mayores, y a pesar la carencia absoluta de clasificación ya sería, según el TACRC, razón suficiente para desestimar el recurso, continuó señalando que, además, *«carecería de sentido, y entrañaría un claro fraude de Ley, que las empresas licitadoras pudieran eludir la exigencia legal de clasificación acudiendo a la acreditación de la solvencia por medios externos mediante empresas no clasificadas, con el argumento de que, al no ser licitadoras, no están sujetas a la exigencia de clasificación. Si un licitador pretende completar su solvencia acudiendo a empresas externas, éstas deben reunir la solvencia exigible (en este caso, al menos, la clasificación como contratista de obra), pues de otro modo la solvencia del licitador no queda completada».*

Por último, no resulta ocioso destacar que esta corriente sobre la posibilidad de integrar la clasificación de terceros también se ha proyectado en algunos casos relativos a la integración de una habilitación profesional. Ese fue, por ejemplo, el caso de la Resolución núm. 507/2019, de 9 de mayo de 2019, del TACRC, en la que, si bien trata sobre la integración de una habilitación profesional (no de la clasificación), basa su decisión en la referida Resolución 13/2016 del TACPCAM, que la cita extensamente en los puntos relativos a la posibilidad de integrar la clasificación de un tercero.

De acuerdo con lo señalado en este apartado, podemos concluir que existe una corriente interpretativa que, más allá de supuestos de subcontratación de trabajos especializados, permite acudir a la clasificación de terceras empresas. No obstante, como hemos visto, esta posibilidad se encontraría sujeta a ciertos límites, como la necesidad de acreditar la disponibilidad de los medios de la empresa clasificada a la que se acude, la imposibilidad de usar la subcontratación como vía de integración de la clasificación cuando esta se encuentre prohibida en los pliegos, o la necesidad de que la empresa licitadora cuente con un mínimo de solvencia previa.

3.3 El derecho de la UE, favorable a la integración de la solvencia a través de terceros, podría decantar la balanza hacia la posibilidad de integrar la clasificación

Si dejamos a un lado la normativa nacional y levantamos la mirada al derecho de la UE, de entre las dos corrientes interpretativas que se acaban de exponer, parece que la segunda de ellas, es decir, la interpretación favor de la posibilidad de integrar, en términos generales aunque con ciertos límites, la clasificación de terceros, se encuentra en mejor sintonía con la jurisprudencia del Tribunal de Justicia de la Unión Europea (TJUE, antes denominado Tribunal de Justicia de las Comunidades Europeas, TJCE) recaída en materia de contratación pública.

Como punto de partida, se debe destacar que el derecho de la UE contempla la posibilidad de integrar la solvencia de terceros —artículos 47.2 y 48.3 de la derogada Directiva 2004/18/CE *(Tol 502159)*, artículo 36 de la vigente Directiva 2014/24/UE *(Tol 4149062)* y artículo 38.2 de la vigente Directiva 2014/23/UE *(Tol 4149061)*—, y así ha sido en numerosas ocasiones confirmado por la jurisprudencia del TJUE.

En este sentido, el TJCE en su Sentencia, de 2 de diciembre de 1999 (C-176/1998), *Holst Italia SpA*, señaló que de la normativa de la UE de contratación «*se deduce que ningún prestador de servicio puede ser excluido de un procedimiento de adjudicación de un contrato público por el mero hecho de que para la ejecución del contrato, proyecte emplear medios que no le pertenecen, sino que son propiedad de una o varias entidades distintas a él. Por consiguiente, un prestador que no cumple, por sí mismo, los requisitos mínimos necesarios para participar en el procedimiento de adjudicación de un contrato de servicios, puede invocar ante la entidad adjudicadora las capacidades de terceros a los que proyecta recurrir si se le adjudica el contrato*».

En similares términos se pronunció también el TJCE (Sala Sexta) en su Sentencia de 18 de marzo de 2004 (C-314/01), *ARGE Telekom (Tol 363448)*, en la que se indica que «*tanto del objeto como del tenor de dichas disposiciones se deduce que nadie puede ser excluido de un procedimiento de adjudicación de un contrato público de servicios por el mero hecho de que, para la ejecución del contrato, proyecte emplear medios que no le pertenecen, sino que son propiedad de una o varias entidades distintas de él. Ello implica que es posible que un prestador que, de por sí, no cumple los requisitos mínimos exigidos para participar en el procedimiento de adjudicación de un contrato público de servicios invoque ante la entidad adjudicadora las capacidades de terceros a los que tiene previsto recurrir si se le adjudica el contrato*».

Resulta especialmente relevante la Sentencia del TJUE (Sala Quinta) de 10 de octubre de 2013 (asunto C 94/12), *Swm Costruzioni 2 SpA y Mannocchi Luigino DI (Tol 3961416 y Tol 3961415)*, que versó sobre una licitación en Italia, en la que se exigía poseer una determinada clasificación (a través del sistema de certificación italiano «SOA») atendiendo a la naturaleza y al valor de las obras objeto del contrato (similar al régimen español de clasificaciones). En esta Sentencia el TJUE concluyó que no se podía impedir, por norma general, que un licitador acuda a las certificaciones de terceras empresas. El TJUE partió de la base de que, admitida la posibilidad de acudir a la integración de la solvencia por medios externos, el hecho de que «*la apreciación del nivel de capacidad de un operador económico, por lo que atañe al valor de los contratos públicos de obras a los que puede acceder dicho operador, esté predeterminada de modo general en el marco de un sistema nacional de certificación o de inscripción en listas, carece de relevancia a este respecto».*

De acuerdo con lo expuesto en este apartado, parece que la corriente interpretativa a favor de la integración de la integración de la clasificación de terceros más allá del supuesto de subcontratación de trabajos especializados, anteriormente previsto en los artículos 54.1 de la LCSP de 2007 *(Tol 1155974)* y 65.1 del TRLCSP *(Tol 2269022)* [en su redacción anterior a la Ley 25/2013 *(Tol 4048662)*], es la que, bajo el criterio de quien escribe estas líneas, mejor se ajusta al derecho de la UE en materia de contratación pública y a la jurisprudencia del TJUE.

4. CONCLUSIONES

Como se ha expuesto en este capítulo, la posibilidad de integrar la clasificación de terceras empresas se trata de una cuestión que, lejos de estar resuelta, todavía sigue siendo motivo de gran incertidumbre.

Si bien el criterio interpretativo favorable a la integración de la clasificación (con ciertos límites) es la corriente que el autor de estas líneas entiende que mejor respeta el espíritu de la normativa nacional y de la UE, lo cierto es que esta interpretación todavía no ha recibido un respaldo suficiente por parte de los órganos jurisdiccionales.

La incertidumbre e inseguridad jurídica generada por la ausencia de criterios claros para poder acudir a la clasificación de terceros, podría llegar a limitar la concurrencia y vulnerar el principio de transparencia, en la medida en que impide a las empresas conocer si y, en su caso, cómo pueden acreditar su solvencia cuando carezcan de la clasificación exigida en los pliegos.

La protección jurídica del Mar Menor

Bárbara Fernández Cobo
Abogada de Uría Menéndez Abogados, S.L.P.

1. OBJETO

La acción humana ha llevado al Mar Menor a una situación ambiental crítica.

Entre otras, la intensa transformación urbanizadora-turística de la cuenca del Mar Menor y las actividades agrícolas (intensivas en el uso de agua, de fertilizantes o de productos fitosanitarios), han dado lugar a una constante entrada de contaminantes. Situaciones como la vivida el 16 de agosto de 2021, en la que un grave episodio de hipoxia[1] dio lugar a la muerte masiva de peces en su cubeta sur, ponen de manifiesto la necesidad de tomar medidas para la adecuada reparación y conservación del Mar Menor.

En este artículo se analizan los principales mecanismos de protección ambiental del Mar Menor disponibles en el ordenamiento jurídico, incluyendo la Ley 3/2020, de 27 de julio, de recuperación y protección del Mar Menor, modificada por el Decreto-ley 5/2021, de 27 de agosto, que aprobó medidas extraordinarias justificadas, precisamente, por el grave episodio de hipoxia sufrido. En adelante, la «**Ley 3/2020**» y el «**DL 5/2021**», respectivamente.

Asimismo, se valora la suficiencia de la normativa actual y los potenciales beneficios derivados de la eventual aprobación de la propuesta de ley contenida en la Iniciativa Legislativa Popular 120/000009, que aboga por otorgar personalidad jurídica al Mar Menor, convirtiéndolo en sujeto de derecho (la «**ILP**»).

2. INSTRUMENTOS DE PROTECCIÓN NORMATIVA

A continuación, se identifican los principales instrumentos normativos a disposición de las Administrativas Públicas en su labor de garantizar la debida protección, conservación y recuperación del Mar Menor.

---

[1] La hipoxia —esto es, el déficit de oxígeno en el agua— es causada por los procesos de eutrofización que padece el Mar Menor como resultado del exceso de nutrientes que le llegan de manera constante.

2.1 Normativa general

2.1.1 Protección dominio público marítimo-terrestre y del medio marino

(A) El Mar Menor y su ribera forman parte del dominio público marítimo-terrestre («**DPMT**») regido por la Ley 22/1988, de 28 de julio, de Costas («**Ley de Costas**»)[2], que tiene por objeto la *«protección, utilización y policía del dominio público marítimo-terrestre y especialmente de la ribera del mar»* (art. 1) con el fin de *«conseguir y mantener un adecuado nivel de calidad de las aguas y de la ribera del mar»* (art. 2).

Para ello, con carácter general, la Ley de Costas prevé una zona de servidumbre de protección de 100 metros (arts. 23 a 26) y una zona de influencia de 500 metros (art. 30). No obstante, el régimen principal de protección de esta norma viene dado por la sujeción a previo título habilitante de cualquier uso que se pretenda desarrollar que refiera especiales circunstancias de intensidad, peligrosidad o rentabilidad. La Ley de Costas impide que dicho título pueda ser otorgado si no queda garantizado el sistema de eliminación de aguas residuales (art. 32.3) o si un vertido puede comportar un peligro o perjuicio superior al admisible para la salud pública y el medio natural (art. 57.2).

En caso de incumplimiento, y sin perjuicio del régimen sancionador recogido en su título V, se prevé expresamente que los infractores están obligados a *«la restitución de las cosas y reposición a su estado anterior, con la indemnización de daños irreparables y perjuicios causados»* (art. 95.1).

(B) Por otro lado, el medio marino es objeto de protección a través de la Ley 41/2010, de 29 de diciembre, de protección del medio marino («**Ley 41/2010**»), que rige *«la adopción de las medidas necesarias para lograr o mantener el buen estado ambiental del medio marino»* (art. 1.1). A nuestros efectos, destaca que la Ley 41/2010:

– Fija la utilización de estrategias marinas por demarcaciones como instrumentos de planificación a los que deben ajustarse necesariamente todas las políticas sectoriales y actuaciones administrativas con

---

[2]   Normativa desarrollada por el Real Decreto 876/2014, de 10 de octubre, por el que se aprueba el Reglamento General de Costas.

incidencia en el medio marino (art. 7). A este respecto, el Mar Menor se encuentra incluido en la estrategia marina para la demarcación levantino-balear (2018-2024).

– Contempla la facultad de adoptar medidas urgentes cuando el estado de una zona específica es crítico. En tales casos es posible adelantar la ejecución de programas de medidas o establecer medidas de protección más estrictas (art. 17.1).

– Requiere informe favorable del Ministerio competente en materia del Medio Ambiente para autorizar cualquier actividad que requiera la ejecución de obras o instalaciones en las aguas marinas, su lecho o su subsuelo, bien la colocación o depósito de materias sobre el fondo marino, así como los vertidos.

2.1.2 Protección del dominio público hidráulico

El Mar Menor también goza de la protección derivada de la aplicación de la normativa sobre dominio público hidráulico como parte de la Demarcación Hidrográfica del Segura. En concreto, como masa agua subterránea «Campo de Cartagena» y como masa de agua costera «Mar Menor».

Así, el Mar Menor y su cuenca están sometidos a las determinaciones del Real Decreto Legislativo 1/2001, de 20 de julio, por el que se aprueba el texto refundido de la Ley de Aguas («**Ley de Aguas**»)[3], así como del Plan Hidrológico de la Demarcación Hidrográfica del Segura 2022-2027, que actualmente se encuentra en trámite de aprobación mediante Real Decreto, una vez finalizada la fase de consulta pública del proyecto el pasado diciembre 2021[4]. Ambas regulan, entre otras cosas, la cuestión fundamental del uso del agua en la cuenca del Mar Menor.

---

[3]   Normativa desarrollada por Real Decreto 849/1986, de 11 de abril, por el que se aprueba el Reglamento del Dominio Público Hidráulico, que desarrolla los títulos preliminar I, IV, V, VI y VII de la Ley 29/1985, de 2 de agosto, de Aguas.

[4]   Destaca que el esquema de temas importantes del tercer ciclo de planificación 2021-2027 sometido a la consulta pública se reconoce que (pág. 59): «*no se conseguirían alcanzar concentraciones por debajo del objetivo del buen estado en 2027 en todas las masas subterráneas de la demarcación, ni con medidas tan drásticas como pudiera ser el cese de la actividad*

Entre otros, esta normativa se aplica sobre las aguas superficiales y subterráneas, acuíferos, los cauces continuos o discontinuos, y las aguas procedentes de la desalación de agua del mar (art. 2). También se aplica sobre las
zonas inundables como consecuencia de la crecida de ríos o arroyos, que en
su virtud pueden verse sujetas a determinadas limitaciones. En lo que aquí
interesa, la Ley de Aguas:

– Articula la gestión hidrológica a través de la figura de los planes hi-
  drológicos: un plan hidrológico nacional y uno adicional para cada
  una de las cuencas. Así, por ejemplo, las concesiones que se otorguen
  deben ser conformes con el plan hidrológico de que se trate (art. 59)
  y las ya otorgadas pueden ser modificadas si dejan de estarlo (art.
  65.1.c). Además, la aprobación de estos planes implica la declaración
  de utilidad pública de los trabajos de investigación, estudios, proyectos y obras en él incluidos (art. 44.2).

– Somete a la necesidad de previo título habilitante a cualquier aprovechamiento del agua, incluida también la actividad de desalación o
  cualquier actividad que afecte a zonas húmedas, así como a cualquier
  vertido. La excepción es el uso privativo por disposición legal de
  hasta 7.000 m³ anuales de aguas subterráneas, salvo que se trate de un
  acuífero declarado sobreexplotado o en riesgo de estarlo (art. 54).

– Prohíbe toda actividad susceptible de provocar la contaminación o
  degradación del medio físico o biológico afecto al agua (art. 97),
  sometiendo en caso de potencial riesgo a un informe del órgano ambiental competente o bien de una completa evaluación de impacto
  ambiental (art. 98). En ese sentido, por ejemplo, cuando un vertido
  pueda dar lugar a la infiltración o almacenamiento de sustancias susceptibles de contaminar los acuíferos o las aguas subterráneas, sólo
  puede autorizarse si un estudio hidrogeológico previo demuestra su
  inocuidad (art. 102).

---

*agraria. Una medida del cese de la actividad agraria incurriría adicionalmente en costes sociales
y económicos desproporcionados».*

- Establece un orden de preferencia de usos del agua, en el que los regadíos y los usos agrarios se sitúan en segundo lugar de prelación, después del abastecimiento de la población (art. 60).

- Permite al Consejo de Ministros acordar las medidas que sean precisas para superar situaciones «*de sobreexplotación grave de acuíferos, o en similares estados de necesidad, urgencia o concurrencia de situaciones anómalas o excepcionales*» (art. 58).

- Finalmente, en caso de incumplimiento, y sin perjuicio del régimen sancionador recogido en su título VII, se prevé expresamente que los infractores están obligados a «*reparar los daños y perjuicios ocasionados al dominio público hidráulico, así como a reponer las cosas a su estado anterior*» (art. 118.1).

Dado que la cuenca hidrográfica del Segura excede del ámbito territorial de una única Comunidad Autónoma, la Confederación Hidrográfica del Segura («**CHS**») es el organismo responsable del otorgamiento de autorizaciones y concesiones así como de su vigilancia (art. 24) para evitar tomas de agua o vertidos ilegales. En este sentido, la CHS puede exigir la instalación de sistemas de control efectivo y de medición tanto respecto al uso de agua como a su vertido al dominio público hidráulico, así como pedir información sobre el consumo eléctrico y la potencia instalada a las empresas suministradoras de energía (art. 55). Asimismo, los agentes medioambientales de la CHG están autorizados para entrar libremente en cualquier momento y sin previo aviso en los lugares sujetos a inspección, así como tomar o sacar muestras de sustancias y materiales utilizados o en el establecimiento, realizar mediciones, obtener fotografías, vídeos, grabación de imágenes, y levantar croquis y planos (art. 94).

Ello sin perjuicio de: **(i)** las disposiciones incluidas en el plan hidrográfico de la cuenca del Segura, y de **(ii)** las determinaciones derivadas de la aplicación del Real Decreto 47/2022, de 18 de enero, sobre protección de las aguas contra la contaminación difusa producida por los nitratos procedentes de fuentes agrarias, en las que no nos podemos detener por limitaciones de extensión.

2.1.3 Otra normativa de protección ambiental

Adicionalmente, el Mar Menor está incluido en varias figuras jurídicas de protección ambiental regidas por la Ley 42/2007, de 13 de diciembre, del Patrimonio Natural y de la Biodiversidad («**Ley 52/2007**»), que regula la conservación, uso sostenible, mejora y restauración del patrimonio natural y por instrumentos internacionales. En concreto, el Mar Menor ha sido declarado como Humedal de Importancia Internacional (RAMSAR), como Zona Especialmente Protegida de Importancia para el Mediterráneo (ZEPIM), y como Zona de Especial Conservación (ZEC) y Zona de Especial Protección para las Aves (ZEPA) en el marco de la Red Natura 200. Además, el Mar Menor también ha sido declarado como paisaje protegido y parque regional «*de Salinas y Arenales de San Pedro del Pinatar*».

Se trata de figuras dirigidas a proteger los valores ambientales concurrentes, por ejemplo, limitando las posibles actuaciones a desarrollar en estas zonas o sometiéndolas a una previa evaluación de su potencial impacto. Protección que se añade a la protección general derivada, entre otras, de las siguientes normas ambientales, también aplicables:

(i)   La Ley 21/2013, de 9 de diciembre, de evaluación ambiental, que somete a previa evaluación ambiental estratégica o evaluación de impacto ambiental, respectivamente, a los planes, programas y proyectos que puedan tener efectos significativos sobre el medio ambiente (art. 1).

(ii) La Ley 26/2007, de 23 de octubre, de Responsabilidad Medioambiental, que impone la obligación de prevenir, evitar y reparar los daños medioambientales de los operadores de actividades económicas o profesionales, incluso previendo una responsabilidad objetiva e ilimitada respecto a sus costes.

(iii) La Ley 4/2009, de 14 de mayo, de protección ambiental integrada de Murcia, por la que se regulan los planes, programas, proyectos y actividades con afección ambiental, que quedan sometidos a la previa obtención de autorizaciones ambientales (art. 10).

(iv) Por último, los artículos 325 y siguientes del Código Penal tipifican como infracción penal diversas conductas atentatorias contra el medio ambiente, en lo que constituye un ejercicio del *ius punien-*

di de significativa relevancia por su potencial afección a derechos fundamentales (privación de libertad), así como por su relevancia económica y reputacional.

2.2 Instrumentos jurídicos de protección específica del Mar Menor

2.2.1 Ley 3/1987

La Ley 3/1987, de 23 de abril, de Protección y Armonización de Usos del Mar Menor («**Ley 3/1987**») fue la primera norma con rango legal específicamente dirigida a establecer un *«régimen jurídico especial»* para salvaguardar el Mar Menor. Se trató de una norma de carácter limitado, que se presentaba como de carácter *«básico»* y *«programático»*, y que fundamentalmente estableció:

(i)   La creación del Consejo Asesor sobre el Mar Menor, conformado por representantes de la Comunidad Autónoma, los Ayuntamientos afectados, los organismos e institutos relevantes de la Administración Central (entre ellos, la Confederación Hidrográfica) y también los sectores socioeconómicos y culturales básicos de la vida local (artículo 18.2).

(ii) La necesidad de que el Consejo de Gobierno aprobase mediante Decreto: (a) unas directrices de ordenación territorial del área del Mar Menor; (b) un Plan de saneamiento; (c) un Plan de armonización de usos; y (d) un Plan de ordenación y protección del litoral.

2.2.2 Ley 1/2018

Unos 30 años después de la aprobación de la Ley 3/1987, debido al continuo y grave deterioro que el Mar Menor seguía presentando, se aprobó la Ley 1/2018, de 7 de febrero, de medidas urgentes para garantizar la sostenibilidad ambiental en el entorno del Mar Menor («**Ley 1/2018**»).

Entre las medidas acordadas, destacan las siguientes:

(i)   Disposiciones reguladoras de la actividad agrícola:

(a) Restitución de suelos en caso de cultivos ilegales.

(b) Prohibición de nuevas superficies de cultivo.

(c) Prohibición de la utilización de fertilizantes en la zona de servidumbre de protección del DPMT de 100 metros tierra adentro desde la ribera del mar. En el resto de zonas, se prohíbe el uso de fertilizantes de solubilidad alta y potencialmente contaminantes.

(d) Prohibición del apilamiento de materiales orgánicos con valor fertilizante (p.j. estiércol) por más de 72 horas, así como de su aplicación con vientos superiores a los 3 m/s.

(e) Obligación de implantar estructuras de barrera y de destinar un 5% de la superficie de las explotaciones agrarias a sistemas de retención de nutrientes. Prohibición de realizar cultivo a favor de la pendiente.

(f) Aplicación obligatoria del Código de Buenas Prácticas Agrarias.

(g) Recogida obligatoria de agua de lluvia en invernaderos de más de 0,5 ha.

(ii) Disposiciones en materia de vertidos y protección de las aguas:

(a) Prohibición de vertidos al Mar Menor, salvo de aguas pluviales sin otra alternativa.

(b) Obligación de implantar sistemas de reducción de nitratos en la desalobración de aguas.

(c) Declaración de utilidad pública y necesidad urgente de ocupación para proyectos de obras hidráulicas.

(iii) Disposiciones en materia organizativa:

(a) Preferencia en el despacho y reducción a la mitad de los plazos de tramitación de procedimientos dirigidos a la protección del Mar Menor.

(b) Dotación de «*los medios técnicos y humanos necesarios*» para la tramitación de procedimientos, y para las labores de inspección y control del Cuerpo de Agentes Medioambientales.

(c) Habilitación a los funcionarios para acceder a cualquier lugar donde se desarrollen actividades sujetas a la Ley 1/2018, levantar acta de su examen y tomar las muestras pertinentes. En contrapartida, se establece el deber de colaborar de propietarios, titulares de explotaciones y personal a su servicio.

(iv) Tipificación como infracción el incumplimiento de las anteriores obligaciones, con multas de hasta 100.000 euros (infracciones muy graves), hasta 50.000 (infracciones graves) o hasta 5.000 euros (infracciones leves). Además, de cometerse la infracción sobre la zona 1, más próxima al Mar Menor, se habilitaba la suspensión de la actividad agrícola por hasta 3 años. Finalmente, se fija la pérdida del derecho a obtener cualquier tipo de ayuda o subvención autonómica durante dos años en caso de infracción grave o muy grave.

(v) Ayudas para la financiación de inversiones municipales —con créditos extraordinarios o suplementos de crédito— dirigidas a proteger el Mar Menor.

2.2.3 Ley 3/2020

Ley 3/2020, de 27 de julio, de recuperación y protección del Mar Menor, con las modificaciones introducidas por el RDL 5/2021, ampliaron el régimen de protección del Mar Menor estableciendo, entre otras, las siguientes disposiciones:

(i) Sujeción de la información sobre el Mar Menor a un régimen de especial difusión y transparencia —publicidad activa— (arts. 10 y 11).

(ii) Medidas de ordenación territorial y paisajística a través de la aprobación de: (a) una estrategia de gestión integrada de zonas costeras[5];

---

5   Aprobada por el Decreto 42/2021 de 31 de marzo.

(b) una estrategia del paisaje; y (c) un plan de ordenación territorial, mediante el que se cree un corredor ecológico alrededor del Mar Menor, adaptando los usos agrícolas y ganaderos a usos sostenibles, entre otros.

A este respecto, hasta agosto de 2023 (salvo que se apruebe este plan de ordenación territorial antes), opera un área de exclusión temporal para nuevos desarrollos urbanísticos y para la autorización de usos industriales, comerciales, logísticos, hoteleros, de restauración o de uso terciario recreativo. Adicionalmente, la Ley impone limitaciones a los nuevos desarrollos urbanísticos situados fuera de la zona de exclusión, pero dentro de las zonas 1 y 2 delimitadas por la ley (p.j. uso de pavimentos permeables, redes separativas de pluviales y residuales, medidas de renaturalización, implantación de soluciones basadas en la naturaleza —SBN—, etc.).

(iii) Medidas de ordenación y gestión ambiental:

(a) Plan de gestión integral de los espacios protegidos del Mar Menor, con el fin de coordinar la gestión de las distintas figuras de protección ambiental coexistentes en el Mar Menor: ZEC, ZEPA, áreas de protección de la fauna silvestre, parque regional de las Salinas y Arenales de San Pedro del Pinatar, paisajes protegidos, humedal de importancia internacional y ZEPIM.

(b) Prohibición de cambiar el uso forestal de los montes[6] y realización de un plan de restauración hidrológico-forestal en colaboración con la Administración estatal.

(c) Prohibición de los vertidos al Mar Menor, salvo aguas pluviales y freáticas sin otra alternativa y previo tratamiento (desnitrificación, eliminación de sólidos y florantes, etc.), y siempre previa obtención de la autorización oportuna. No obstante, los vertidos de aguas freáticas solo se admiten durante los tres años posteriores a la entrada en vigor de la Ley —esto es, hasta 2 de

---

[6] El concepto de montes en la Región de Murcia es el definido en la disposición adicional segunda de la Ley 3/2020 que incluye, entre otros, los terrenos agrícolas abandonados durante 20 años.

agosto de 2023—, con el fin de contar para entonces con una alternativa de vertido cero.

(d) Carácter obligatorio del programa de actuación de la zona vulnerable a la contaminación por nitratos del Campo de Cartagena.

(iv) Nuevas medidas de gestión agrícola:

(a) Inscripción obligatoria de las explotaciones agrícolas en el Registro de Explotaciones Agrarias. Además, las explotaciones agrícolas deberán disponer de un operador agroambiental responsable del asesoramiento en el cumplimiento de la normativa de protección del Mar Menor.

(b) Prohibición de transformaciones de terrenos de secano a regadío que no cuenten con un derecho de aprovechamiento de aguas anterior a la Ley 3/2020, así como necesidad de autorización previa para crear nuevas superficies de cultivo de secano o ampliación de las existentes.

(c) Se mantiene la obligación de instalar estructuras de barrera ya prevista en la Ley 1/2018, si bien se añade la obligación de presentar una declaración responsable con su descripción.

(d) Prohibición de establecer más de dos ciclos de cultivos anuales en la misma parcela, salvo cultivos hortícolas de hojas de ciclo inferior a 45 días, que podrán realizar tres ciclos.

(e) Llevanza de un cuaderno de campo con el registro del uso de fertilizantes, que está en todo caso limitado (se prohíbe uso de fertilizantes con fósforo con niveles de P Olsen superior a 120 mg/kg suelo, de abonado mineral de fondo que contenga nitrógeno, o de aplicación directa de lodos de depuración, por ejemplo).

(f) En terrenos a menos de 1.500 metros del límite de la ribera del Mar Menor: · se prohíbe el uso de fertilizantes, estiércoles o abonado en verde (salvo agricultura ecológica a más de 500 metros); · se exige una reserva de suelo del 20% para los sistemas de retención de nutrientes; · se prohíbe el cultivo de

regadío en parcelas sin derechos consolidados de aprovechamiento de aguas; y · se prohíbe la instalación de nuevos invernaderos y la ampliación de los existentes. A este respecto,
los titulares de explotaciones deben presentar una comunicación previa justificando el cumplimiento de los anteriores
requisitos.

(g) Obligación de informar a la administración autonómica sobre
el volumen real de agua tomada por fuente de suministro cada
año. Para ello, los cultivos de regadío deben contar con dispositivos de medición y monitorización.

(h) Progresiva transformación de la actividad agrícola hacia cultivos de secano, agricultura sostenible y de precisión, y sistemas de cultivo en superficie confinada con recirculación
de nutrientes. Para ello, se prevé habilitar ayudas públicas
y crear un distintivo para la agricultura sostenible del Mar
Menor.

(i) El entorno del Mar Menor se divide en zona 1 y 2. Exclusivamente para cultivos situados en la zona 1, se establecen medidas
adicionales tales como, por ejemplo, solo permitir la agricultura
sostenible y de precisión, con un máximo de dos ciclos de cultivos anuales.

(v) Medidas de gestión ganadera y pesquera:

(a) Se establecen como obligatorias la implantación de las mejores técnicas disponibles (MTDs) para explotaciones ganaderas,
también a instalaciones no sujetas al régimen de las autorizaciones ambientales integradas.

(b) Se prohíben nuevas instalaciones ganaderas o la ampliación de
las existentes en la zona 1. En la zona 2, se somete autorización
la ampliación o cambio en la clasificación zootécnica de explotaciones porcinas.

(c) Se impone a las instalaciones de almacenamiento de deyecciones de explotaciones ganaderas el contar con impermeabiliza-
ción artificial. Asimismo, se impone la entrega de purines y
estiércoles a un gestor de residuos o de subproductos animales

no destinados al consumo humano (SANDACH) debidamente autorizado para su tratamiento. Previo cumplimiento de ciertos requisitos, es asimismo posible su aplicación sobre el suelo.

(d) Se deberán comunicar al registro electrónico administrativo de movimientos de deyecciones ganaderas cualquier movimiento de deyecciones generadas dentro de las zonas 1 y 2, o que vayan a ser aplicadas directamente sobre el suelo de dichas zonas.

(e) Aplicación de un Reglamento de pesca profesional específico para el Mar Menor donde se regulará, entre otras, las condiciones para obtener autorización de pesca en el Mar Menor y de inclusión en el censo de embarcaciones pesqueras.

(vi) Medidas de gestión portuaria y de navegación marítima:

(a) Prohibición de la construcción de nuevos puertos deportivos, así como de ampliación de los existentes salvo que se acuerde su reconversión ambiental.

(b) Obligación de realizar un estudio sobre las afecciones ambientales de los puertos existentes, imponiéndose medidas para la eliminación o mitigación de efectos adversos en un plazo máximo de 5 años. De ser necesario, se prevé el reequilibrio de las concesiones que lo requieran.

(c) Obligación de los concesionarios portuarios de presentar un proyecto de vertido cero y de gestionar los residuos sólidos que se produzcan.

(vii) Medidas de vigilancia y control[7]:

(a) La administración autonómica exigirá la restitución a un estado natural de aquellos regadíos cesados o prohibidos por no estar amparados por un derecho de aprovechamiento de aguas mediante resolución firme en vía administrativa del organismo

---

[7] En desarrollo de estas disposiciones se encuentra vigente asimismo la Orden de 6 de septiembre de 2021 de aprobación del Plan de Inspección de Explotaciones Agrícolas para el trienio 2022-2024, para el control de las medidas previstas en el capítulo V y artículo 57 de la Ley 3/2020.

de cuenca. Solo si se acreditase el previo uso agrícola de secano de dicho suelo, se permitirá restituir el cultivo de secano. Asimismo, también se acordará la restitución en caso de nuevas superficies de secano sin la requerida autorización.

El plazo máximo para tramitar el procedimiento se fija en tres meses, como también son tres meses el plazo máximo para la ejecución de las actuaciones de restitución. Una vez transcurridos se impondrán multas coercitivas, hasta un máximo de tres. De mantenerse el incumplimiento, en un plazo máximo de un mes comenzaría la ejecución subsidiaria a costa de los obligados.

(b) A este respecto, destaca que la responsabilidad sobre la restitución corresponde no solo al explotador agrícola, sino también solidariamente al propietario de los terrenos.

(c) Las órdenes de restitución conllevan la imposibilidad de obtener cualquier tipo de ayuda o subvención al regadío por parte de la administración autonómica.

(d) El conocimiento de cualquier actuación constitutiva de infracción en materia de aguas, como el cultivo en regadío sin el preceptivo derecho de aprovechamiento de aguas, debe comunicarse al organismo de cuenca.

(e) Tipificación como infracción el incumplimiento de las anteriores obligaciones, con multas de hasta 500.000 euros (infracciones muy graves), hasta 50.000 (infracciones graves) o hasta 5.000 euros (infracciones leves). Asimismo, de cometerse la infracción grave o muy grave se pierde el derecho a obtener cualquier tipo de ayuda o subvención autonómica durante dos años y, además, es posible acordar la suspensión de la actividad agraria por plazo de hasta tres años.

(f) Creación de un registro público de expedientes sancionadores en materia de protección integral del Mar Menor.

3. LA ILP Y EL OTORGAMIENTO DE PERSONALIDAD JURÍDICA AL MAR MENOR

En este contexto, la ILP solicita que se otorgue personalidad jurídica al Mar Menor ante «*la insuficiencia del actual sistema jurídico de protección*» (pág. 1 de su exposición de motivos).

Sin embargo, a la vista de los instrumentos legales de protección a disposición de las autoridades públicas referidos en el apartado 2 anterior, no existe insuficiencia normativa o, cuanto menos, dicha insuficiencia no puede afirmarse de manera genérica visto que existe un abanico amplio de normas al servicio de la protección del Mar Menor —tanto generales como específicas—.

Por lo tanto, la propuesta de otorgar personalidad jurídica al Mar Menor no está basada en una necesidad, sino en una posición doctrinal teórica que aboga por reconocer derechos a entidades naturales con carácter general. En palabras de la exposición de motivos de la ILP: «*ha llegado el momento de dar un salto cualitativo y adoptar un nuevo modelo jurídico-político, en línea con la vanguardia jurídica internacional y el movimiento global de reconocimiento de los derechos de la Naturaleza*».

A ese respecto, y dado que el propósito de este breve análisis es evaluar las medidas incluidas en la ILP exclusivamente desde una perspectiva práctica, a fin de confirmar si son medidas efectivas a fin de elevar el nivel de protección jurídica del Mar Menor, queda al margen del análisis juzgar la corrección u oportunidad del planteamiento teórico favorable al reconocimiento de personalidad jurídico a espacios naturales.

3.1 Artículo 1

> «*Se declara la personalidad jurídica de la Laguna del Mar Menor y de su Cuenca, que se reconoce como sujeto de derechos*».

Mediante este artículo, la ILP propone la conversión del Mar Menor en sujeto de derecho. Sin perjuicio de que tal reconocimiento constituiría un cambio significativo para la teoría de la personalidad jurídica de nuestro ordenamiento, lo cierto es que no es una medida que por sí misma fuera a tener significativa virtualidad práctica.

Por un lado, debe tenerse en cuenta que España dispone de un ordenamiento jurídico ambiental completo, que proporciona altos niveles de protección (véase el apartado 3 anterior). Por ello, un eventual reconocimiento de personalidad jurídica no impactaría de forma relevante en el nivel de protección jurídica del Mar Menor, a diferencia de lo que podría suceder en otras jurisdicciones, en las que el reconocimiento de personalidad jurídica sí pudiera suponer una mejora sustancial en su protección jurídica.

A lo sumo, por la vía de las medidas legislativas siempre se podrían ir ajustando los instrumentos para atender a las concretas necesidades adicionales que pongan de manifiesto los análisis científico-técnicos. No obstante, se trataría de una labor legislativa de detalle y trazo fino; opuesta a las características propias de una declaración general de reconocimiento del Mar Menor como sujeto de derecho.

Por otro lado, la segunda circunstancia que pone de manifiesto la reducida eficacia de esta eventual medida es que la solución o, cuando menos, el control de la problemática ambiental del Mar Menor no depende tanto de la aprobación de nueva normativa como de la plena aplicación de las opciones que el ordenamiento jurídico pone a disposición de las autoridades públicas. Al fin y al cabo, las normas son solo palabras que necesitan de su aplicación para devenir plenamente efectivas.

A este respecto, más que una carencia de normas la carencia es de medios. Después de tantos años, no puede pretenderse transformar por completo la realidad socio-económica de un área tan extensa y relevante como el Mar Menor sin la puesta a disposición de suficientes medios económicos, técnicos y humanos que lo hagan posible.

En definitiva, individualmente considerado, el reconocimiento de personalidad jurídica del Mar Menor no es el mecanismo más eficaz para solucionar la problemática del Mar Menor. Desde un punto de vista pragmático, se necesita focalizar los esfuerzos en aplicar estrictamente y sin demora los mecanismos de protección ya disponibles en el ordenamiento y en dotar de más medios al esfuerzo protector.

3.2 Artículo 2

«Se reconoce al Mar Menor y su Cuenca los derechos a la protección, conservación, mantenimiento y en su caso restauración a cargo de los gobiernos y los habitantes ribereños. El derecho a existir como ecosistema y a evolucionar naturalmente, que incluirá todas las características naturales del agua, las comunidades de organismos, el suelo y los subsistemas terrestres y acuáticos que forman parte de la Laguna del Mar Menor y su Cuenca».

El contenido material de los derechos que se le reconocerían al Mar Menor, si bien no articulados como derechos, ya está recogido en el ordenamiento jurídico.

Desde esa perspectiva, el contenido del artículo 2 de la ILP no es novedoso. Desde el corolario del artículo 45 de la Constitución, que reconoce el derecho a un medio ambiente adecuado, hasta el reconocimiento de la responsabilidad ambiental en caso de daño ambiental o amenaza de que estos concurran de la Ley 26/2007 —que incluye expresamente las referencias al agua, a las especies silvestres y los hábitats, a la ribera del mar y el suelo, entre otros (artículo 2.1)—, pasando por el artículo 4 de la Ley 3/2020 que reconoce la obligación *«de todos los poderes públicas y de la sociedad»* de *«proteger, conservar y preservar el Mar Menor y su entorno, y en particular, los recursos naturales que se localizan en ellos»*, así como el artículo 2.a) de la Ley 42/2007 que reconoce el principio del *«mantenimiento de los procesos ecológicos esenciales y de los sistemas vitales básicos»*, el ordenamiento jurídico ya establece que el Mar Menor debe ser protegido, conservado, mejorado y restaurado.

3.3 Artículo 3

«La Representación y Gobernanza de la Laguna del Mar Menor y de su Cuenca se concreta en tres figuras: una Tutoría y representación legal de la Laguna, que se ha de ejercer a través de un representante de las Administraciones Públicas que intervienen en este ámbito y un representante de los ciudadanos de los municipios ribereños; una Comisión de seguimiento (los guardianes o guardianas de la Laguna del Mar Menor); y un Comité Científico, que asistirá a la Tutoría y a la Comisión, del que formará parte una comisión independiente de científicos y expertos, las universidades y los centros de investigación, a nivel regional, nacional e internacional».

Este artículo 3 regula los instrumentos de representación y gobernanza del Mar Menor a través de los cuales el Mar Menor ejercitaría sus «derechos». Se trata de: **(i)** una Tutoría, donde estarían las administraciones públicas estatales, regionales y municipales; **(ii)** una Comisión de seguimiento, de composición no definida en la ILP; y **(iii)** un Comité científico, asesor de los dos anteriores.

Pues bien, actualmente existe:

(i)   La **Comisión interadministrativa** para la coordinación institucional entre el estado, la Comunidad Autónoma y los municipios (art. 5 de la Ley 3/2020). Esta Comisión sería, por tanto, equivalente a la Tutoría propuesta por la ILP.

(ii) El **Comité de Asesoramiento Científico del Mar Menor** (art. 8 de la Ley 3/2020), que sería equivalente al Comité científico referido en la ILP. Actualmente, el Comité de Asesoramiento es un órgano colegiado consultivo con autonomía científica y profesional encargado del asesoramiento científico sobre las actuaciones que se propongan sobre el Mar Menor. Está compuesto en un tercio por personal técnico de las Administraciones competentes y en dos tercios por personal especializado propuesto por centros de investigación, colegios profesionales y universidades.

(iii) El **Consejo del Mar Menor**, donde actualmente se encuentran representados, cada uno con un tercio: las Administraciones (Estado, Región de Murcia y municipios), el Comité de Asesoramiento Científico y organizaciones de la sociedad civil (art. 7 de la Ley 3/2020). Dadas sus funciones de «*toma de conocimiento del estado ecológico del Mar Menor*» y de «*valoración*» y «*propuesta*» de actuaciones para su mejora, este organismo sería análogo a la Comisión de seguimiento recogida en la ILP.

Por consiguiente, considerando que a la fecha ya existen órganos de gobernanza prácticamente equivalentes a los propuestos en la ILP, se concluye que la situación actual de gobernanza del Mar Menor permanecería prácticamente inalterada con su aprobación.

3.4 Artículo 4

«*Toda conducta que vulnere los derechos reconocidos y garantizados por esta ley, por cualquier autoridad pública, entidad de derecho privado, persona física o persona jurídica, generará responsabilidad penal, civil, ambiental y administrativa, y será perseguida y sancionada de conformidad con las normas penales, civiles, ambientales y administrativas en sus jurisdicciones correspondientes*».

Por un lado, hemos de asumir que la utilización de la conjunción «y» en lugar de «o» en la enumeración de los tipos de responsabilidad derivado de la vulneración de los derechos del Mar Menor es un mero error material, so pena de vulneración del principio *non bis in ídem*.

Por otro lado, se aprecia que esta disposición no implicaría verdadera novedad normativa, pues actualmente cualquier persona que incumpla la normativa vigente dirigida a proteger el Mar Menor ya debe responder por dicho incumplimiento, bien mediante la imposición de responsabilidad civil, penal o administrativa, según corresponda. El corolario de dicha responsabilidad se recoge en el artículo 45 de la Constitución Española: «*Para quienes violen lo dispuesto en el apartado anterior* [el deber de conservar el medio ambiente], *en los términos que la ley fije se establecerán sanciones penales o, en su caso, administrativas, así como la obligación de reparar el daño causado*».

3.5 Artículo 5

«*Cualquier acto o actuación de cualquiera de las administraciones públicas que vulnere las disposiciones contenidas en la presente ley se considerará inválido y, será revisado en la vía administrativa o judicial*».

Tampoco este artículo 5 de la ILP sobre la validez de los actos administrativos constituiría una disposición novedosa. El artículo 48.1 de la Ley 39/2015, de 1 de octubre, del Procedimiento Administrativo Común de las Administraciones Públicas ya estipula que «*[s]on anulables los actos de la Administración que incurran en cualquier infracción del ordenamiento jurídico*» y que, en el caso de disposiciones de rango reglamentario, son «*nulas de pleno derecho las disposiciones administrativas que vulneren la Constitución, las leyes u otras disposiciones administrativas de rango superior*».

3.6 Artículo 6

«Cualquier persona física o jurídica está legitimada a la defensa del ecosistema del Mar Menor, y puede hacer valer los derechos y las prohibiciones de esta ley a través de una acción presentada en el Tribunal correspondiente».

Este artículo 6 refleja lo que en su día recogió el artículo 22 de la Ley 3/1987, que estableció en su que *«se reconoce la acción pública para exigir ante los órganos administrativos y judiciales la estricta observancia de las normas contenidas en la presente Ley o que puedan derivarse de la misma».*

No obstante, a día de hoy el ordenamiento jurídico prevé:

(i) La acción pública para tutelar la observancia de la normativa de protección del dominio público marítimo-terrestre (artículo 109 de la Ley de Costas).

(ii) La acción pública en materia de urbanismo y ordenación del territorio (artículo 5.f) del Real Decreto Legislativo 7/2015, de 30 de octubre, por el que se aprueba el texto refundido de la Ley de Suelo y Rehabilitación Urbana).

(iii) El derecho de acceso a la justicia en materia ambiental de la Ley 27/2006, de 18 de julio, por la que se regulan los derechos de acceso a la información, de participación pública y de acceso a la justicia en materia de medio ambiente (incorpora las Directivas 2003/4/CE y 2003/35/CE[8]).

Esta Ley reconoce en su artículo 3.3.b) el derecho a *«ejercer la acción popular para recurrir los actos y omisiones imputables a las autoridades públicas que constituyan vulneraciones de la legislación ambiental»* a aquellas personas jurídicas sin ánimo de lucro que tengan entre sus fines la protección del medio ambiente, actúen en un ámbito territorial afectado por la actuación administrativa y hayan existido durante los dos años anteriores al ejercicio de la acción (arts. 22 y 23).

---

[8]   El acceso a la justicia es uno de los pilares fundamentales del el Convenio de la Comisión Económica para Europa de Naciones Unidas sobre acceso a la información, la participación del público en la toma de decisiones y el acceso a la justicia en materia de medio ambiente, hecho en Aarhus el 25 de junio de 1998 —conocido como Convenio de Aahrus—, que da origen a esta disposición normativa.

(iv) Finalmente, la legitimación activa para interponer recurso contencioso–administrativo cualquier persona que ostente un interés legítimo de conformidad con el artículo 4 de la Ley 39/2015, de 1 de
octubre, del Procedimiento Administrativo Común de las Administraciones Públicas.

Es decir, actualmente no existe una acción pública para la protección del
Mar Menor como tal, mucho menos fuera de la jurisdicción contencioso-
administrativa. Lo que existe, eso sí, es una amplia legitimación que permitiría a cualquier residente en la zona, así como a cualquier asociación sin ánimo de lucro con más de dos años de antigüedad y que tenga entre sus fines
la defensa y conservación del Mar Menor, impugnar cuantas disposiciones
generales, actos administrativos expresos o presuntos e inactividades de la
Administración considere contrarias a Derecho. Por tanto, en este aspecto,
la ILP sí que resultaría novedosa.

4. CONCLUSIÓN

El ordenamiento jurídico español garantiza altos niveles de protección
ambiental. En el caso del Mar Menor, además, se han aprobado normas específicamente dirigidas a ampliar el régimen jurídico de protección —fundamentalmente, a través de la Ley 3/2020—.

Por tanto, el Mar Menor requiere de la puesta en práctica por parte de
los poderes públicos competentes —estatales, autonómicos y locales— de
todos los instrumentos legalmente disponibles.

Al fin y al cabo, lo que el Mar Menor necesita es una dotación suficiente
de medios económicos, humanos y técnicos que permitan, por ejemplo, la
adecuada vigilancia y rápida detección de prácticas ilegales, la construcción
de infraestructuras hidráulicas, la articulación de ayudas públicas para la
transición hacia una agricultura sostenible, la construcción de biorreactores
para desnitrificar el agua, etc.[9]

---

[9] En esta línea, por ejemplo, el reciente Plan para la protección del borde litoral del Mar
Menor (que contempla inversiones por hasta 382,25 millones de euros), el Marco de
Actuaciones Prioritarias para recuperar el Mar Menor —ambos del Ministerio para

Desde esta perspectiva, si bien la ILP en trámite responde a un fin legítimo de coadyuvar a la protección del Mar Menor, en la práctica no da lugar a novedades relevantes. Más allá del potencial establecimiento de una acción pública para la protección del Mar Menor ante la jurisdicción contencioso-administrativa, en línea con su artículo 6 (que en todo caso podría incorporarse a la Ley 3/2020), no se aprecia que la ILP pueda dar lugar por sí misma a una mejora sustancial de los actuales niveles de protección del Mar Menor.

Ello sin perjuicio de que, por supuesto, el reconocimiento de personalidad jurídica a un espacio natural sea un cambio conceptual relevante desde el punto de vista teórico de las instituciones jurídicas, novedoso para nuestro sistema jurídico y que solamente ha sido aplicado en casos muy puntuales. Aspectos cuyo análisis escapa al objeto y extensión del presente trabajo.

---

la Transición Ecológica y el Reto Demográfico—, o el aumento de dotación presupuestaria de la Región de Murcia para las labores de recuperación y protección de la laguna aprobado para los presupuestos de 2022, por un total de 84,9 millones de euros.

La incidencia de la inteligencia artificial y los medios propios en la tramitación y resolución de los procedimientos administrativos

Beatriz Fernández García
Abogado senior
ONTIER ESPAÑA

1. INTRODUCCIÓN

El objeto del presente artículo es realizar el abordaje de los distintos instrumentos de los que las Administraciones Públicas pueden valerse en la tramitación y resolución de los procedimientos administrativos y la valoración que la jurisprudencia ha hecho de ese uso.

En efecto, en la actualidad, podemos comprobar cómo el número de procedimientos administrativos se ha incrementado como consecuencia de un mayor intervencionismo mientas que el número de funcionarios está en claro descenso durante los últimos años. A título de ejemplo, en el caso de la Administración estatal, aunque nuestro país tiene siete ministerios más que en 2010, el envejecimiento de las plantillas y el retraso en la incorporación del personal a través de las ofertas públicas de empleo hace que la Administración General del Estado cuente con más de 24.000 empleados públicos menos que hace 10 años.

Ante este déficit la Administración ha tenido que emplear distintos instrumentos para cumplir sus funciones manteniendo su eficacia. Dejando al margen la implementación de las medidas encaminadas a fomentar y regular la administración electrónica, principalmente en lo relativo a la comunicación entre Administración y administrados, nos centraremos aquí en el uso de algoritmos y de sociedades mercantiles estatales, con la consideración de medios propios instrumentales y servicios técnicos, y los límites que la jurisprudencia ha apuntado.

2. EL USO DE LA INTELIGENCIA ARTIFICIAL EN LA TRAMITACIÓN DE LOS PROCEDIMIENTOS ADMINISTRATIVOS Y SUS CONSECUENCIAS

2.1 Incidencia de los algoritmos en los procedimientos administrativos

Un algoritmo puede ser definido desde la computación, la física y las matemáticas como un conjunto prescriptivo de instrucciones o reglas definidas, ordenadas y finitas que permiten llevar a cabo una actividad mediante pasos sucesivos con el fin de llegar a un estado final y obtener una solución.

A propósito de los algoritmos y a inteligencia artificial, Del Real Rubio[1] ha indicado que *«estamos ante una imitación de actos humanos y por lo tanto no podemos hablar de comportamientos cognitivos sino de programación de lógicas repetitivas que dan apariencia de actividades que conlleva cierta inteligencia similar a la humana».*

En la actualidad, con mayor frecuencia, se emplean algoritmos en nuestra vida cotidiana para resolver los problemas que se plantean día a día. Como no podía ser de otra forma, la Administración no puede ni debe permanecer ajena a este fenómeno de manera que cada vez prolifera más la utilización de algoritmos y de predicciones basadas en datos.

Desde un punto de vista jurídico, siguiendo al profesor Huergo Lora[2], podemos definir un algoritmo como un concepto *«muy amplio y abarca, desde luego, todo programa informático e incluso procedimientos formalizados y esquematizados de toma de decisiones (no necesariamente informatizados)».*

Así, consideramos que esta definición es sumamente apropiada para analizar la actuación de la Administración cuando se apoya en inteligencia artificial en la toma de decisiones y para analizar el abordaje realizado por nuestros Tribunales.

Continuando con la tesis del profesor Huergo Lora podemos distinguir dos tipos de algoritmos:

2.1.1 Algoritmos predictivos

Consisten en una serie de predicciones que más que para determinar el contenido de una decisión pueden indicarle a la Administración dónde puede ser necesario actuar.

---

[1] DEL REAL RUBIO, R.: «Máquinas o abogados: los conflictos en la frontera tecnológica», Thomson Reuters Aranzadi, 2021, pág. 38.

[2] HUERGO LORA, A.: «La regulación de los Algoritmos», *Thomson Reuters Aranzadi*, 2020, pág. 65.

El uso de este tipo de algoritmos ha sido legitimado por la jurisprudencia siempre que se emplee como un elemento más de convicción y se someta a crítica por parte del órgano administrativo que deba resolver.

En concreto, las Audiencias Provinciales de Girona y Barcelona se han pronunciado sobre el RISCANVI, un algoritmo empleado en el sistema penitenciario catalán para calcular el riesgo de reincidencia y en función del resultado conceder o denegar permisos penitenciarios. Pues bien, su uso es lícito siempre que la decisión no traslade de forma automática el resultado del algoritmo y se utilicen también otros factores relevantes. Así se deduce del Auto de la Audiencia Provincial de Barcelona (Sección 21ª), número 990 /2020, de 10 de agosto de 2020 (ECLI:ES:APB:2020:7384A), cuyo tenor literal establece que:

> *«En tales circunstancias el Tribunal comparte los argumentos contenidos en el auto que valoró las circunstancias favorables para su concesión. En el caso que nos ocupa, y vistos los informes del equipo de tratamiento no existen razones para revocar de la decisión del Juzgado de Vigilancia Penitenciaria, toda vez que los informes técnicos indican que será positivo para el tratamiento penitenciario y que el riesgo de que haga un mal uso es improbable considerando los ítems de Riscanvi, siendo de riesgo bajo y destacando el pronóstico favorable en reincidencia violenta y delictiva general. Así pues, pese a las cautelas del Ministerio Fiscal y compartiendo su apreciación de que presenta un riesgo medio en quebrantamiento de condena, no debemos olvidar que se trata de un solo parámetro de la escala Riscanvi, siendo además un resultado estático que no puede prevalecer sobre la opinión de todos los miembros de la Junta de Tratamiento».*

2.1.2 Algoritmos no predictivos

Este tipo de algoritmos son creados para facilitar la aplicación de una norma jurídica de manera que volcados los datos necesarios en un modelo informático éste permitirá la aplicación o ejecución de dicha norma.

Los eventuales errores, deficiencias o ilegalidades en los procedimientos administrativos en los que se emplean estos algoritmos responderían, bien, a deficiencias en la definición del algoritmo y de la introducción automática de los datos, o bien, a deficiencias en la introducción material de dichos datos.

Este tipo de algoritmos son los más comúnmente empleados por las Administraciones Públicas y su uso ha sido admitido por la jurisprudencia, según resulta ad exemplum de la Sentencia de la Ilma. Sala de lo Social del Tribunal Superior de Justicia de Madrid, de 22 de noviembre de 2019, (recurso de súplica 484/2019) que considera lícitos los algoritmos empleados para el cálculo de indemnizaciones por despido.

Son precisamente este tipo de algoritmos los llamados a ocupar un lugar relevante en la tramitación de los procedimientos administrativos.

2.2 La actuación administrativa automatizada

La actuación administrativa automatizada aparece definida en el artículo 41 de la Ley 40/2015, de 1 de octubre, de Régimen Jurídico del Sector Público, según el cual:

> *«1. Se entiende por actuación administrativa automatizada, cualquier acto o actuación realizada íntegramente a través de medios electrónicos por una Administración Pública en el marco de un procedimiento administrativo y en la que no haya intervenido de forma directa un empleado público.*
> *2. En caso de actuación administrativa automatizada deberá establecerse previamente el órgano u órganos competentes, según los casos, para la definición de las especificaciones, programación, mantenimiento, supervisión y control de calidad y, en su caso, auditoría del sistema de información y de su código fuente. Asimismo, se indicará el órgano que debe ser considerado responsable a efectos de impugnación».*

Conforme a esta definición los dos rasgos que permiten diferenciar la actuación administrativa automatizada de un algoritmo son:

— Las decisiones se toman íntegramente a través de medios electrónicos.

— En ellas no interviene de forma directa un empleado público.

Sobre la conformidad a Derecho de las actuaciones administrativas automatizadas, el profesor Ponce Solé[3] apunta a dicha posibilidad en el caso del

---

[3]   PONCE SOLÉ, J.: «Inteligencia artificial, Derecho administrativo y reserva de humanidad: algoritmos y procedimiento administrativo debido tecnológico», *Revista General de Derecho Administrativo*, Núm. 50 (Iustel, enero 2019)

ejercicio de potestades regladas formulando las siguientes reservas en el caso de potestades discrecionales:

«Desde luego, parece indiscutida la posibilidad de que la IA produzca decisiones automatizadas en relación con potestades regladas que impliquen, como señalan García de Enterría y Tomás Ramón Fernández que:

> *"la Ley puede determinar agotadoramente todas y cada una de las condiciones de ejercicio de la potestad, de modo que construya un supuesto legal completo y una potestad aplicable al mismo también definida en todos sus términos y consecuencias (por ejemplo, jubilación por edad de los funcionarios, ascenso por antigüedad, liquidación de un tributo —aplicación de una cuota establecida por la Ley a una base fijada sobre un hecho imponible determinado— etc.)"».*

En estos casos, como siguen destacando estos autores «opera aquí la Administración de una manera que podría llamarse automática». Ahora bien, como igualmente señalan estos autores, y es bien conocido:

> *«La existencia de potestades discrecionales es una exigencia indeclinable del gobierno humano: éste no puede ser reducido a una pura monocracia objetiva y neutral, a un simple juego automático de normas, contra lo que en su tiempo espero la entelequia social y política de la Ilustración (y como hoy, en cierto modo, alimenta la más vulgar fe en la informática y los ordenadores)»*

3. EL USO DE LOS MEDIOS PROPIOS DE LAS ADMINISTRACIONES PÚBLICAS EN LA TRAMITACIÓN DE LOS PROCEDIMIENTOS ADMINISTRATIVOS Y SUS CONSECUENCIAS

3.1 Planteamiento de la cuestión

Además de la inteligencia artificial, otro de los instrumentos al que pueden acudir las Administraciones Públicas en la tramitación de los procedimientos administrativos es el uso de los medios propios instrumentales aunque, tal y como veremos a lo largo de este epígrafe, su utilización ha sido limitada recientemente por parte de los Tribunales.

3.2 Análisis de la Sentencia núm. 1160/2020 de la Excma. Sala de lo Contencioso-Administrativo (Sección 5ª) del Tribunal Supremo, de 14 de septiembre de 2020

La cuestión litigiosa analizada en la Sentencia núm. 1160/2020 de la Excma. Sala de lo Contencioso-Administrativo (Sección 5ª) del Tribunal Supremo, de 14 de septiembre de 2020, (RJ 2020\3224) versa sobre la posible nulidad de un procedimiento sancionador instado por la Confederación Hidrográfica del Guadiana como consecuencia de la tramitación de los expedientes sancionadores competencia del organismo de cuenca por parte de la mercantil estatal TECNOLOGÍAS Y SERVICIOS AGRARIOS, S.A. (en lo sucesivo, «TRAGSATEC»).

Para fijar su línea doctrinal, la Excma. Sala de lo Contencioso-Administrativo del Tribunal Supremo analiza, *grosso modo,* las siguientes cuestiones:

• En primer lugar, la naturaleza jurídica y la relación existente entre TRAGSATEC y la Confederación Hidrográfica del Guadiana.

De acuerdo con su norma de creación, la actual DA vigésima cuarta de la Ley 9/2017, de 8 de noviembre, de Contratos del Sector Público y el artículo 2.3 de la Ley 40/2015, de 1 de octubre, de Régimen Jurídico del Sector Público, estamos ante una sociedad mercantil estatal, sujeta a derecho privado, que, desde luego, carece del carácter de Administración Pública y sin que su personal ni sus actos estén sujetos al régimen público propio de las Administraciones Públicas.

Su relación con la Administración no cumple con los requisitos de una encomienda de gestión ni puede considerarse una relación contractual sino que se trata de una relación instrumental derivada de su condición de medios propios instrumentales y servicios técnicos de las Administración Públicas.

• Asimismo, se encarga de precisar las especiales características de las potestad sancionadora administrativa, que es la que se ejercitaba en la resolución impugnaba, en los siguientes términos:

«... Todo lo anterior nos permite afirmar que la función administrativa sancionadora no es idéntica en todo a cualquier otra actividad administrativa, sino que tiene una especial naturaleza en la que la importancia de lo público resulta, si

cabe, todavía más nuclear. Y en este sentido, si toda potestad administrativa ha de ser ejercida por su titular, en este ámbito debe tenerse presente que la actividad de órganos instructores y resolutores se refiere a una potestad que reclama un delicado ejercicio de ponderación de aspectos jurídicos y fácticos con el fin de declarar la culpabilidad (valoración de los hechos, determinación de las normas aplicables, incardinación de los primeros en las segundas para determinar la concurrencia de infracción, análisis de la culpabilidad de los ciudadanos, determinación de las sanciones) que reclama un análisis personal y propio por los titulares de las potestades correspondientes, resultando odiosa, por la naturaleza del acto a dictar, la idea de cualquier posible abdicación en el ejercicio directo y propio de las mismas».

- A continuación realiza un análisis de las tareas ejecutadas *de facto* por TRAGSATEC en el meritado procedimiento para delimitar qué actuación es conforme a Derecho y cuál resulta contraria.

Conforme a lo obrado en autos, la sociedad mercantil estatal tenía encomendada la custodia del expediente, la recepción de los documentos, su bastanteo e incorporación al expediente así como la dación de vista del mismo. En atención a las actuaciones desarrolladas, la Excma. Sala de lo Contencioso-Administrativo del Tribunal Supremo concluye que la intervención de TRAGSATEC en el expediente produjo una vulneración del derecho de defensa del administrado y supuesto una delegación prohibida de las tareas intelectuales, valorativas y volitivas nucleares implicadas en el ejercicio del *ius puniendi* que sólo deben corresponder a los titulares de los órganos administrativos competentes.

No obstante, que la tramitación del procedimiento administrativo deba realizarse por funcionarios públicos no impide la posibilidad de acudir al auxilio y la asistencia técnica de forma puntual y en función de determinadas actuaciones que requieran de esa intervención debido a sus peculiaridades.

Analizadas estas cuestiones, el fundamento jurídico tercero de la Sentencia núm. 1160/2020 de la Excma. Sala de lo Contencioso-Administrativo (Sección 5ª) del Tribunal Supremo, de 14 de septiembre de 2020, (RJ 2020/3224), fija su doctrina en los siguientes términos:

*«De lo expuesto en el anterior fundamento hemos de concluir que, dando respuesta a la cuestión que suscita interés casacional objetivo, a la vista de los preceptos examinados ha de ser la de que, como regla general, la **tramitación de los procedimientos sancionadores incoados por las Administraciones Públicas** han de ser*

*tramitados por el personal al servicio de tales administraciones sin que sea admisible que, con carácter general, de permanencia y de manera continua, pueda encomendarse funciones de auxilio material o de asistencia técnica a Entidades Públicas Empresariales, **sin perjuicio de poder recurrir ocasionalmente y cuando la Administración careciera de los medios para ello, al auxilio de Entidades Públicas Empresariales, como medios propios de la Administración, a prestar dicho auxilio o asistencia»**.* (La negrita y el subrayado son nuestros).

A la luz de este fundamento jurídico puede afirmarse que aun cuando la Excma. Sala podría haberse referido a los procedimientos administrativos en general parece fijar su doctrina, exclusivamente, respecto a la tramitación de los procedimientos sancionadores.

Por otro lado, esta línea jurisprudencial permite recurrir ocasionalmente y cuando la Administración careciera de medios para ello a estos medios propios instrumentales, especialmente cuando devienen multitud de expedientes de forma repentina y anómala.

3.3 Aplicación de la doctrina emanada de la Sentencia analizada en el punto 3.2 en los procedimientos judiciales en materia de VTC resueltos recientemente por la Ilma. Sala de lo Contencioso-Administrativo del Tribunal Superior de Justicia de Madrid

El 29 de septiembre de 2018, se publicó en el Boletín Oficial del Estado núm. 236 el Real Decreto-ley 13/2018, de 28 de septiembre (en lo sucesivo, «RDL 13/2018»), por el que se modificó la Ley 16/1987, de 30 de julio, de Ordenación de los Transportes Terrestres, en materia de arrendamiento de vehículos con conductor.

En concreto, el RDL 13/2018 modificó la Ley 16/1987, de 30 de julio, de Ordenación de los Transportes Terrestres (en lo sucesivo, «LOTT»), particularmente su artículo 91, e introdujo en el régimen de prestación de los servicios de arrendamientos de vehículos con conductor unas restricciones sustanciales que privaron y, en su caso, modificaron sustancialmente a los titulares de las autorizaciones administrativas para la prestación de esta actividad de los derechos inherentes a dichas autorizaciones en el momento de su otorgamiento.

En efecto, con arreglo al artículo 91 de la LOTT, antes de su modificación por el RDL 13/2018, las autorizaciones de arrendamiento de vehículos con conductor (a las que nos referiremos como «autorizaciones VTC» o «VTCs») permitían prestar servicios urbanos e interurbanos en todo el territorio nacional, con la única limitación de que los vehículos que desarrollasen esa actividad debían ser utilizados habitualmente en la prestación de servicios destinados a atender necesidades relacionadas con el territorio de la Comunidad Autónoma en que se encontrase domiciliada la autorización.

Sin embargo, el referido artículo 91 en la redacción introducida por el RDL 13/2018 establece ahora que dichas autorizaciones «*habilitarán exclusivamente para realizar transporte interurbano de viajeros*», a cuyo efecto «*se considerará que un transporte es interurbano cuando su recorrido rebase el territorio de un único término municipal o zona de prestación conjunta de servicios de transporte público urbano así definida por el órgano competente para ello*».

Adicionalmente, el nuevo artículo 91 de la LOTT restringió también la prestación de servicios interurbanos, pues establece, como regla general, que los servicios de arrendamiento de vehículos con conductor deberán iniciarse en el territorio de la Comunidad Autónoma en que se encuentre domiciliada la correspondiente autorización; regla general para la que se prevén dos excepciones: servicios de recogida de viajeros en puertos y aeropuertos previamente contratados, y necesidad de atender un aumento coyuntural de la demanda.

Así, este RDL reconoció expresamente que la reducción del ámbito territorial de las autorizaciones VTC produce perjuicios a sus titulares (incluidos los de las autorizaciones que deban otorgarse después de su entrada en vigor), y por eso previó como «*indemnización*» (así lo denomina la Disposición transitoria única. 2, primer párrafo, del RDL 13/2018) la habilitación temporal para que se puedan continuar prestando a su amparo servicios de ámbito urbano durante un plazo de cuatro años desde su entrada en vigor [Exposición de Motivos y Disposición transitoria única 1.a)].

Según precisa el apartado 2 de la Disposición transitoria única, y como hemos expuesto, estas habilitaciones temporales tienen para todos los afectados «*el carácter de indemnización por todos los conceptos relacionados con las modificaciones introducidas en este real decreto-ley y, en particular, por la nueva delimitación del ámbito territorial de dichas autorizaciones conforme al artículo 91 de la LOTT*».

La propia Exposición de Motivos del RDL 13/2018 estimaba que ese plazo de cuatro años «*debería ser suficiente para compensar tales perjuicios*», si bien admitía que «*en determinados casos debidamente justificados, pueda ampliarse dicho plazo*», a cuyo efecto se preveía que el titular de la autorización pudiese solicitar una «*indemnización complementaria*» por el número de años que corresponda, pero «*sólo excepcionalmente la ampliación podrá ser superior a dos años, contados a partir de la finalización del plazo de cuatro años*» (Disposición transitoria única, apartado 2.2º, d)). Transcurrido el plazo correspondiente a la indemnización complementaria, la autorización sólo habilitará para realizar servicio de transporte interurbano de viajeros (Disposición transitoria única, apartado 4).

Dado el enorme perjuicio ocasionado por el RDL 13/2018, los titulares de autorizaciones VTCs solicitaron la indemnización complementaria prevista en el texto legal siendo la mayoría de las resoluciones que pusieron fin a este procedimiento recurridas ante la Jurisdicción Contencioso— administrativa.

Con carácter reciente, concretamente a partir del 5 de octubre de 2021, han comenzado a ser notificadas las sentencias dictadas por parte de la Ilma. Sala de lo Contencioso-Administrativo del Tribunal Superior de Justicia de Madrid (Sección Sexta) que resuelven los recursos Contencioso-Administrativos planteados. Estas sentencias vienen declarando la nulidad de las resoluciones impugnadas como consecuencia de la intervención de INGENIERÍA Y ECONOMÍA DEL TRANSPORTE, S.M.E.M.P., S.A. (en lo sucesivo, «INECO») en la tramitación de dichos procedimientos administrativos. Para declarar esta nulidad, la Ilma. Sala aplica la doctrina sentada por la Sentencia núm. 1160/2020 de la Excma. Sala de lo Contencioso-Administrativo (Sección 5ª) del Tribunal Supremo, de 14 de septiembre de 2020. Sin embargo, y en nuestra opinión, las diferencias entre uno y otro supuesto hacen deseable que sea el Excmo. Tribunal Supremo el que declare si su doctrina es aplicable en este caso.

En efecto, como ya hemos indicado, la Sentencia de la Excma. Sala de lo Contencioso-Administrativo del Tribunal Supremo de 14 de septiembre de 2020 sirve como base para la fundamentación jurídica de la Sentencia de la Ilma. Sala de lo Contencioso-Administrativo del Tribunal Superior de Justicia de Madrid en materia de VTCs es clara al fijar la doctrina respecto a la cuestión que suscita interés casacional objetivo cuando en su Fundamento Jurídico Tercero dispone que:

> «*De lo expuesto en el anterior fundamento hemos de concluir que, dando respuesta a la cuestión que suscita interés casacional objetivo, a la vista de los preceptos examinados ha de ser la que, como regla general,* **la tramitación de los procedimientos sancionadores** *incoados por las Administraciones Públicas han de ser tramitados por el personal al servicio de tales administraciones sin que sea admisible que, con carácter general, de permanencia y de manera continua, pueda encomendarse funciones de auxilio material o de asistencia técnica a Entidades Públicas Empresariales,* **sin perjuicio de poder recurrir ocasionalmente y cuando la Administración careciera de los medios para ello***, al auxilio de Entidades Públicas Empresariales, como medios propios de la Administración, a prestar dicho auxilio y asistencia*» (La negrita y subrayado son nuestros).

Al amparo del tenor literal del fallo ha de entenderse que esta doctrina es de aplicación a la tramitación de los procedimientos sancionadores, puesto que como razona la propia sentencia las tareas intelectuales, valorativas y volitivas nucleares implicadas en el ejercicio del ius puniendi sólo deben corresponder a los titulares de los órganos administrativos que poseen la competencia. En este procedimiento no estamos ante la tramitación de procedimientos sancionadores sino ante la tramitación de procedimientos de indemnización complementaria prevista en la DTU.2ª del RDL 13/2018 para indemnizar a los titulares de autorizaciones VTC por todos los conceptos relacionados con las modificaciones introducidas por este Real Decreto— ley.

Además, la Sentencia de la Ilma. Sala de lo Contencioso-Administrativo del Tribunal Superior de Justicia de Madrid en materia de VTCs no tiene en cuenta que, incluso en los procedimientos administrativos sancionadores, es posible encomendar funciones a las sociedades mercantiles estatales con la consideración de medios propios, ocasionalmente y cuando la Administración careciera de medios para ello tal y como sucede en este caso en el que era preciso resolver más de 12.000 solicitudes de indemnización complementaria en un plazo máximo de 6 meses. En efecto, tal y como reconoce la Administración en el Encargo a INECO 2019/14:

> «*La tramitación de un número tan elevado de procedimientos hace imposible que la Dirección General de Transporte Terrestre pueda asumirlo utilizando únicamente la dotación de sus propios medios técnicos, puesto que provocaría la acumulación de expedientes sin resolver y la consiguiente demora en el plazo de resolución agravado todo ello por el hecho de que dicho plazo está fijado en*

seis meses como máximo en el Real Decreto— Ley. En definitiva, se espera que
con este Encargo se preste el apoyo necesario para que puedan ser resueltos
los expedientes asociados a la solicitud de indemnización complementaria por
la nueva delimitación del ámbito territorial de dichas autorizaciones de arrenda-
miento de vehículos con conductor de ámbito nacional»

La tramitación de más de 12.000 solicitudes con un plazo de resolución de seis meses es un **supuesto repentino y anómalo** que permite justificar la intervención de INECO, tal y como reconoce el Fundamento Jurídico Cuarto de la Sentencia de la Excma. Sala de lo Contencioso-Administrativo del Tribunal Supremo de 14 de septiembre de 2020 (RJ\2020\3224) según el cual:

> *«Se cuida la Abogacía del Estado en su recurso de justificar la actuación del*
> *Organismo de Cuenca para el pretendido auxilio del personal de la Empresa Pú-*
> *blica en una **denominada tácitamente situación de emergencia**, en cuanto se*
> *dice que se incoan más expediente sancionadores por la Confederación Hidro-*
> *gráfica del Guadiana que por los restantes Organismo de Cuenca del País (se*
> *dicen 58.000), al tiempo que nos recuerda la amplitud territorial y de compleja*
> *integración de dicha Confederación, lo cual, al entender de la parte recurrente,*
> *justificaría acudir al auxilio del personal de TRAGSATEC. Sin embargo, **esa pre-***
> ***tendida justificación decae cuando esa multitud de expedientes no es algo***
> ***repentino ni anómalo, como se reconoce, sino que es lo cotidiano, tampoco es***
> ***algo nuevo y repentino** que en el ámbito territorial existan, no ya espacios natu-*
> *rales de especial protección, sino incluso algunos de una excepcional conside-*
> *ración que exigen una intensa y compleja actividad administrativa»* (La negrita y
> subrayado son nuestros).

A mayor abundamiento, y a pesar de la intervención de INECO, la Il-ma. Sala de lo Contencioso-Administrativo del Tribunal Superior de Justicia de Madrid incluso podría emitir un pronunciamiento en cuanto al fondo del asunto toda vez que con ocasión de supuestos de responsabilidad patrimonial de las Administraciones Públicas, se ha dictado interpretando los preceptos anteriormente citados, la cual, reconoce la naturaleza de plena jurisdicción del orden jurisdiccional contencioso-administrativo. Así, la Sentencia núm. 8069/2012, de la Excma. Sala de lo Contencioso-Administrativo del Tribunal Supremo, de 27 de noviembre de 2012 (RJ 2013/438), en su Fundamento de Derecho Tercero afirma que:

> *«(...). en nuestro Derecho el Orden Jurisdiccional Contencioso-Administrativo se*
> *configura con la naturaleza de plena Jurisdicción en el que la actuación admi-*

*nistrativa constituye una previa condición del proceso, pero sin quedar vincula-
do el Poder Judicial a las condiciones de la previa vía administrativa. Es decir,
es suficiente la decisión de la Administración para iniciar el proceso y una vez
iniciado éste, el Orden Contencioso-Administrativo está revestido de potestad
suficiente para decidir todas las pretensiones vinculadas a los derechos e intereses afectados. Y el Tribunal Constitucional ha declarado reiteradamente este
carácter del Orden Contencioso-Administrativo al amparo de la extensión que
comporta el derecho fundamental a la tutela judicial, como recuerda la sentencia 155/2012, de 16 de julio, haciéndose eco de "una consolidada doctrina", de la
que se deja constancia y conforme a la cual no resulta atendible desde la óptica
constitucional que nos es propia la consideración del carácter revisor de la jurisdicción contencioso-administrativa más allá de la necesidad de la existencia de
una actuación administrativa en relación a la cual se deducen las pretensiones
procesales para un enjuiciamiento pleno por parte de los órganos judiciales de
la actuación administrativa, eso sí, dentro de lo aducido por las partes (artículo
43 de la Ley de la jurisdicción contencioso-administrativa de 1956 y artículo 33
LJCA 1998), las cuales podrán alegar cuantos motivos procedan, aun cuando no
se hayan expuesto ante la Administración (artículo 69.1 LJCA 1956 y artículo 56.1
LJCA 1998)».*

En idéntico sentido cabe citar, también, las Sentencias de la Excma. Sala
de lo Contencioso-Administrativo del Tribunal Supremo, núm. 995/2021,
de 8 de julio (RJ 2021/3613) y la núm. 5028/2014, de 2 de diciembre de
2014 (RJ 2014/6243). Esta última en su Fundamento de Derecho Cuarto
indica lo siguiente:

*«Lo expuesto, como se dijo, comporta la necesidad de que la Sala de instan-
cia hubiese procedido a pronunciarse sobre la pretensión indemnizatoria que
la recurrente había suplicado en su demanda, sin que la retroacción del procedimiento ordenada estuviese acomodada al derecho fundamental a la tutela
judicial efectiva, dejando la pretensión imprejuzgada para dar oportunidad a la
Administración sobre un nuevo pronunciamiento. Nuevo pronunciamiento que,
como efectivamente teme la parte recurrente, le obligaría presumiblemente a
un nuevo proceso (...)».*

Por último, no podemos finalizar este análisis sin tener en cuenta el
alcance del encargo realizado por la Dirección General de Transporte Terrestre a INECO. Conforme a los Encargos 2019/14, 2019/23, 2019/35,
2020/39 y 2021/21:

*«Todos los trabajos se realizarán a través de la herramienta de gestión infor-
mática que será suministrada por la DGTT. Igualmente pondrá a disposición de*

> *INECO los modelos y plantillas necesarios para la elaboración de los documentos necesarios para la correcta ejecución de las tareas a ejecutar en la presente Asistencia Técnica. Así mismo INECO colabora con la DGTT en el archivo de la documentación generada en los expedientes resueltos».*

En consecuencia, estaríamos aquí ante un supuesto en el que parece tener un mayor peso en la resolución de los procedimientos administrativos el uso de un algoritmo no predictivo que la intervención en la tramitación por parte del personal de INECO.

4. CONCLUSIONES

A la vista del análisis realizado en los epígrafes anteriores, ante el déficit de medios personales y los avances tecnológicos, las Administraciones Públicas han de valerse necesariamente de distintos instrumentos para la tramitación de los procedimientos administrativos en los que adquieren protagonismo tanto el uso de algoritmos como de los medios propios instrumentales.

Sin embargo, son muchas las dudas que todavía plantea la utilización de estos medios y deseable la intervención del Tribunal Supremo para que fije doctrina respecto al uso de inteligencia artificial en la tramitación de los procedimientos administrativos así como de los medios propios instrumentales de las Administraciones Públicas cuando no estemos ante procedimientos sancionadores.

Bibliografía

HUERGO LORA, A.: «La regulación de los Algoritmos», *Thomson Reuters Aranzadi,* 2020.

DEL REAL RUBIO, R.: «Máquinas o abogados: los conflictos en la frontera tecnológica», *Thomson Reuters Aranzadi,* 2021.

PONCE SOLÉ, J.: «Inteligencia artificial, Derecho administrativo y reserva de humanidad: algoritmos y procedimiento administrativo debido tecnológico», *Revista General de Derecho Administrativo,* Núm. 50 (Iustel, enero 2019)

El fomento, la técnica protagonista en la protección actual del medioambiente: su *nuevo* contenido —los pagos por servicios ambientales— y su viabilidad

Sara García García
Doctora en Derecho acreditada contratada
Profesora Asociada Universidad de Valladolid

SUMARIO: 1. LA ACTUALIDAD DEL DERECHO AMBIENTAL: EL RECIENTE PROTA-GONISMO DEL FOMENTO ADMINISTRATIVO EN LA PROTECCIÓN DEL MEDIO AMBIENTE. 2. PANORÁMICA DE LOS NUEVOS INSTRUMENTOS DE FOMENTO AMBIENTAL: LOS LLAMADOS *PAGOS POR SERVICIOS AMBIENTALES*. 2.1 Las externalidades positivas que se pretenden fomentar: los servicios ambientales, breve referencia. 2.2 Definición básica de los PSA. 2.3 PSA como medidas de fomento directo del cuidado de la naturaleza: compensación de modificaciones en las actividades económicas para hacerlas más sostenibles. Ayudas o subvenciones públicas. 2.4 PSA como medidas de fomento indirecto adecuadas para alcanzar la neutralidad climática: compensación de externalidades negativas. Certificaciones, medidas fiscales, instrumentos de mercado. 2.5 Elementos de los PSA. 3. UN APUNTE SOBRE SU VIABILIDAD.

1. LA ACTUALIDAD DEL DERECHO AMBIENTAL: EL RECIENTE PROTAGONISMO DEL FOMENTO ADMINISTRATIVO EN LA PROTECCIÓN DEL MEDIO AMBIENTE

El régimen jurídico de protección ambiental se encuentra inmerso en pleno proceso de evolución y mejora y el Derecho público y la Administración son una de sus principales piezas. Una de las novedades más significativas en este ámbito es el fin del monopolio de las técnicas de policía, limitativas de la actividad humana con efectos perjudiciales para el medio, tras el que se da paso a otras medidas, protagonizadas ahora desde el fomento. Con este *fomento ambiental* se intenta completar lo hecho hasta el momento y atajar definitivamente toda actividad contaminante, de forma que ya no solo deje de ser perjudicial, sino que genere efectos beneficiosos para la naturaleza y, por tanto, para la especie humana.

Estos cambios en torno a la actuación material de la Administración se sostienen sobre también nuevas bases o, más bien, sobre reinterpretaciones de los fundamentos tradicionales. La intervención de policía en materia ambiental encuentra en el principio quien contamina paga su principal pilar[1]. Mediante este principio se diseña la gestión de las *externalidades negativas*[2] de la actividad económica, es decir, de los costes que genera la producción de contaminación por parte de la actividad económica, procurando la internalización de estos en la propia actividad contaminadora[3]. Pues bien, las más recientes corrientes jurídicas abogan por completar la protección otorgada

---

[1] De esta relación han surgido instrumentos básicos para la protección del entorno, como son los mercados de derechos de emisión o la tributación medioambiental, sobre los cuales se ha sostenido el grueso de la protección de la naturaleza en las últimas décadas: *vid.* SANZ RUBIALES, I. (2007) *El mercado de derechos a contaminar. Régimen jurídico-público del mercado comunitario de derechos de emisión en España.* Valladolid: Lex Nova, pág. 44.

[2] Siguiendo el Diccionario Panhispánico del español jurídico, se entiende por *externalidad,* en esta materia, al «*efecto no buscado por una acción*».

[3] Este principio determina que «*el operador que cause daños medioambientales o que amenace de forma inminente con causar tales daños debe sufragar el coste de las medidas preventivas o reparadoras necesarias*»: considerando nº 18 Directiva 2004/35 sobre responsabilidad medioambiental.

hasta ahora y atender no sólo a las externalidades negativas para el medioambiente, sino también a las positivas, como medio de protección de la conservación del entorno y de promoción del cuidado de la naturaleza. Esta *nueva* gestión se sostiene sobre una reinterpretación de las bases mismas del ordenamiento y del principio anterior de la que surge el conocido como *principio quien se beneficia paga,* entre otras denominaciones[4]. Como *versión* opuesta y «positiva» del principio tradicional, el quien se beneficia paga pretende igualmente un reparto justo, pero esta vez de los costes que genera la conservación o promoción de servicios ambientales (las externalidades positivas para el medioambiente), mediante su externalización sobre el beneficiario directo del servicio, que generalmente será la sociedad en su conjunto[5]. Así, tanto el principio tradicional como su corolario pretenden compensar por las externalidades, positivas o negativas, generadas por la actividad económico-industrial; en el caso de las negativas la compensación la realiza quien las genera y en el caso de las positivas, quien las disfruta. En este último supuesto es la Administración pública la que efectúa mayoritariamente esa compensación económica por ser, siguiendo el principio quien se beneficia paga, la representante de la sociedad beneficiaria del cuidado de esos servicios; precisamente por ello y por el carácter de estímulo de la conservación al medioambiente que acompaña a dicha compensación, el fomento se erige como una forma de intervención adecuada para proteger la naturaleza[6] y el principio quien se beneficia paga como un fundamento esencial sobre el que «*incentivar la conservación voluntaria*» del entorno[7].

---

[4]   LOZANO CUTANDA, B. y RÁBADE BLANCO, J. M. «El pago por servicios ambientales para el desarrollo sostenible del medio rural: los contratos territoriales» en SANZ LARRUGA, F. J., GARCÍA PÉREZ, M. y PERNAS GARCÍA, J. J. (Dirs.) (2013) Madrid: INAP, págs. 337 a 357. Otras opciones para identificar este principio serían, por ejemplo, *a quien conserva se le paga* o, también, *a quién descontamina se le paga:* MUÑOZ AMOR, M. M. (2017) *El contrato territorial en la agricultura multifuncional.* Madrid: Reus, pág. 173.

[5]   Esta sencilla definición del principio se sostiene sobre un amplio análisis que se puede conocer en GARCÍA GARCÍA, S. (2022) *Los servicios ambientales en el Derecho español.* Valencia: Tirant lo Blanch, en prensa.

[6]   Vid. NAVARRO CABALLERO, T. «Quién paga la protección del patrimonio natural: compensaciones y mecanismos de financiación» (2022) 40.

[7]   LOZANO CUTANDA, B. y RÁBADE BLANCO, J. M. «El pago por servicios ambientales para el desarrollo sostenible del medio rural: los contratos territoriales» *op. cit.*, pág. 338.

Pues bien, si el principio contaminador-pagador ha servido para configurar instrumentos esenciales para la protección de la naturaleza, como son los mercados de derechos de emisión o la tributación medioambiental[8], sobre los cuales se ha sostenido el grueso de su protección en las últimas décadas, el principal instrumento que se ha desarrollado hasta la fecha sobre la base del principio beneficiario-pagador es el denominado pago por servicios ambientales (en adelante PSA).

2. PANORÁMICA DE LOS NUEVOS INSTRUMENTOS DE FOMENTO AMBIENTAL: LOS LLAMADOS *PAGOS POR SERVICIOS AMBIENTALES*

2.1 Las externalidades positivas que se pretenden fomentar: los servicios ambientales, breve referencia

Antes de conocer el contenido de esos PSA derivados de la aplicación del principio quien se beneficia paga y el papel que en ellos ejerce la Administración pública, conviene comprender qué es, de forma somera, el *servicio ambiental* que les sirve de base.

El concepto de *servicio ambiental* surge en el ámbito de las ciencias naturales, es acogido por la economía como una externalidad positiva que se debe conservar y, desde ahí, *aterriza* en el Derecho como uno de los componentes del medioambiente que debe ser protegido, junto con el recurso natural[9]. Las normas que aluden a los servicios ambientales los califican como «*las funciones que desempeña un recurso natural en beneficio de otro recurso o del público*»[10]. Con el término *servicio ambiental* se hace referencia, en definitiva, a todo aquello que del medioambiente resulta útil o beneficioso para el ser

---

[8]   Vid. SANZ RUBIALES, I. (2007) *op. cit.*, pág. 44.

[9]   EHRLICH, P. R. y MOONEY, H. A. «Extinction, Substitution, and Ecosystem Services» en *BioScience* (1983) Vol. 33, n° 4, págs. 248 a 254 y MÉRAL, P. «Le concept de service écosystémique en économie: origine et tendances récentes» en *Natures Sciences Sociétés* (2012) n° 20, págs. 3 a 15, *vid.* pág. 5.

[10]   Así lo hace, por ejemplo, la Ley 26/2007, de 23 de octubre, de Responsabilidad Medioambiental en su artículo 2.18.

humano y que se debe conservar; piénsese, en términos sencillos y generales, en la purificación del aire que realizan las plantas, en un paisaje natural o en los múltiples productos y materias primas que se obtienen de la naturaleza y, también al contrario, piénsese en las consecuencias derivadas del agua contaminada, de la sequía o de los fenómenos climáticos adversos, en aumento, provocados por un desorden en el equilibrio de los ecosistemas[11].

Esos servicios ambientales, como figura jurídica, deben cumplir para ser calificados —y protegidos— como tal dos presupuestos o condiciones necesarias: primero, deben ser producto de una función o un proceso de un ecosistema que se produzca de forma natural[12]; segundo, esa función o proceso debe ser útil o beneficioso para el ser humano[13]. Esta utilidad puede ser *objetiva*, demostrada por la ciencia, o *subjetiva*, dependiente de la apreciación de una determinada comunidad[14]. La utilidad que encierra el servicio

---

[11]   Puede verse un inventario de servicios ambientales en el Anexo I del Real Decreto 2090/2008 de desarrollo de la Ley 26/2007 de Responsabilidad Medioambiental (en adelante RDLRMA) o un listado más pormenorizado (2005) *Ecosystems and Human Well-being: Synthesis.* Washington, D.C.: Island Press, pág. V.

[12]   El servicio ambiental se desprende de las funciones de los ecosistemas bajo las que subyacen unas estructuras y procesos biofísicos determinados (vid. JOURDAIN, P. (Coord.) (2018) *La responsabilité environnementale.* Bruxelles: Bruylant - Université Paris 1, Panthéon Sorbonne, págs. 396 y ss). Estas funciones desarrolladas por los recursos son procesos naturales cuyos efectos son ciertos y su existencia no depende de la intervención humana (vid. WALLIS, C., BLANCHER, P., SÉON-MASSIN, N., MARTINI, F. y SCHOUPPE, M. (2011) *Mise en oeuvre de la directive cadre sur l'eau quand les services écosystémiques entrent en jeu. 2ème séminaire «Quand les sciences de l'eau rencontrent les politiques publiques» Bruxelles, 30 septembre 2011.* Bruselas: Les Recontres de l'ONEMA, pág. 15).

[13]   LAMARQUE, P., QUÉTIER, F. y LAVOREL, S. «The diversity of the ecosystem services concept and its implications for the assessment and management» en *C. R. Biologies* (2011) nº 334, págs. 441 a 449, pág. 444. Conviene apuntar la existencia de lo que se podrían llamar *funciones no beneficiosas* que por tanto no obtendrían la calificación de servicio ambiental. Piénsese en el caso en que un conjunto de recursos naturales o un ecosistema fuese, de forma natural, perjudicial para el ser humano o el propio entorno; así ocurría, por ejemplo, con el Lago Monoun, de Camerún: *vid.* SIGURDSSON, H. et ali. «Origin of the lethal gas burst from Lake Monoun, Camerun» en *Journal of Volcanology and Geothermal Research* (1987) Vol. 31, issues 1-2, págs. 1 a 16.

[14]   Como ocurriría, por ejemplo, con el paisaje: PERCIVAL, R. V., SCHROEDER, C. H. et ali (2006) *Environmental regulation: law, science and policy.* United States of Ameri-

puede ser *directa* para el ser humano, de forma que ese servicio se presenta imprescindible para la vida o bienestar de la persona, o *indirecta*, tratándose en este segundo caso de un requisito esencial para que la naturaleza mantenga su funcionamiento y, así, el ser humano pueda seguir obteniendo sus beneficios directos[15].

De este modo, un medioambiente *de calidad*, que a la postre es el objetivo cuya consecución impone el mandato establecido en el artículo 45 de la Constitución[16], se mide en atención al nivel de provisión de servicios que ostentan sus recursos naturales, de forma que la garantía de un medioambiente adecuado pasa por proteger o recuperar esos servicios a través de una gestión apropiada de sus recursos[17].

Dicho lo anterior, una actividad económica generaría *externalidades negativas* si los efectos derivados de ella aminoran o perjudican a los recursos naturales o a sus servicios ambientales, menoscabando, así, la calidad del entorno; sin embargo, de esa actividad podrían derivarse *externalidades positivas* si esta conserva servicios ambientales o fomenta, mediante un buen tratamiento o recuperación de los recursos naturales de su entorno, la producción de servicios[18].

---

ca: ASPEN Publishers: cfr. pág. 35. y cfr. Ministère De L'écologie, De L'énergie Du Développement Durable Et De La Mer Française «Vers des indicateurs de fonctions écologiques liens entre biodiversité, fonctions et services» en *Le Point Sur* (2010) mayo, nº 51, pág. 1.

[15] Para conocer un análisis más profundo de esta cuestión y, en general, del servicio ambiental *vid.* GARCÍA GARCÍA, S. (2022) *op. cit.*

[16] *«1. Todos tienen el derecho a disfrutar de un medio ambiente adecuado para el desarrollo de la persona, así como el deber de conservarlo. 2. Los poderes públicos velarán por la utilización racional de todos los recursos naturales, con el fin de proteger y mejorar la calidad de la vida y defender y restaurar el medio ambiente, apoyándose en la indispensable solidaridad colectiva. 3. Para quienes violen lo dispuesto en el apartado anterior, en los términos que la ley fije se establecerán sanciones penales o, en su caso, administrativas, así como la obligación de reparar el daño causado».*

[17] Véase el concepto que de *calidad* ofrece el RDLRMA en el apartado II su Anexo II.

[18] Esta es la motivación de fondo de muchas de las más recientes campañas sobre las que se sostienen nuevas políticas comerciales a través de las cuales, por ejemplo, se planta un árbol por cada operación que se realice, se modifica el uso de la tierra por uno más sostenible o se restaura parte del entorno, entre otras.

Pues bien, el reconocimiento jurídico de este segundo componente del medioambiente merecedor de protección es lo que está permitiendo la construcción de las nuevas teorías en torno a la protección de la naturaleza basadas en los servicios ambientales y en el fomento administrativo, al asumir que una adecuada protección de la naturaleza no pasa, únicamente, por limitar el aprovechamiento humano de los recursos naturales, sino por fomentar el desarrollo o la conservación de sus servicios ambientales[19]. Además, el aumento o la recuperación de los servicios ambientales en un determinado espacio permite compensar las externalidades negativas que pudieran padecerse ahí o ejercer un uso más intenso de sus recursos naturales cuando la presencia de los beneficios derivados de estos (sus servicios) se encuentre garantizada, lo que faculta a ejercer un aprovechamiento de los recursos naturales más adecuado y sostenible, así como alcanzar la neutralidad y luchar contra el cambio climático.

2.2 Definición básica de los PSA

Los denominados pagos por servicios surgen en el continente americano como mecanismos esenciales y a largo plazo de protección de la naturaleza[20] por los cuales el Estado proporciona una compensación financiera a los propietarios de bosques y plantaciones forestales por los servicios ambientales que prestan sus tierras y que ellos protegen o desarrollan, contribuyendo directamente así a la protección y mejora del medioambiente[21]. Una vez que

---

[19] Esto completaría la interpretación que de una *adecuada protección del medioambiente* lleva años sosteniendo el Tribunal Constitucional a través de la idea de la conservación y «*el mejoramiento*» de la naturaleza: esta jurisprudencia va más allá y habla de una obligación de *mejorar el entorno*, como la «*vertiente dinámica*», dice, de la conservación de la naturaleza: *vid.* Sentencia del Tribunal Constitucional 233/2015, *cit.*, FJ 2° apartado c).

[20] WÜNSCHER, T., ENGEL, S. y WUNDER, S. «Payments for environmental services in Costa Rica: increasing efficiency through spatial differentiation» en *Quarterly Journal of International Agriculture* (2006) n° 45, págs. 319 a 337, pág. 320. Costa Rica ha sido el primer Estado en desarrollar y aplicar políticas medioambientales basadas en estos sistemas de compensación por la conservación de servicios ambientales.

[21] ARRIAGADA, R. A., SILLS, E. O., PATTANAYAK, S. K. y FERRARO, P. J. «Combining Qualitative and Quantitative Methods to Evaluate Participation in Cos-

estas iniciativas demuestran su efectividad, se extienden por todos los sistemas jurídicos como mecanismos de fomento a través de los cuales el Poder público alienta al propietario o gestor de una tierra a introducir en sus planes el cuidado de los valores naturales[22]. Desde ahí se ha aplicado esta modalidad de fomento no sólo en el ámbito agrario, sino económico general.

Actualmente y desde el sistema jurídico continental, estos PSA pueden describirse como mecanismos a través de los cuales se financia o compensa la recuperación o conservación servicios ambientales[23]. Estos PSA son medios de incentivo o de compensación de actuaciones, bien con una incidencia ambiental negativa, bien dirigidas a proteger o conservar servicios ambientales[24]: debido al esfuerzo logístico y económico que puede suponer la aplicación de cambios en una actividad económica para hacerla más sostenible, desde el Poder público se ofrece una ayuda monetaria con la que incentivar o compensar esos gastos y conseguir así la recuperación o el fomento de servicios ambientales por parte de los agentes económicos o de los particulares; esa ayuda constituye el PSA.

Este PSA en un instrumento surgido en el ámbito público, pero cada vez más su aplicación se está extendiendo entre particulares. En este último caso, si bien no es necesaria *per se* la participación de la Administración, nada impide que esta intervenga; de hecho, puede ser recomendable que lo haga ya que ello puede servir para proteger indirectamente al medioambiente —además con menor coste público— al *fomentar* la aplicación de estos fundamentos *inter privatos*. Fruto de esta adopción de los PSA por los particulares,

---

ta Rica's Program of Payments for Environmental Services» en *Journal of Sustainable Forestry* (2009) nº 28, págs. 343 a 367, pág. 344.

[22] RODRÍGUEZ DE FRANCISCO, J. C. y BOELENS, R. «Payment for Environmental Services: mobilising an epistemic community to construct dominant policy» en *Environmental Politics* (2015) Vol. 24, nº 3, págs. 481 a 500, pág. 481.

[23] Vid. DUNN, H. (2011) *Payments for Ecosystem Services.* London: Department for Environmnet, Food and Rural Affairs, pág. 15.

[24] Unos incentivos que, siguiendo a LOZANO CUTANDA, «*pueden dirigirse a la consecución de cualesquiera objetivos ambientales, aunque operan normalmente en cuatro áreas: aguas, protección de la biodiversidad, captura de carbono y paisaje*»: LOZANO CUTANDA, B. et Rábade Blanco, J. M. «El pago por servicios ambientales para el desarrollo sostenible del medio rural: los contratos territoriales» *op. cit.*, pág. 339.

además, se están desarrollando muy diversas modalidades que enriquecen, desde un punto de vista formal, a este tipo de instrumentos y que permiten hablar de una *segunda finalidad* de los PSA: no sólo son aptos para fomentar un cuidado activo de la naturaleza mediante la compensación por conservar servicios ambientales, sino que sirven para incentivar de forma indirecta esa protección al compensar los efectos perjudiciales producidos por las externalidades negativas, de forma inversamente proporcional, con el impulso, refuerzo o conservación de servicios ambientales[25].

Así, los PSA bien pueden ser también descritos como mecanismos de compensación de las externalidades negativas generadas por una actividad económica; compensación que se realiza *pagando* a un tercero para que ejerza una labor de conservación o promoción de servicios ambientales de forma que, en términos globales, la incidencia ambiental de la actividad económica en una determinada zona sea, al menos, neutra[26]. Esto convierte, innegablemente, a los PSA en una herramienta útil para alcanzar la tan ansiada neutralidad climática impuesta por Europa, pues sirven directamente al objetivo de compensar las emisiones a través del fomento de las absorciones[27]. En esta *se-*

---

[25]   Esta segunda utilidad de los pagos por servicios ha surgido en el momento en que esos particulares han encontrado en la conservación o promoción de servicios ambientales un modo con el que *compensar* o *equilibrar* de forma suficiente y adecuada los efectos de su actividad, lo que ha propiciado la creación de intereses e hipotéticos mercados entre quienes conservan y quienes contaminan: PEARCE, D. W. y TURNER, R. K. (1995) *Economía de los recursos naturales y del medioambiente*. Madrid: Colegio de Economistas, pág. 103.

[26]   RODRÍGUEZ-CHAVES MIMBRERO, B. «Pago por servicios ambientales (PSA) en el Derecho Europeo y en el Derecho Interno español. Apuntes sobre su situación actual y perspectivas» (2013) nº 24, 31 pág. 2.

[27]   La afamada *neutralidad climática* para 2050 o, lo que es lo mismo, el compromiso de cero emisiones netas de gases de efecto invernadero en los 27 Estados para ese año, sin excepción, se alcanzará, conforme establece la Unión en su *Legislación europea sobre el clima*, cuando se consiga mantener un equilibrio entre las emisiones y las absorciones de gases de efecto invernadero: «*las emisiones y absorciones de gases de efecto invernadero reguladas en la legislación de la Unión estarán equilibradas a más tardar en 2050, por lo que en esa fecha las emisiones netas deben haberse reducido a cero*» (COM (2020) 80 final, *vid.* considerando 20 y art. 13 del Reglamento (UE) 2021/1119 del Parlamento Europeo y del Consejo, de 30 de junio de 2021, por el que se establece el marco para lograr la neutralidad climática y se modifican los Reglamentos (CE) 401/2009 y (UE) 2018/1999 («Legislación europea sobre el clima»)).

gunda modalidad de PSA el pago generalmente lo realiza un particular por ser el beneficiario directo de la conservación de servicios, particular que ve su huella de carbono reducida y compensada con la conservación de servicios ambientales; pero a la postre, la sociedad en su conjunto se ve beneficiada de dicha conservación, con lo que existe un interés público evidente también en esta compensación *privada*.

2.3 PSA como medidas de fomento directo del cuidado de la naturaleza: compensación de modificaciones en las actividades económicas para hacerlas más sostenibles. Ayudas o subvenciones públicas

A nivel jurídico-público, formalmente este tipo de PSA son fundamentalmente ayudas o subvenciones públicas. De esta forma, el pago derivado de estos PSA generalmente se entiende como una retribución o compensación para aquellos que modifican la utilización y el manejo de sus actividades o tierras desde un punto de vista económicamente activo a usos alternativos que refuerzan o permiten la obtención de servicios ambientales.[28]

En unos casos, estas ayudas públicas han sido expresa y directamente creadas para incentivar y compensar por la conservación de servicios ambientales, sin embargo, en otros se trata de una ayuda preexistente que ha sido redirigida o rediseñada, en su totalidad o en parte, en un PSA. En cualquiera de esos dos escenarios, mediante esta ayuda pública se incentiva o compensa el esfuerzo necesario para reorientar una actividad ambientalmente dañina en una actividad conservadora o impulsora de servicios ambientales, lo que permite hablar de un PSA y poner al fomento administrativo al servicio de la protección de la naturaleza[29]; además, la «conversión» de ayudas tradicionales a PSA, es decir, la vinculación de los criterios de su concesión al cuidado o promoción de servicios ambientales, otorga y, en

---

[28] REID, C. T. «The Privatisation of Biodiversity? Possible New Approaches to Nature Conservation in the UK» en *Journal of Environmental Law* (2011) n° 23-2, págs. 203 a 231, pág. 221.

[29] FIGUEROA, E. (2009) *Pago por servicios ambientales en áreas protegidas en América Latina. Programa FAO/OAPN.* Italia: FAO, pág. 78.

muchos casos devuelve, legitimidad a este tipo de gastos, pues sus efectos repercuten directamente en un beneficio común. Ahora bien, determinar de forma específica ese beneficio común y, por tanto, la cuantía de la ayuda es, cuando menos, complejo[30]; por eso este tipo de PSA generalmente representa un porcentaje de la ayuda total anunciada, o bien puede calcularse en atención al coste derivado de transformar la actividad económica en una más sostenible que conserve servicios ambientales.

Dicho todo lo anterior, sería posible considerar dentro de estos PSA a los pagos condicionados de ciertas ayudas públicas como sería la otorgada a través de la PAC, especialmente desde los cambios incluidos en el año 2013 y en vigor desde 2015[31], momento en que se introduce la conocida como *eco-condicionalidad* y el denominado *pago verde*, por el cual una parte de esa ayuda se concede, únicamente, si se realizan «*prácticas beneficiosas para el medioambiente*», con el fin de «*remunerar a los agricultores*» por dicho esfuerzo[32]. Sin duda, otro PSA que, bajo la forma de una ayuda pública, pretende el fomento de estas externalidades positivas es el contrato territorial[33], así como se podrían considerar dentro de este caso los *incentivos por las externalidades ambientales* recogidos por el art. 65 de la Ley de Montes[34]. Finalmente, de *fomento* habla también la Ley 42/2007, del Patrimonio Natural y de la Biodiversidad en relación con la custodia del territorio; unas medidas estas últimas que, si bien

---

[30]   El economista BUFFET expresa a la perfección la problemática inherente a esta cuestión con su célebre afirmación «*el precio es lo que se paga, el valor es lo que se obtiene*»: *vid.* ORIHUELA ORELLANA, M. y BLANDO TORRES, R. (2014) *La Custodia del Territorio en Andalucía. Manual de ayuda.* Sevilla: Fundación Andanatura, pág. 5.

[31]   Vid. SETIÉN, M. L. y SANTIBÁÑEZ, R. (Eds.) (2004) *Las necesidades de formación del Tercer Sector: su medición y programación desde la perspectiva europea.* Bilbao: Universidad de Deusto, págs. 409 y ss.

[32]   MARTÍNEZ, P., CASTAÑO, J. y BLANCO, M. «Simulador PAC: lecciones del análisis del pago verde» en *Revista Española de Estudios Agrosociales y Pesqueros* (2017) nº 248, págs. 15 a 37.

[33]   RODRÍGUEZ-CHAVES MIMBRERO, B. «Pago por servicios ambientales (PSA) en el Derecho Europeo y en el Derecho Interno español. Apuntes sobre su situación actual y perspectivas» *op. cit.* pág. 11.

[34]   Conforme a lo previsto en ese artículo, se puede ejecutar este incentivo a través de ayudas públicas, de un contrato entre el propietario o gestor del monte y la Administración Pública, o por medio de inversiones directas unilaterales del poder público.

suelen enmarcarse en el ámbito de la colaboración público-privada, pueden adquirir la forma de una ayuda pública, por lo que encajan en este grupo de PSA[35].

2.4 PSA como medidas de fomento indirecto adecuadas para alcanzar la neutralidad climática: compensación de externalidades negativas. Certificaciones, medidas fiscales, instrumentos de mercado

Esos acuerdos de custodia antes mencionados tienen, en muchos casos, la segunda utilidad hallada en estos mecanismos que es compensar externalidades negativas ya provocadas por una determinada actividad económica mediante la conservación o recuperación de forma proporcional de servicios ambientales[36]. Junto a ellos, por sus características, en este grupo de PSA proliferan modelos basados en mercados voluntarios[37], así como en *nuevas* formas de derechos reales tradicionales en los que su objeto es el servicio ambiental; estos están siendo desarrollados especialmente en Derecho comparado mediante figuras como las denominadas *conservation easements* anglosajonas, las servidumbres de conservación latinoamericanas o la *obligation rée-*

---

[35] NAVARRO CABALLERO, T. «Quién paga la protección del patrimonio natural: compensaciones y mecanismos de financiación» *op. cit.*, pág. 16. Debido a este último apunte y, especialmente, por el debate surgido en torno a la naturaleza jurídica de estos contratos territoriales, baste apuntar, como bien explica el profesor MARTÍNEZ LÓPEZ-MUÑIZ, que en el ámbito del Derecho administrativo español las subvenciones articuladas como contratos —u otras formas jurídicas—, pese a la aparente contradicción, son plenamente válidas y utilizadas sin perder su condición de ayuda pública: MARTÍNEZ LÓPEZ-MUÑIZ, J. L. «La actividad administrativa dispensadora de ayudas y recompensas: una alternativa conceptual al fomento en la teoría de los modos de acción de la Administración Pública» en VILLAR PALASÍ, J. L., GÓMEZ-FERRER MORANT, R. y GARCÍA DE ENTERRÍA, E. (1989) *Libro homenaje al profesor José Luis Villar Palasí*. Madrid: Civitas, págs. 751 a 768, *vid.* pág. 762.

[36] Ibidem.

[37] MOLINA GIMÉNEZ, A. «Mercados ambientales aplicados a la calidad del agua. Transmisión de cuotas de contaminación entre vertidos directos y difusos en el Derecho americano» en *RAP* (2013) nº 191, págs. 481 a 510, *vid.* pág. 481.

lle environnementale francesa[38]. De vuelta al sistema español, muchos de estos
mecanismos de pagos por servicios están siendo también aprovechados o desarrollados como parte de las distintas estrategias de custodia del territorio,
fomentando la participación del ciudadano en la protección y conservación
de la naturaleza[39], así como por medio de la compensación y los proyectos
de absorción establecidos como herramienta para la reducción de la huella
de carbono establecidos al efecto por el Real Decreto 163/2014, de 14 de
marzo, por el que se crea el registro de huella de carbono, compensación y
proyectos de absorción de dióxido de carbono.

Dicho esto y, pese al carácter privado de muchas de las tipologías anun-
ciadas, la Administración, el fomento y el Derecho público también ejercen
un papel esencial en esta *segunda* modalidad de PSA: al margen del innegable
interés público presente en esta protección de la naturaleza, el diseño o implementación de ese tipo de PSA ha requerido, o es aconsejable que lo haga,
la presencia de agentes externos, generalmente públicos, que sirvan de cata-
lizadores intermediarios en los procesos y organicen el *mercado* de las externalidades que se generan[40]; además, el Poder público puede *fomentar* este tipo
de PSA entre particulares, por ejemplo, mediante la creación de etiquetas o
certificaciones o a través de medidas fiscales, elevando así el cuidado ofreci-
do a la naturaleza con un menor coste, incluso nulo, para las arcas públicas.

---

[38]   Para profundizar sobre las servidumbres de conservación puede acudirse a RISSMAN,
A. R. et ali «Conservation easements: biodiversity protection and private use» en
Conservation Biology (2006) Vol. 21, nº 3, págs. 709 a 718 para el caso de las anglosajonas o a CARVAJAL GÓMEZ, I. «El derecho real de conservación» en *Revista de
Derecho Ambiental, Chile* (2010) nº 2, págs. 177 a 221 para el análisis de las que están
siendo desarrolladas en el sur del continente americano. Por su parte, respecto a la
figura de la obligación real ambiental, creada por la Ley francesa 2016-1087 para la
recuperación de la biodiversidad, naturaleza y paisaje, puede realizarse un análisis con
MARTIN, G. «Pour l'introduction en droit français d'une servitude conventionnelle
ou d'une obligation propter rem de protection de l'environnement» en *Revue juridique
de l'Environnement* (2008) número especial, págs. 123 a 131.

[39]   FERNÁNDEZ DE GATTA SÁNCHEZ, D. «La participación privada en la conservación de los recursos naturales: el régimen jurídico de la custodia del territorio» en
Revista Aragonesa de Administración Pública (2014) nº 43.44, págs. 71 a 111, *vid.* pág. 71.

[40]   WUNDER, S., WERTZ-KANOUNNIKOF, S. y MORENO-SÁNCHEZ, R.
«Pago por servicios ambientales: una nueva forma de conservar la biodiversidad» en
Gaceta ecológica (200) número especial 84-85, págs. 39 a 52, *vid.* pág. 40.

Así, desde el punto de vista jurídico-público, con esta segunda modalidad de PSA, el fomento tradicional, basado fundamentalmente en ayudas, se completa y renueva con mecanismos que no implican gasto público, sino la regulación y gestión de mercados u otros instrumentos con los que incentivar acciones e intercambios favorables para el medioambiente[41]: el PSA no solo fomenta el cuidado de la naturaleza, sino una mayor implicación en ese cuidado por parte de los particulares; la Administración deja de ser quien activamente restaura el entorno, para que también los propios particulares, compensados por este pago, ejerzan dicha restauración o conservación. Un pago que puede realizar directamente el Poder público o que puede quedarse entre particulares, restando gasto público a estas medidas. Así, la principal aportación de estos PSA, en su conjunto, es permitir al Poder público elevar aún más su intervención en la actividad económica, pero ahora *en positivo*: se mantiene la limitación que desde la policía se venía aplicando a la actividad, pero se completa con una reorientación de esta que permita ya no sólo que se reduzca su contaminación, sino que se adopten medidas para potenciar o recuperar los servicios ambientales de su entorno; a cambio, «*las administraciones públicas competentes compensan, incentivan y retribuyen esos cambios, como forma de reconocimiento por la sociedad de los servicios y prestaciones de carácter público que generan*»[42].

2.5 Elementos de los PSA

Con lo expuesto, se puede afirmar que, desde un punto de vista material, todo PSA tiene como base a los servicios ambientales, a las externalidades positivas del medioambiente.

A nivel formal, no existe uniformidad entre todo aquello que puede considerarse un PSA; pero es que esta homogeneidad formal no parece ne-

---

[41] SANZ RUBIALES, I. «Le rôle du droit administratif dans la lutte contre le changement climatique» en Torre-Schaub, M. (Dir.) (2020) *Droit et changement climatique: comment répondre à l'urgence climatique? Regards croisés à l'interdisciplinaire*. Paris: Mare&Martin, págs. 265 a 280, *vid.* pág. 278.

[42] RODRÍGUEZ-CHAVES MIMBRERO, B. «Pago por servicios ambientales (PSA) en el Derecho Europeo y en el Derecho Interno español. Apuntes sobre su situación actual y perspectivas» *op. cit.*, pág. 17.

cesaria, pues es el elemento teleológico de dicho pago, que es la conservación o promoción de servicios ambientales, lo que realmente define al PSA y lo hace digno de interés y utilidad social.

Un PSA implica, en definitiva, recibir una compensación económica por conservar servicios ambientales; de esta forma, el origen, contexto o características de ese pago serían irrelevantes desde un punto de vista jurídico-teleológico.

3. UN APUNTE SOBRE SU VIABILIDAD

Los PSA constituyen, a nivel práctico, un importante gasto que debe cubrir, con carácter general, la Administración pública. Esto impone un reto a la hora de ofrecer una solución adecuada y económicamente sostenible que permita ejercer este *fomento ambiental*.

Costa Rica, que fue el primer Estado en diseñar y aplicar un modelo de PSA como una forma de fomento de protección de la naturaleza[43], creó al mismo tiempo un fondo *ad hoc,* el conocido como FONAFIFO (Fondo Nacional del Financiamiento Forestal)[44], financiado por medio de «*un tercio del impuesto al consumo de combustibles*»[45]. El modelo costarricense aplica la lógica inherente a los principios que fundamentan esta intervención de la Administración en la protección del medioambiente (quien contamina y quien se beneficia paga); estos permiten pensar que un modelo adecuado para financiar los PSA debería afectar los ingresos obtenidos por quien contamina al gasto derivado de compensar por su actividad a los conservadores de servicios ambientales.

---

[43]   WÜNSCHER, T., ENGEL, S. y WUNDER, S. «Payments for environmental services in Costa Rica: increasing efficiency through spatial differentiation» en *Quarterly Journal of International Agriculture* (2006) n° 45, págs. 319 a 337, *vid.* pág. 320.

[44]   Ley Forestal 7575 de Costa Rica.

[45]   Vid. MORENO INOCENCIO, A. «Pagos por servicios ambientales: propuestas financieras y tributarias para su implantación en España» en *Crónica tributaria* (2017) n° 163, págs. 147 a 168.

En España, al menos por el momento, el grueso de los PSA se financia a través de Programas específicos, nutridos en su mayoría con fondos procedentes de la Unión Europea. Este sería el caso de la PAC, en la que el porcentaje que representan los llamados *pagos verdes* (por promoción o conservación de servicios ambientales) se acerca al «*3% de los ingresos totales de las explotaciones agrarias especializadas y al 6,5% de las explotaciones ganaderas especializadas*»[46]. También, sería un ejemplo aquí el Programa de Desarrollo Rural Sostenible para el caso de los contratos territoriales[47]. La novedad está en las propuestas más recientes sobre las cuales, siguiendo el modelo instaurado en Costa Rica, se plantea la creación de Fondos que, al menos en parte, servirían al propósito de los pagos por servicios. Este es el caso del Fondo Nacional para la Sostenibilidad del Sistema Eléctrico (FNSSE) diseñado por el, por ahora, *Proyecto de Ley por la que se crea el Fondo Nacional para la Sostenibilidad del Sistema Eléctrico* de junio de 2021[48]. Este Fondo tendría, como el de Costa Rica, un ámbito de aplicación específico, concretamente el sistema energético: a través de este Fondo se pretende costear la descarbonización de la economía en general, pero del sistema energético en particular[49], todo ello financiado a través de «*aportaciones de los operadores en los sectores energéticos definidos como sujetos obligados*»[50]; aportaciones anuales que serán calculadas conforme se prevea en la norma definitiva[51].

---

[46]   MINISTERIO DE MEDIOAMBIENTE (2007) *Integración del medioambiente en la política agraria de la UE. Informe de evaluación basado en los indicadores IRENA*. Madrid: Centro de Publicaciones Secretaría General Técnica Ministerio de Medioambiente, pág. 18.

[47]   Vid. Real Decreto 1336/2011, de 3 de octubre, por el que se regula el contrato territorial como instrumento para promover el desarrollo sostenible del medio rural.

[48]   Boletín Oficial de las Cortes Generales, nº 59-1, de 11 de junio de 2021.

[49]   Dice concretamente el Proyecto de Ley en su art. 1 que «*el FNSSE se destinará a la financiación, en los términos recogidos en esta ley, de los costes del régimen retributivo específico de la actividad de generación a partir de fuentes de energía renovables, cogeneración de alta eficiencia y residuos regulado en la Ley 24/2013, de 26 de diciembre, del Sector Eléctrico, configurándose por tanto en ingreso del sistema eléctrico de acuerdo con lo establecido en el artículo 13.2 de la Ley 24/2013*».

[50]   Art. 3 del Proyecto.

[51]   Art. 4 del Proyecto.

De este modo, entra en juego, por tanto, el ordenamiento tributario y el tributo medioambiental se alzaría como una pieza clave para la financiación de estos PSA. Esto, además, reforzaría la intervención de fomento que se viene defendiendo, pero, en este caso, desde un punto de vista *negativo,* mediante la reconducción vía impuesto especial de la actuación ambientalmente dañina de los particulares. Sin embargo, en el Derecho español, estos tributos parafiscales y su afectación a un fin tan específico como es la cobertura de un PSA es una cuestión no exenta de polémica sobre la que la doctrina impone, en muchos casos, ciertas cautelas[52]. A la hora de establecer este tipo de propuestas no se puede olvidar que *los tributos no son sanciones, sino instrumentos de solidaridad social,* por lo que desde el principio de capacidad económica, erigido como base de esta cuestión por la Constitución[53], la fiscalidad medioambiental sólo debería poder obtener recursos de quienes tengan un comportamiento «*ecológicamente mejorable,*» —*para con lo recaudado poder reparar los daños ocasionados en el medioambiente*—, *cuando estos ostenten, en todo caso, capacidad económica*[54]. La *pasión verde* que, en muchas ocasiones, reviste la voluntad de los legisladores ha llevado a que, al menos en España, la legitimidad de la fiscalidad medioambiental actual esté cuestionada por los expertos[55], por lo que es necesario construir un modelo de sostenimiento de estos PSA adecuado y que cumpla con los fundamentos más elementales del ordenamiento tributario.

Hasta entonces, el principal modo con que la Administración puede rebajar la presión que la consolidación de instrumentos como los PSA produce, es impulsar aún más su desarrollo entre los particulares diseñando nuevas certificaciones ambientales, fomentando la inclusión de estas prácticas a nivel

---

[52] MENÉNDEZ MORENO, A. (2021) *Derecho financiero y tributario. Parte general: lecciones de cátedra (22ª ed.).* Cizur Menor: Civitas, pág. 114.

[53] Art. 31 CE.

[54] MENÉNDEZ MORENO, A. «Luces y (sobre todo) sombras de la fiscalidad medioambiental» en *Puentia* (2021) https://www.puentia.com/blog/luces-sombras-fiscalidad-medioambiental.

[55] MENÉNDEZ MORENO, A. «Los tributos como instrumentos de protección medioambiental: naturaleza jurídica y clasificación» en Becker Zuazua, F., Cazorla Prieto, L. M. et Martínez-Simancas Sánchez, J. (Coords.) (2008) *Tratado de tributación medioambiental.* Cizur Menor: Thomson Reuters-Aranzadi, págs. 381 a 413.

de compliance o gestionando mercados de cuotas o de créditos de conservación obtenidos mediante la conservación, valga la redundancia, o la recuperación de servicios ambientales[56], entre otras posibilidades.

Bibliografía

ARRIAGADA, R. A., SILLS, E. O., PATTANAYAK, S. K. y FERRARO, P. J. «Combining Qualitative and Quantitative Methods to Evaluate Participation in Costa Rica's Program of Payments for Environmental Services» en *Journal of Sustainable Forestry* (2009) n° 28, págs. 343 a 367.

CARVAJAL GÓMEZ, I. «El derecho real de conservación» en *Revista de Derecho Ambiental*, Chile (2010) n° 2, págs. 177 a 221.

COMMISSARIAT GÉNÉRAL AU DÉVELOPPEMENT DURABLE (Ministère De L'écologie, De L'énergie Du Développement Durable Et De La Mer Française) «Vers des indicateurs de fonctions écologiques liens entre biodiversité, fonctions et services» en *Le Point Sur* (2010) mayo, n° 51.

DUNN, H. (2011) *Payments for Ecosystem Services. London: Department for Environmnet, Food and Rural Affairs.* London: DEFRA.

EHRLICH, P. R. y MOONEY, H. A. «Extinction, Substitution, and Ecosystem Services» en *BioScience* (1983) Vol. 33, n° 4, págs. 248 a 254.

FERNÁNDEZ DE GATTA SÁNCHEZ, D. «La participación privada en la conservación de los recursos naturales: el régimen jurídico de la custodia del territorio» en *Revista Aragonesa de Administración Pública* (2014) n° 43.44, págs. 71 a 111.

FIGUEROA, E (2009) *Pago por servicios ambientales en áreas protegidas en América Latina. Programa FAO/OAPN.* Italia: FAO.

GARCÍA GARCÍA, S. (2022) *Los servicios ambientales en el Derecho español.* Valencia: Tirant lo Blanch, en prensa.

JOURDAIN, P. (Coord.) (2018) *La responsabilité environnementale.* Bruxelles: Bruylant - Université Paris 1, Panthéon Sorbonne.

---

[56]   La aparición de este concepto, procedente del ámbito anglosajón, llega de la mano de la Ley 21/2013 de Evaluación Ambiental a través de la figura de los llamados *bancos de conservación*; la DA octava de la Ley define estos bancos de conservación como «*un conjunto de títulos ambientales o créditos de conservación otorgados por el Ministerio de Agricultura, Alimentación y Medio Ambiente y, en su caso, por las Comunidades Autónomas, que representan valores naturales creados o mejorados específicamente*». No obstante, su regulación es básica en exceso, lo que no está permitiendo la aplicación deseada: *vid.* SORO MATEO, B. et ali. «Custodia del territorio y bancos de conservación» (2016) *Derecho Ambiental para una economía verde. Informe red ecover.* Cizur Menor: Thomson Reuters Aranzadi, págs. 311 a 382, *vid.* pág. 371.

LAMARQUE, P., QUÉTIER, F. y LAVOREL, S. «The diversity of the ecosystem services concept and its implications for the assessment and management» en *C. R. Biologies*
(2011) nº 334, págs. 441 a 449.

LOZANO CUTANDA, B. y RÁBADE BLANCO, J. M. «El pago por servicios ambientales para el desarrollo sostenible del medio rural: los contratos territoriales» (2013)
*Libre mercado y protección ambiental: intervención y orientación ambiental de las actividades
económicas.* Madrid: INAP, págs. 337 a 357.

MARTIN, G. «Pour l'introduction en droit français d'une servitude conventionnelle ou
d'une obligation propter rem de protection de l'environnement» en *Revue juridique de
l'Environnement* (2008) número especial, págs. 123 a 131.

MARTÍNEZ LÓPEZ-MUÑIZ, J. L. «La actividad administrativa dispensadora de ayudas y recompensas: una alternativa conceptual al fomento en la teoría de los modos
de acción de la Administración Pública» (1989) *Libro homenaje al profesor José Luis Villar
Palasí.* Madrid: Civitas, págs. 751 a 768

MARTÍNEZ, P., CASTAÑO, J. y BLANCO, M. «Simulador PAC: lecciones del análisis
del pago verde» en *Revista Española de Estudios Agrosociales y Pesqueros* (2017) nº 248,
págs. 15 a 37.

MENÉNDEZ MORENO, A. «Los tributos como instrumentos de protección medioambiental: naturaleza jurídica y clasificación» (Coords.) (2008) *Tratado de tributación
medioambiental.* Cizur Menor: Thomson Reuters-Aranzadi, págs. 381 a 413.

MENÉNDEZ MORENO, A. (2021) *Derecho financiero y tributario. Parte general: lecciones de
cátedra (22ª ed.).* Cizur Menor: Civitas.

MENÉNDEZ MORENO, A. «Luces y (sobre todo) sombras de la fiscalidad medioambiental» en *Puentia* (2021) https://www.puentia.com/blog/luces-sombras-fiscalidad-
medioambiental

MÉRAL, P. «Le concept de service écosystémique en économie: origine et tendances
récentes» en *Natures Sciences Sociétés* (2012) nº 20, págs. 3 a 15.

MILLENNIUM ECOSYSTEM ASSESSMENT (2005) *Ecosystems and Human Well-being:
Synthesis.* Washington, D.C.: Island Press.

MINISTERIO DE MEDIOAMBIENTE (2007) *Integración del medioambiente en la política
agraria de la UE. Informe de evaluación basado en los indicadores IRENA.* Madrid: Centro
de Publicaciones Secretaría General Técnica Ministerio de Medioambiente.

MOLINA GIMÉNEZ, A. «Mercados ambientales aplicados a la calidad del agua. Transmisión de cuotas de contaminación entre vertidos directos y difusos en el Derecho
americano» en *RAP* (2013) nº 191, págs. 481 a 510.

MORENO INOCENCIO, A. «Pagos por servicios ambientales: propuestas financieras
y tributarias para su implantación en España» en *Crónica tributaria* (2017) nº 163, págs.
147 a 168.

MUÑOZ AMOR, M. M. (2017) *El contrato territorial en la agricultura multifuncional.* Madrid:
Reus.

NAVARRO CABALLERO, T. «Quién paga la protección del patrimonio natural: compensaciones y mecanismos de financiación» en *XVI Congreso de la Asociación Española de Derecho Administrativo* (2022) Ponencia, 40 p.

ORIHUELA ORELLANA, M. y BLANDO TORRES, R. (2014) *La Custodia del Territorio en Andalucía. Manual de ayuda.* Sevilla: Fundación Andanatura.

PEARCE, D. W. y TURNER, R. K. (1995) *Economía de los recursos naturales y del medioambiente.* Madrid: Colegio de Economistas.

PERCIVAL, R. V., SCHROEDER, C. H. et ali (2006) *Environmental regulation: law, science and policy.* United States of America: ASPEN Publishers.

REID, C. T. «The Privatisation of Biodiversity? Possible New Approaches to Nature Conservation in the UK» en *Journal of Environmental Law* (2011) nº 23-2, págs. 203 a 231.

RISSMAN, A. R. et ali «Conservation easements: biodiversity protection and private use» en *Conservation Biology* (2006) Vol. 21, nº 3, págs. 709 a 718.

RODRÍGUEZ DE FRANCISCO, J. C. y BOELENS, R. «Payment for Environmental Services: mobilising an epistemic community to construct dominant policy» en *Environmental Politics* (2015) Vol. 24, nº 3, págs. 481 a 500.

RODRÍGUEZ-CHAVES MIMBRERO, B. «Pago por servicios ambientales (PSA) en el Derecho Europeo y en el Derecho Interno español. Apuntes sobre su situación actual y perspectivas» en *RADA* (2013) nº 24, 31 p.

SANZ RUBIALES, I. (2007) *El mercado de derechos a contaminar. Régimen jurídico-público del mercado comunitario de derechos de emisión en España.* Valladolid: Lex Nova.

SANZ RUBIALES, I. «Le rôle du droit administratif dans la lutte contre le changement climatique» en Torre-Schaub, M. (Dir.) (2020) *Droit et changement climatique: comment répondre à l'urgence climatique? Regards croisés à l'interdisciplinaire.* Paris: Mare&Martin, págs. 265 a 280.

SETIÉN, M. L. y SANTIBÁÑEZ, R. (Eds.) (2004) *Las necesidades de formación del Tercer Sector: su medición y programación desde la perspectiva europea.* Bilbao: Universidad de Deusto.

SIGURDSSON, H. et ali. «Origin of the lethal gas burst from Lake Monoun, Camerun» en *Journal of Volcanology and Geothermal Research* (1987) Vol. 31, issues 1-2, págs. 1 a 16.

SORO MATEO, B. et ali. «Custodia del territorio y bancos de conservación» (2016) *Derecho Ambiental para una economía verde. Informe red ecover.* Cizur Menor: Thomson Reuters Aranzadi, págs. 311 a 382.

WALLIS, C., BLANCHER, P., SÉON-MASSIN, N., MARTINI, F. y SCHOUPPE, M. (2011) *Mise en oeuvre de la directive cadre sur l'eau quand les services écosystémiques entrent en jeu. 2ème séminaire «Quand les sciences de l'eau rencontrent les politiques publiques» Bruxelles, 30 septembre 2011.* Bruselas: Les Recontres de l'ONEMA.

WÜNSCHER, T., ENGEL, S. y WUNDER, S. «Payments for environmental services in Costa Rica: increasing efficiency through spatial differentiation» en *Quarterly Journal of International Agriculture* (2006) nº 45, págs. 319 a 337.

La limitación de los supuestos en los que procede la indemnización por responsabilidad patrimonial del estado legislador del artículo 32 de la Ley 40/2015

Irene García Zurro
Abogada de ANDERSEN

SUMARIO: 1. INTRODUCCIÓN. 2. RESPONSABILIDAD PATRIMONIAL DEL ESTADO LEGISLADOR POR LEYES INCONSTITUCIONALES. 3. RESPONSABILIDAD PATRIMONIAL DEL ESTADO LEGISLADOR POR NORMAS CONTRARIAS AL DERECHO DE LA UNIÓN EUROPEA.

1. INTRODUCCIÓN

La obligación de responder de las consecuencias dañosas de su actividad se exige a todos los poderes públicos, tal y como se deriva del principio de responsabilidad reconocido en el artículo 9.3 de la Constitución española. Así, la responsabilidad patrimonial constituye una institución que viene a tutelar la integridad patrimonial de los particulares frente a las intromisiones de los poderes públicos, atendiendo a la reparación de las lesiones producidas en sus bienes y derechos como consecuencia de la actividad desarrollada en el ejercicio del poder.

No obstante, la responsabilidad patrimonial es una institución principalmente referida a la actuación de las Administraciones. Así, el artículo 106.2 de la Constitución española, el cual está incardinado en el título IV y cuya rúbrica es «Del Gobierno y de la Administración», dispone que *«los particulares, en los términos establecidos por la ley, tendrán derecho a ser indemnizados por toda lesión que sufran en cualquiera de sus bienes y derechos, salvo en los casos de fuerza mayor, siempre que la lesión sea consecuencia del funcionamiento de los servicios públicos».*

De esa ubicación se deduce que la responsabilidad patrimonial debe ser referida al Poder Ejecutivo, y no, por tanto, a otros poderes públicos como el Legislativo o el Judicial, pese a que la obligación de responder de las consecuencias dañosas de su actividad se exige a todos los poderes públicos.

Dicha responsabilidad se estructura en torno al concepto de lesión, como daño antijurídico, pues, a tenor del artículo 32.1 de la Ley 40/2015, de 1 de octubre, de Régimen Jurídico del Sector Público (en adelante, «*LRJSP*»), los particulares tendrán derecho a ser indemnizados por las Administraciones de toda lesión que sufran en cualquiera de sus bienes y derechos, siempre que la misma sea consecuencia del funcionamiento normal o anormal de los servicios públicos. La reparación del daño debe ser efectiva, evaluable económicamente e individualizada, ha de ser integral, proporcionando una compensación o un resarcimiento completo del daño, personal o patrimonial, causado por la actuación administrativa. El nacimiento de la responsabilidad patrimonial se anuda a la concurrencia de los siguientes requisitos:

1.- Debe haberse realizado una actuación administrativa de cualquier naturaleza, por acción u omisión, a la que se imputa la lesión o el daño antijurídico.

2.- La lesión causada a los particulares en sus bienes y derechos, que no tengan el deber jurídico de soportar con arreglo a la ley, y que no se deba a fuerza mayor. La antijuridicidad del daño, que integra el concepto jurídico de lesión, es quizá la cuestión más relevante del sistema de responsabilidad. La antijuridicidad significa que no se tiene el deber de soportarlo, y la no concurrencia de esta causa de justificación que legitima el daño, es decir, que no concurra un título que se imponga como inexcusable y, por tanto, se tenga el deber de soportar.

3.- Debe mediar la relación de causalidad entre esa actuación y la lesión padecida, es decir, que la lesión sea consecuencia del funcionamiento normal o anormal de los servicios públicos. Ha de probarse que existe un nexo causal entre el hecho que constituye la fuente normativa de la responsabilidad y el daño producido. La propia actuación del particular puede dar lugar a la denominada «concurrencia de causas» para la producción del resultado lesivo.

Con respecto a la responsabilidad de otros poderes públicos como el Legislativo o el Judicial, existen dos instituciones jurídicas que dan respuesta a esta cuestión.

La primera es la responsabilidad patrimonial por funcionamiento de la Justicia o la llamada responsabilidad patrimonial del Estado Juez. El artículo 32.7 de la LRJSP se refiere a ello indicando que la responsabilidad patrimonial del Estado por el funcionamiento de la Administración de Justicia se regirá por la Ley Orgánica 6/1985, de 1 de julio, del Poder Judicial.

La segunda es la responsabilidad patrimonial del Estado Legislador. Originariamente fue una creación jurisprudencial del Tribunal Supremo, en relación con la aplicación de leyes inconstitucionales, y de la jurisprudencia del TJUE y de la misma Sala del Tribunal Supremo, respecto de la aplicación de normas contrarias al derecho de la Unión Europea. El legislador en la Ley 40/2015 ha regulado la materia restringiendo los contornos que había establecido la jurisprudencia del Tribunal Supremo, para ambos supuestos, la responsabilidad patrimonial por leyes inconstitucionales o de normas contrarias al derecho de la Unión Europea. Lo relevante es que ahora sí se regula la responsabilidad patrimonial del Estado legislador por normas con rango de ley declaradas inconstitucionales o por normas, legales o reglamentarias, contrarias al derecho de la Unión Europea; que ya deja de ser una creación jurisprudencial y tiene una específica regulación legal.

En este sentido, se reconoce el derecho de los particulares a ser indemnizados por las Administraciones Públicas de aquellas lesiones que sufran en sus bienes y derechos como consecuencia de la aplicación de actos legislativos que no tengan el deber jurídico de soportar cuando así se establezca en los propios actos legislativos y en los términos que en ellos se especifiquen. Actualmente, el artículo 32.3 de la LRJSP determina que:

> *«Asimismo, los particulares tendrán derecho a ser indemnizados por las Administraciones Públicas de toda lesión que sufran en sus bienes y derechos como consecuencia de la aplicación de actos legislativos de naturaleza no expropiatoria de derechos que no tengan el deber jurídico de soportar cuando así se establezca en los propios actos legislativos y en los términos que en ellos se especifiquen. La responsabilidad del Estado legislador podrá surgir también en los siguientes supuestos, siempre que concurran los requisitos previstos en los apartados anteriores: a) Cuando los daños deriven de la aplicación de una norma con rango de ley declarada inconstitucional, siempre que concurran los requisitos del apartado 4. b) Cuando los daños deriven de la aplicación de una norma contraria al Derecho de la Unión Europea, de acuerdo con lo dispuesto en el apartado 5».*

Este artículo pretende adentrar al lector en los análisis dogmáticos y jurisprudenciales producidos hasta el momento sobre este tipo de reclamaciones, ya que existe gran controversia al respecto que puede derivar en una nueva regulación de esta responsabilidad patrimonial del Estado legislador.

2. RESPONSABILIDAD PATRIMONIAL DEL ESTADO LEGISLADOR POR LEYES INCONSTITUCIONALES

Como se ha señalado, la entrada en vigor de la LRJSP ha supuesto la positivización por parte del legislador de las categorías de responsabilidad jurisprudencialmente conceptuadas. Anteriormente, en la jurisprudencia contencioso-administrativa de las dos últimas décadas se había abierto paso de modo decidido la posibilidad de declarar la procedencia de la responsabilidad derivada de la aplicación de leyes inconstitucionales, en especial desde el año 2000. La LRJSP ha introducido como novedad la regulación de la responsabilidad del Estado legislador por las lesiones producidas como consecuencia de la aplicación de una norma con rango de ley declarada inconstitucional. Esta responsabilidad se reconoce de forma expresa en el artículo 32 de dicha ley, pero el legislador ha buscado restringir manifiestamente los supuestos establecidos jurisprudencialmente en los que el particular pueda beneficiarse del régimen de responsabilidad patrimonial introduciendo dos requisitos procesales nuevos que no exigía ni la legislación anterior ni la jurisprudencia.

Así, el apartado 4 de dicho artículo dispone que es necesario que «*el particular haya obtenido, en cualquier instancia, sentencia firme desestimatoria de un recurso contra la actuación administrativa que ocasionó el daño*». No parece requerirse el agotamiento de las sucesivas instancias judiciales, si hubiera apelación o casación, según los casos. Únicamente se exige, por tanto, que la sentencia, tras la sustanciación del recurso contencioso-administrativo, invocando la inconstitucionalidad de la norma con rango de ley que aplica el acto impugnado, sea firme. Esta firmeza puede haberse producido, naturalmente, no solo por haberse agotado las instancias correspondientes si las hubiera, sino por el aquietamiento del recurrente ante la primera sentencia, o porque contra la misma no cabía recurso alguno. También puede haberse obtenido sentencia desestimatoria firme en apelación, ante el recurso de la Administración, cuando en primera instancia se había obtenido una sentencia estimatoria de su pretensión.

Tal requisito previo supone un límite claro y evidente al régimen de responsabilidad delimitado por los Tribunales anteriormente, al exigirse al particular el despliegue de un plus de acción no requerido hasta ese momento, que va a incrementar la litigiosidad judicial, ya que quien no haya reaccionado en tiempo y forma contra el acto o la actuación administrativa de aplicación de la Ley inconstitucional no podrá interponer la acción de responsabilidad cuando la Ley sea declarada inconstitucional.

Ya desde el año 2000 el Tribunal Supremo entendió que no podía considerarse como una carga exigible al particular, con el fin de eximirse de soportar los efectos de la inconstitucionalidad de una ley, la de recurrir un acto de aplicación de la norma declarada inconstitucional, pues esta carga sería desproporcionada y conduciría a la consecuencia absurda de sostener la necesidad jurídica de una situación de litigiosidad desproporcionada y por ello inaceptable. Se admitió, por ello, la posibilidad de que si los perjudicados de una ley declarada inconstitucional no hubieran recurrido jurisdiccionalmente los actos de aplicación, pudieran luego, una vez declarada dicha inconstitucionalidad, instar la revisión del acto nulo de pleno derecho en virtud de la declaración de inconstitucionalidad de la norma en que se basaba. Se consideraba que el acto de aplicación sería igualmente firme, si se había recurrido y se habían agotado las instancias, si se había aquietado el destinatario, o si no cabía recurso alguno porque era una sentencia dictada en única instancia. Así, por ejemplo, la STS de 31 de enero de 2006 estima el recurso contencioso-administrativo interpuesto por funcionarios del Cuerpo Nacional de Policía contra Acuerdos del Consejo de Ministros por los que se había denegado la indemnización por los perjuicios causados por el pase a segunda actividad en virtud de la Ley 37/1988, de 28 diciembre, disposición declarada inconstitucional por la STC 234/1999, de 16 diciembre. La STS señala en concreto lo siguiente:

> *«Esta Sala considera —en sentencias de 17 de julio de 2003 (Rec. 115/2002), 12 de julio (Rec. 17/2003), de 21 de octubre de 2004 (Rec. 282/2002 y 283/2002), 4 de octubre de 2004 (Rec. 14/2003), 7 de octubre de 2004 (Rec. 23/2003, Rec. 273/2002 y Rec. 40/2004)— que el resarcimiento del perjuicio causado por el Poder Legislativo no implica dejar sin efecto el acto administrativo por el que se acuerda el pase a la segunda actividad, pues éste sigue manteniendo todos sus efectos, ya que sólo supone que ha existido un perjuicio individualizado concreto y claramente identificable producido por la minoración de ingresos indebida al estar fundada aquella en la directa aplicación por los órganos administrativos competentes de una disposición legal de carácter constitucional. Sobre este elemento de antijuridicidad en que consiste el título de imputación de la responsabilidad patrimonial no puede existir duda, dado que el Tribunal Constitucional declaró la nulidad del precepto en que dicho acto administrativo se apoyó. [...] Esta Sala, según ha declarado en las reseñadas sentencias, no puede considerarse una carga exigible al particular con el fin de eximirse de soportar los efectos de la inconstitucionalidad de una ley la de recurrir un acto adecuado a la misma fundado en que ésta es inconstitucional. La Ley, en efecto, goza de una presunción de constitucionalidad y, por consiguiente, dota de presunción de legitimidad a la actuación administrativa realizada a su amparo. Por otra parte, los particulares no son titulares de la acción de inconstitucionalidad de la ley, sino que únicamente pueden solicitar del Tribunal que plantee la cuestión de inconstitucionalidad con ocasión, entre otros supuestos, de la impugnación de una actuación administrativa. Es sólo el tribunal el que tiene facultades para plantear "de oficio o a instancia de parte" al Tribunal Constitucional las dudas sobre la constitucionalidad de la ley relevante para el fallo (artículo 35 de la*

Ley Orgánica del Tribunal Constitucional). La interpretación contraria supondría imponer a los particulares que pueden verse afectados por una ley que reputen inconstitucional la carga de impugnar, primero en vía administrativa (en la que no es posible plantear la cuestión de inconstitucionalidad) y luego ante la jurisdicción contencioso-administrativa, agotando todas las instancias y grados si fuera menester, todos los actos dictados en aplicación de dicha ley, para agotar las posibilidades de que el tribunal plantease la cuestión de inconstitucionalidad. Basta este enunciado para advertir lo absurdo de las consecuencias que resultarían de dicha interpretación, cuyo mantenimiento equivale a sostener la necesidad jurídica de una situación de litigiosidad desproporcionada y por ello inaceptable».

En la misma línea se pronuncian las STS de 13 de junio de 2000; de 22 y 23 de enero de 2001; de 20 de febrero de 2002; de 1 de julio de 2003; de 29 de junio y de 5 de julio de 2004; de 22 de febrero y de 28 de junio de 2005; de 9 de marzo de 2006, y de 2 de junio de 2010. En todas estas Sentencias, el Tribunal Supremo separa la acción de responsabilidad derivada de leyes de la acción de anulación contra el acto o actividad administrativa de aplicación de la ley inconstitucional que han ocasionado el daño, acciones que considera independientes entre sí, llegando a afirmar incluso que aunque no se hubiera recurrido previamente contra ese acto o actividad administrativa, es posible ejercitar la acción de responsabilidad una vez se declare la inconstitucionalidad de la ley. Recordemos al respecto las palabras de la STS de 13 de junio de 2000 antes citada: «*SÉPTIMO.- Esta Sala estima, sin embargo, en la sentencia que sirve de precedente a ésta, que la acción de responsabilidad ejercitada es ajena al ámbito de la cosa juzgada derivada de la sentencia, pues la sentencia firme dictada, al no corregir el perjuicio causado por el precepto inconstitucional mediante el planteamiento de la cuestión de inconstitucionalidad a la que acudieron otros tribunales, consolidó la actuación administrativa impugnada. En el caso examinado no hubo siquiera sentencia firme, pues los recurrentes consintieron las autoliquidaciones que presentaron siguiendo el mandato de la ley vigente, luego declarada inconstitucional, y cuando se puso de manifiesto el perjuicio causado, mediante la declaración de inconstitucionalidad de la ley, hicieron uso de la oportuna acción de responsabilidad ante el Consejo de Ministros. En el caso examinado, por las mismas razones que en aquella sentencia se tuvieron en consideración, la acción de responsabilidad ejercitada es ajena a la firmeza del acto administrativo*».

En la misma línea, el Tribunal Supremo en sentencia de 16 de enero de 2001 señaló que:

«*Esta Sala, sin embargo, estima que no puede considerarse una carga exigible al particular con el fin de eximirse de soportar los efectos de la inconstitucionalidad de una ley la de recurrir un acto adecuado a la misma fundado en que ésta es inconstitucional. La Ley, en efecto, goza de una presunción de constitucionalidad y, por consiguiente, dota de presunción de legitimidad a la actuación administrativa realizada a su amparo. Por otra parte, los particulares no son titulares de la acción de inconstitucionalidad de la ley, sino que únicamente pueden solicitar del Tribunal que plantee la cuestión de inconstitucionalidad con ocasión, entre otros supuestos, de la impugnación de una actuación administrativa. Es sólo el tribunal el que tiene facultades para plantear "de oficio o a instancia de parte" al Tribunal Constitucional las dudas sobre la constitucionalidad de la ley relevante para el fallo (artículo 35 de la Ley Orgánica del Tribunal Constitucional). La interpretación contraria supondría impone a los particulares que pueden verse afectados por una ley que reputen inconstitucional la carga de impugnar, primero en vía administrativa (en la que no es posible plantear la cuestión de inconstitucionalidad) y luego ante la jurisdicción contencioso-administrativa, agotando todas las instancias y grados si fuera menester, todos los actos dictados en aplicación de dicha ley, para agotar las posibilidades de que el tribunal plantease la cuestión de inconstitucionalidad. Basta este enunciado para advertir lo absurdo de las consecuencias que resultarían de dicha interpretación, cuyo mantenimiento equivale a sostener la necesidad jurídica de una situación de litigiosidad desproporcionada y por ello inaceptable*».

Pues bien, la LRJSP corrige esa jurisprudencia, y limita ostensiblemente su aplicación al exigir, en el artículo 32.4, que si la lesión tiene lugar por la aplicación de una ley, que luego ha sido declarada inconstitucional, hay que cumplir dos requisitos.

Recientemente, varias sentencias del Tribunal Supremo han interpretado de un modo más flexible los requisitos que impone el artículo 32 de la Ley de Régimen Jurídico del Sector Público para reclamar responsabilidad patrimonial de la Administración por leyes declaradas inconstitucionales. Así lo hace en sus sentencias de 14 de septiembre, 21 de septiembre, 5 de octubre, 7 de octubre, 17 de octubre y 22 de octubre de 2020.

Así, la sentencia de 21 de septiembre de 2020 apreció interés casacional en determinar «*si un recurso jurisdiccional, interpuesto contra la resolución administrativa que desestimó un procedimiento de revisión por nulidad de pleno derecho, promovido contra la actuación que ocasionó el daño, colma o no colma el requisito que fija el artículo 32.4 de la Ley 40/15*». El Tribunal Supremo en la sentencia citada opta por una interpretación amplia de la norma, entendiendo que el requisito del art. 32.4 LRJSP *«ha de entenderse que comprende todas aquellas formas de impugnación de dicha actuación que, de una parte, pongan de manifiesto la disconformidad del interesado con la misma cuestionando su constitucionalidad y, de otra, den lugar al control jurisdiccional plasmado en una sentencia firme en la que se valore la constitucionalidad».*

Por ello, se entiende cumplido el requisito previsto en el artículo 32.4 LRJSP con cualquier forma de impugnación, incluyendo la solicitud de revisión de oficio de los actos nulos de pleno derecho, de forma que si la lesión es consecuencia de la aplicación de una norma con rango de ley declarada inconstitucional, procederá su indemnización cuando el particular haya obtenido, en cualquier instancia, sentencia firme desestimatoria de un recurso contra la actuación administrativa que ocasionó el daño, siempre que se hubiera alegado la inconstitucionalidad posteriormente declarada. No es necesario, por consiguiente, haber interpuesto un recurso contra el acto de aplicación de la ley que causó el daño alegando la causa que determinaría su inconstitucionalidad, sino que cabe también, una vez que dicho acto sea firme por no haber sido recurrido en plazo, que el perjudicado haya solicitado la revisión de oficio a la Administración presentando las alegaciones y que contra su desestimación haya acudido a los tribunales. En la solicitud de revisión de oficio y en el recurso es necesario alegar la causa de inconstitucionalidad de la ley aplicada.

Como puede apreciarse, se ha flexibilizado el requisito, ajustándose a lo establecido previamente en la jurisprudencia.

Por otro lado, en la regulación de la responsabilidad del Estado legislador se limita el marco temporal sobre el que puede producir efectos la reclamación de responsabilidad patrimonial. Aunque el plazo de prescripción para el ejercicio de la acción de reclamación de responsabilidad patrimonial sigue siendo el mismo, dado que el artículo 67.1 de la Ley 39/2015 determina que «en los casos de responsabilidad patrimonial a que se refiere el artículo 32, apartados 4 y 5, de la Ley de Régimen Jurídico del Sector Público, el derecho a reclamar *prescribirá al año de la publicación en el "Boletín Oficial del Estado" o en el "Diario Oficial de la Unión Europea", según el caso, de la sentencia que declare la inconstitucionalidad de la norma o su carácter contrario al Derecho de la Unión Europea»,* se introduce una notable limitación en lo que se refiere al marco temporal de los daños que puedan ser indemnizados como consecuencia de la citada declaración de inconstitucionalidad de la norma (o de su carácter contrario al Derecho de la UE), al precisar el artículo 34.1 de la LRJSP que «en los casos de responsabilidad patrimonial a los que se refiere los apartados 4 y 5 del artículo 32, serán indemnizables los daños producidos en el plazo de los cinco años anteriores a la fecha de la publicación de la sentencia que declare la inconstitucionalidad de la norma con rango de ley o el carácter de norma contraria al Derecho de la Unión Europea, salvo que la sentencia disponga otra cosa».

Con ello se intenta garantizar el principio de seguridad jurídica y coherencia normativa se fija en cinco años el ámbito temporal al que como máximo pueden retrotraerse los daños indemnizables. No obstante, el retraso en la resolución de asuntos que arrastra el Tribunal Constitucional, unido al tiempo que debe invertirse en las instancias previas (vía administrativa, vía judicial ordinaria), que ronda los dos años, supone una gran dificultad para obtener el resarcimiento de los daños que se hubieran ocasionado, dado que el cómputo del plazo de cinco años se inicia con la publicación de la norma afectada en el diario oficial correspondiente.

En relación con este extremo, la Sentencia del Tribunal Supremo de 21 de septiembre de 2020 a la que anteriormente nos hemos referido ha flexibilizado también el requisito, ya que considera que el cómputo quedará interrumpido y sólo se reiniciará desde el momento en que dicte la resolución juridicial firme desestimatoria. Éste es el momento en el que «*se consolida la situación perjudicial derivada del acto causante*».

Los límites a la responsabilidad patrimonial del Estado legislador a los que hemos hecho referencia en este apartado puedan tener justificación en el principio de seguridad jurídica. No obstante, la falta de concreción de la LRJSP necesita que los Tribunales la concreten dentro de su función integradora del Derecho, lo que puede generar la existencia de una interpretación jurisprudencial particular que vaya en contra del tenor de la disposición interpretada y que podría, en todo caso, ensombrecer la legislación nacional.

Consideramos que la regulación que se contiene en el artículo 32.4 LRJSP restringe el alcance de la responsabilidad patrimonial del Estado legislador al limitar la procedencia de la indemnización y que el derecho a la tutela judicial efectiva garantizado en artículo 24 de la Constitución española, ya que la acción de responsabilidad patrimonial del Estado legislador es la última y única vía que permite el restablecimiento de dicha situación perjudicial mediante la indemnización de los perjuicios con ocasión de la norma declarada ilegal.

El legislador no puede fijar obstáculos o trabas arbitrarios o caprichosos que impidan el acceso al proceso, vulnerando la tutela judicial garantizada constitucionalmente garantizada. En este sentido, el Tribunal Constitucional (Segunda), en su sentencia nº 45/2002, BOE 80/2002, de 3 de abril de 2002, rec. 2632/1998 de 25 de febrero de 2002 señala lo siguiente:

> *«Este Tribunal ha declarado reiteradamente que el derecho a obtener de los Jueces y Tribunales una resolución razonada y fundada en Derecho sobre el fondo de las pretensiones oportunamente deducidas por las partes, se erige en un elemento esencial del contenido del derecho fundamental reconocido en el art. 24.1 CE; no obstante, al ser el derecho a la tutela judicial efectiva un derecho prestacional de configuración legal, su ejercicio y prestación están supeditados a la concurrencia de los presupuestos y requisitos que, en cada caso, haya establecido el legislador, que no puede, sin embargo, fijar obstáculos o trabas arbitrarios o caprichosos que impidan el acceso al proceso, vulnerando la tutela judicial garantizada constitucionalmente (STC 185/1987, de 18 de noviembre)».*

Por todo ello, entendemos que el apartado 4 del artículo 32 LRJSP limita enormemente los supuestos en los que procede la indemnización por responsabilidad patrimonial del Estado legislador, por lo que debiera elevarse cuestión de inconstitucionalidad, ya que según está redactado el artículo 32 LRJSP únicamente en supuestos muy limitados acabará reconociéndose la responsabilidad patrimonial del Estado legislador, lo que se opone a la tutela judicial efectiva, artículo 24.1 de la Constitución, al imponer al perjudicado una carga desproporcionada para exigir la responsabilidad del Estado Legislador.

3. RESPONSABILIDAD PATRIMONIAL DEL ESTADO LEGISLADOR POR NORMAS CONTRARIAS AL DERECHO DE LA UNIÓN EUROPEA

El Estado legislador no solo responde por las leyes inconstitucionales, sino también por aquellas normas que son contrarias al derecho de la Unión Europea. Aunque en la exposición de motivos de la LRJSP se alude a *«leyes declaradas inconstitucionales o contrarias al derecho de la Unión Europea»,* sin embargo los apartados 5 y 6 del artículo 32, de modo más preciso, se alude a la lesión por la aplicación de una norma declarada contraria al Derecho de la Unión Europea, enumerando los requisitos para apreciar la concurrencia de la misma:

> *«5. Si la lesión es consecuencia de la aplicación de una norma declarada contraria al Derecho de la [Unión], procederá su indemnización cuando el particular haya obtenido, en cualquier instancia, sentencia firme desestimatoria de un recurso contra la actuación administrativa que ocasionó el daño, siempre que se hubiera alegado la infracción del Derecho de la [Unión] posteriormente declarada. Asimismo, deberán cumplirse todos los requisitos siguientes: a) La norma ha de tener por objeto conferir derechos a los particulares; b) El incumplimiento ha de estar suficientemente caracterizado; c) Ha de existir una relación de causalidad directa entre el incumplimiento de la obligación impuesta a la Administración responsable por el Derecho de la [Unión] y el daño sufrido por los particulares. 6. La sentencia que declare la inconstitucionalidad de la norma con rango de ley o declare el carácter de norma contraria al Derecho de la [Unión] producirá efectos desde la fecha de su publicación en el "Boletín Oficial del Estado" o en el "Diario Oficial de la Unión Europea", según el caso, salvo que en ella se establezca otra cosa».*

Los nuevos requisitos parecen haber sido introducidos con el fin de evitar que el Estado vuelva a tener que hacer frente a reparaciones millonarias por condenas del Tribunal de Justicia de la Unión Europea, como la derivada de la Sentencia de 27 de febrero del 2014, que declaró el impuesto sobre la venta de determinados hidrocarburos contrario a la Directiva 92/12/CEE, sobre los impuestos especiales (las indemnizaciones debidas como consecuencia de la anulación del conocido como céntimo sanitario ascienden a más de 1600 millones de euros).

Se pretendió con la reforma que, para el futuro, los ciudadanos y empresas tuvieran escasas o nulas posibilidades de ser resarcidos por la declaración de normas nacionales contrarias al derecho de la UE o inconstitucionales; estableciendo así la Irresponsabilidad del Estado legislador.

Al igual que con respecto a los límites establecidos en la LRJSP para los supuestos de responsabilidad patrimonial del Estado legislador por normas inconstitucionales, el Tribunal Supremo, en dos sentencias de 25 de febrero del 2021 ha flexibilizado la interpretación de los requisitos establecidos al analizar si, efectivamente, concurren los presupuestos legales para la viabilidad de la reclamación atendiendo a lo dispuesto en el artículo 32.5 de la LRJSP, que somete la posibilidad de ser indemnizado como consecuencia de la aplicación de una norma declarada contraria al Derecho de la Unión Europea por el hecho de haber obtenido una «sentencia firme» desestimatoria de un recurso contra la actuación que ocasionó el daño, siempre que se hubiera alegado la infracción del Derecho de la Unión Europea posteriormente declarada. El Tribunal Supremo señala que en esta situación lo procedente es efectuar una interpretación amplia, de forma que, cuando el precepto se refiere a sentencia firme en cualquier instancia desestimatoria de un recurso contra la actuación administrativa «ha de entenderse que comprende todas aquellas formas de impugnación de dicha actuación», incluyendo la revisión de actos nulos de pleno derecho, el procedimiento de rectificación de errores o el de devolución de ingresos indebidos. No obstante, tal y como indica dicha sentencia, esta interpretación no supone una enmienda a la totalidad en cuanto a la forma de cómputo del plazo de un año para formular la reclamación de responsabilidad patrimonial; tampoco en cuanto a que el cómputo de ese año debe hacerse, de modo general, desde la fecha de publicación de la sentencia comunitaria en cuestión.

Adicionalmente, la introducción de estas exigencias ha dado lugar a que la Comisión Europea haya interpuesto en noviembre del 2019 ante el Tribunal de Justicia de la Unión Europea un recurso por incumplimiento contra España. Este recurso se fundamenta en que los requisitos procedimentales no parecen respetar la jurisprudencia del Tribunal de Justicia de la Unión Europea en materia de responsabilidad de los Estados por infracción del Derecho de la Unión y, en particular, por lo que aquí interesa, el principio de efectividad, al hacer excesivamente difícil que los perjudicados puedan reclamar esta responsabilidad.

Los preceptos cuestionados, que ofrecen una redacción confusa y farragosa, infringen los mencionados principios del Derecho de la UE de equivalencia y efectividad, así como la jurisprudencia del Tribunal de Justicia sobre los efectos de sus sentencias.

La demanda por incumplimiento, presentada con arreglo al artículo 258 TFUE, se refiere a los artículos 32, apartados 3 a 6, y 34, apartado 1, segundo párrafo, de la LRJSP, y al artículo 67, apartado 1, tercer párrafo, de la Ley 39/2015, de 1 de octubre de 2015, del Procedimiento Administrativo

Común de las Administraciones Públicas. Considera que las disposiciones controvertidas han alineado el régimen de la responsabilidad del Estado legislador por violaciones de Derecho de la Unión al establecido para las violaciones de la Constitución española por actos del legislador, añadiendo ciertas condiciones de fondo.

Así, la equiparación de los dos regímenes y los requisitos procesales que llevan aparejados hacen que la obtención de un resarcimiento por violaciones del Derecho de la Unión debidas al legislador español resulte imposible o excesivamente difícil, vulnerándose el principio de efectividad.

La Comisión sostiene que el régimen español de responsabilidad del Estado legislador por infracción del Derecho de la Unión previsto en el artículo 32, apartado 5, de la LRJSP es contrario al principio de efectividad por cuanto supedita la indemnización de los daños causados a tres requisitos: en primer lugar, la responsabilidad del Estado legislador está condicionada a que el Tribunal de Justicia declare la incompatibilidad de un acto legislativo con el Derecho de la Unión; en segundo lugar, el particular perjudicado debe haber obtenido en cualquier instancia, antes de ejercitar la acción de responsabilidad, sentencia firme desestimatoria de un recurso contra la actuación administrativa que ocasionó el daño, y, por último, en tercer lugar, el particular debe haber invocado la infracción del Derecho de la Unión en el marco de dicho recurso previo.

La Comisión añade que, por un lado, el plazo de prescripción de la acción de responsabilidad patrimonial del Estado legislador por infracción del Derecho de la Unión previsto en el artículo 67, apartado 1, de la Ley 39/2015 y, por otro lado, la limitación de los daños indemnizables a los producidos en el plazo de los cinco años anteriores a la fecha de la declaración de incompatibilidad prevista en el artículo 34, apartado 1, de la LRJSP constituyen también dos exigencias incompatibles con el principio de efectividad.

Sobre los requisitos establecidos en el artículo 32, apartado 5, de la LRJSP, la Comisión sostiene que son incompatibles con el principio de efectividad.

En relación al requisito relativo a la existencia previa de una sentencia del Tribunal de Justicia que declare el acto legislativo incompatible con el Derecho de *la Unión*, destaca que el artículo 32, apartado 5, de la LRJSP establece que el perjuicio debe ser «*consecuencia de la aplicación de una norma declarada contraria al Derecho de la Unión*», y que el artículo 67, apartado 1, de la Ley 39/2015, precisa que la resolución por la que se declare que la norma es contraria al Derecho de la Unión debe publicarse en el *Diario Oficial de la Unión Europea*.

Habida cuenta de que únicamente se publican en el *Diario Oficial de la Unión Europea* las resoluciones del Tribunal de Justicia y de que, además, únicamente las sentencias dictadas en el marco de un recurso por incumplimiento pueden dar lugar a que se declare la incompatibilidad del Derecho nacional con el Derecho de la Unión, la Comisión interpreta el artículo 32, apartado 5, de la LRJSP, en relación con el artículo 67, apartado 1, de la Ley 39/2015, en el sentido de que, para que pueda interponerse un recurso para exigir la responsabilidad del Estado legislador, debe existir con carácter previo una sentencia del Tribunal de Justicia en la que se declare un incumplimiento.

De la jurisprudencia del Tribunal de Justicia se desprende claramente que no se puede supeditar la reparación de un daño causado por una infracción del Derecho de la Unión por parte de un Estado miembro a la exigencia de que se haya declarado previamente la existencia de un incumplimiento del Derecho de la Unión imputable a ese Estado, ni al requisito de que una sentencia dictada por el Tribunal de Justicia con carácter prejudicial declare la existencia de tal infracción.

Con respecto al requisito relativo a la existencia de una sentencia firme desestimatoria de un recurso del particular perjudicado contra la actuación administrativa que ocasionó el daño, sostiene que la formulación del artículo 32, apartado 5, de la Ley 40/2015, en virtud del cual, antes de poder interponer un recurso basado en dicho artículo, el particular debe haber obtenido ante cualquier instancia una sentencia firme denegatoria de un recurso contra la actuación administrativa que ocasionó el daño, es absoluta y, en consecuencia, contraria al principio de efectividad en la medida en que no prevé ninguna excepción para aquellos casos en los que el ejercicio de una vía de recurso previa puede plantear dificultades excesivas, en particular en los supuestos en los que el daño es ocasionado directamente por la ley.

Como señala la Comisión, la formulación del artículo 32, apartado 5, de la Ley 40/2015 no establece ninguna excepción al requisito de que el perjudicado haya interpuesto anteriormente un recurso contra el acto administrativo que ha causado el daño, ni siquiera para el caso de que no exista un acto de este tipo al ser la propia ley la causa directa del daño.

En relación al requisito relativo a que el perjudicado haya alegado la infracción del Derecho de la Unión posteriormente declarada en el marco del recurso interpuesto contra el acto administrativo que ha causado el daño, el artículo 32, apartado 5, de la Ley 40/2015 dispone que la posibilidad de exigir la responsabilidad del Estado legislador está supeditada a que, en el recurso interpuesto contra el acto administrativo lesivo, se haya alegado la infracción del Derecho de la Unión posteriormente declarada. Según la Comisión, esa exigencia limita la posibilidad de obtener una indemnización por los daños causados por el Estado legislador a aquellos supuestos en los que la disposición del Derecho de la Unión infringida tiene efecto directo, lo cual resulta contrario al principio de efectividad. Además, dado que únicamente las disposiciones con efecto directo obligan a los órganos jurisdiccionales nacionales a abstenerse de aplicar una disposición de su Derecho interno contraria a dichas disposiciones del Derecho de la Unión, no es razonable exigir a los perjudicados que invoquen disposiciones que carecen de efecto directo cuando ello no habría tenido ninguna incidencia sobre la resolución del recurso.

Por último, con respecto al cálculo del plazo de prescripción y limitación de los daños indemnizables con arreglo al artículo 32, apartado 5, de la Ley 40/2015, la Comisión aduce que el artículo 67 de la Ley 39/2015, que prevé que el derecho a solicitar la indemnización de un daño prescribe al año de la publicación en el Diario Oficial de la Unión Europea de la sentencia que declare que el acto legislativo es contrario al Derecho de la Unión, y el artículo 34, apartado 1, de la Ley 40/2015, que dispone que solo son indemnizables los daños producidos en el plazo de los cinco años anteriores a la fecha de dicha publicación, son contrarios al principio de efectividad. Según la Comisión, dado que no es necesaria una resolución del Tribunal de Justicia para que exista responsabilidad del Estado legislador, las disposiciones que hacen depender de esa resolución del Tribunal de Justicia el plazo de prescripción y los daños indemnizables también son contrarias al Derecho de la Unión.

Por otra parte, la Comisión entiende que las condiciones de fondo aña-
didas para las violaciones del Derecho de la Unión vulneran el principio de
equivalencia, al someter el resarcimiento de daños provocados por el legislador español en infracción de ese Derecho a condiciones menos favorables
que las aplicables cuando se trata de daños debidos a una violación de la
Constitución española.

Así, la Comisión aduce que el régimen español de responsabilidad del
Estado legislador es contrario al principio de equivalencia al prever, en el
artículo 32, apartado 5, de LRJSP, que, para poder exigir la responsabilidad
del Estado legislador en caso de infracción del Derecho de la Unión, es necesario que la norma del Derecho de la Unión infringida confiera derechos
a un particular y que la infracción esté suficientemente caracterizada, a pesar
de que no se exigen esos requisitos para poder ejercitar una acción de responsabilidad del Estado legislador en caso de infracción de la Constitución
española. La acción de responsabilidad del Estado legislador por infracción
del Derecho de la Unión está, pues, sujeta a requisitos menos favorables que
la acción de responsabilidad del Estado legislador por infracción de la Constitución española, prevista en el artículo 32, apartado 4, de la Ley 40/2015,
pese a que ambas son equivalentes.

Con fecha 9 de diciembre de 2021 el Abogado General Maciej Szpunar ha realizado unas conclusiones contundentes que permiten predecir una
próxima condena por incumplimiento contra España, ya que entiende que
existe vulneración del principio de efectividad *«De la jurisprudencia del Tribunal de Justicia se desprende claramente que no se puede supeditar la reparación de
un daño causado por una infracción del Derecho de la Unión por parte de un Estado
miembro a la exigencia de que se haya declarado previamente la existencia de un
incumplimiento del Derecho de la Unión imputable a ese Estado, ni al requisito de
que una sentencia dictada por el Tribunal de Justicia con carácter prejudicial declare la
existencia de tal infracción».* Por otro lado, señala que *«El artículo 32, apartado 5,
de la Ley 40/2015 es contrario al principio de efectividad en la medida en que dicha
disposición supedita en todo caso la posibilidad de exigir la responsabilidad patrimonial
del Estado legislador a raíz de la infracción del Derecho de la Unión a que el perjudicado ejercite con carácter previo una acción contra un acto administrativo, incluso cuando
el daño se deriva directamente de la ley».*

No obstante, el AG recuerda que «*en lo que atañe a la responsabilidad de un Estado miembro por infracción del Derecho de la Unión, el juez nacional puede comprobar si el perjudicado ha actuado con una diligencia razonable para evitar el perjuicio o reducir su importancia, y, en particular, si ha ejercitado en tiempo oportuno todas las acciones que en Derecho le correspondían. En efecto, según un principio general común a los sistemas jurídicos de los Estados miembros, la persona perjudicada debe dar pruebas de que ha adoptado una diligencia razonable para limitar la magnitud del perjuicio, si no quiere correr el riesgo de tener que soportar el daño ella sola*».

Sobre el requisito relativo a que el perjudicado haya alegado la infracción del Derecho de la UE posteriormente declarada en el marco del recurso interpuesto contra el acto administrativo que ha causado el daño, el Abogado General entiende que «*el artículo 32, apartado 5, de la Ley 40/2015 es contrario al principio de efectividad en la medida en que supedita la posibilidad de exigir la responsabilidad del Estado legislador a que el Tribunal de Justicia declare con anterioridad que el Derecho nacional es incompatible con el Derecho de la Unión y a que se interponga con carácter previo un recurso contra el acto administrativo lesivo en el marco del cual se alegue la infracción del Derecho de la Unión posteriormente declarada en la sentencia del Tribunal de Justicia, sin que dicha disposición prevea ningún tipo de adaptación cuando el daño es consecuencia de un acto legislativo sin mediar acto administrativo alguno*».

Por otro lado, sobre el plazo de prescripción y limitación de los daños indemnizables, el Abogado General considera que «*tanto el plazo de prescripción de la acción de responsabilidad del Estado legislador como la limitación de los daños indemnizables por esa causa, que dependen ambos de la existencia de una resolución del Tribunal de Justicia en tal sentido en la medida en que esta constituye el punto de partida del cómputo de ambos plazos, también son contrarios al principio de efectividad*».

Sin embargo, discrepa con la Comisión Europea y considera que no se ha infringido el principio de equivalencia: «*124. En estas circunstancias, el hecho de que la acción de responsabilidad del Estado legislador por infringir la Constitución española no esté sujeta a la existencia de una violación suficientemente caracterizada de una norma jurídica que confiere derechos a los particulares, a diferencia de lo que ocurre con la acción de responsabilidad del Estado legislador por infringir el Derecho de la Unión, no constituye una vulneración del principio de equivalencia, dado que ese principio no se aplica en ese supuesto*»; pues acoge las alegaciones de España relativas a que «el artículo 32, apartado 5, de la Ley 40/2015 únicamente codifica la jurisprudencia del Tribunal de Justicia relativa a los requisitos necesarios para que pueda exigirse la responsabilidad del Estado por los daños causados a los particulares por una infracción del Derecho de la Unión». Según el AG, «119. El artículo 32, apartado 5, de la Ley 40/2015 reproduce fielmente los tres requisitos establecidos en la jurisprudencia del Tribunal de Justicia necesarios para que los particulares tengan derecho a una indemnización en caso de infracción del Derecho de la Unión por el Estado. La concurrencia de esos tres requisitos, que imponen que la norma jurídica infringida tenga por objeto conferir derechos a los particulares, que la infracción esté suficientemente caracterizada y que exista una relación de causalidad entre la infracción y el perjuicio sufrido, da lugar a la responsabilidad del Estado y a la obligación de indemnizar el daño causado. Si falta uno solo de esos requisitos, no existirá derecho de indemnización sobre la base del Derecho de la Unión».

En el caso de que la futura sentencia del Tribunal de Justicia de la Unión Europea confirme estas conclusiones del Abogado General, deberán suprimirse los requisitos previstos en las leyes 39/2015 y 40/2015 que sean declarados contrarios al Derecho de la Unión Europea, lo que previsiblemente desencadenará en la supresión de los mismos requisitos establecidos para las reclamaciones de responsabilidad cuando se trate de leyes declaradas contrarias a la Constitución. De no proceder el legislador a su revisión, corresponderá al Tribunal Constitucional vía cuestión de inconstitucionalidad por ser contrarios al principio de responsabilidad de los poderes públicos, garantizado por los artículos 9 y 106 de la Constitución, y a la tutela judicial efectiva de su artículo 24. Estaremos pendientes de lo que se resuelva al respecto.

Bibliografía

«*El nuevo régimen jurídico de la responsabilidad patrimonial de la Administración. Última jurisprudencia desde la perspectiva local*». María Pilar TESO GAMELLA.

«*El Tribunal Supremo flexibiliza los requisitos para reclamar responsabilidad al Estado legislador*». Blanca LOZANO CUTANDA.

«*La reforma del procedimiento administrativo y del régimen jurídico del sector público*». Collecció Debats.

«*Reflexiones sobre el nuevo régimen de responsabilidad del Estado legislador por daños derivados de leyes contrarias al Derecho de la Unión Europea*». Editorial Jurídica Sepín, octubre 2017.

«*El régimen de responsabilidad patrimonial de la Ley 40/2015 ante el TJUE (recurso por incumplimiento C-278/20)*» Papeles de Derecho Europeo e Integración Regional. Isaac IBÁÑEZ GARCÍA.

«*El abogado general considera que los requisitos procesales que exige la legislación española para reclamar responsabilidad al Estado legislador no son conformes con el Derecho de la Unión*». Blanca LOZANO CUTANDA.

Pandemia y alarma: sus repercusiones sobre la responsabilidad del Legislador y de la Administración

PABLO GARCÍA-MANZANO JIMÉNEZ DE ANDRADE

Letrado del Consejo de Estado (exc.), Socio de Toda & Nel-lo Abogados

1. INTRODUCCIÓN

El punto de partida de este trabajo[1] es que la pandemia y el estado de alarma han planteado al jurista un reto nuevo, que hasta ahora no se había presentado en términos similares. Y esto sucede porque se trata de dos realidades prácticamente contrapuestas en el Derecho de daños.

Los daños derivados de una pandemia o epidemia de grandes dimensiones y rapidísima capacidad de propagación no son indemnizables por principio: son casi el ejemplo de una carga general e imprevisible que hemos de soportar —y combatir— lo mejor posible.

Un estado de alarma (esto es, un estado de excepcionalidad constitucional que da lugar a medidas limitativas de derechos) es indemnizable en principio. ¿Por qué? La respuesta a esta cuestión exige ya varias aclaraciones previas, algunas de ellas de cierto calado teórico.

2. NOCIONES DE DERECHO DE DAÑOS

Hay que recordar, en primer lugar, la teoría del derecho de daños y, más allá de la teoría, cómo se ha construido científica y jurisprudencialmente en España.

La Ley de Expropiación Forzosa de 16 de diciembre de 1954 supuso un paso inmenso. La expropiación como «despojo directo y querido» exige indemnización (previa).

Por otra parte, en esa misma ley se recoge el principio de que los daños «incidentales», es decir los que se producen como consecuencia —y no solo con ocasión— del funcionamiento de los servicios públicos, también son

---

[1] Este texto procede de la conferencia que pronuncié en la «Jornada sobre COVID-19 y actividad de la Administración pública» organizada por la Comisión Jurídica Asesora del Gobierno de la Generalidad de Cataluña el 10 de diciembre de 2021. Todas las opiniones que se encuentran en él son de carácter puramente personal y no reflejan ninguna valoración institucional. Algunas expresiones se han mantenido con el estilo propio de la forma oral.

indemnizables. Pero cumpliendo para ello con los requisitos del derecho de daños, esto es:

- Que haya un perjuicio efectivo

- Que sea imputable a la Administración (y no al propio lesionado)

- Que, siendo imputable a la Administración, sea además consecuencia de la actuación de esta. Dicho de otro modo: que no exista un evento imprevisible e inevitable —fuerza mayor— que sitúe el daño fuera de su esfera de responsabilidad. Ej.: en una misma carretera estatal, la piedra en la calzada es «consecuencia», puesto que el deber de conservación sitúa lógicamente dicho evento en la esfera de lo que, además de serle imputable a la Administración como propietaria, le es exigible por prestadora de un servicio público; en cambio, el rayo que provoca una rotura en el asfalto provocando un accidente, no lo es, puesto que no hay un nexo causal entre la actividad que la Administración ha desarrollado y el perjuicio ocasionado.

Este segundo régimen (damos un salto de 24 años) se constitucionaliza en el art. 106.2 CE.

La responsabilidad del Legislador viene después, ¿y es idéntica? Pienso que no. Vamos a fijarnos en primer lugar, para razonar sobre lo peculiar de este régimen, en su construcción en el Derecho de la Unión Europea (responsabilidad por norma declarada contraria al Derecho de la Unión)[2]: para que nazca la responsabilidad —dejando aparte la relación de causalidad, que es, en mi opinión, el requisito más obvio de cualquier régimen de derecho de daños (la base última de la responsabilidad extracontractual, «alterum non laedere», es de un carácter principal muy acusado: uno de los «tria precepta» de Ulpiano, junto con el vivir honestamente y el dar a cada uno lo suyo)— se exigen dos requisitos: que la norma confiera derechos a los particulares y que la vulneración esté suficientemente caracterizada.

---

[2]   Estamos dando un salto en el vacío, asumiendo que también el Legislador responde (interdicción de la arbitrariedad de cualquier poder público) precisamente porque, sea en un sistema de control difuso sea en uno de control concentrado de constitucionalidad (o de «comunitariedad»), no es inmune.

En otras palabras, ¿qué vulnera siempre el legislador? La confianza legítima, el no cumplir su palabra. Hemos pasado de «el Parlamento todo lo puede, excepto convertir a un hombre en una mujer» a «el Parlamento lo puede todo (en su esfera de competencia), pero también responde». Al poder le sigue el control (la Constitución se juridifica y se judicializa) y a este, la responsabilidad.

La clave está, pues, en el inciso «que confiera derechos que resulten de las propias disposiciones legislativas» (algo que era muy claro en la Sentencia del Tribunal de Justicia de 19 de noviembre de 1991, asunto Francovich y Bonifaci, y que después quizá hemos olvidado).

Vamos ahora a la responsabilidad del legislador estatal por norma declarada inconstitucional (o por otros motivos), regulada en los arts. 32.3 y 4 de la Ley 40/2015, de 1 de octubre, de régimen jurídico del sector público (LRJSP). Establece el primero de estos preceptos que: «*Los particulares tendrán derecho a ser indemnizados por las Administraciones Públicas de toda lesión que sufran en sus bienes y derechos como consecuencia de la aplicación de actos legislativos de naturaleza no expropiatoria de derechos que no tengan el deber jurídico de soportar cuando así se establezca en los propios actos legislativos y en los términos que en ellos se especifiquen*». Es decir:

- En primer lugar, excluye los daños materialmente expropiatorios. Si el legislador «necesita» inferir un perjuicio a personas particulares para obtener un beneficio general, entonces surge la obligación de indemnizar previamente ex art. 33.3 CE (no es necesario acudir a la responsabilidad del legislador).

- Si hay otros actos legislativos (no expropiatorios) que causan daño antijurídico a particulares, ¿el legislador responde siempre, como en el régimen del art. 106.2 CE?

Las respuestas a esta última cuestión, viéndolo ahora sincrónicamente, han sido variadas:

- El legislador responde cuando él mismo prevea esa compensación, cuando procede a otorgar, en el propio acto legislativo, una compensación (numerosos ejs. en el régimen de haciendas locales: si el legislador cambia su palabra, si p. ej. redefine el hecho imponible de un tributo local o revisa las ponencias catastrales en las que directamente se basa la recaudación de un impuesto, puede prever «en los términos que en ellos se especifiquen» un régimen compensatorio. La cuestión es si aquí los ayuntamientos pueden ser considerados particulares, pregunta a la que se enfrentan numerosos dictámenes del Consejo de Estado, resumidos en su Memoria del año 2005).

— Responde también cuando la norma es posteriormente declarada inconstitucional. Sabemos que en este caso se exige un refuerzo procedimental (que tiene como objeto último salvaguardar el principio de igualdad): que el particular en cuestión hubiese impugnado el acto, haciendo valer además la inconstitucionalidad posteriormente declarada.

— Y responde también en otros casos: la LJRSP no limita el principio de responsabilidad a los supuestos en que el propio legislador así lo contemple, dijeron prontamente el Consejo de Estado y el Tribunal Supremo. Pero del dicho al hecho hay un trecho y, después de algunas resoluciones iniciales, se cuentan —como mucho— por decenas los casos en que se ha apreciado esta responsabilidad. ¿Por qué? Porque se exigen, en el fondo, los dos elementos del Derecho comunitario que no son sino particularizaciones de la causalidad:

  • Que el legislador confiera directamente derechos en la regulación inicial (la que se entiende dañosa después, a la vista de los cambios normativos producidos), y no simplemente que «redefina» un régimen. Esto es: que verdaderamente dé algo primero y lo quite después.

  • Que, además, ese «quitarlo» sea una vulneración suficientemente caracterizada o, dicho en palabras más recientes de la jurisprudencia del Tribunal de Justicia, una violación manifiesta y grave. Este plus de antijuridicidad se exige ahora también en Derecho español[3].

---

[3]   Esta cuestión la he estudiado —con cita de los dictámenes del Consejo de Estado que siguen esta doctrina— en un post en el blog Almacén de Derecho que se titula precisamente «Las influencias del Derecho de la Unión Europea en el Derecho público de daños», el cual es un comentario a otra publicación en ese mismo blog de José

Tras enumerar todos estos regímenes, ¿no nos dejamos nada? Sí, hay *lógicamente* otro posible régimen: que se trate de un despojo querido, pero solo indirecta o potencialmente querido. A esta cuestión da respuesta la teoría del sacrificio especial o de los llamados «daños sacrificiales» por la doctrina alemana. De forma sinóptica, tendríamos pues tres regímenes diferenciados:

- En la expropiación forzosa: interés general y daño (ocupación) particular

- En la responsabilidad por daños: funcionamiento general y daño particular antijurídico

- En el sacrificio especial: se causa un daño o se impone un sacrificio general y, además, se imponen sacrificios singulares, algunos de los cuales deben soportarse (son daños justos) y otros no (son sacrificios especiales antijurídicos, que deben indemnizarse)

Sin duda una de las mejores exposiciones de esta última teoría se encuentra en el trabajo de Luis Medina Alcoz e Ignacio Rodríguez Fernández, «Razones para (no) indemnizar la prisión provisional seguida de absolución», REDA nº 200 (2019), que se hace eco extensamente de la STC 85/2019, de 19 de junio, que a mi juicio examina esta cuestión con profundidad y acierto.

En los ámbitos de la seguridad, de la salud y de la libertad pueden encontrarse tres excelentes ejemplos en los que opera, precisamente, este tipo de responsabilidad: en el tiroteo de la policía contra un delincuente existen daños especiales justificados (los que se infieren precisamente al propio delincuente) y eventualmente otros, los causados a inocentes, que deben ser indemnizados pues, aun cuando todos debemos permitir que los agentes de la autoridad empleen el uso de la fuerza (sacrificio general), los daños especiales deben ser reparados. En los casos de emergencia sanitaria causados por una empresa (recordemos p. ej. el caso de la carne mechada), puede decretarse el cierre sanitario de empresas, que debe soportar quien ha causado el daño pero que no deben soportar sin indemnización quienes nada tenían que ver con el efecto contaminante (cf. art. 54.3 de la Ley 33/2011, de 4 de octubre, General de Salud Pública). En fin, en los supuestos de prisión preventiva

---

María Rodríguez de Santiago («Dar marcha atrás o indemnizar tras la declaración de la nulidad de una norma»).

parece evidente que con la detención y prisión del sospechoso se persigue un claro interés general, pero mientras que el finalmente condenado debe sufrir el daño que se le infligió, no así quien resulta absuelto al que debe indemnizársele por el sacrificio especial que se le impuso en pro del beneficio de la comunidad.

Para una parte de la doctrina (Eva Nieto, en Almacén de Derecho, 15 de septiembre de 2020[4]) este último tipo de responsabilidad es el que subyace al art. 3.2 de la Ley Orgánica 4/1981, de 1 de junio, de los estados de alarma, excepción y sitio (LOAES), sobre lo que después volveremos con cierto detalle. El tenor de este precepto es el siguiente:

> *«Quienes como consecuencia de la aplicación de los actos y disposiciones adoptadas durante la vigencia de estos estados sufran, de forma directa, o en su persona, derechos o bienes, daños o perjuicios por actos que no les sean imputables, tendrán derecho a ser indemnizados de acuerdo con lo dispuesto en las leyes».*

3. NOCIONES SOBRE LOS ESTADOS DE ANORMALIDAD CONSTITUCIONAL

Dejamos en este punto los regímenes teóricos de la responsabilidad y vamos al estado de alarma y, más en general, a los estados de anormalidad constitucional. La constitución de lo extraordinario está, por así decir, resumida en tres incisos del art. 116 CE:

– En el aptdo. 1 cuando se proclama que una ley orgánica regulará los tres estados *«y las competencias y limitaciones correspondientes»* (luego, como todo poder, también el poder extraordinario en situaciones de excepción resulta medible: y esa medida es justamente su competencia correspondiente).

– En el aptdo. 5 cuando se dice «in fine» que *«su funcionamiento [el de las Cámaras], así como el de los demás poderes constitucionales del Estado, no podrán interrumpirse durante la vigencia de estos estados».* Es un poder

---

4   https://almacendederecho.org/la-indemnizacion-de-danos-o-perjuicios-causados-por-las-medidas-adoptadas-durante-el-estado-de-alarma

medible y un poder que actúa en su ámbito: que afecta a una parte de la realidad constitucional, pero nunca a toda ella: el funcionamiento, en lo no anormal, sigue su curso ordinario; lo cual es especialmente relevante, claro está, para el poder judicial.

– En su aptdo. 6, que proclama: «*La declaración de los estados de alarma, de excepción y de sitio no modificará el principio de responsabilidad del Gobierno y de sus agentes reconocidos en la Constitución y en las leyes*». El Gobierno actuará con poderes excepcionales, pero siempre será responsable.

La traducción de estos principios al plano legislativo se lleva a cabo —y esto ya es mucho más relevante para el objeto de nuestra ponencia— mediante dos principios consagrados en el art. primero, dos, de la LOAES, que está redactado por cierto con inusual buena técnica normativa[5]: «*Las medidas a adoptar en los estados de alarma, excepción y sitio, así como la duración de los mismos, serán en cualquier caso las estrictamente indispensables para asegurar el restablecimiento de la normalidad. Su aplicación se realizará de forma proporcionada a las circunstancias*». Temporalidad y proporcionalidad y, por añadidura, proporcionalidad en dos de los tres sentidos en los que la jurisprudencia constitucional ha obligado a examinar el principio: que las medidas sean necesarias (las estrictamente indispensables), que sean adecuadas (no hay otras menos gravosas), que sean estrictamente proporcionadas «balanceando» beneficios y perjuicios.

Sobre temporalidad y proporcionalidad tiene palabras clarividentes uno de los grandes expertos, y desde luego el primero por orden cronológico, en tratar el tema en nuestro Derecho. En una conferencia accesible en la red pronunciada en el marco de un coloquio interdisciplinar celebrado en la Universidad de Toulouse los días 30 y 31 de marzo de 2017[6], Pedro Cruz Villalón decía lo siguiente:

---

[5] También lo están sus aptdos. uno, tres y cuatro, que respectivamente establecen otros tres principios que no hacen ahora al caso: los estados excepcionales son rigurosamente residuales o subsidiarios (para cuando no baste la normalidad), su eficacia tanto preventiva como sancionadora —salvo el caso de las sanciones firmes— decae en el momento de terminación del correspondiente estado y su declaración no interrumpe el funcionamiento ordinario de los poderes no afectados por tales estados.

[6] «Entre proporcionalidad e identidad: las claves de la excepcionalidad en el momento actual»: accesible en https://www.ugr.es/~redce/REDCE27/articulos/11_CRUZ.htm

«La cuestión es (...) la siguiente: ¿tiene el recurso casi universal al principio de proporcionalidad el suficiente carácter balsámico habida cuenta de la evolución que tiende a borrar la línea que hasta el día de hoy había separado lo ordinario de lo extraordinario?

Para que así fuera tendríamos que contar, en primer lugar, con la que podríamos llamar una cultura de la proporcionalidad. Con ello quiero decir que tendríamos que asumir una cierta familiaridad con las diferentes maneras de tratar la proporcionalidad. Esta cultura existe ya, sin duda, al menos en algún sentido. (...) Pero en lo que se refiere a los grandes momentos, por denominarlos de algún modo, ¿pueden el principio de proporcionalidad y su control convertirse en el mecanismo universal, desplazando un modelo jurídico preciso regido por el principio de temporalidad?

A mi juicio la proporcionalidad nos emplaza a todos en el sentido en que va a jugar un papel absolutamente decisivo en el control de las respuestas de los poderes públicos a situaciones de crisis. Son muchas las cuestiones que se abren. Me limito a apuntar la siguiente dificultad. Por su naturaleza, el principio de proporcionalidad entraña un elemento de discrecionalidad más o menos apreciable, pero en ningún caso soslayable, que se reconoce tanto al legislador como a la administración. Este elemento es en principio suficientemente importante como para ser sometido al control jurisdiccional. Pero no obstante resulta muy probable que el juez, al ejercer su control, se sienta obligado a respetar este espacio de decisión discrecional atribuido al resto de los poderes públicos. Se corre así el riesgo de que este control de proporcionalidad se vea reducido a la interdicción de la arbitrariedad, lo que está lejos de ser suficiente en la materia de la que nos ocupamos».

4. LOS ESTADOS DE ALARMA DECLARADOS POR EL GOBIERNO MEDIANTE LOS REALES DECRETOS 463/2020 Y 926/2020 Y LAS SENTENCIAS DEL TRIBUNAL CONSTITUCIONAL 148/2021 Y 183/2021

Pues bien, con estos mimbres llegamos a la tercera (y última) parte de nuestro análisis: cómo el estado de alarma ha repercutido en nuestras nociones sobre responsabilidad del legislador y de la Administración.

Es decir, cómo la norma que establece una responsabilidad de por sí extensiva (la del poder público extraordinariamente ejercido) encaja en una situación de por sí resistente a apreciar la obligación de indemnizar (una situación —dicho sea en este momento coloquialmente, no de forma rigurosa— de fuerza mayor, frente a la que el poder público poco puede hacer).

El estado de alarma para la gestión de la situación de crisis sanitaria ocasionada por el COVID-19 (que contaba con un modesto pero importante precedente: la huelga de los controladores aéreos que dio lugar al Auto del Tribunal Constitucional [«ATC»] 7/2012, de 13 enero y a la STC 83/2016, de 28 de abril, el primero con un interesante voto particular del magistrado Ortega Álvarez), fue declarado en nuestro derecho a través del Real Decreto 463/2020, de 14 de marzo, que entró en vigor ese mismo día y que es, sin exageración, una norma de importancia histórica. Prácticamente todos sus preceptos han sido objeto de interpretación, comentario y resoluciones diversas. Desde el punto de vista de sistema de fuentes me llamaron la atención —y me sorprendió la relativamente escasa atención que se les dispensó— sus disposiciones finales primera y segunda, es decir:

– Que quedaron ratificadas todas las disposiciones y medidas adoptadas previamente por las autoridades competentes de las comunidades autónomas y de las entidades locales con ocasión del coronavirus COVID-19, *«que continuarán vigentes y producirán los efectos previstos en ellas, siempre que resulten compatibles con este real decreto»* (una especie de norma de ratificación —no judicial— / desplazamiento)

– Y una norma de auto-habilitación al Gobierno, que *«podrá dictar sucesivos decretos que modifiquen o amplíen las medidas establecidas en este, de los cuales habrá de dar cuenta al Congreso de los Diputados de acuerdo con lo previsto en el artículo octavo.dos de la Ley Orgánica 4/1981, de 1 de junio»*

El Gobierno hizo uso pronto de esta autorización y tres días más tarde dictó el Real Decreto 465/2020, que añadía un artículo 10.6 al real decreto declarativo del estado de alarma. Las dos normas más relevantes (en esto coincidieron el ciudadano a pie de calle y el jurista más refinado) fueron ese mismo precepto y el artículo 7.1, en el marco de lo dispuesto por el art. 4.1, es decir las tres siguientes normas:

– A los efectos del estado de alarma, la autoridad competente será el Gobierno.

– Durante la vigencia del estado de alarma las personas únicamente podrán circular por las vías de uso público para la realización de las siguientes actividades:

a. Adquisición de alimentos, productos farmacéuticos y de primera necesidad.

b. Asistencia a centros, servicios y establecimientos sanitarios.

c. Desplazamiento al lugar de trabajo para efectuar su prestación laboral, profesional o empresarial.

d. Retorno al lugar de residencia habitual.

e. Asistencia y cuidado a mayores, menores, dependientes, personas con discapacidad o personas especialmente vulnerables.

f. Desplazamiento a entidades financieras y de seguros.

g. Por causa de fuerza mayor o situación de necesidad.

h. Cualquier otra actividad de análoga naturaleza que habrá de hacerse individualmente, salvo que se acompañe a personas con discapacidad o por otra causa justificada.

— Se habilita al Ministro de Sanidad para modificar, ampliar o restringir las medidas, lugares, establecimientos y actividades enumeradas en los apartados anteriores, por razones justificadas de salud pública.

En la interpretación de estas tres reglas —es más, en la entera concepción de lo que es el estado de alarma— se han enfrentado dos lógicas (también a nivel de calle y en las más altas instancias judiciales). Una es una lógica más institucional, diría yo —esto, como el resto, es una opinión personalísima—, de modo que se ve el estado de anormalidad como un todo, en el que caben ciertos poderes implícitos y que está sujeto a una interpretación progresiva del ordenamiento; esta postura muestra un cierto respeto —en el enjuiciamiento de lo proporcional, principio al que concede la máxima relevancia— a la discrecionalidad de las autoridades competentes para adoptar las medidas propias del estado de alarma. La otra lógica, quizá más propia de los llamados «black letter lawyers», considera que el estado de alarma se ha configurado de una manera más o menos acabada por el legislador orgánico, dando una precisa significación a los términos con los que se limitan derechos y libertades y que, en fin —junto a la proporcionalidad en concreto (nadie cuestiona que la adopción de medidas en estado de alarma generó beneficios mayores a los perjuicios que causó)— valora también *otros* aspectos del valor justicia como la temporalidad o el principio de proporcionalidad en sus dos primeras facetas: la necesidad de las medidas adoptadas (limitada a lo estrictamente indispensable) y su idoneidad (i. e. no que fueran más o menos eficaces en cuanto a sus fines, sino si existían —en cuanto a los medios— otros que resultasen menos gravosos para la libertad individual y los derechos de la persona).

Cualquier simplificación de estas dos lógicas (evolucionista vs originalista —un debate que pareció alcanzar cierto vuelo en los votos particulares [«VVPP»] a la STC 148/2021 y que desaparece en la STC 183/2021—; cualitativo vs cuantitativo; realismo jurídico contra teoría constitucional; jurisprudencia de intereses frente a jurisprudencia de conceptos... y, en especial, progresista vs conservador) es, en mi opinión, una pobre simplificación de la enorme tensión a la que el Estado de derecho, en su afán por calibrar las exigencias de la responsabilidad de los poderes públicos a la hora de afrontar una situación de crisis sanitaria sin precedentes, se ha visto enfrentado y que, desde el punto de vista de su enjuiciamiento con los parámetros de constitucionalidad aplicables, se ha saldado a mi entender con un resultado contundente y razonable.

¿Qué importancia tiene esto en cuanto al régimen de responsabilidad que pueda derivar de la adopción de medidas durante la vigencia del estado de alarma (por emplear la expresión del art. 3.2 LOEA)?

Una primera respuesta sería la típica de la responsabilidad por culpa. No hay que desecharla fácilmente, con argumentos dogmáticos porque a pesar de que nominalmente repitamos la cláusula de estilo del sistema de responsabilidad objetivo (por funcionamiento normal o anormal), *de facto* se busca siempre de un modo u otro la actividad administrativa errónea o irrazonable o falta de justificación, ya sea acudiendo a los estándares esperables de actuación ya —en casos de anulación— a la teoría del margen de apreciación, con la cual estoy en desacuerdo y que pienso se ha llevado por el TS demasiado lejos.

Digo que no hay que desecharla fácilmente, pero sí puede pronosticarse que en cualquier caso no será el camino escogido por los tribunales, ni siquiera en aquellos casos en que se aprecie la existencia de responsabilidad. Acudir a la idea de la mala gestión de la pandemia no parece jurídicamente sostenible... a no ser que se quiera hacer a todos los Estados europeos —y prácticamente a todos los demás, a excepción de algunos y solo en ciertas etapas de la expansión del virus— aseguradores universales de la caída económica que ha seguido por desgracia a la crisis sanitaria.

Tendríamos en segundo lugar la que podríamos llamar una responsabilidad del Estado legislador al uso. Aquí las dificultades del razonamiento se mezclan con las fases de tramitación de reclamaciones en las que aún nos encontramos inmersos, por lo que hay que observar una especial cautela. De una parte, como se ha dicho, solo quienes hubieran alegado la inconstitucionalidad declarada tendrían lugar a indemnización… una vez que obtengan sentencia desestimatoria firme. Es decir, presuponiendo que las reclamaciones interpuestas ante el Ministerio de la Presidencia se resuelvan por el Consejo de Ministros en el sentido de que no existía responsabilidad del Legislador (lo cual podría hacerse con varias argumentaciones, en especial aquella antes mencionada de que no se trató de una vulneración manifiesta y grave) y ello sea confirmado por sentencia firme, solo entonces —decimos— podría solicitarse responsabilidad del Legislador. Y aquí se alzaría el problema del último FJ de la STC 148/2021 que limita tal posibilidad, como luego diremos.

En fin, una tercera vía sería la responsabilidad extracontractual ordinaria de las Administraciones Públicas, aquellas que se han formulado ante el Ministerio de Sanidad y que también se encuentran aún en tramitación. De nuevo el razonamiento del TC parece cerrar esta vía, si bien finaliza con un último inciso algo enigmático («sin perjuicio de las reclamaciones formuladas al amparo del art. 3.2 LOEA»), cuya interpretación más plausible apuntaremos luego.

4.1 *Excursus* sobre la STC 148/2021 y la declaración de inconstitucionalidad de ciertos preceptos del RD 463/2020

Antes de entrar en la cuestión de la responsabilidad, apuntamos algo sobre los razonamientos de la Sentencia del Tribunal Constitucional 148/2021, de 14 de julio («**STC 148/2021**»)[7]:

---

7   En este punto, como al analizar después la STC 183/2021, los apuntes son muy esquemáticos y las citas literales, abundantes. Naturalmente en la exposición oral prescindí

A. En primer lugar, la STC se plantea la cuestión nuclear de la sustancialidad o no del concepto suspensión de derechos y libertades y decide, resumidamente en estos términos (FJ 3.i):

> «Respecto al límite genérico que acaba de invocarse, "suspensión" y "limitación" de derechos fundamentales son nociones jurídico-constitucionales que deben ser perfiladas, pues solo a partir de una definición de principio cabe situar en sus justos términos la fundamentación de las pretensiones deducidas en este proceso: como se ha visto, la demanda equipara la "suspensión" con una limitación especialmente intensa de los derechos fundamentales invocados, que excedería el alcance constitucionalmente reconocido al estado de alarma, por lo que no podría venir amparada por el decreto de declaración ahora impugnado. En este sentido, una primera aproximación general permite apreciar que el concepto de "limitación" (o "restricción") es más amplio que el de "suspensión", como género y especie: toda suspensión es una limitación, pero no toda limitación implica una suspensión. La suspensión es, pues, una limitación (o restricción) especialmente cualificada, según resulta tanto del lenguaje habitual como del jurídico».

Esto, que fue duramente criticado por los VVPP, nos parece un razonamiento al que puede legítimamente acudirse:

- No solo porque ya el CEDH contenga un criterio de este tipo: en la conferencia antes citada, Cruz Villalón recordaba agudamente que:

> «[E]n un contexto en el que el sistema binario normalidad/excepción va progresivamente demostrando su inoperatividad, en una situación en la que el principio de temporalidad se embosca y en la que las líneas de demarcación del régimen jurídico alternativo se oscurecen, resulta urgente, sin perjuicio de las posibilidades que ofrece el principio de proporcionalidad, proveerse de un punto de referencia firme situado al margen de la gravedad de las situaciones.
> Así nace la exigencia de construir un arsenal identitario, esto es, un núcleo último de convicciones que no deberían ceder ante las contingencias, por difíciles que puedan ser. (...) La identidad constitucional, así concebida, debería marcar "las líneas rojas" ante las que se detendría el principio de proporcionalidad; las líneas rojas a partir de las cuales se extiende el territorio de lo "crucial" (...)

---

de muchas de las últimas, las cuales no obstante —aunque hagan más farragosa la lectura— creo conveniente conservar aquí con cierta extensión.

A estos efectos, contamos con ciertas referencias, como los límites planteados por el artículo 15 de la CEDH a la facultad atribuida a los estados signatarios de proceder a una suspensión temporal de los derechos humanos. El derecho constitucional alemán, por su parte, establece la imposibilidad de proceder a la reforma de ciertas partes de la Ley Fundamental, y en especial, del artículo que se refiere a la dignidad humana. En Francia es en todo caso la forma republicana de gobierno la que está llamada a ocupar esta posición».

- Sino también porque el argumento cuantitativo o de «mera intensidad» es uno propiamente jurídico, de los más relacionales, ponderados y proporcionales que seguramente puedan pensarse. Respuestas de este tipo son bien conocidas en el mundo jurídico. La regla frente a la excepción, el número e intensidad de las excepciones, la ponderación en la práctica y en la aplicación jurídica de unas y otras no solo sirven —como es claro— para sopesar bienes o derechos considerados en su totalidad, sino que son también aptas para interpretar potestades, derechos y limitaciones. El que, superado un umbral —que ciertamente corresponde apreciar al intérprete— se produzca un efecto jurídico no supone «mutar» arbitrariamente instituciones: pasado cierto día, los derechos se extinguen, nacen o se adquieren; superado un límite, el poder tributario del Estado es confiscatorio; los elementos tributarios, como los recargos —es jurisprudencia constitucional asentada— se interpretan como sanciones, a la luz de su verdadera naturaleza y función, que no es ya tributaria sino represiva, etcétera.

B. En segundo lugar, la STC analiza la suspensión desde una perspectiva que, dogmáticamente, nos parece inatacable (FJ 5.a):

«Ahora bien, la mera constatación de que los números 1 y 3 del artículo 7 del Real Decreto 463/2020 limitan la libertad de circulación más allá de lo que admitiría, con carácter general, el artículo 53.1 CE no resuelve la controversia aquí planteada, que en última instancia consiste en si tal medida puede encontrar amparo en la declaración del estado constitucional de alarma.

En efecto, es la propia Constitución la que ha previsto la posibilidad de limitaciones extraordinarias en su artículo 116 (números 1 y 2). Eso explica, precisamente, el rigor con el que en ella se contempla tanto la instauración inicial como el ulterior mantenimiento (previa autorización de la representación política de la ciudadanía) de este estado de crisis, estrictamente acotado en el tiempo y sometido a constante fiscalización y control.

Por tanto, la resolución de la citada controversia habrá de considerar, en primer lugar, si tal constricción excepcional impuesta por los apartados 1 y 3 del artículo 7 del Real Decreto 463/2020 se acomoda a lo previsto en la ley orgánica a la que remite el artículo 116.1 CE (LOAES). En caso de que así sea, procederá analizar si su alcance puede ser calificado como una "suspensión" del derecho, vedada para el estado de alarma. Finalmente, y solo en el caso de que el derecho no haya quedado suspendido, cabrá analizar si la limitación respeta las exigencias de la proporcionalidad. Tales aspectos se examinan a continuación».

C. Posteriormente dice algo muy claro, a mi entender, aun cuando se minimiza su importancia en alguno de los VVPP (que habla de *«overruling inmovitado»*), y es lo relativo a que se trata de:

«Una cuestión ya anunciada, siquiera de manera tangencial y en el contexto determinado por los respectivos procesos, en nuestra STC 83/2016, de 28 de abril, así como en los AATC 7/2012, de 13 de enero, y 40/2020, de 30 de abril. En efecto, decíamos en aquella que "a diferencia de los estados de excepción y de sitio, la declaración del estado de alarma no permite la suspensión de ningún derecho fundamental (art. 55.1 CE contrario sensu), aunque sí la adopción de medidas que pueden suponer limitaciones o restricciones a su ejercicio" (FJ 8); al tiempo que se recordaba —con cita literal del ATC 7/2012, FJ 4— que "[...] todos los estados que cabe denominar de emergencia ex art. 116 CE y también por tanto, el de menor intensidad de entre ellos, esto es, el de alarma, suponen [...] excepciones o modificaciones pro tempore en la aplicabilidad de determinadas normas del ordenamiento vigente, incluidas, en lo que ahora importa, determinadas disposiciones legales, que sin ser derogadas o modificadas sí pueden ver alterada su aplicabilidad ordinaria [...]" (FJ 9)».

D. En fin, el razonamiento —no quiero extractar más largamente una sentencia a la que todos tenemos fácil acceso— en concreto es este:

«La suspensión de la vigencia de un concreto derecho fundamental es una de estas técnicas y resulta relevante en este momento porque el artículo 55.1 CE prevé que solo resulte practicable en los estados de excepción y de sitio, de modo que el juego combinado de los artículos 116 y 55.1 CE convierte en inconstitucional cualquier ejercicio de tal poder extraordinario que se hiciera con ocasión del estado de alarma. Ello conlleva que la limitación por defecto de la libertad deambulatoria consignada en el artículo 7 sería inconstitucional si, por entrañar una cesación de este derecho fundamental, solo pudiera adoptarse mediando tal suspensión de vigencia del mismo. Para determinar esta controvertida cuestión procederemos a analizar en qué consiste la limitación que prescribe el art. 7 y hasta qué punto procede calificarla de constricción tan intensa de esa libertad constitucional que solo cabe mediando la suspensión de su vigencia.

En lo que aquí ahora interesa destacar, es inherente a esta libertad constitucional de circulación su irrestricto despliegue y práctica en las "vías o espacios de uso público" a los que se refiere el artículo 7.1, con independencia de unos fines que solo el titular del derecho puede determinar, y sin necesidad de dar razón a la autoridad del porqué de su presencia en tales vías y espacios. Y esto es, precisamente, lo que queda en general cancelado mediante la medida que se controvierte, pues los apartados 1 y 3 de ese artículo acotan las finalidades que pueden justificar, bajo el estado de alarma, la circulación por esos ámbitos de ordinario abiertos; mientras que el número 5 habilita al ministro del Interior a cerrarlos con carácter general. Y ello, aun cuando el acotamiento concluya con dos cláusulas generales ["fuerza mayor o situación de necesidad", o cualquier "otra actividad de análoga naturaleza", en los puntos g) y h)], y al margen de que la relación de "actividades" excluidas de la limitación no constituya, conforme al propio real decreto, un exhaustivo numerus clausus.

Basta la mera lectura de la disposición para apreciar que esta plantea la posibilidad ("podrán") de circular no como regla, sino como excepción. Una excepción doblemente condicionada, además, por su finalidad ("únicamente [...] para la realización" de ciertas actividades más o menos tasadas) y sus circunstancias ("individualmente", de nuevo salvo excepciones). De este modo, la regla (general en cuanto a su alcance personal, espacial y circunstancial) es la prohibición de "circular por las vías de uso público", y la "única" salvedad admitida es la de que tal circulación responda a alguna de las finalidades (concretas, sin perjuicio de las dos cláusulas más o menos abiertas de las letras g] y h]) indicadas por la autoridad. Se configura así una restricción de este derecho que es, a la vez, general en cuanto a sus destinatarios, y de altísima intensidad en cuanto a su contenido, lo cual, sin duda, excede lo que la LOAES permite "limitar" para el estado de alarma ["la circulación o permanencia [...] en horas y lugares determinados": art. 11, letra a)].

Tal restricción aparece, pues, más como una "privación" o "cesación" del derecho, por más que sea temporal y admita excepciones, que como una "reducción" de un derecho o facultad a menores límites. Dicho en otros términos, la disposición no delimita un derecho a circular libremente en un ámbito (personal, espacial, temporalmente) menor, sino que lo suspende a radice, de forma generalizada, para todas "las personas", y por cualquier medio. La facultad individual de circular "libremente" deja pues de existir, y solo puede justificarse cuando concurren las circunstancias expresamente previstas en el real decreto. De este modo, cualquier persona puede verse obligada a justificar su presencia en cualquier vía pública, y podrá ser sancionada siempre que la justificación no se adecue a lo previsto en las disposiciones del real decreto».

E. Por lo que se refiere a la posible inconstitucionalidad del artículo 10.6 (FJ 9), quiero destacar dos aspectos:

- Primero, que su vulneración es una cuestión de fuentes, mucho más clara por ello. El Ministro de Sanidad (autoridad delegada residual) no puede modificar ni ampliar —sí restringir, en la perspectiva de una eventual vulneración de derechos personales, pues con ello estaría ampliando la esfera de libertad— los términos de un instrumento constitucional cuya gestión corresponde en exclusiva al Gobierno y cuyo control reside constitucionalmente en el Congreso (algo sobre lo que vuelve la STC 183/2021 con toda claridad).

- Segundo, que este reproche, además de ser tan claro que no merece la discrepancia de los VVPP (es más, dos de ellos afirman o dejan entrever que nada tienen que objetar a la sentencia en este punto) fue «materializado» en una Orden dictada por el Ministro de Sanidad un día después de recibir la habilitación cuestionada y que llevaba por título: «Orden SND/257/2020, de 19 de marzo, por la que se declara la suspensión de apertura al público de establecimientos de alojamiento turístico, de acuerdo con el artículo 10.6 del Real Decreto 463/2020, de 14 de marzo, por el que se declara el estado de alarma para la gestión de la situación de crisis sanitaria ocasionada por el COVID-19». Los tres párrafos centrales de su preámbulo señalan:

«El artículo 10 del citado Real Decreto recoge las medidas de contención en el ámbito de la actividad comercial, equipamientos culturales, establecimientos y actividades recreativos, actividades de hostelería y restauración, y otras adicionales, es decir, prevé el cierre de determinados establecimientos que se recogen de forma específica, pero sin ánimo de exhaustividad ni de establecer un numerus clausus de los mismos.

Así, en el apartado 6 del citado artículo, se habilita al Ministro de Sanidad para modificar, ampliar o restringir las medidas, lugares, establecimientos y actividades enumeradas en los apartados anteriores, por razones justificadas de salud pública, pudiendo por tanto ampliar esta suspensión a aquellos otros supuestos que se consideren necesarios.

La concentración de personas en alojamientos turísticos, que deben compartir determinados espacios comunes, implica un incremento del riesgo de contagio, por lo que dada la situación de restricción en la movilidad de personas resulta necesario, para garantizar la contención de la pandemia, proceder a suspender la apertura al público de estos establecimientos en línea con lo establecido en el apartado 4 del artículo 10 del Real Decreto 463/2020».

F. Me detengo todavía en una cuestión que inundó literalmente los medios en los días siguientes a la publicación de la STC y cuya música «resuena» en todos los VVPP: me refiero a que —se ha dicho— la STC 148/2021 está en realidad afirmando que una suspensión (o restricción tan intensa de derechos que equivalga a aquella) solo podría haberse establecido en un estado de excepción. En otros términos[8]:

«Si se concluye que el art. 7, apdos. 1 y 3, del RD 463/2020 operó una suspensión de la libertad ambulatoria prohibida en el estado de alarma, ¿esto equivale a decir que el Gobierno debió haber procedido a declarar el estado de excepción (respetando en él la proporcionalidad)?

Por extraño que parezca, frente a una respuesta negativa (que a mis ojos parece totalmente razonable: cuando el legislador negativo declara inconstitucional este o cualquier otro precepto del mundo jurídico, no está enseñando al Gobierno cómo debía haberse conducido, simplemente expulsa del ordenamiento el elemento inconstitucional), la gran mayoría de argumentos de los votos particulares, así como algunos de la propia Sentencia (FJ 11), se paran en este punto. Uno de los votos discrepantes llega a afirmar —a ello abocaría irremisiblemente, se dice, el razonamiento de la Sentencia— que se produciría con ello el riesgo de sustituir "el régimen de los derechos en situación de normalidad por el régimen de los derechos en situación de excepción", siendo este último, el estado de excepción, aquel en que el legislador orgánico toma la decisión relativa a cuáles son las garantías de los derechos una vez suspendidos.

Para esta manera de pensar, el estado de alarma es una emergencia constitucional en la que se mantienen todos los derechos (porque la Constitución así lo dice), siendo solo jurídicamente peligrosos los estados —propiamente anormales— de excepción y sitio, en los que una suspensión declarada se constituye en una auténtica anomalía democrática bajo la que el régimen ordinario de derechos se sustituye por otro "status" de lo permitido y prohibido cuya regulación se contiene en los correspondientes preceptos de la Ley Orgánica 4/1981.

No puede aceptarse, sin embargo, que esta sea la fuerza propedéutica o ejemplar que deriva de la Sentencia ni menos considerar esta como una invitación al Ejecutivo para que se comporte así. Primeramente, porque la letra de la Ley Orgánica 4/1981 no lo permite: tampoco en los estados de excepción y sitio cabe una suspensión irrestricta del derecho a la libertad de circulación (art. 20.1: "Cuando la autorización del Congreso comprenda la suspensión del artículo diecinueve de la Constitución, la autoridad gubernativa podrá prohibir la circulación de personas y vehículos en las horas y lugares que se determine").

---

[8]   En los que ya había planteado la cuestión aquí: https://almacendederecho.org/las-dos-logicas-del-estado-de-alarma-comentario-a-la-stc-148-2021-de-14-de-julio

En segundo término, porque la STC 148/2021, aun cuando ciertamente se detenga en el citado FJ 11 en una cuestión que a nuestro juicio era innecesario tratar —si una lectura evolutiva de la Constitución permite calibrar más las consecuencias jurídicas que el supuesto de hecho del estado de alarma; cuando hubiera sido más sencillo decir que, siendo adecuado el supuesto de hecho, fue excesivo el efecto jurídico pretendido—, acierta sustancialmente al razonar qué es aquello en que consiste una suspensión de derechos fundamentales (más allá, claro está, de su mera declaración, que no es con toda evidencia su elemento más determinante), que está prohibida en el estado de alarma».

4.2 La cuestión de la referencia a la responsabilidad patrimonial en la STC 148/2021

Finalmente, en lo que se refiere estrictamente a la cuestión de la responsabilidad el FJ 11 de la STC 148/2021 dispone lo siguiente:

«En ese contexto, parece necesario finalmente precisar el alcance de nuestra declaración de inconstitucionalidad, modulando los efectos de la declaración de nulidad:

a) Deben declararse no susceptibles de ser revisados como consecuencia de la nulidad que en esta sentencia se declara, no solo los procesos conclusos mediante sentencia con fuerza de cosa juzgada [así establecido en los arts. 161.1 a) CE y 40.1 LOTC] o las situaciones decididas mediante actuaciones administrativas firmes (según criterio que venimos aplicando desde la STC 45/1989, de 20 de febrero, por razones de seguridad jurídica ex art. 9.3 CE), sino tampoco las demás situaciones jurídicas generadas por la aplicación de los preceptos anulados.

Y ello porque la inconstitucionalidad parcial del Real Decreto 463/2020, de 14 de marzo, no deriva del contenido material de las medidas adoptadas, cuya necesidad, idoneidad y proporcionalidad hemos aceptado, sino del instrumento jurídico a través del cual se llevó a cabo la suspensión de ciertos derechos fundamentales. A lo cual se añade que habiendo afectado la suspensión a la generalidad de la población, no resulta justificado que puedan atenderse pretensiones singulares de revisión fundadas exclusivamente en la inconstitucionalidad apreciada, cuando no concurran otros motivos de antijuridicidad. Entenderlo de otro modo pugnaría no solo con el principio constitucional de seguridad jurídica (art. 9.3 CE) sino también con el de igualdad (art. 14 CE).

b) Por el contrario, sí es posible la revisión expresamente prevista en el art. 40.1 in fine LOTC, esto es, "en el caso de los procesos penales o contencioso-administrativos referentes a un procedimiento sancionador en que, como consecuencia de la nulidad de la norma aplicada, resulte una reducción de la pena o de la sanción o una exclusión, exención o limitación de la responsabilidad". Esta excepción viene impuesta por el art. 25.1 CE, pues estando vedada la sanción penal o administrativa por hechos que en el momento de su comisión no constituyan delito, falta o infracción administrativa, el mantenimiento de la sanción penal o administrativa que traiga causa de una disposición declarada nula vulneraría el derecho a la legalidad penal consagrado en el indicado precepto constitucional. c) Por último, al tratarse de medidas que los ciudadanos tenían el deber jurídico de soportar, la inconstitucionalidad apreciada en esta sentencia no será por sí misma título para fundar reclamaciones de responsabilidad patrimonial de las administraciones públicas, sin perjuicio de lo dispuesto en el art. 3.2 de la Ley Orgánica 4/1981, de 1 de junio, de los estados de alarma, excepción y sitio».

A mi juicio la interpretación de estos párrafos, auténtica parte dispositiva complementaria del fallo, debe hacerse en el siguiente sentido.

Ante todo, el único criterio que encontramos —ciertamente autorizado— se encuentra en el voto particular del Presidente: «*El segundo punto en que quiero centrar este voto particular —dice— gira en torno a la mención, dentro de la modulación de efectos que hace la sentencia de la mayoría, al artículo 3.2 de la Ley Orgánica 4/1981, de 1 de junio, de los estados de alarma, excepción y sitio. Se afirma en el fundamento jurídico 11 c) que "al tratarse de medidas que los ciudadanos tenían el deber jurídico de soportar, la inconstitucionalidad apreciada en esta sentencia no será por sí misma título para fundar reclamaciones de responsabilidad patrimonial de las administraciones públicas, sin perjuicio de lo dispuesto en el art. 3.2 de la Ley Orgánica 4/1981, de 1 de junio, de los estados de alarma, excepción y sitio". El análisis de dicho tenor literal no debe entenderse así por dos motivos: a) porque el citado art. 3.2 regula supuestos indemnizatorios derivados de estados de emergencia que sean constitucionales; es decir, regula supuestos en que, a pesar de la constitucionalidad del estado de alarma, proceda acordar tales indemnizaciones; b) y, en conexión con lo anterior, el art. 3.2 citado no reconoce un derecho autónomo a percibir una indemnización, sino que ese derecho surgirá solamente cuando se den los requisitos propios de cada régimen indemnizatorio (el expropiatorio, el de responsabilidad patrimonial de la administración pública, etc.). En el sentido de estas notas es como considero que debe entenderse la mención que se realiza al artículo 3.2*».

En mi opinión, la STC, en una línea de razonamiento bien conocida por el Consejo de Estado, lo que afirma es: i) no son revisables los actos administrativos firmes —las situaciones administrativas firmes— *ex* arts. 40.1 LOTC y 73 LJCA; ii) además, esto es así porque, «*habiendo afectado la suspensión a la generalidad de la población, no resulta justificado* que puedan atenderse pretensiones singulares de revisión fundadas exclusivamente en la inconstitucionalidad *apreciada, <u>cuando no concurran otros motivos de antijuridicidad</u>»*; y iii) *«<u>al tratarse de</u>* <u>*medidas que los ciudadanos tenían el deber jurídico de soportar*</u>*, la inconstitucionalidad apreciada en esta sentencia <u>no será por sí misma título</u> para fundar reclamaciones de responsabilidad patrimonial de las administraciones públicas, <u>sin perjuicio de lo</u>* <u>*dispuesto en el art. 3.2 de la Ley Orgánica 4/1981*</u>*, de 1 de junio, de los estados de alarma, excepción y sitio».* Es decir, en el subconsciente jurídico colectivo, parece que se estaría dando la siguiente señal: al igual que la anulación no hace revisables los actos a no ser que concurran otros motivos de antijuridicidad, *tampoco, por sí misma, genera derecho a indemnización,* salvo que existan otros daños derivados de las actuaciones adoptadas durante el estado de alarma. En definitiva: no todo lo hecho puede anularse ni todo lo dañado puede indemnizarse, pues esto significaría la parálisis del Estado... Salvo, claro está, que concurran «otros motivos de antijuridicidad» u «otros daños adicionales» a los que derivan del reparo de inconstitucionalidad de las normas de cobertura.

Por ello, discrepo —en una apreciación puramente personal— de la primera afirmación del último punto del VP del Presidente, aunque coincido abiertamente con la segunda. No veo base para afirmar que el art. 3.2 LOEA esté exclusivamente pensado para estados de alarma constitucionales. Admitir esta afirmación, en sus últimas consecuencias, conduciría al absurdo de que tanto el principio de revisabilidad judicial (art. 3.1 LOEA: *«Los actos y* *disposiciones de la Administración Pública adoptados durante la vigencia de los estados* *de alarma, excepción y sitio serán impugnables en vía jurisdiccional de conformidad* *con lo dispuesto en las leyes»*) como el de responsabilidad patrimonial (art. 3.2 LOEA) se harían perfectamente inútiles en los supuestos de inconstitucionalidad de los reales decretos declarativos del estado de alarma, por el juego perverso de dotar por una parte a aquellos de rango de ley —algo que Ortega Álvarez vio con claridad ya en el ATC 83/2012 al considerar que esa forma de razonar lesionaba la tutela judicial— y de afirmar, por otra, como parece hacer el VP al que ahora nos referimos, que con esa «declaración» cesa ya cualquier otro tipo de pretensión... incluidas las indemnizatorias, algo que no resulta aceptable en nuestra opinión.

En cambio, sí que parece muy razonable —es puro tenor literal del 3.2 LOEA, por lo demás— afirmar que las pretensiones de indemnización tendrán que afirmar la existencia de todos los requisitos propios de cada régimen indemnizatorio. Es decir, aun en el caso de que se considere que se está en un caso específico de responsabilidad por sacrificio especial (un régimen que, como recordó Eva Nieto en el post antes citado, es un régimen objetivo y un régimen de configuración legal y no constitucional... por lo que podría excluir alguna de las notas configuradoras del régimen general de responsabilidad, como p ej la inexigencia de fuerza mayor), ha de razonarse sobre el daño efectivamente causado y la relación de causalidad entre las medidas adoptadas durante la vigencia del estado de alarma y dichos daños efectivamente causados.

4.3 La declaración de inconstitucionalidad del segundo estado de alarma en la STC 183/2021

Con esto llegamos a la Sentencia del Tribunal Constitucional 183/2021, de 27 de octubre («**STC 183/2021**»), a la que haré —por obvias razones de espacio— una referencia más limitada.

Lo primero que llama la atención (de nuevo una opinión muy idiosincrática, casi temperamental) es que la nulidad e inconstitucionalidad han sido rotundas —prácticamente no queda en pie nada del segundo estado de alarma— y el silencio doctrinal, de la opinión y de los propios votos discrepantes ha sido mucho mayor.

Solo el voto particular del magistrado Xiol llama muy acertadamente la opinión, a mi juicio, sobre esta paradoja. Considera en primer lugar que hay una «quiebra lógica» entre afirmar en la STC 148/2021 que el art. 7 del RD 463/2021 era inconstitucional por afectar intensa y generalizadamente a la población (una suspensión prohibida en estado de alarma) y no hacer lo propio con el toque de queda del art. 5.1 del RD 926/2020:

> «Es difícil aceptar que una medida de toque de queda —en la que resultan indiscutibles la altísima intensidad y el carácter general de la restricción impuesta al derecho de libre circulación, que son las notas tenidas en cuenta por la STC 148/2021, de tal suerte que las características que asigna esta sentencia al confinamiento domiciliario le son plenamente aplicables—, pueda tener un alcance cualitativo y cuantitativo de distinta naturaleza que el confinamiento domiciliario por el hecho de que solo tenga lugar durante las horas del espacio nocturno (entre las 23:00 y las 6:00 horas)».

No puedo estar más de acuerdo. Y solo se me ocurre añadir que el mismo razonamiento sería aplicable a la limitación a la libertad de culto del art. 8 del RD 926/2020, que quedó en la más perfecta indeterminación y permitía por ello adoptar medidas totalmente restrictivas. Escapar de este reproche por la vía de afirmar, como hace la sentencia mayoritaria (FJ 7), que esto obligaría a examinar una por una las medidas adoptadas por las CC.AA. como autoridades delegadas, lo cual no corresponde hacer al Tribunal Constitucional, resulta cuando menos contradictorio con toda la segunda parte de la STC 183/2021 la cual define —como canon de constitucionalidad— cuatro criterios que precisamente ponen en relación tiempo (duración temporal) y medidas, de forma que la indeterminada prolongación es formalmente incompatible con el sistema de gestión-control constitucionalmente definido. Pues bien, si esto es así —y personalmente me parece un razonamiento irreprochable— ya las concretas medidas que sean *indeterminadamente prolongadas o susceptibles de ser aprobadas en grado máximo sin horizonte temporal alguno* tampoco deberían haber superado, a mi juicio, el test de constitucionalidad.

Pero vayamos al texto de la Sentencia. El FJ 8.D) hace un distingo sutil pero acertado sobre la duración del segundo estado de alarma:

- «En sí misma tal duración no es inconstitucional: Ni el límite constitucional de quince días —que pesa, por mandato constitucional, sobre el Gobierno— es trasladable a la determinación parlamentaria de la duración de esta prórroga, ni, tampoco, el principio de proporcionalidad resulta pauta adecuada para enjuiciar la validez del plazo establecido por el Congreso de los Diputados»

- Sino que: «Lo relevante en este supuesto, no es en sí misma la decisión de establecer un determinado período de duración de la prórroga del estado de alarma que, en su caso, haya podido solicitar el Gobierno, sino que el Congreso, en el ejercicio de la potestad de control que le confiere el art. 116.2 CE, valore si, a la vista de los argumentos ofrecidos por el Ejecutivo para prorrogar el estado de alarma, razone sobre cuál deba ser el tiempo de prolongación de aquel estado de crisis que, previsiblemente, pueda, de una parte, resultar indispensable para revertir la situación de grave anormalidad apreciada y, de otra, disponer del margen de duración temporal de aquella prórroga inicial y de las que, en lo sucesivo, puedan autorizarse con posterioridad, al objeto de hacer efectivo el control que debe ejercer sobre el Gobierno (art. 116.2 CE). Para ello, deberá ajustarse a los criterios de adecuación ahora expuestos».

Tales criterios son los siguientes:

«Para ello, la Cámara debe examinar los argumentos ofrecidos por el Gobierno para solicitar la prolongación del estado de alarma y, a partir de aquel examen, aprobar su resolución de autorización razonando: (i) sobre la necesidad de que el estado de alarma deba ser prolongado más allá del inicialmente declarado por el Gobierno, en función de las circunstancias concurrentes que aprecie y de los argumentos justificativos que aporte el Ejecutivo; (ii) sobre el establecimiento del período de tiempo que, previsiblemente, estime imprescindible para revertir la situación de grave anormalidad constitutiva del estado de alarma inicialmente declarado. A tal efecto, el Gobierno podrá (como así lo hizo en el caso de autos) proponer un período de prolongación que deberá ser valorado por la Cámara, aceptándolo, modificándolo, o llegando incluso a establecerlo por sí el propio Congreso de los Diputados, en atención a la exigencia de que aquella duración sea siempre la previsiblemente indispensable para hacer cesar la alteración; (iii) sobre la procedencia de las medidas a aplicar en el período de prolongación. Deberá existir una correspondencia entre aquellas medidas y el previsible período de duración de la prórroga, de tal manera que el Congreso deberá razonar sobre si las medidas a aplicar se reputan previsiblemente adecuadas para proveer al restablecimiento de la normalidad en aquel período extendido del estado de alarma autorizado. Tales medidas pueden, o bien ser propuestas por el Gobierno y aceptadas o modificadas por el Congreso, o bien esta Cámara establecer por sí las que estime necesarias y fijar su "alcance y condiciones"; y (iv) sobre la prudencia que, a la hora de fijar el plazo de duración de la prórroga, ha de observar el Congreso para que pueda hacer efectivo el control periódico de la revisión de la actuación del Gobierno, en relación con la situación de crisis a la que ha de hacer frente».

Pues bien, a juicio del Tribunal Constitucional, «no se cumplió, ni el segundo de los criterios anteriormente enunciados (valoración por el Congreso de los Diputados del período de duración de la prórroga), ni tampoco el cuarto (necesaria prudencia para establecer un plazo de duración de la prórroga que permita al Congreso de los Diputados hacer efectivo el control periódico de la revisión de la actuación del Ejecutivo)»:

«No puede calificarse de razonable o fundada la fijación de la duración de una prórroga por tiempo de seis meses que el Congreso estableció sin certeza alguna acerca de qué medidas iban a ser aplicadas, cuándo iban a ser aplicadas y por cuánto tiempo serían efectivas en unas partes u otras de todo el territorio nacional al que el estado de alarma se extendió (art. 3 del Real Decreto 926/2020). En el caso de autos resulta imposible discernir el porqué de la imposición de un cierto plazo, el acordado o cualquier otro hipotético. Esta imposición tan solo puede racionalmente hacerse en consideración, vistas las circunstancias de hecho, a la esperada e inicial efectividad de concretas medidas a poner de inmediato en práctica durante un lapso de tiempo definido, aunque prorrogable de nuevo; estimación de la que depende el que la duración de la prórroga a debate se pondere, en la deliberación de la Cámara, como indispensable (art. 1.2 LOAES); algo que nadie, tampoco quien la acordó, está en condiciones de argumentar si la adopción y el mantenimiento efectivos de las medidas autorizadas queda, como aquí quedó, por completo en lo incierto. (...) No es su duración, por sí sola y sin más, lo que merece censura constitucional, sino el carácter no razonable o infundado, visto el acuerdo parlamentario en su conjunto, de la decisión por la que se fijó tal plazo. (...) Por otro lado, pero en estrecha conexión con el anterior, tampoco fue observado el cuarto de los criterios enunciados; esto es el de que el Congreso, a la hora de autorizar la duración de la prórroga del estado de alarma, guardara prudentemente la potestad de mantener el control al Gobierno, sometiendo a la debida reconsideración periódica la aplicación de las medidas aprobadas y su eficacia. (...) La vacuidad de la determinación del plazo de prórroga, fijado por completo al margen de si las medidas autorizadas se llegarían a implantar y durante cuánto tiempo, unido a la atribución a instancias no parlamentarias de la potestad que solo al Congreso corresponde, de reconsiderar —a la vista de la segura evolución, en la dirección que fuere, de la situación de crisis— el mantenimiento, y en tal caso en qué términos, de las limitaciones extraordinarias que se hicieron pesar sobre el funcionamiento ordinario del estado de derecho, con particular afectación al ejercicio de los derechos fundamentales y libertades públicas de la ciudadanía, que fueron sometidos a limitaciones y restricciones, hace que tampoco podamos reconocer el cumplimiento del cuarto de los criterios que debería haber seguido el Congreso de los Diputados en el ejercicio constitucional del control al Gobierno de la gestión del estado de alarma prorrogado» (art. 116.2 CE).

Finalmente, la sentencia considera que «tampoco fue cumplido el tercero de los criterios anteriormente expresados, que habría requerido del Congreso que, en su labor de control de la solicitud de autorización cursada por el Gobierno, razonara sobre la debida correspondencia entre el período de duración de la prórroga a autorizar y las medidas a aplicar en su transcurso»:

«Pues bien, de una parte, la prolongación por seis meses del estado de alarma fue acordada sin certeza alguna sobre la efectiva implantación y mantenimiento de unas u otras de las medidas autorizadas. Ni el acuerdo del Congreso autorizando la prórroga del estado de alarma, ni tampoco el posterior Real Decreto 956/2020, que dio ejecución a la misma, establecieron la directa aplicación de las medidas a que se referían los arts. 5 a 8 del Real Decreto 926/2020, que apreció la grave alteración de la normalidad producida por la pandemia del SARS-CoV-2 y declaró el inicial estado de alarma. No hubo, pues, esa valoración de la correspondencia entre el período de duración de la prórroga autorizado y unas medidas, que, aunque enunciadas en los arts. 5 a 8 del precitado Real Decreto 926/2020, no iban a ser directa e inmediatamente aplicables, todas o algunas de ellas, durante qué tiempo y en qué partes del territorio nacional por la autoridad competente (el Gobierno). Tal aplicación quedó en manos de las autoridades competentes delegadas y de la coordinación del Consejo Interterritorial del Sistema Nacional de Salud, en los términos del art. 13 del Real Decreto 926/2020, vigente, también, durante el período de prórroga. De otro lado, el Congreso de los Diputados puso por entero en otras manos la decisión, tanto de las medidas a implantar, como de las que, en su caso, fueran modificadas, mantenidas, suspendidas u objeto de regresión. Habilitación indeterminada que dejó en lo incierto la entidad y duración, de hecho, del estado de alarma prorrogado. El control exigible al Congreso sobre la solicitud de autorización cursada por el Gobierno, ni se extendió a qué medidas eran aplicables, ni tampoco a la necesaria correspondencia que debiera haber existido entre el período de prórroga de seis meses autorizado y las medidas a aplicar durante el mismo».

5. CONCLUSIONES

Nos encontramos en una cierta encrucijada histórica del derecho de daños. Tenemos toda una doctrina más o menos decantada (extraordinariamente restrictiva, si se tienen en cuenta tanto los criterios del Tribunal de Justicia de la Unión Europea como los del Tribunal Supremo) sobre cuándo procede que los poderes públicos respondan por una situación más o menos generalizada que se entiende dañosa.

Sin embargo, la intensidad del doble reproche que ha realizado el Tribunal Constitucional en sus Sentencias 148/2021 y 183/2021 a los dos reales decretos declarativos del estado de alarma ha sido notable.

Aún no podemos calibrar las repercusiones sobre la responsabilidad tanto del Legislador (muy relevante aquí, toda vez que tales normas tienen rango de ley) como de la Administración. Si bien la primera de las sentencias citadas ha hecho claramente una interpretación restrictiva *pro futuro* de las posibilidades de revisar actos firmes (de hecho, cita la paradigmática STC 45/1989 a estos efectos), sin embargo no descarta —en nuestra opinión— que existan otros motivos de antijuridicidad que vayan más allá del reproche de inconstitucionalidad. Por otra parte, en estrecha conexión con lo anterior, se admite asimismo que —al igual que es posible que exista *otra* antijuridicidad como motivo de revisión de firmeza— pueden acreditarse *otros* daños a pesar de lo general del deber de soportar los perjuicios, y a estos efectos se deja expresamente en pie la responsabilidad del art. 3.2 LOEA que resulte como consecuencia de las medidas adoptadas durante la vigencia del estado de alarma.

El modelo actual de protección de datos: interés legítimo versus otras bases

ELENA GIL GONZÁLEZ
Doctora en Derecho, Directora Jurídica de Branddocs.
Premio de la Agencia Española de Protección de Datos
2015, 2019, y Premio de Innovación Tecnológica 2021

SUMARIO: 1. INTRODUCCIÓN. 2. EL CONSENTIMIENTO. 3. EL INTERÉS LEGÍTIMO. 4. LA NECESIDAD CONTRACTUAL. 5. NECESITAMOS UNA VISIÓN DE CONJUNTO DE LA PROTECCIÓN DE DATOS. 6. INFERENCIAS ESTADÍSTICAS COMO DATO PERSONAL. 7. CONCLUSIONES.

1. INTRODUCCIÓN

Ya en 2017, Bruce Schneider decía que «la vigilancia es el modelo de negocio de internet».[1] Un año más tarde, Shoshana Zuboff utilizaba el concepto de capitalismo de la vigilancia[2] en su libro homónimo. Zuboff detalla el modelo de datificación de la realidad y la mercantilización de esos datos. Según la autora, el capitalismo de la vigilancia preserva modelos de negocio que se basan en la recolección y el análisis de grandes cantidades de datos, la automatización de contratos, la personalización de servicios y el uso de la tecnología para realizar experimentos con usuarios y consumidores y sus impulsores. Estas actividades tienen un claro impacto en la privacidad.

Desde ese momento, hemos tenido avances legislativos, pero el mercado de los datos y la concentración en modelos oligopolísticos parece haberse agudizado.

Las principales características del contexto actual del modelo de negocio basado en la vigilancia se podrían sintetizar de la siguiente manera.

En primer lugar, este modelo de negocio se basa en la recopilación de datos, y se ha beneficiado de una supuesta complejidad impulsada por las numerosas y rápidas operaciones automatizadas que hacen que sea casi imposible que sean totalmente comprendidas por personas ajenas. El funcionamiento real de la industria del corretaje de datos es tan secreto que se podría llegar a pensar que se le ha concedido el estatus de secreto comercial.

En segundo lugar, los modelos de negocio de vigilancia se basan en el análisis de datos y metadatos. Los metadatos se pueden generar en grandes cantidades, casi en tiempo real y de forma relativamente estructurada, lo que favorece la agregación. Por ejemplo, los metadatos pueden ser generados por aplicaciones instaladas en un smartphone, sensores portátiles, etc.

---

[1]   SCHNEIDER, Bruce (2017): entrevista en Open Democracy. Disponible en: https://www.opendemocracy.net/en/digitaliberties/surveillance-is-business-model-of-internet/

[2]   ZUBOFF, Shoshana (2018): *The Age of Surveillance Capitalism. The Fight for a Human Future at the New Frontier of Power*, Londres, Profile Books.

En tercer lugar, este contexto se caracteriza actualmente por la concentración de los agentes del mercado. Por ejemplo, la industria de la inteligencia artificial está dominada por unos pocos agentes importantes, incluyendo los habituales: Meta —anteriormente llamado Facebook—, Amazon, IBM, Siemens, Google, Apple o Microsoft. Estas empresas refuerzan su ya significativo poder de mercado mediante la fusión y adquisición de competidores más pequeños, lo que ya ha suscitado preocupación entre las autoridades de protección de datos. Esto es aún más apremiante desde que el acceso a internet se ha convertido una necesidad en la sociedad actual que los ciudadanos consideran incluso como un derecho humano fundamental.

En cuarto lugar, muchos de los proveedores y servicios que crean y recogen la mayor parte de los datos son hoy en día proveedores conocidos como «*over the top*» (OTT), que, gozan de condiciones privilegiadas frente a proveedores tradicionales en aquellos aspectos en los que se les aplica la Directiva e-Privacy —norma que regula las comunicaciones electrónicas y que se aplica como norma especial sobre el Reglamento General de Protección de Datos (RGPD)—. Esto es debido a que la falta de actualización de esta norma ha provocado vacíos legales. Así, un operador tradicional, por ejemplo, de telefonía, como Telefónica, tendrá mayores limitaciones que un proveedor OTT, como WhatsApp, que también permite realizar llamadas telefónicas a través de internet, en lugar de redes tradicionales. Estos últimos gozan de mayor libertad para la recolección y tratamiento de metadatos de comunicaciones electrónicas.

Estos datos se utilizaban principalmente para servicios relacionados con la publicidad, una industria relativamente inocua. Sin embargo, esto era solo la punta del iceberg, y ahora se están desarrollando servicios mucho más intrusivos, como el reconocimiento facial, sustentados con datos que sirven para entrenar algoritmos. Se trata de usos secundarios de los datos que no fueron previstos, comprendidos o acordados por los usuarios cuando se recogieron los datos. Algunos de estos usos pueden incluso haber sido establecidos en políticas de privacidad que no han sido leídas y haber sido consentidos por los usuarios sin darse cuenta.

Esta normativa basa diversos tratamientos en el consentimiento de los usuarios. Con el futuro Reglamento ePrivacy en proceso legislativo, uno de los grandes debates está precisamente en torno a la posibilidad de permitir prácticas como basar en interés legítimo el tratamiento de metadatos. En ambos casos, hay que acudir a la normativa de protección de datos para encontrar una definición legal de consentimiento e interés legítimo.

2. EL CONSENTIMIENTO

Se han escrito ríos de tinta sobre el consentimiento como base de licitud en la normativa de protección de datos. Paradójicamente, se ha escrito casi tanto sobre sus problemas y limitaciones, como sobre la persistente defensa de esta figura. Para cada limitación, diversas propuestas de soluciones. Sin embargo, los problemas más profundos del consentimiento persisten, a pesar de las mejoras legislativas.

Comencemos por el principio. La principal garantía que otorga el cuerpo normativo de protección de datos a las personas es la defensa de su capacidad de decisión sobre el destino de los datos personales. Tradicionalmente, esto se ha equiparado con la posibilidad de manifestar el consentimiento.

El consentimiento aporta grandes garantías, principalmente en entornos comprensibles, donde la persona tiene capacidad y tiempo para conocer qué tipo de datos se tratarán, cómo y para qué. Esta propensión cristalizó en el hecho de que el consentimiento se convirtió en el instrumento jurídico por excelencia, y no se prestó el mismo grado de atención a otras bases, como el interés legítimo.

Sin embargo, desde los inicios de los entornos en línea comenzó a mostrar limitaciones. Por ejemplo, el número de peticiones de consentimiento ha ido en aumento, las formas en las que los datos son tratados son cada vez más complejas y difíciles de comprender, y algunas prácticas de recogida y tratamiento de datos se caracterizaban por la falta de transparencia, el uso de técnicas de confusión o la sobreutilización del consentimiento implícito.

De este modo, el Reglamento Europeo de Protección de Datos (RGPD) y su interpretación supusieron un cambio profundo. Se vistió al consentimiento de garantías adicionales, como el uso del consentimiento explícito, una mayor transparencia o la exigencia de granularidad en las solicitudes. Asimismo, en un esfuerzo por reforzarlo, el consentimiento fue modificado para introducir una inversión en la carga de la prueba, de modo que el responsable se encuentra obligado a demostrar que obtuvo el consentimiento. Con ello, se pretendía mejorar la posición del interesado.

Sin embargo, estos cambios no han sido capaces de transformarse en una mayor protección para el «interesado medio razonable».

El consentimiento como base de licitud (art. 6.1.a) RGPD) sigue situando la responsabilidad sobre el interesado, que se ve compelido a manifestar que ha leído la información, la ha comprendido, es capaz de imaginarse las consecuencias futuras y esto le permite tomar una decisión racional que manifiesta de forma libre sobre tratamientos que son inherentemente complejos e impredecibles. Con el crecimiento de las interacciones en el ecosistema digital, esto sucede numerosas veces al día, muchas de ellas durante el transcurso de actividades que no guardan relación con el proceso mental de decidir sobre el futuro de los datos personales. Por ejemplo, al querer leer una noticia o comprar entradas para un evento.

Como culmen, al realizar su manifestación, el interesado aporta un medio de prueba al responsable de que este cumple con los requisitos formales que reflejan la voluntad de la persona. Es decir, sin aumentar las garantías para la persona, se crea una situación en la que puede existir un consentimiento formalmente válido, pero inválido para cumplir con el objetivo de protección del sujeto.

Todo esto se acucia por el hecho de que el interesado medio apenas lee las condiciones que se le muestran, y el uso de tecnologías de datos masivos o de creación de algoritmos evolucionan de formas que un interesado medio razonable no es capaz de comprender.

Nuestras interacciones tanto en entornos online, como cuando navegamos por internet, pero también offline, como cuando utilizamos dispositivos conectados generan datos muy valiosos en el mercado. Para monetizarlos, se piden consentimientos de forma constante. Por último, cada vez es más frecuente acceder a servicios en línea sin contraprestación económica, a cambio de la aceptación del tratamiento de datos personales.

En esta situación, el consentimiento deja de ser una garantía ilusoria, que ya no funciona en favor de la voluntad de la persona, sino que se convierte en un instrumento jurídico que funciona en favor del responsable del tratamiento, que puede llevar a cabo prácticas en ocasiones de moralidad muy dudosa que la persona no autorizaría si las comprendiera.

3. EL INTERÉS LEGÍTIMO

En este contexto, el interés legítimo como base de licitud (art. 6.1.f) RGPD) puede solventar algunas de estos límites. No es un concepto nuevo, sino que ya existía en la normativa anterior —Directiva de protección de datos de 1995—. A pesar de ello, se trata de uno de los conceptos más confusos de la norma, apreciado, odiado e incomprendido a partes iguales.

En términos simplificados, se trata de una base que se aplica en tres pasos. En primer lugar, una organización debe alegar la existencia de un beneficio o utilidad real y presente, para sí misma, un tercero o un beneficio social más amplio, que respete el ordenamiento jurídico. Es decir, debe existir un interés legítimo. Es decir, se trata de un concepto bastante amplio. En segundo lugar, el tratamiento debe ser «necesario» para la finalidad que la organización informa que desea conseguir. Se trata también de un concepto con matices en el que no entraremos aquí. Además, recordemos que la norma obliga a informar de cuáles son estos intereses y finalidades.

En tercer lugar, y este es el quid de la cuestión, la norma exige que dicho interés legítimo y necesario sea ponderado con los intereses y derechos de los clientes. La ponderación de intereses es clave en la aplicación del interés legítimo y es lo que otorga distintividad a esta base de licitud. En caso de que en dicha balanza pesen más los derechos de los clientes, la organización debe implementar medidas de protección y mitigación de riesgos hasta superar esa ponderación, o abstenerse de llevar a cabo el tratamiento. Esto obliga a la organización a tomar en consideración un amplio abanico de intereses y derechos de todas las partes involucradas en el tratamiento de datos, que ya no quedan en manos de la sola comprensión de la persona. Es decir, vuelve a poner el foco de responsabilidad en la organización, en lugar de en la persona.

Por último, el usuario tiene la capacidad de oponerse a dicho tratamiento.

Así, por ejemplo, una entidad bancaria podrá ostentar un interés en ser capaz de perfilar con detalle a sus clientes, para mejorar sus sistemas de prevención del fraude y para entrenar sistemas algorítmicos que predigan factores de solvencia.

En realidad, existe un debate sobre la posibilidad de considerar que los intereses puramente comerciales o económicos de una empresa puedan servir de interés legítimo. En mi opinión, siempre que se respeten las garantías de la normativa, no hay motivo para considerar que el beneficio económico no es legítimo.

El interés legítimo impone la carga de probar la licitud en el responsable. Es este quien debe acreditar que se cumplen las condiciones para la licitud del tratamiento, entendida en un sentido más amplio, que incluye probar que los intereses, derechos y libertades de las personas no han prevalecido en el juicio de ponderación. Por ello, el interés legítimo tiene potencial para restablecer el equilibro entre aquellos que desean hacer uso de datos personales y aquellos cuyos datos son tratados.

Mientras el consentimiento despliega su influencia como garantía en el momento de la recogida de los datos. Es en ese momento cuando debe informarse y obtenerse la conformidad del interesado. Tras ese momento, la figura del consentimiento despliega su alcance cuando el interesado decide retirarlo.

El interés legítimo, por otro lado, se basa en un modelo global de gestión, que extiende su ámbito de influencia de modo más completo a todo el ciclo de vida del dato. Por ejemplo, al igual que en el consentimiento, el responsable debe informar al inicio del tratamiento. Pero además, bajo el interés legítimo, el responsable debe gestionar las circunstancias del tratamiento en relación con un interesado medio razonable, con un alcance amplio, es decir, tomando en cuenta todos los factores relevantes que puedan afectar en el balance de intereses, así como las salvaguardas y consecuencias.

Sin embargo, no debemos obviar que el interés legítimo también cuenta con limitaciones.

Por ejemplo, el hecho de que el responsable actúa de juez y parte, en el sentido en que él mismo efectúa el ejercicio de ponderación puede introducir subjetividad. Además, no existe obligación de informar acerca del contenido de dicha ponderación, aunque sí podrá ser objeto de investigación por parte de la autoridad en cualquier momento.

Asimismo, ciertos derechos, como aquél de no ser objeto de decisiones automatizadas, contienen salvedades en función de la base de licitud, que se aplican cuando esta es el consentimiento, pero no el interés legítimo. Esto, unido a la falta de transparencia sobre determinados aspectos del tratamiento —por ejemplo, la mera consideración de si una decisión es totalmente automatizada o no—, puede crear una secuencia de lagunas normativas que reducen la protección de la persona.

Estas lagunas vienen dadas principalmente por asimetrías de información. Todo ello crea un entorno de vacíos normativos que se puede bautizar como «efecto Gruyere», conformado por huecos en la norma que, si bien por sí solos pueden tener un impacto limitado, en conjunto provocan consecuencias significativas que quedan fuera del alcance de conocimiento y control del interesado.

Además, la falta de monitorización exhaustiva a las prácticas de las organizaciones puede conllevar una utilización invasiva del interés legítimo. Así por ejemplo, la Banca ha sido el centro de las grandes sanciones en nuestro país en materia de protección de datos, precisamente por sus prácticas de aplicación del interés legítimo.

4. LA NECESIDAD CONTRACTUAL

Este «juego de bases de legitimación» se torna incluso más interesante con la entrada de la necesidad contractual (art. 6.1.b) RGPD).

Como se mencionaba al inicio de este texto, aunque en ocasiones la prestación servicios en línea se realiza a cambio de un pago monetario, en muchas otras ocasiones los servicios son prestados a cambio de mostrar publicidad a los usuarios.

Por ejemplo, en la medida en que el funcionamiento del sector publicitario se basa en la mayor tasa de «clicks» que un usuario hace sobre los anuncios que se le muestran, la personalización de la publicidad incrementa los márgenes de beneficios de proveedor. Como consecuencia, la recopilación de datos, el seguimiento del comportamiento de los usuarios en línea y creación de perfiles cada vez más detallados buscan conocer los gustos de cada usuario para personalizar la publicidad y los servicios de manera que el negocio de la monetización de los datos sea más lucrativo.

En otras palabras, en la actualidad, nuestros datos personales han sido objeto de mercantilización. En la Unión Europea, esto es una realidad que choca con el hecho de que la protección de datos goza de tal importancia que está declarado un derecho fundamental.

En todo caso, el intercambio de servicios por datos personales no debe significar que los interesados se desprendan de sus derechos.

Tradicionalmente, se ha considerado que este modelo de acceso a ciertos servicios a cambio del tratamiento de datos personales se basaba en el consentimiento de la persona. Esta concepción traía problemas derivados de la validez de dicho consentimiento basado en opciones «*take it or leave it*» (literalmente traducido como «o lo tomas o lo dejas»).

En realidad, siendo rigurosos, esto pareciera más una contraprestación contractual que un consentimiento. Es decir, en estos casos, la base de licitud del tratamiento debería ser el art. 6.1.b) RGPD.

Todo este debate se aviva aún más, por el hecho de que el pasado 1 de enero de 2022 entró en aplicación la modificación de la Ley General para la Defensa de los Consumidores y Usuarios. Esta norma viene a trasponer al Ordenamiento Jurídico Español, entre otras, la Directiva 2019/770 sobre contratos de suministro de contenidos y servicios digitales. Con esta Directiva, por primera vez en la UE se regula expresamente la posibilidad de pagar con datos personales determinados servicios digitales.

Por un lado, esto supone un paso adelante en la concienciación de los usuarios, por el hecho de que favorece dejar de considerar que el acceso a servicios a través de internet es «gratuito».

A salvo de opiniones sobre lo positivo y negativo de transar con datos personales, objeto de un derecho tan importante que ha sido elevado a «fundamental», lo cierto es que esta norma pone negro sobre blanco una realidad: en la actualidad sí se ofrecen servicios sin contraprestación en moneda, sino en datos.

Además, esto supone que la base de licitud para el tratamiento de dichos datos no será un consentimiento, que puede ser entendido de forma más amplia, sino un contrato.

Son muchas las dudas prácticas que esta norma despierta, en concreto porque debe aplicarse en coherencia con el RGPD, y en concreto, qué papel juegan las bases de licitud del RGPD como el consentimiento, la necesidad para la ejecución contractual o el interés legítimo.

Por ejemplo, aplicando los requisitos del RGPD, el art. 6.1.b) exige que tratamiento de datos debe ser «necesario» para la ejecución del contrato. Esto reduciría considerablemente la cantidad de datos que el proveedor pueda tratar, de forma más estricta que mediante la aplicación del consentimiento, y posiblemente que el interés legítimo.

Además de todo ello, cabría preguntarse, realmente ¿cuál es el precio de dicho servicio?

Esta situación pretende asemejarse a aquella por la que se intercambia una cosa a cambio de un precio, lo que es la base del contrato de compraventa regulado en la mayoría de los Códigos Civiles de Estados europeos.

En Derecho Civil, el contrato se perfecciona por el consentimiento de ambas partes una vez que estas han convenido cuál es el objeto del contrato y cuál es el precio. Tomando como ejemplo el Código Civil español, dicho precio debe ser determinado de antemano y no quedar al arbitrio de uno de los contratantes.

En muchas ocasiones, no obstante, el precio, en términos de prestar el consentimiento o aceptar un contrato para la recogida y tratamiento de datos personales a cambio del disfrute de un servicio, no queda especificado ni puede ser objeto de negociación por el interesado.

Por ejemplo, cuando el interesado acepta —mediante consentimiento o contrato— el almacenamiento de cookies y otros rastreadores similares, o da acceso a la información almacenada o emitida por el dispositivo, el interesado no conoce qué datos está aportando en el intercambio. Asimismo, en muchas ocasiones, tampoco tiene capacidad para decidir quién podrá acceder a sus datos, más allá de la existencia de cierta granularidad en las opciones de rastreado. Incluso cuando existe la opción, seleccionar uno a uno entre las decenas o cientos de nombres terceros que muestra un aviso no otorga al usuario una capacidad real de control, en la medida en que el funcionamiento del mercado de datos y los agentes específicos no es transparente ni conocido por el interesado medio razonable.

Por otro lado, en ocasiones la información se presenta en términos de aceptar o rechazar la recepción de publicidad u otras funcionalidades de manera personalizada. Sin embargo, la negativa a ello ¿es una negativa a que se recojan los datos o una negativa a que sean utilizados para funcionalidades de personalización? De este modo, incluso una concepción económica de los datos como precio por un producto o servicio no cumpliría algunos de los requisitos que la norma exige en la determinación del precio.

La interacción entre diferentes servicios y la base de licitud más adecuada en cada caso será una de las cuestiones a resolver en los próximos años. Además de ello, la relación entre las normas de protección de datos, de defensa de los consumidores o de defensa de la competencia, también perfilarán la realidad de la prestación de servicios en entornos digitales.

5. NECESITAMOS UNA VISIÓN DE CONJUNTO DE LA PROTECCIÓN DE DATOS

En el modelo de recolección y tratamiento de datos personales existen grandes asimetrías de información y desequilibrios de poder entre los diferentes agentes que forman parte del ciclo de vida de los datos.

Estas asimetrías surgen como consecuencia de aquellos procesos técnicos que son cada vez más complejos de comprender, con resultados más impredecibles y que provocan dificultad para imaginar las consecuencias de su uso.

Dichas asimetrías causan deficiencias en el ejercicio de la capacidad de control de los interesados tal y como se ha entendido tradicionalmente. Esto es, el control de la persona, entendido como la potestad de llevar a cabo un proceso lógico de elección previa, que se sustenta sobre la base de que ha comprendido qué opciones se le presentan y sus implicaciones, y por ende, ligado a la manifestación de su consentimiento.

Estas asimetrías parecen sistémicas, en el sentido de que se manifiestan más allá de la elección de una base de licitud determinada. A pesar de ello, la elección de una base u otra puede acentuar o suavizar estos desequilibrios y a ello hemos dedicado el esfuerzo central de este estudio.

Pues bien, uno de los motivos que explican la creación y cristalización de las asimetrías a las que ya hemos hecho referencia es el hecho de que el derecho a la protección de datos es visto desde una perspectiva individualista.

En realidad, este derecho tiene una clara vocación de individualidad. La propia concepción del derecho a la protección de datos personales encuentra sus raíces en una visión individual de la persona. Así pueden entenderse los inicios de este derecho en las construcciones doctrinales del derecho a ser dejado en paz («*right to be let alone*»)[3] o el derecho a la privacidad, nacido como un límite a las injerencias sobre la vida privada[4] o incluso el derecho a la autodeterminación informativa. La evolución de estos conceptos hacia la definición actual del derecho a la protección de datos personales se fundamenta, asimismo, en el reconocimiento de la necesidad de proteger el poder de disposición de los datos referentes a cada persona. En nuestro Ordenamiento, esto se hizo patente en la importante sentencia del Tribunal Constitucional 290/2000 de 30 de noviembre, por la que se reconocía la existencia del derecho a la protección de datos como ente autónomo. En dicha sentencia, el derecho a la protección de datos queda ligado intrínsecamente a la persona, a su capacidad de control y al ejercicio de la voluntad individual, y así lo ha entendido la doctrina[5].

Es importante garantizar la participación del interesado en la toma de decisiones sobre los usos y finalidades del tratamiento. Sin embargo, quizás ha llegado el momento de poder determinar que, en entornos complejos, impredecibles y de múltiples actores, esa garantía no se convierta en una carga. El sistema de gobernanza de los datos, así como el modo de aplicarlo debe evolucionar en la misma medida en que lo hace el desarrollo tecnológico.

---

[3] WARREN Samuel D.; D. BRANDEIS, Louis (1890): «Right to privacy», en *Harvard Law Review*, Vol. 4, No. 5, pág. 193.

[4] PIÑAR MAÑAS, José Luís; CANALES GIL, Álvaro (2011): *Legislación de protección de datos*, 2ª ed., Madrid, Iustel, págs. 26-27.

[5] PIÑAR MAÑAS, José Luís (2016): «El objeto del Reglamento», en José Luís Piñar Mañas (dir.), Reglamento General de Protección de Datos: Hacia un nuevo modelo europeo de privacidad, Madrid, Reus; MARTÍNEZ MARTÍNEZ, Ricard (2004): *Una aproximación crítica a la autodeterminación informativa*, Madrid, Civitas.

Cierto es que el desarrollo conceptual de los derechos individuales, entre los que se encuentran los derechos de privacidad y protección de datos personales sí toman en consideración en cierta medida la perspectiva social y la importancia que garantizar estos derechos tiene en el bien general. No obstante, el objeto de protección es eminentemente individual.

Por otro lado, ha quedado ampliamente argumentado que en la era de las tecnologías big data, aprendizaje automatizado, y la economía basada en datos, el centro focal de la normativa debe ser el responsable y un sistema de obligaciones dirigido a este. Este cambio debe relevar la visión clásica de protección de datos centrada en la persona y sus derechos. Si bien los derechos nunca deben ser desechados, su papel como la base esencial de la protección debe ser actualizado. Es de este modo como podemos conseguir que la protección sea real, efectiva y trascendente, no solo para un interesado concreto, sino para la sociedad en su conjunto.

Por último, cada vez con mayor asiduidad el interesado medio se expone a situaciones en las que no es consciente del tipo de tratamiento de datos que se llevan a cabo ni manifiesta su voluntad de ningún otro modo. Esto se refiere no únicamente a los datos sobre la persona en concreto, sino también y especialmente, al conjunto total de datos. Esto es, la visión global del tratamiento.

Pues bien, pongamos en relación todos estos factores.

Hemos argumentado la necesidad de un cambio de percepción en relación con la base de licitud del tratamiento, descargando el uso del consentimiento como regla por defecto para acudir en principalmente al uso de un reforzado interés legítimo.

Prestar un consentimiento, y comenzar una relación contractual son actos básicamente individualistas, pues la persona acepta o deniega atendiendo a factores individualistas tales como ¿estoy dispuesto a acceder a permitir que un agente adquiera mayor conocimiento sobre mi a cambio de obtener, por ejemplo, un contenido más acorde con mis gustos? La persona considera sus intereses particulares. En pocas ocasiones el proceso de permitir la recolección de datos discurre de modo que el interesado se pregunte por los efectos, no sobre él, sino como parte de un conjunto masivo. Uno de los motivos puede verse en la falta de conocimiento de los individuos sobre las consecuencias del tratamiento a nivel agregado. Sin embargo, es precisamente el efecto colectivo a gran escala el más pernicioso en el tiempo.

Pensemos ahora en aquellas ocasiones en las que la legitimación del tratamiento no se hace depender del asentimiento del individuo, sino que se acude a la existencia de un interés que trasciende la valoración personal de aquel cuyos datos son tratados. Así podría suceder cuando se acude al interés legítimo del art. 6.1.f) —o incluso a la existencia de un interés público del art. 6.1.e) RGPD—. En dichos casos, puede hacerse incluso más acuciante la necesidad de que el responsable de los datos comprenda el contexto y las consecuencias globales del tratamiento, así como facilitar a los interesados la comprensión. En efecto, el debido ejercicio de ponderación previo a la aplicación del interés legítimo como base del tratamiento debe observar factores, no solo individualistas, sino colectivos. Así, por ejemplo, el responsable debe atender al factor de la cantidad de datos recolectados o el impacto del tratamiento en sentido amplio, factores que, por otro lado, nadie tiene capacidad de conocer mejor que el propio responsable.

6. INFERENCIAS ESTADÍSTICAS COMO DATO PERSONAL

Hasta ahora, hemos hecho referencia únicamente de manera implícita a dos consecuencias, que conviene destacar de manera explícita.

En primer lugar, es muy complejo comprender qué efecto tiene sobre la propia persona el tratamiento de datos personales que se refieren a terceros. En segundo lugar, sucede también que es muy complejo comprender cómo afecta el tratamiento de datos de otras personas sobre uno mismo.

Sin duda, existen implicaciones cruzadas en la medida en que el tratamiento de datos de una persona permite elaborar modelos predictivos e inferencias estadísticas que aportan información sobre otras personas. Es lo que Baroccas y Nissebaum bautizaron como la «tiranía de la minoría»[6]. En

---

[6] BAROCCAS, Solon; NISSEBAUM, Helen (2014): «Big data's End Run Around Anonymity And Consent», en *Privacy, big data and the public good. Frameworks for engagement*, Cambridge University Press, pág. 44-75.

términos sencillos este concepto hace referencia a la capacidad de un responsable de poder inferir datos de una gran cantidad de individuos que no hayan pretendido revelarlos, todo ello a partir de los datos revelados de manera voluntaria por un grupo minoritario de personas. De este modo, mantener en un ámbito íntimo determinada información ya no depende únicamente de uno mismo, sino de las acciones del grupo con el que compartamos otros atributos que sí hemos dado a conocer.

Este problema se agrava por el hecho de que la inferencia de datos es una técnica deductiva que aporta un resultado basado meramente en la probabilidad, pero no en la certeza. Recordemos que una inferencia, en el contexto que aquí se discute, es la generalización de que un factor ocurrirá siempre sobre la constatación de que este ha ocurrido en los casos observados con anterioridad.

Eso es posible gracias a técnicas tales como la minería de texto realizada sobre los comentarios en redes sociales, así como el análisis de los contactos de cada persona, su predisposición a reaccionar ante el contenido que se le presenta, o las búsquedas que realizan en internet, etc. Así, por ejemplo, el análisis de los datos asociados a una persona permite clasificar a dicho individuo conforme a diferentes parámetros de personalidad, tales como la propensión a la ansiedad, comportamientos obsesivos, tendencias depresivas, la extraversión, la curiosidad intelectual o la preferencia por la exposición a nuevas experiencias[7].

Sin embargo, es crucial no olvidar que una inferencia siempre implica la existencia de un margen de error, y que por tanto solo se manifiesta en términos de probabilidad, nunca de certeza. Es decir, el responsable que actúe sobre la base de un modelo de inferencia de datos trata como dato personal y cierto información de la que no tiene evidencia segura. Sin embargo, los datos inferidos sobre una persona se tratan como ciertos y son base para la toma de decisiones que afectan al individuo y, en un sentido más amplio, al grupo social.

---

[7]   MCCRAE, Robert; JOHN, Oliver P. (1992): «An introduction to the five-factor model and its applications», en *Journal of personality*, Vol. 60, No. 2, págs. 175-215.

A pesar de todo ello *no* existe un elenco de derechos efectivos con respecto a los datos inferidos, incluso en vista de la creciente importancia que estos toman en la elaboración de modelos, el enriquecimiento de bases de datos y la toma de decisiones. Especialmente preocupante es también el hecho de la mercantilización de información basada en la creación de inferencias y perfiles con un número amplísimo de terceros. El acceso a paquetes de datos por parte de terceros agentes se produce sin que estos tengan información sobre la fiabilidad de dichas inferencias ni espíritu crítico sobre la veracidad de los datos que sirvieron de base para elaborarlas. Mas aún, incluso en el caso de que un tercero mostrase interés por comprender el proceso de elaboración de un modelo concreto y la creación de inferencias, la posibilidad real de acceder a la información relevante o incluso de comprenderla con un nivel de detalle suficiente como para cuestionarla es mínima. En otras palabras, no existe una protección práctica fuerte frente a una de las prácticas más extendidas y base del modelo económico digital: la creación intensiva de inferencias y sobre la base de datos masivos.

En resumen: las decisiones de una persona sobre sus datos personales tienen una gran influencia en el resto de personas con las que se le puede agrupar.

Es, de hecho, la combinación de técnicas de recopilación, agregación y análisis de datos junto con técnicas para dirigir la motivación de grandes grupos de personas lo que entraña potenciales problemas de falta de libertad a gran escala y a largo plazo.

La sociedad actual necesita un enfoque colectivo de los datos personales y su protección. Protección que, por su parte, merece mantener la categoría de derecho fundamental, esto es, no entendido únicamente como un derecho ligado a la mercantilización de los datos. En otras palabras, se hace necesario reconceptualizar el derecho a la protección de datos personales para incorporar un derecho a la protección de datos colectivos o una perspectiva colectiva del derecho a la protección de datos. Esto permitiría la definición de una nueva oleada de derechos relacionados con la prevención de la manipulación[8].

---

8   En un contexto diferente, en concreto, en relación con los posibles riesgos sobre la protección de datos que puede provocar el tratamiento de datos personales durante la

En relación con esta visión, por ejemplo, ya en 2012 Raab y Wright[9] introdujeron el concepto de evaluación de impacto de la vigilancia («*surveillance impact assessment*»), como respuesta a la crítica de que las evaluaciones de protección de datos se centran en una visión individual del derecho. De este modo, el término vigilancia puede evocar conceptos más amplios que incluyen, entre otros, el impacto del tratamiento de datos sobre grupos y categorías de grupos, así como la sociedad y el sistema político. Es decir, la propuesta de Raab y Wright gira en torno a la idea de introducir en el análisis bienes jurídicos colectivos como el impacto social, político, ético o incluso psicológico.

7. CONCLUSIONES

Las páginas anteriores nos han dejado varias premisas: en primer lugar, el consentimiento como base de licitud presenta limitaciones de muy compleja solución en entornos de tecnologías impredecibles y difíciles de comprender por los interesados. En cambio, el interés legítimo es una alternativa con potencial para subsanar algunas de estas limitaciones, aunque sin obviar que también tiene aristas y deja cuestiones abiertas. Por último, la necesidad de ejecución contractual puede comenzar a tener un rol más importante en la prestación de algunos servicios digitales a la luz de la normativa más reciente.

A continuación, hemos analizado un contexto más amplio que aquél únicamente formado por las bases de licitud del RGPD, pero ligado con ello. El derecho a la protección de datos es naturalmente individualista, y sin embargo, los mayores riesgos de las tecnologías big data surgen del análisis

---

pandemia de COVID-19, Ricard Martínez ha defendido la necesidad de interpretar los derechos fundamentales teniendo en cuanto «el sentido de comunidad». MARTÍNEZ MARTÍNEZ, Ricard (2020): Privacidad de los empleados. Prevención de riesgos y salud pública en la pandemia, Foro APEP.

[9]   RAAB, Charles D.; WRIGHT, David (2012): «Surveillance: Extending the Limits of Privacy Impact Assessment», en David Wright y Paul de Hert (eds.), *Privacy Impact Assessments*, Dordrecht, Springer; WRIGHT, David; RAAB, Charles D.: «Constructing a surveillance impact assessment», en *Computer Law & Security Review*, Vol. 28, No. 6, págs. 613-626.

combinado de información sobre personas que permitan extraer información agregada y actuar en masa. De este modo, el acercamiento hacia concepción colectiva de la protección de datos podría crear garantías donde que la visión personalista no llega.

Este debate es amplio, pero está reflejado en la forma en que operan las bases de licitud del tratamiento, a las que hemos dedicado nuestro estudio. Así, el consentimiento, tradicionalmente utilizado como base por defecto, tiene un carácter marcadamente individual. Cada uno de nosotros prestamos el consentimiento o iniciamos una relación contractual o no en función de una decisión que tomamos sobre nuestros propios intereses, casi siempre, sin tener en cuenta los beneficios o riesgos del tratamiento agregado de la información sobre otras personas. Sin embargo, el interés legítimo es una base de licitud apta para incluir en su análisis y ponderación factores como el impacto del tratamiento a nivel colectivo.

En definitiva, los próximos años serán claves para perfilar cómo han de aplicarse todas estas cuestiones en la práctica. El objetivo de la normativa debe ser permitir el desarrollo tecnológico y obtener los grandes beneficios que brinda la innovación al tiempo que se crea un entorno seguro y se minimizan las situaciones abusivas.

Desde luego, cuando se recogen, tratan y evalúan grandes volúmenes de datos personales acerca del comportamiento individual, su explotación puede dar lugar a importantes violaciones de los derechos y libertades fundamentales que van más allá del derecho a la privacidad o la protección de datos[10].

Bibliografía

BAROCCAS, Solon; NISSEBAUM, Helen (2014): «Big data's End Run Around Anonymity And Consent», en *Privacy, big data and the public good. Frameworks for engagement*, Cambridge University Press, pág. 44-75.

---

[10] EUROPEAN UNION AGENCY FOR FUNDAMENTAL RIGHTS (FRA), Manual de legislación europea en materia de protección de datos, 2018, pág. 399.

EUROPEAN UNION AGENCY FOR FUNDAMENTAL RIGHTS (FRA) (2018): *Manual de legislación europea en materia de protección de datos*, pág. 399.

MARTÍNEZ MARTÍNEZ, Ricard (2004): *Una aproximación crítica a la autodeterminación informativa*, Madrid, Civitas.

MARTÍNEZ MARTÍNEZ, Ricard (2020): Privacidad de los empleados. Prevención de riesgos y salud pública en la pandemia, Foro APEP.

MCCRAE, Robert; JOHN, Oliver P. (1992): «An introduction to the five-factor model and its applications», en *Journal of personality*, Vol. 60, No. 2, págs. 175-215.

PIÑAR MAÑAS, José Luís (2016): «El objeto del Reglamento», en José Luís Piñar Mañas (dir.), Reglamento General de Protección de Datos: Hacia un nuevo modelo europeo de privacidad, Madrid, Reus;

PIÑAR MAÑAS, José Luís; CANALES GIL, Álvaro (2011): *Legislación de protección de datos*, 2ª ed., Madrid, Iustel, págs. 26-27.

RAAB, Charles D.; WRIGHT, David (2012): «Surveillance: Extending the Limits of Privacy Impact Assessment», en David Wright y Paul de Hert (eds.), *Privacy Impact Assessments*, Dordrecht, Springer;

SCHNEIDER, Bruce (2017): entrevista en Open Democracy. Disponible en: https://www.opendemocracy.net/en/digitaliberties/surveillance-is-business-model-of-internet/

WARREN Samuel D.; D. BRANDEIS, Louis (1890): «Right to privacy», en *Harvard Law Review*, Vol. 4, No. 5, pág. 193.

WRIGHT, David; RAAB, Charles D.: «Constructing a surveillance impact assessment», en *Computer Law & Security Review*, Vol. 28, No. 6, págs. 613-626.

ZUBOFF, Shoshana (2018): *The Age of Surveillance Capitalism. The Fight for a Human Future at the New Frontier of Power*, Londres, Profile Books.

Directiva (UE) 2019/770 del Parlamento Europeo y del Consejo de 20 de mayo de 2019 relativa a determinados aspectos de los contratos de suministro de contenidos y servicios digitales

Ley Orgánica 3/2018, de 5 de diciembre, de Protección de Datos Personales y garantía de los derechos digitales.

Propuesta de Reglamento del Parlamento Europeo y del Consejo sobre el respeto de la vida privada y la protección de los datos personales en el sector de las comunicaciones electrónicas y por el que se deroga la Directiva 2002/58/CE (Reglamento sobre la privacidad y las comunicaciones electrónicas). COM/2017/010 final - 2017/03 (COD).

Reglamento (UE) 2016/679 del Parlamento Europeo y del Consejo, de 27 de abril de 2016, relativo a la protección de las personas físicas en lo que respecta al tratamiento de sus datos personales y a la libre circulación de estos datos y por el que se deroga la Directiva 95/46/CE (Reglamento general de protección de datos).

Real Decreto Legislativo 1/2007, de 16 de noviembre, por el que se aprueba el texto refundido de la Ley General para la Defensa de los Consumidores y Usuarios y otras leyes complementarias.

Directiva 2002/58/CE del Parlamento Europeo y del Consejo, de 12 de julio de 2002, relativa al tratamiento de los datos personales y a la protección de la intimidad en el sector de las comunicaciones electrónicas (Directiva sobre la privacidad y las comunicaciones electrónicas).

Sentencia del Tribunal Constitucional 290/2000 de 30 de noviembre.

La legitimación activa en la jurisdicción contencioso-administrativa: singularidades en el ámbito de la contratación pública

Rocío González Fernández
Carlota Bescós Puyuelo
Abogadas de Uría Menéndez Abogados, S.L.P.

SUMARIO: 1. INTRODUCCIÓN. 2. LA LEGITIMACIÓN EN EL ÁMBITO CONTENCIOSO-ADMINISTRATIVO. 3. LA LEGITIMACIÓN ACTIVA EN EL ÁMBITO DE LOS CONTRATOS PÚBLICOS. 4. CÓMO OPERA LA LEGITIMACIÓN EN VÍA ADMINISTRATIVA EN EL REMC. 5. SUPUESTOS PROBLEMÁTICOS PARA RECURRIR EN LO CONTENCIOSO LA ADJUDICACIÓN: LOS LICITADORES NO ADJUDICATARIOS, LOS EXCLUIDOS Y EL POTENCIAL CANDIDATO. 5.1 Los licitadores no adjudicatarios. 5.2 Los licitadores excluidos del procedimiento. 5.3 Los potenciales candidatos. 6. LA LEGITIMACIÓN PARA RECURRIR LOS ACTOS DICTADOS EN EJECUCIÓN DEL CONTRATO. 7. LA LEGITIMACIÓN INDIVIDUAL DE LOS INTEGRANTES DE UNA UTE. 8. CONCLUSIONES.

1. INTRODUCCIÓN

Los jueces y tribunales de lo contencioso-administrativo tienen expresamente atribuida la competencia para conocer de las cuestiones que se susciten en relación con los contratos administrativos, con los actos de preparación y adjudicación de los demás contratos sujetos a la normativa de contratación[1] y, asimismo, de las resoluciones dictadas por los órganos y tribunales administrativos competentes para la resolución de los recursos especiales en materia de contratación.

Es lógico pensar que en estos procedimientos judiciales se considerará como demandada a la Administración pública contra cuya actividad se dirija el recurso, es decir, aquella de la que emana el acto recurrido. Sin embargo, en los procedimientos contencioso-administrativos en los que se cuestionan resoluciones de los tribunales administrativos especiales esto no es así. Los órganos competentes para resolver los recursos especiales y las reclamaciones en materia de contratación pública[2] no tienen la consideración de parte demandada en ningún caso (*ex* artículo 21.3 de la LJCA), correspondiendo la legitimación pasiva a la Administración pública que dictó el acto objeto del recurso[3]. Esta no es sino una muestra de las singularidades del orden contencioso en materia de contratos públicos.

Teniendo en cuenta la pluralidad de partes que participan en los meritados procedimientos de contratación pública, así como la diversidad de intereses existentes, concluir a quién corresponde la legitimación activa para iniciar un procedimiento contencioso-administrativo en este ámbito es una cuestión que presenta también ciertas particularidades.

---

[1] Artículo 2.b) de Ley 29/1998, de 13 de julio, reguladora de la jurisdicción contencioso-administrativa (la «**LJCA**»).

[2] De acuerdo con el artículo 19.4, tanto las Administraciones públicas como los particulares pueden interponer recursos contencioso-administrativos «*contra las decisiones adoptadas por órganos administrativos a los que corresponde resolver los recursos especiales y las reclamaciones en materia de contratación a que se refiere la legislación de Contratos del Sector Público sin necesidad, en el primer caso, de declaración de lesividad*».

[3] Adicionalmente, también se considerarán codemandadas a las personas o entidades cuyos derechos o intereses legítimos pudieran verse afectados por la estimación de las pretensiones de la demandante (*ex* artículo 21.1.b de la LJCA), habiendo desaparecido en la jurisdicción contencioso-administrativa la figura del coadyuvante.

En términos generales, la legitimación para interponer el recurso contencioso-administrativo está condicionada por la legitimación para iniciar recursos en vía administrativa. Las particularidades del régimen propio de los contratos públicos plantean, en ocasiones, supuestos que dan lugar a una casuística que no ha sido abordada de manera integral y contundente por la jurisprudencia.

2. LA LEGITIMACIÓN EN EL ÁMBITO CONTENCIOSO-ADMINISTRATIVO

El artículo 19.1.a) de la LJCA prevé que están legitimados para interponer recurso contencioso-administrativo, con carácter general, quienes ostenten un derecho subjetivo o interés legítimo. La legitimación descansa, por tanto, en la titularidad de ambos conceptos, que en la jurisprudencia consolidada más reciente han terminado por reconducirse a uno único[4].

La jurisprudencia de la Sala de lo Contencioso-Administrativo del Tribunal Supremo ha venido entendiendo el interés legítimo como la utilidad que conseguiría el actor si prosperase su pretensión, bien por obtener un beneficio, o bien por dejar de sufrir un perjuicio —que deben ser efectivos—, tanto de carácter material como jurídico, derivado inmediatamente del acto o disposición recurrido[5]. O, dicho de otra manera, el interés legítimo implica una relación material unívoca entre el sujeto y el objeto de la pretensión, en tanto que la anulación de la actuación recurrida conllevará una ventaja, actual o futura —es decir, no meramente potencial—[6]. Ello es lo que se conoce tradicionalmente como legitimación *ad causam* en términos amplios.

Además, la Sala Tercera del Tribunal Supremo ha reconocido que, con base en el artículo 24.1 de la Constitución, debe aplicarse un concepto amplio de la legitimación procesal descrita en el artículo 19.1.a) de la LJCA,

---

[4]   Sentencia del Tribunal Supremo («**STS**»), (Rec. 313/1996), de 27 de marzo de 1998 (FJ tercero) *(Tol 1718471)*.

[5]   STS (Rec. 5693/2000), de 11 de octubre de 2004 (FJ tercero) *(Tol 507269)*.

[6]   STS (Rec. 2406/2013), de 12 de marzo de 2015 (FJ duodécimo) *(Tol 4799330)*.

superando así la configuración de la legitimación en la anterior ley de la jurisdicción contencioso–administrativa de 1956[7].

A pesar de que es pacífico que, con carácter general, la legitimación procesal debe interpretarse generosamente, el simple interés por la legalidad no constituye el sustrato jurídico de la legitimación en esta materia, salvo que de la ilegalidad denunciada se aprecie correlativamente un perjuicio subjetivo. Ello es así excepto en aquellos casos en los que rige el principio de acción pública por expresa previsión legal (es decir, donde cualquier persona física o jurídica está legitimada para iniciar un procedimiento judicial).

3. LA LEGITIMACIÓN ACTIVA EN EL ÁMBITO DE LOS CONTRATOS PÚBLICOS

La Ley 9/2017, de 8 de noviembre, de Contratos del Sector Público (la «**LCSP**») contempla la legitimación para interponer recurso especial en materia de contratación («**REMC**») en términos amplios. Esta configuración de la legitimación para iniciar el mencionado REMC prevista en la LCSP de 2017 supone una extensión considerable en comparación con la normativa previa en materia de contratación pública.

La anterior previsión es acorde con el derecho de la Unión Europea, toda vez que las Directivas básicas[8] en materia de contratación pública disponen que determinados procedimientos de recurso sean accesibles, como mínimo, a cualquier persona que tenga o haya tenido interés en obtener un determinado contrato y que se haya visto o pueda verse perjudicada por una presunta infracción del derecho comunitario en el ámbito de la contratación pública o de las normas nacionales de aplicación.

---

[7]   STS (Rec. 1554/2000), de 12 de febrero de 2002 (FJ segundo) *(Tol 1717672).*

[8]   Directiva 2014/24/UE del Parlamento Europeo y del Consejo, de 26 de febrero de 2014, sobre contratación pública y por la que se deroga la Directiva 2004/18/CE y Directiva 89/665/CEE del Consejo de las Comunidades Europeas, de 21 de diciembre de 1989, relativa a la coordinación de las disposiciones legales, reglamentarias y administrativas referentes a la aplicación de los procedimientos de recurso en materia de adjudicación de los contratos públicos de suministros y de obra.

En el ámbito específico de la contratación no se contempla la acción pública[9], pues se trata, en palabras del Tribunal Supremo, de una excepción en el ordenamiento jurídico que solamente existe en aquellos supuestos en que el legislador expresamente así lo ha previsto, y ese no es el caso de los contratos del sector público. La mera defensa de la legalidad, por tanto, no basta para tener por interesado a quien lo pretenda y, mucho menos, para conferir legitimación en el proceso contencioso-administrativo.

Así, los jueces y tribunales de la jurisdicción contencioso-administrativa han rechazado, por ejemplo, acciones presentadas por terceros ajenos al contrato o a su procedimiento de licitación. En la misma línea, se ha negado la posibilidad de recurrir incluso a empresas licitadoras entendiendo que no podrían resultar adjudicatarias del contrato público en cuestión.

Por último, es interesante advertir que el artículo 19.4 de la LJCA otorga expresamente legitimación activa, además de a los particulares, a las Administraciones públicas para impugnar las decisiones de los órganos competentes para resolver los recursos especiales. Ello supone una auténtica particularidad de estos procedimientos, dado que se elimina así la preceptiva declaración previa de lesividad, tradicional en nuestro ordenamiento. Además de la singularidad de que una Administración pública impugne actos de un órgano que, a pesar de su independencia funcional, se encuadra en ella misma —Administración recurrente—.

4. CÓMO OPERA LA LEGITIMACIÓN EN VÍA ADMINISTRATIVA EN EL REMC

En este análisis merece la pena tener también en cuenta la configuración de la legitimación activa en vía administrativa a través del REMC y la eventual incidencia que este recurso puede desplegar en la legitimación activa en vía jurisdiccional. Si bien la doctrina y precedentes son especialmente prolíficos en vía administrativa, aún quedan aspectos por despejar en sede jurisdiccional que han generado ciertas discrepancias, atendiendo a la dualidad en las vías impugnatorias existentes.

---

[9]   STS (Rec. 3563/2019), de 25 de febrero de 2021 (FJ sexto) *(Tol 8344421).*

Con la promulgación de la Ley 30/2007, de 30 de octubre, de Contratos del Sector Público, se incorporaron al ordenamiento nacional las normas de derecho comunitario derivado, lo que dio lugar a la reforma más relevante —aunque no la única— en derecho interno en relación con la configuración del REMC como hoy lo conocemos.

El artículo 44 de la vigente LCSP ha agregado una serie de elementos al REMC, entre los que destacamos, por su relevancia en lo que respecta a la legitimación activa, (i) la ampliación del elenco de actos susceptibles de impugnación; (ii) la reducción de los umbrales económicos que permiten recurrir los actos y decisiones del procedimiento; y (iii), ¡cómo no!, la creación del conocido como recurso de alzada impropio.

La legitimación activa para la interposición del REMC es hoy extraordinariamente amplia. La LCSP regula la legitimación para su interposición, estableciendo una premisa general de legitimación casi integral[10]. En concreto, establece que corresponde a «*cualquier persona física o jurídica cuyos derechos o intereses legítimos, individuales o colectivos, puedan verse afectados, de manera directa o indirecta, por las decisiones objeto del recurso*».

Además, también se reconoce legitimación, en determinados supuestos, a las organizaciones sindicales —cuando de las actuaciones recurribles pudiera deducirse que se incumplirán por el empresario las obligaciones sociales o laborales respecto de los trabajadores— y, en todo caso, a las organizaciones empresariales sectoriales representativas de los intereses afectados. Así, por un lado, se prevé que la afectación pueda ser directa o incluso indirecta y, por otro, engloba intereses tanto individuales como colectivos.

La consecuencia lógica de la configuración de ambas vías impugnatorias implica que la legitimación para interponer el recurso contencioso-administrativo esté condicionada por la legitimación para interponer el REMC. Es decir, el reconocimiento de la legitimación en vía administrativa tiene como consecuencia que aquella no pueda ser desconocida en vía judicial, de suerte

---

[10]   Artículo 48 de la LCSP, en los términos previstos en el artículo 24.1 del Real Decreto 814/2015, de 11 de septiembre, por el que se aprueba el Reglamento de los procedimientos especiales de revisión de decisiones en materia contractual y de organización del TACRC (el «**RD 814/2015**»).

que la Administración no podrá oponerlo como excepción procesal, si bien el juez o tribunal no estará limitado por dicho reconocimiento, pudiendo llegar a una conclusión distinta.

Citamos a estos efectos un ejemplo claro recogido en la Sentencia del Tribunal Supremo (Rec. 1440/2013), de 18 de febrero de 2015 *(Tol 4775293)*, en la que se niega la legitimación para interponer recurso contencioso y que contiene un interesante voto particular (FJ sexto) sobre esta cuestión, en el que se discrepa del pronunciamiento y se advierte de que la «*Sala debió reconocer legitimación al recurrente* […] *a quienes, por cierto, en vía administrativa no se la negó* […] *para recurrir la inadmisión de la oferta de su UTE* […]».

La frontera entre la base de legitimación en ambas vías impugnatorias es difusa, pero en ambos casos la legitimación *ad causam* parece que termina reconduciéndose en la concreción de la pretensión procesal. La doctrina y la jurisprudencia que abordan esta cuestión son muy casuísticas y atienden, con carácter general, a los eventuales efectos de la estimación de la pretensión sobre los derechos subjetivos e intereses legítimos del actor.

5. SUPUESTOS PROBLEMÁTICOS PARA RECURRIR EN LO CONTENCIOSO LA ADJUDICACIÓN: LOS LICITADORES NO ADJUDICATARIOS, LOS EXCLUIDOS Y EL POTENCIAL CANDIDATO

Como se ha avanzado, artículo 19.1.a) de la LJCA prevé que gozan de legitimación activa para iniciar un procedimiento contencioso-administrativo, entre otras, «*las personas físicas o jurídicas que ostenten un derecho o interés legítimo*».

Atendiendo, a lo previsto en el artículo 48 de la LCSP, podría pensarse razonablemente que en el ámbito de la contratación pública todos los licitadores o potenciales licitadores tienen un interés legítimo en relación con los actos dictados en el marco de la licitación. Por consiguiente, en principio, todos ellos estarían legitimados para recurrir dichos actos.

Sin embargo, en la práctica, los jueces y tribunales —consolidando así el criterio marcado por los órganos competentes para resolver los recursos especiales en materia de contratación— han considerado que no basta con la mera condición de licitador o de potencial candidato para ostentar legitimación activa, pese a parecer evidente su condición de interesados en el procedimiento.

En efecto, tradicionalmente se ha venido exigiendo que el acto impugnado repercuta de modo efectivo, cierto y acreditado —y no meramente hipotético, potencial o futuro— en la esfera jurídica del demandante.

Así las cosas, se plantean distintos escenarios en la práctica, en los que un licitador podría ver frustradas sus pretensiones de interponer un recurso contencioso–administrativo frente a la decisión de adjudicación de un contrato público.

5.1 Los licitadores no adjudicatarios

Llama la atención, en primer lugar, el supuesto relativo a la legitimación de los licitadores que concurren al procedimiento de licitación, pero que, sin embargo, no han resultado adjudicatarios.

Y es que, de conformidad con el criterio de los tribunales administrativos, no todos ellos estarán legitimados para interponer un recurso contra el acto de adjudicación, ya que únicamente aquellos licitadores que tengan la expectativa de que el éxito de su recurso conllevará un cambio en la adjudicación tal que podrán resultar adjudicatarios estarán legitimados.

En este sentido, podemos ver diversos pronunciamientos del Tribunal Administrativo Central de Recursos Contractuales (el «**TACRC**») en los que se considera que de la hipotética estimación del recurso no se deduciría ventaja alguna para el recurrente por no ser el segundo clasificado, no viéndose sus intereses legítimos afectados por la decisión del recurso, pues de estimarse, total o parcialmente, no resultaría adjudicatario, procediéndose a su inadmisión por falta de legitimación (p.ej. la Resolución 1573/2021, de 11 de noviembre, Rec. 1107/2021).

Extractamos, por ilustrativa, la Resolución 1356/2021 del TACRC, de 29 de octubre, Rec. 1088/2021:

> «*Este Tribunal tiene establecida una reiterada doctrina acerca de la falta de legitimación activa para la impugnación de los acuerdos de adjudicación de las empresas que, <u>como consecuencia de la posición en que quedaron en la valoración</u>*

de los criterios establecidos en los Pliegos (tercera o posterior), en ningún caso obtendrían un beneficio si se estimaran sus recursos y se anularan las adjudicaciones impugnadas, ya que entonces éstas habrían de realizarse a favor de las empresas clasificadas en segundo lugar».

Una vuelta de tuerca a este criterio es precisamente la necesidad de que el licitador recurrente que no haya resultado clasificado en segundo lugar —garantizándose así su expectativa de resultar adjudicatario automáticamente con la estimación— solo puede considerarse dotado de legitimación si de la estimación de la pretensión se puede deducir la exclusión de todas las ofertas mejor clasificadas que la del recurrente o que, en definitiva, pueda resultar adjudicatario (*vid.* Sentencia del Tribunal de Justicia de la Unión Europea —el «**TJUE**»— en el asunto C-161/13 *(Tol 4629600)*).

En esta línea, resulta interesante el pronunciamiento contenido en la Sentencia del Tribunal Superior de Justicia de Castilla-La Mancha (Rec. 1474/1998), de 21 de mayo de 2002, que reconoció la legitimación de la recurrente a pesar de que existían más de ocho empresas clasificadas por delante de ella, toda vez que la configuración del recurso le permitiría resultar adjudicataria de contrato:

> *«El recurso de la actora cuestiona la aplicación de los criterios para la resolución del concurso fijados por el pliego de condiciones del contrato; discute la valoración de las ofertas, las proposiciones y la documentación técnica aportada por los licitadores, lo que, en caso de ser estimado por la Sala, puede variar notablemente el resultado final del procedimiento de adjudicación del contrato cuestionado; [...] la empresa recurrente, como afectada por los citados actos administrativos, como participante en el procedimiento de adjudicación, y como posible adjudicataria del contrato, sería titular de intereses legítimos y directos en el presente proceso por lo que procede admitir el mismo y entrar a conocer del fondo del asunto».*

En palabras del OARC/KEAO[11], «*debe tenerse en cuenta que si la petición de exclusión afecta únicamente al adjudicatario y no a las demás ofertas precedentes la*

---

[11]   Resolución núm. 163/2021, de 8 de octubre, de la Titular del Órgano Administrativo de Recursos Contractuales de la Comunidad Autónoma de Euskadi / Euskal Autonomia Erkidegoko Kontratuen inguruko Errekurtsoen Administrazio Organoaren titularra, («**OARC/KEAO**»).

estimación no supondría la adjudicación del contrato a quien impugna; consecuentemente, no existiría el interés tangible derivado del éxito de la pretensión que sustenta el requisito de la legitimación».

A la vista de esta doctrina, parece razonable plantearse qué sucedería si del éxito de la pretensión pudiera derivarse un beneficio efectivo, que bien podría traducirse en una declaración de desierto del concurso con la consecuente posibilidad de presentar oferta en una (probable) nueva licitación en la que poder participar con la expectativa de su adjudicación[12]. Ahora bien, ¿sería esa expectativa suficiente para apreciar la existencia de un interés legítimo en el proceso contencioso?

En principio, parece que la respuesta deberá ser negativa, dado que existen sentencias que, aunque referidas a la legitimación de quien no participó en el procedimiento de adjudicación, niegan que la expectativa de una nueva convocatoria de la licitación constituya un interés legítimo tal que dote de legitimación activa. Por ejemplo, la Sentencia 101/2019 del Tribunal Superior de Justicia de la Región de Murcia de 28 de febrero de 2019 *(Tol 7121771)*:

> *«En materia de contratación administrativa, el Tribunal Administrativo Central de Recursos Contractuales —que es quien, en el marco de los recursos especiales en materia de contratación de su competencia, analiza, con carácter previo a nuestros tribunales la legitimación de los recurrentes—, ha declarado asimismo de manera reiterada que la mera posibilidad de que como consecuencia del recurso interpuesto pudiera convocarse una nueva licitación, en modo alguno constituye un interés legítimo susceptible de justificar la legitimación activa del recurrente».*

5.2 Los licitadores excluidos del procedimiento

Por otro lado, cabe plantearse si gozan de legitimación los licitadores que, a pesar de haber participado en la licitación, no han sido ni siquiera clasificados al haber sido excluidos del procedimiento de licitación.

Pues bien, a pesar de que en un primer momento los tribunales administrativos consideraron que el licitador excluido carecía en cualquier caso de

---

[12]   OARC/KEAO Resolución núm. 129/2021, de 30 de julio (Rec. 2021/088).

legitimación activa para impugnar la adjudicación, más adelante ha tenido lugar un cambio relevante de criterio.

Hoy encontramos pronunciamientos que admiten la legitimación de los licitadores que hubieran sido previamente excluidos de la licitación para recurrir el acto de adjudicación en aquellos casos en los que, concurriendo únicamente dos licitadores, uno hubiera sido excluido y el otro hubiera sido adjudicatario. Ello, además, se vincula al requisito de que dicha exclusión no haya adquirido todavía firmeza, de conformidad con el criterio sentado por el TJUE y que ha sido consolidado por los tribunales de recursos especiales[13], así como en sede jurisdiccional[14].

El principal motivo de este viraje doctrinal radica, en último término, en dos sentencias del TJUE que reconocieron la concurrencia de legitimación en aquel caso[15].

Sin perjuicio de lo expuesto, esta cuestión es susceptible de un desarrollo jurisdiccional más profundo que resuelva definitivamente aquellos puntos en los que la doctrina parece limitarse al caso concreto[16], sin proporcionar una respuesta general.

5.3 Los potenciales candidatos

Finalmente, procede abordar qué sucede con los potenciales candidatos, entendiéndose por estos a los empresarios que, a pesar de no haber participado en el procedimiento de licitación, podrían haber concurrido —habiéndose basado su no participación, por ejemplo, en elementos que motiven su impugnación— o concurrir en el futuro. En estos casos la cuestión se torna más compleja.

---

[13]   TACRC núm. Resolución 208/2018, de 2 de marzo de 2018 (Rec. 89/2018).

[14]   STS (Rec. 592/2016), de 26 de junio de 2020 (FJ quinto) *(Tol 8045361)*.

[15]   STJUE de 21 de diciembre de 2016, Asunto C-355/15 **(TOL 5.913.042)** y de 11 de mayo de 2017, Asunto C-131/16 *(Tol 6083010)*.

[16]   Otro ejemplo muy interesante de esta casuística es la Sentencia del Tribunal Superior de Justicia de Madrid, de 15 de abril de 2019 (Rec. 39/2018) *(Tol 7571470)*.

Es importante recordar que no existe en el ámbito de la contratación pública la denominada acción pública. Por consiguiente, se exige también en este caso que exista un interés legítimo, en los términos dictados por la doctrina y la jurisprudencia.

Por ello, los tribunales de recursos contractuales han establecido en algunas ocasiones que, en tanto que dicho interés excede de la mera defensa de la legalidad, deberá acreditarse la concurrencia de motivos que determinarían la anulación de la licitación o que esta quedase desierta y, como consecuencia, tendría lugar previsiblemente un nuevo procedimiento de licitación al que la recurrente podría concurrir[17].

Veamos algunos ejemplos. La Resolución 597/2020 del TACRC, de 14 de mayo de 2020, Rec. 356/2020, señala la falta de legitimación para impugnar la adjudicación del recurrente que *«no concurrió a la licitación abierta»*.

La reciente Resolución 500/2021 del TACRC, de 30 de abril de 2021, Rec. 115/2021, sin embargo, sí reconoce la legitimación activa, aunque atendiendo a una serie de circunstancias muy particulares y como excepción al criterio previo expuesto:

> *«[...] en el presente caso se da una particularidad [...]. [...] se trata de valorar si es válida —o no— la decisión del Órgano de contratación de acudir al procedimiento de licitación aplicable a los contratos basados en el Acuerdo Marco [...]. A nuestro juicio, [...] sí cabe apreciar un interés legítimo para la interposición del recurso [...], en la medida en que la adjudicación del contrato basado en el seno del acuerdo marco repercute de una manera efectiva —no meramente hipotética, potencial y futura— en su esfera jurídica, beneficiándose de manera directa de la eventual estimación del recurso, en la medida en que [...] de estimarse el recurso, habrán de licitarse a través de un procedimiento de licitación en el que ORANGE podrá participar, en condiciones de igualdad con las restantes empresas [...]».*

En definitiva, cabe preguntarse si la posibilidad de iniciación de un nuevo procedimiento de licitación podría configurarse como título legitimador suficiente para interponer un recurso en materia de contratación administra-

---

[17] OARC/KEAO Resolución núm. 42/2018, de 23 de marzo (Rec. 2018/018).

tiva[18]. Sin embargo, no es tarea sencilla encontrar pronunciamientos en vía jurisdiccional que permitan aseverar con cierta seguridad jurídica si en todos estos supuestos se entenderá que existe efectivamente legitimación activa (*cfr.* Sentencia del Tribunal Superior de Justicia de la Región de Murcia de 28 de febrero de 2019, citada *ut supra*).

6. LA LEGITIMACIÓN PARA RECURRIR LOS ACTOS DICTADOS EN EJECUCIÓN DEL CONTRATO

La ampliación del objeto del REMC ha abierto la puerta a nuevas herramientas de fiscalización más allá de la fase de preparación y adjudicación de los contratos[19].

Los mecanismos de control se extienden también, conforme a la legislación vigente, a la fase de ejecución contractual. El REMC, por tanto, ha dejado de ser un recurso precontractual para pasar a ser un recurso contractual, si bien la litigiosidad en fase de ejecución —tanto en vía administrativa como contenciosa— es aún residual.

Estas nuevas fórmulas[20] plantean algunas incógnitas sobre la necesidad de actualizar la doctrina interpretativa del régimen de legitimación tal y como lo conocemos actualmente para la fase de licitación.

---

[18]   TACRC núm. Resolución 824/2018, 24 de septiembre (Rec. 738/2018), en la que se reconoce la legitimación de la recurrente porque, de estimarse la petición principal, daría lugar a la anulación del procedimiento de licitación.

[19]   Según el Informe sobre Justicia Administrativa 2021 —Centro de Investigación sobre Justicia Administrativa de la Universidad Autónoma de Madrid (CIJA-UAM)— (Edición: octubre de 2021), los recursos frente a los pliegos, resoluciones de exclusión y adjudicación, representan alrededor del 93,50% de los REMC. Los recursos formulados frente a actos dictados en ejecución de los contratos se ubicarían en la categoría de otros y supondrían el 6,5% del total de la cifra agregada (pág. 131, figura 62). Informe_CIJA_2021_web_Final.pdf (cija-uam.org).

[20]   En este punto, nos referimos muy brevemente a la propuesta del Consejo General del Poder Judicial de 6 de mayo de 2020 para atribuir a los tribunales y órganos administrativos de recursos contractuales competencias sobre las incidencias en la ejecución de los contratos públicos durante el estado de alarma motivado por la COVID-19 (MEDIDA nº: 5.13.).

Así, cabe preguntarse, cuál es el criterio correcto para verificar quién ostenta la legitimación activa para impugnar, por ejemplo, los acuerdos de modificación de los contratos, los encargos a medios propios o los acuerdos de rescate de concesiones.

Podemos encontrar pronunciamientos judiciales recientes relativos al segundo de los casos. Destacamos, por su relevancia la Sentencia 1774/2021, de 22 de abril, del Tribunal Superior de Justicia de Cataluña *(Tol 8473278)*, que reconoce la legitimación de una empresa que opera en el sector del agua para impugnar un encargo a un medio propio para la gestión del servicio público de suministro de agua[21]. La Sala es tajante en su interpretación:

> *«[...] existe un interés legítimo de la actora en tanto que empresa que opera en el sector del agua...por lo cual aparece como interesada para impugnar los acuerdos municipales que tienen como consecuencia que la actividad económica que hasta el momento se desarrollaba en el mercado sea objeto de adjudicación directa por encargo a medios propios.*
> *No es aceptable el argumento de la sentencia de instancia para rechazar la legitimación cuando se indica que una eventual estimación del recurso no garantizaría la gestión indirecta a través de concesión. En efecto, una eventual anulación no condiciona al Ayuntamiento a adoptar uno u otro modo de gestión, pues solo le obligaría a descartar el concreto sistema de gestión declarado ilícito, pero ello no se puede convertir en argumento para negar la legitimación desde el momento en que abre la posibilidad de que el servicio se oferte al mercado».*

En la misma línea puede citarse la Sentencia del Tribunal Superior de Justicia de Castilla-León 773/2019, de 21 de mayo *(Tol 7239062)* que reconoce legitimación para impugnar el encargo a la que venía siendo la concesionaria del servicio público en cuestión.

En lo que respecta a las modificaciones contractuales, la doctrina[22] ha esbozado varios escenarios de resolución nada sencilla en lo que afecta a la legitimación.

---

[21] Citamos por su relevancia el precedente conocido como asunto «TRAGSA» que dio lugar a la decisión prejudicial contenida en la STJUE de 19 de abril de 2007, asunto C-295/05 en relación con el recurso promovido por la Asociación Nacional de Empresas Forestales frente al medio propio instrumental.

[22] STJUE de 29 de abril de 2004, Asunto C-496/99 (apartados 61 a 63) *(Tol 4626143)*.

(a) Que el licitador hubiera podido resultar adjudicatario en caso de haber conocido de antemano los términos de la modificación, al haber podido formular una oferta diferente.

(b) Que los licitadores excluidos, cuya exclusión estuviera vinculada a las cláusulas objeto de modificación (por ejemplo, a su incumplimiento) hubieran podido ser admitidos.

(c) Que el potencial candidato, que adoptó la decisión de no presentar oferta, ateniendo a los términos en que estaba configurado el contrato, sí hubiera podido concurrir a la licitación según los nuevos términos de la modificación.

Los anteriores supuestos no han encontrado una respuesta del todo clara, aunque sí hemos podido ver algunos pronunciamientos al respecto en vía administrativa.

Citamos, en este sentido, la Resolución 27/2020 del TACRC de 9 de enero de 2020, Rec. 1437/2019, en la que el TACRC entiende legitimada a una empresa que, sin haber participado en la licitación correspondiente al lote al que afecta la modificación, sí participó en otro lote *«y, precisamente, la decisión de licitar o no al lote 1 pudo haber estado condicionada por la naturaleza y descripción de las características* [...], *hubiera también optado por licitar en este lote»*. A lo que añade que *«la modificación operada puede incidir en* [...] *el lote en el que la recurrente es adjudicataria* [...], *lo que determina que dicha modificación en efecto afecte a la recurrente»*. Todo ello, sobre la base del artículo 48 LCSP.

En la misma línea, puede verse la Resolución 657/2021 del TACRC, de 28 de mayo, Rec. 299/2021, en la que se reconoce legitimación activa a la empresa que formula REMC frente a un Decreto por el que se acuerda la modificación de un contrato de servicios, por considerar que *«la empresa recurrente ostenta legitimación porque podría concurrir al nuevo procedimiento que considera debería convocarse»* (FJ cuarto).

Tal conclusión es, además, coherente con el espíritu de las propias modificaciones no previstas de carácter sustancial —y, al mismo tiempo, consistente con el criterio aplicado en los recursos frente a encargos a medios propios—, pues el artículo 205 de la LCSP establece como uno de los aspecto a considerar *«que la modificación introduzca condiciones que, de haber figurado en el procedimiento de contratación inicial, habrían permitido la selección de candidatos*

<u>distintos</u> *de los seleccionados inicialmente o la aceptación de una oferta distinta [...] o habrían atraído a más participantes en el procedimiento de contratación»*.

En vía jurisdiccional merece la pena destacar los siguientes precedentes:

(a) Es especialmente interesante el pronunciamiento que recoge la Sentencia del Tribunal Superior de Justicia del País Vasco 247/2020, de 10 de septiembre *(Tol 8338594)* pese a no tratarse de un contrato sujeto a la LCSP vigente.

La Sala aprecia la legitimación *ad causam* de una asociación —cuyo objeto es «*gestionar en beneficio exclusivo de sus asociados y sin ánimo de lucro la prestación del servicio de transporte a los centros universitarios [...]*»— para recurrir un acto por el que se acuerda la modificación de un contrato de concesión de transporte público, atendiendo a la concurrencia de las actividades de la concesionaria y de la propia asociación en «*un mismo ámbito o segmento del transporte regular de viajeros*», lo que para la Sala «*afecta al interés de la Asociación per se (traspaso de usuarios del servicio de uso especial al de uso general*») con incidencia en «*la esfera jurídica de la recurrente*».

El interés cierto exigido por la jurisprudencia fue entendido en este caso de manera flexible para soportar la legitimación de la acción, no como asociación que actúa en defensa de los intereses de un colectivo, sino atendiendo a la concepción de «interviniente» de aquella en el sector.

(b) En sentido contrario podemos ver la Sentencia 158/2021 del Tribunal Superior de Justicia de Madrid, de 10 de marzo de 2021 *(Tol 8431415)*.

En este caso, la Sala niega la legitimación a la recurrente en relación con las modificaciones efectuadas en un contrato en cuyo proceso de licitación participó como licitadora y cuya adjudicación había sido recurrida, encontrándose pendiente de resolución ante la Audiencia Nacional, donde, según la Sala «*habrán de determinarse, en caso de estimación, los efectos de la anulación de la adjudicación del contrato*».

La solicitud de extinción del contrato a efectos de un nuevo procedimiento de licitación descansa, según la Sala, «*sobre la base de argumentos en los que subyace sustancialmente un exclusivo interés en defensa de la legalidad en la ejecución del contrato que no le corresponde a la mercantil recurrente y que, en definitiva, conlleva el ejercicio de una acción popular no prevista legalmente».*

Más allá de los escenarios expuestos, hay casos que presentan difícil encaje en la configuración actual de la legitimación y que, sin embargo, están plenamente alineados con la filosofía en la que se fundamenta la ampliación de los actos susceptibles de REMC a la fase de ejecución. Pensemos, por ejemplo, en la posibilidad de denunciar el incumplimiento del contrato por parte del adjudicatario por el licitador que hubiese aspirado a resultar adjudicatario en su lugar. Parece razonable pensar que el incumplimiento de la condición contractual en cuestión puede estar directamente vinculada a los criterios tenidos en cuenta para llevar a cabo la selección del candidato o la aceptación de la oferta seleccionada. No obstante, esa vía queda aún pendiente de respuesta legal y jurisprudencial.

7. LA LEGITIMACIÓN INDIVIDUAL DE LOS INTEGRANTES DE UNA UTE

Como es sabido, las UTE tienen capacidad para contratar con el sector público, aunque no personalidad jurídica propia[23].

En la contratación pública, esta figura tiene el propósito de facilitar la concurrencia de más empresas (y, en particular, pymes) a los procedimientos de licitación, al permitir, por una parte, que se aúnen los recursos de varias sociedades para participar conjuntamente en la licitación y, por otra, al reducir los trámites iniciales para presentar una oferta común.

Por su parte, la legitimación activa de las UTE para la interposición del REMC está expresamente prevista en el artículo 24.2 del RD 814/2015, donde se establece que *«cualquiera de ellas podrá interponer el recurso, siempre que sus derechos o intereses legítimos se hayan visto perjudicados o puedan resultar afectados por las decisiones objeto de recurso».*

---

[23]   Sus miembros responden solidariamente ante el órgano de contratación.

Sin embargo, cabe cuestionarse: ¿está legitimada únicamente la unión de empresarios o están legitimadas también individualmente las empresas integrantes de ella?

La legitimación activa individual de cada uno de los miembros de la unión temporal de empresarios concurrente a la licitación ha sido una cuestión ampliamente debatida, no solo en sede de REMC, sino también ante el orden contencioso-administrativo.

En efecto, hay pronunciamientos divergentes en todas las instancias y sentencias de la Sala de lo Contencioso-Administrativo del Tribunal Supremo en sentido contrario.

Así, a modo de ejemplo, se ha considerado en algunos casos que no es contrario a la normativa y a la jurisprudencia la denegación de la legitimación para recurrir actos dictados en el procedimiento de adjudicación de un contrato a los integrantes de una UTE[24]. Además, se ha establecido en otros supuestos que, en todo caso, no debe reconocerse la legitimación activa individual a los miembros de dicha UTE cuando exista oposición de los demás[25].

En último término, todas las sentencias desfavorables al reconocimiento de la legitimación de los integrantes de una UTE descansan sobre la noción de que, al ser la UTE la licitadora, es quien ostenta un interés legítimo para recurrir las decisiones relacionadas con el concurso.

En sentido opuesto, en otros casos se ha entendido que, en vista del principio *pro actione* y siguiendo una interpretación restrictiva de las causas de inadmisibilidad, debe admitirse la legitimación activa del integrante de la unión de empresarios que actúa en defensa de los intereses de aquella y, por consiguiente, de sus propios derechos e intereses legítimos[26].

Esta postura es asimismo avalada por la doctrina del TJUE. A modo ilustrativo, la Sentencia del TJUE de 6 de mayo de 2010 (asuntos acumulados 145 y 149 del 2008) *(Tol 2166107)*, resuelve la cuestión prejudicial

---

[24]   STS (Rec. 5070/2002), de 27 de septiembre de 2006 (FJ cuarto). *(Tol 1013873)*.

[25]   STS (Rec. 5822/2007), de 22 de junio de 2009 (FJ sexto) *(Tol 1567473)*.

[26]   STS (Rec. 1826/2006), de 23 de julio de 2008 (FJ quinto) *(Tol 1353064)*.

planteada por un órgano jurisdiccional griego que se opuso a normativas nacionales que cercenen el derecho de los miembros de las UTE a impugnar a título individual determinadas afectaciones a sus derechos en materia de contratación pública.

De hecho, recientemente, la Sala de lo Contencioso-Administrativo del Tribunal Supremo ha dictado una nueva saga de sentencias que fijan doctrina esencial y en las que reconoce sin reservas que cada uno de los integrantes de la UTE goza de legitimación activa para actuar individualmente en defensa de sus derechos e intereses legítimos y, por consiguiente, para impugnar algunas actuaciones adoptadas en el marco de la licitación y ejecución de un contrato.

Concretamente, el punto de inflexión que ha dado lugar al cambio de tendencia viene marcado por la Sentencia del Tribunal Supremo 216/2020, de 17 de febrero *(Tol 7766385)*, que dispone que, en efecto, uno de los integrantes de la unión temporal de empresarios concurrente al procedimiento de licitación tenía un interés legítimo en impugnar el acto de adjudicación del contrato y, consecuentemente, reconoce que goza de legitimación activa para interponer el recurso administrativo que corresponda o recurso en sede judicial.

En la misma línea, puede verse la Sentencia del Tribunal Supremo 702/2021, de 19 de mayo *(Tol 8447462)*, que declara también la legitimación de la recurrente (*i.e.* un miembro de la UTE) en un supuesto de incautación de garantías por la terminación del contrato.

Sin perjuicio de lo expuesto, las precitadas sentencias del Tribunal Supremo establecen que, en principio, para litigar sobre otras cuestiones derivadas de la ejecución del contrato, estará legitimada la propia unión temporal de empresarios, al ser esta la parte contratista.

La cuestión, no obstante, sigue sin estar clara. Buena muestra de ello es el reciente Auto de la Sección Primera de la Sala de lo Contencioso-Administrativo del Tribunal Supremo de 25 de noviembre de 2021, por el que se admite a trámite el recurso de casación preparado por una mercantil contra la sentencia dictada por la Sala de lo Contencioso-Administrativo del Tribunal Superior de Justicia de Canarias, precisando que reviste interés casacional objetivo para la formación de jurisprudencia la determinación de si cada uno de los integrantes de una UTE está legitimado para actuar individualmente en defensa de sus derechos.

Y es que la mayoría de los pronunciamientos referidos responden a un análisis casuístico de las circunstancias concurrentes. Esto se observa, por ejemplo, en la argumentación de la precitada STS 456/2021, que se refiere a «*la interpretación del artículo 19.1.a) de la LJCA, en relación con el principio pro actione, **en las particulares circunstancias del caso***».

8. CONCLUSIONES

La legitimación activa para recurrir ante la jurisdicción contencioso-administrativa actos dictados por las Administraciones públicas en materia de contratación pública está íntimamente vinculada con la legitimación en vía administrativa y, concretamente, al REMC. Los jueces y tribunales vienen exigiendo en todo caso que el recurrente ostente un derecho o interés legítimo en relación con el acto impugnado.

La determinación de dicho interés legítimo no resulta sencilla en muchos casos, dando lugar así a una enorme casuística sobre quiénes pueden impugnar en sede contenciosa los actos dictados en torno a los contratos públicos.

Así, por ejemplo, para impugnar la resolución por la que se adjudica un contrato público se ha exigido tradicionalmente que se trate de un licitador que pudiera resultar adjudicatario en caso de estimarse su recurso. Sin embargo, algunos tribunales administrativos de contratación han reconocido recientemente la legitimación de potenciales candidatos que pudieran participar posteriormente en un eventual nuevo procedimiento de licitación si, con motivo de su recurso, pudiera anularse la licitación en cuestión.

De manera similar, pueden encontrarse pronunciamientos jurisdiccionales que reconocen la legitimación de los operadores económicos para impugnar los encargos a medios propios para prestar servicios públicos que podrían prestarse en régimen de mercado mediante la adjudicación de un contrato administrativo. El interés en estos casos radica en la posibilidad de que se inicie una nueva licitación en la que el recurrente podría participar.

Por otro lado, si lo que se pretende es recurrir actos dictados en fase de ejecución del contrato —particularmente, sus modificaciones—, aunque todavía no se ha sentado un criterio claro, resulta lógico pensar que se apreciará la concurrencia de interés legítimo cuando dichas modificaciones afecten a las ofertas de los licitadores, a la clasificación en el procedimiento de adjudicación o, incluso, a la posibilidad de haber concurrido a la licitación.

Finalmente, cuando las empresas concurren a una licitación agrupadas bajo una UTE, el Tribunal Supremo se ha mostrado favorable al reconocimiento de la legitimación activa individual de cada integrante de la unión en relación con los actos dictados tanto en fase de adjudicación como, en algunas ocasiones, en sede de ejecución de los contratos a pesar de que, en cualquier caso, en estas resoluciones sigue observándose un enorme casuismo.

Bibliografía

CANDELA TALAVERO, José Enrique: «Legitimación e interés legítimo para interponer el recurso especial en materia de contratación pública. Comentario a la Resolución TACRC 734/2021 de 17 de junio de 2021». *Contratación Administrativa Práctica*, nº 175 (Sección Reflexiones) septiembre-octubre 2021, Wolters Kluwer.

CANO CAMPOS, Tomás: «La legitimación especial en el contencioso-administrativo de la contratación». *Revista General de Derecho Administrativo 37*, Iustel, 2014. La legitimación especial en el contencioso-administrativo de la contratación (inap.es) [última consulta: 10 enero 2022]

CHAVES GARCÍA, José Ramón: «El dinosaurio de la legitimación». *El Consultor de los Ayuntamientos*, nº 6 (Sección Museo de legalidad administrativa), junio 2020, Wolters Kluwer.

CODINA GARCÍA-ANDRADE, Xavier. *La modificación de los contratos del sector público.* Madrid: Boletín Oficial del Estado, 2019 (1ª ed.) págs. 246 a 252. https://www.boe.es/biblioteca_juridica/abrir_pdf.php?id=PUB-PB-2019-163 [última consulta: 10 enero 2022]

DÍAZ BRAVO, Enrique: *El recurso en materia de contratación pública en el derecho europeo y su aplicación en España*, Valencia: Tirant lo Blanch, 2020 (Número epígrafe: 4; Título epígrafe: Capítulo Tercero). *(TOL 7.894.139)*.

GALLEGO CÓRCOLES, Isabel: «¿Puede una de las empresas integrantes de una UTE impugnar la adjudicación de una concesión? Tribunal Supremo, Sala Tercera, de lo Contencioso-administrativo, Sección 4ª, Sentencia 216/2020 de 17 Feb. 2020». *Contratación Administrativa Práctica*, nº 167 (Sección Los Tribunales deciden), mayo-junio 2020, Wolters Kluwer.

GALLEGO CÓRCOLES, Isabel: «Legitimación para recurrir el acto por el que se modifica un contrato administrativo», *Contratación Administrativa Práctica*, nº 145 (*Sección Los Tribunales deciden)*, septiembre 2016.

HERNÁEZ SALGUERO, Elena: «El éxito del recurso especial y los retos y problemas que lleva consigo», *Contratación Administrativa Práctica: Revista de la Contratación Administrativa y de los Contratistas*, nº 153, enero-febrero 2018, Wolters Kluwer.

LLIDÓ SILVESTRE, Joaquín: «Sobre la legitimación activa individual ante la jurisdicción contencioso-administrativo de las empresas integrantes de una UTE: un factor de incertidumbre relevante para las PYME». *Contratación Administrativa Práctica*, nº 170, (Sección La PYME en la contratación pública), noviembre-diciembre 2020, Wolters Kluwer.

MANCHADO, Javier y GUERRERO, Marta: «Reflexiones sobre la legitimación activa del licitador no adjudicatario para interponer recurso especial en materia de contratación frente a la resolución de adjudicación». *Observatorio de Contratación Pública*, enero 2016. Reflexiones sobre la legitimación activa del licitador no adjudicatario para interponer recurso especial en materia de contratación frente a la resolución de adjudicación | Observatorio de Contratación Pública (obcp.es) [última consulta: 10 enero 2022]

MARTÍN VALERO, Ana Isabel: «Especialidades procesales en los recursos frente a las resoluciones de los Tribunales de Recursos Contractuales», *Actualidad Administrativa,* nº 12 (*Sección Ejercer en forma y plazo),* diciembre 2017, Wolters Kluwer.

MEDRANO IRAZOLA, Sabiniano: «Legitimación activa en el recurso especial en materia de contratación, legitimación pasiva en el subsiguiente contencioso y reactivación cautelar en vía contenciosa de una adjudicación anulada. Comentario de la sentencia de la Sala de lo Contencioso-Administrativo, Sección Primera, del Tribunal Superior de Justicia de Canarias de 30 de noviembre de 2017» en *2019 Práctica Contenciosa para abogados*. Edición nº 1, LA LEY.

MORENO MOLINA, José Antonio, GALLERO CÓRCOLES, Isabel, PUERTA SEGUIDO, Francisco y PUNZÓN MORALEDA, Jesús: «Contratación pública». *Revista española de Derecho Administrativo nº 183/2017*, 2018, págs. 9 a 13. Editorial Civitas.

ORTIZ ESPEJO, Daniel: «La legitimación activa en la interposición del recurso especial en materia de contratación». *Contratación Administrativa Práctica*, nº 171 (Sección Reflexiones), enero-febrero 2021, Wolters Kluwer.

PÉREZ DELGADO, Manuel, Rodríguez Pérez, Rosario P.: «La legitimación activa del licitador excluido que busca la declaración de desierto del procedimiento. Órgano Administrativo de Recursos Contractuales de la Comunidad Autónoma de Euskadi. Resolución 42/2018, de 23 de marzo». *Contratación Administrativa Práctica*, nº 157 (*Sección La administración opina),* septiembre-octubre 2018, Wolters Kluwer.

SERRANO CHAMIZO, Javier. La ampliación del ámbito del recurso especial: gracias, pero no. *Observatorio de Contratación Pública*, mayo 2020. La ampliación del ámbito del recurso especial: gracias, pero no | Observatorio de Contratación Pública (obcp.es) [última consulta: 10 enero 2022]

RODRÍGUEZ ÁLVAREZ, Ana: «El reconocimiento de la condición de interesado en vía administrativa y su eventual incidencia en el ulterior proceso», en *Tratado sobre el Proceso Administrativo (LJCA)*, Valencia: Tirant lo Blanch, 2019. *(Tol 7435013)*.

Evolución de la regulación del acceso y la conexión a las redes de transporte y distribución de energía eléctrica en España

Ignacio Grangel Vicente
Socio. CMS Albiñana & Suárez de Lezo

1. OBJETO

1. El presente Informe tiene por objeto analizar la evolución de la regulación de los permisos de acceso y conexión en el sistema eléctrico, así como el estado actual de esta regulación, derivado de (i) la aprobación por el Gobierno, en el Consejo de Ministros de 29 de diciembre de 2020, del Real Decreto 1183/2020 de 29 de diciembre, de acceso y conexión a las redes de transporte y distribución de energía eléctrica (en lo sucesivo, el «**RD 1183/2020**»); (ii) la Circular 1/2021, de 20 de enero, de la Comisión Nacional de los Mercados y la Competencia, por la que se establece la metodología y condiciones del acceso y de la conexión a las redes de transporte y distribución de las instalaciones de producción de energía eléctrica (en lo sucesivo, la «**Circular**»), publicada el 22 de enero de 2020 en el Boletín Oficial del Estado y (iii) la Resolución de 20 de mayo de 2021, de la Comisión Nacional de los Mercados y la Competencia, por la que se establecen las especificaciones de detalle para la determinación de la capacidad de acceso de generación a la red de transporte y a las redes de distribución (en lo sucesivo, la «**Resolución de la CNMC**»).

2. INTRODUCCIÓN

2. El Sistema Eléctrico Español (en adelante, el «**SES**») ha experimentado una profunda transformación en las últimas décadas, pasando de un modelo tradicional de monopolio integrado a un modelo liberalizado manteniendo actividades en régimen regulado de monopolio natural.

3. Con anterioridad a 1994, el modelo se basaba en el control absoluto por parte del Estado, encargado de prestar el suministro eléctrico, definido como servicio público y respetando los monopolios existentes.

4. En 1994, con la aprobación de la Ley 40/1994, de 30 de diciembre, de Ordenación del Sistema Eléctrico Nacional (en adelante, la «**Ley 40/1994**»), se definió el llamado «sistema integrado».

5. En 1997, por medio de la aprobación de la Ley 54/1997, de 27 de noviembre, del Sistema Eléctrico, (en adelante, la «**Ley 54/1997**») se estableció un nuevo modelo de regulación del SES, introduciendo la competencia en

el sector tras un acuerdo entre el Gobierno central y las principales compañías eléctricas. De esta manera, se abandonó el concepto clásico de servicio público y se introdujo una nueva regulación, complementaria y subordinada al mercado.

6. Posteriormente, la Ley 24/2013, de 26 de diciembre, del Sector Eléctrico (en lo sucesivo, la «**LSE**»), introdujo nuevos cambios cuyos objetivos fueron dotar al sector de un marco regulatorio uniforme, transparente y estable, para dar sostenibilidad económica y financiera al sistema eléctrico y evitar la generación de un (mayor) déficit tarifario (por la acumulación de desequilibrios anuales entre ingresos y costes del sistema eléctrico). Además, se intensificó la separación de actividades y la libre competencia.

7. El objeto del presente análisis se corresponde con el régimen jurídico de los derechos de acceso y conexión a la red. En la Exposición de Motivos de la Ley 40/1994 se indicó la necesidad de establecer el principio de libre acceso a las redes de transporte y distribución.

8. Sus artículos 37 y 41 regulan[1], respectivamente, el derecho de acceso a la red de acceso y a la red de distribución, en términos similares.

9. La Ley 54/1997 reconoce de manera específica a los productores el derecho de acceso a las redes, que deberá ser garantizado por el SES, y el derecho de despachar la energía producida a través de las redes de transporte y distribución, siendo competente para la resolución de los conflictos que surjan la Comisión del Sistema Eléctrico Nacional, posteriormente, Comisión Nacional de la Energía. El derecho de acceso se regula en los artículos 38 y 42 de esta Ley, en términos similares a los establecidos en la regulación de la LSE. Y se introduce como infracción muy grave la denegación injustificada del acceso.

---

[1]   En ambos casos se protegen las actividades de servicio público de la red de transporte y las obligaciones de las empresas distribuidoras. Por lo demás, se indica que el acceso se realizará en «condiciones transparentes y objetivas para los mismos. La Comisión del Sistema Eléctrico Nacional resolverá las cuestiones que se planteen en relación con las condiciones de acceso»

10. Por tanto, el derecho de acceso de terceros a las redes de transporte y distribución constituye uno de los principios rectores de la liberalización del mercado de la electricidad: así lo ha confirmado la norma sectorial española desde 1998 y el acervo comunitario desde 2003[2].

11. El desarrollo reglamentario de los derechos de acceso y conexión se realizó con el Real Decreto 1955/2000, de 1 de diciembre, por el que se regulan las actividades de transporte, distribución, comercialización, suministro y procedimientos de autorización de instalaciones de energía eléctrica (en lo sucesivo, el «**RD 1955/2000**»).

12. El RD 1955/2000, establece las condiciones de acceso a la red para los nuevos generadores que se instalen en el nuevo sistema liberalizado, regulando en su Título V el acceso a las redes de transporte y distribución.

13. Se especifica que, el acceso a la red de transporte tendrá carácter regulado y estará sometido a las condiciones técnicas, económicas y administrativas que fije la administración competente.

14. Posteriormente, con la entrada en vigor del Real Decreto 1454/2005, de 2 de diciembre, por el que se modifican determinadas disposiciones relativas al sector eléctrico, se introdujo un nuevo artículo 59 bis por el que se determinó la obligatoriedad de depositar, previamente a la solicitud de acceso a la red de transporte, un aval por una cuantía del 2% del presupuesto de la instalación.

15. El importe de este aval ha sufrido modificaciones con los años, debido a la creciente ocupación de la capacidad de la red, siendo actualmente de 40€/kw instalado.

---

[2]   En particular, la Directiva 2009/72/CE del Parlamento Europeo y del Consejo, de 13 de julio de 2009, sobre normas comunes para el mercado interior de la electricidad y por la que se deroga la Directiva 2003/54/CE, así como la Resolución legislativa del Parlamento Europeo, de 26 de marzo de 2019, sobre la propuesta de Directiva del Parlamento Europeo y del Consejo sobre normas comunes para el mercado interior de la electricidad.

16. Por su parte, el Real Decreto 1699/2011, de 18 de noviembre, por el que se regula la conexión a red de instalaciones de producción de energía eléctrica de pequeña potencia (en lo sucesivo, el «**Real Decreto 1699/2001**»), estableció un procedimiento específico para la solicitud de los permisos de acceso y conexión a las redes de distribución para las instalaciones incluidas en su ámbito de aplicación.

17. El artículo 33 de la vigente LSE regula con carácter general el acceso y la conexión a las redes, y define[3] los conceptos de derecho de acceso, derecho de conexión, permiso de acceso y permiso de conexión.

18. En su apartado 11 y último establece el mandato de que la de la Comisión Nacional de los Mercados y la Competencia (en lo sucesivo, la «**CNMC**») debía aprobar mediante Circular la metodología y las condiciones de acceso y conexión.

Este mandato fue igualmente reproducido en el Real Decreto-ley 1/2019[4], de medidas urgentes para adecuar las competencias de la CNMC a las exigencias derivadas del derecho comunitario en relación con las Directivas 2009/72/CE y 2009/73/CE del Parlamento Europeo y del Consejo, de 13 de julio de 2009, sobre normas comunes para el mercado interior de la electricidad y del gas natural (en lo sucesivo, el «**Real Decreto-ley 1/2019**»).

19. Los desarrollos normativos posteriores a la LSE, entre los que se encuentran el Real Decreto 413/2014, de 6 de junio, por el que se regula la actividad de producción de energía eléctrica a partir de fuentes renovables, cogeneración y residuos (en lo sucesivo, el «**Real Decreto 413/2014**») y el

---

[3] Se define el derecho de acceso como el derecho de uso de la red en unas condiciones legal o reglamentariamente determinadas y el derecho de conexión como el derecho de un sujeto a acoplarse eléctricamente a un punto concreto de la red en unas condiciones determinadas.

[4] Modifica el artículo 7.1 de la Ley 3/2013, de 4 de junio, de creación de la Comisión Nacional de los Mercados y la Competencia y el artículo 33 de la LSE atribuyendo, en ambos preceptos, a la CNMC las competencias para aprobar mediante Circular la metodología y las condiciones de acceso y conexión en los términos incluidos en los mismos.

Real Decreto 244/2019, de 5 de abril, por el que se regulan las condiciones administrativas, técnicas y económicas del autoconsumo de energía eléctrica, remiten en lo relativo al acceso y conexión a los ya señalados Real Decreto 1955/2000 y Real Decreto 1699/2011.

20. Y con ello llegamos a la situación actual, consecuencia de diferentes factores, como la falta de capacidad de las redes de atender a todas las solicitudes de acceso y conexión. De ello, y de la regulación aprobada a partir del año 2020 nos ocupamos a continuación.

3. EL DESARROLLO REGLAMENTARIO DE LA REGULACIÓN DE LOS PERMISOS DE ACCESO Y CONEXIÓN

21. La reciente política energética en España está dirigida a la adopción de medidas regulatorias a fin de lograr la descarbonización de su economía y garantizar el cumplimiento de la obligación de reducir las emisiones de gases de efecto invernadero, y alcanzar de esta manera la consecución de la llamada «neutralidad climática». El objetivo es dotar de certidumbre y seguridad jurídica al marco normativo energético y prepararlo para el despliegue de renovables previsto en la línea de los objetivos marcados en el Plan Nacional Integrado de Energía y Clima («**PNIEC**») 2021-2030.

22. En este sentido, la Disposición Adicional Tercera del Real Decreto-ley 15/2018, de 5 de octubre, de medidas urgentes para la transición energética y la protección de los consumidores introdujo la obligación de los titulares de los permisos de acceso y de conexión de acreditar hitos de avance en los proyectos, vinculados a los trámites ambientales y administrativos, cuya concreta determinación se efectuaría mediante desarrollo reglamentario.

3.1 El RDL 23/2020

23. El desarrollo de los hitos de avance de proyectos lo implementa el Real Decreto-ley 23/2020, de 23 de junio, por el que se aprueban medidas en materia de energía y en otros ámbitos para la reactivación económica (en

lo sucesivo, el «**RDL 23/2020**»), cuya entrada en vigor se produjo el 25 de junio de 2020.

24. Así, el RDL 23/2020 establece, en el artículo primero, una serie de plazos máximos[5] para el cumplimiento de los distintos hitos, que varían en función de la fecha de obtención del permiso de acceso:

a. Instalaciones con permisos concedidos con anterioridad a la entrada en vigor de la LSE:

No se establecen hitos administrativos, debiendo aplicarse la Disposición transitoria octava de la LSE, que prevé su caducidad si concurre alguna de las siguientes circunstancias:

– No haber obtenido autorización de explotación de la instalación de generación asociada en el mayor de los siguientes plazos:

  • Antes de dos meses desde la finalización del estado de alarma inicial o prorrogado declarado mediante el Real Decreto 463/2020, de 14 de marzo, por el que se declara el estado de alarma para la gestión de la situación de crisis sanitaria ocasionada por el COVID-19.

  • Cinco años desde la obtención del derecho de acceso y conexión en un punto de la red.

– Cese en el vertido de energía a la red durante un periodo superior a tres años por causas imputables al titular distintas al cierre temporal.

b. Instalaciones con permisos concedidos desde la entrada en vigor de la LSE (28 de diciembre de 2013) y hasta el 31 de diciembre de 2017:

Deberán acreditar ante el gestor de la red, el cumplimiento de los siguientes hitos administrativos, en los plazos previstos, computados

---

[5]   Los plazos se han visto modificados por la Disposición Final Tercera del Real Decreto-ley 29/2021, de 21 de diciembre, por las que se adoptan medidas urgentes en el ámbito energético para el fomento de la movilidad eléctrica, el autoconsumo y el despliegue de energías renovables.

desde el 25 de junio de 2020 (fecha de entrada en vigor del Real Decreto-ley 23/2020):

1. Solicitud presentada y admitida de la autorización administrativa previa: 3 meses.

2. Obtención de la declaración de impacto ambiental favorable: 27 meses.

3. Obtención de la autorización administrativa previa: 30 meses.

4. Obtención de la autorización administrativa de construcción: 33 meses.

5. Obtención de la autorización administrativa de explotación definitiva: 5 años.

c. Instalaciones con permisos concedidos desde el 1 de enero de 2018 y hasta la entrada en vigor del RDL 23/2020:

Deberán acreditar ante el gestor de la red, el cumplimiento de los siguientes hitos administrativos, en los plazos previstos, computados desde el 25 de junio de 2020 (fecha de entrada en vigor del Real Decreto-ley 23/2020):

1. Solicitud presentada y admitida de la autorización administrativa previa: 6 meses.

2. Obtención de la declaración de impacto ambiental favorable: 31 meses.

3. Obtención de la autorización administrativa previa: 34 meses.

4. Obtención de la autorización administrativa de construcción: 37 meses.

5. Obtención de la autorización administrativa de explotación definitiva: 5 años.

d. Finalmente, los titulares de permisos de acceso para instalaciones de generación de energía eléctrica que sean otorgados desde la entrada en vigor del RDL 23/2020 deberán cumplir los hitos administrativos previstos en el apartado 3, computándose los plazos desde la fecha de obtención de los permisos de acceso.

25. La no acreditación ante el gestor de la red del cumplimiento de dichos hitos administrativos en tiempo y forma supone la caducidad automática de los permisos de acceso y, en su caso, de acceso y conexión concedidos y la ejecución inmediata de las garantías económicas presentadas para la tramitación de la solicitud de acceso.

26. Asimismo, el artículo 1.1 del RDL 23/2020 establece la obligación de solicitar el permiso de conexión en el plazo de 6 meses desde la fecha de entrada en vigor de la citada norma o desde la fecha obtención del permiso de acceso.

27. Pese a tratarse de unos hitos de avance muy exigentes, **el RDL 23/2020 no contempla la posibilidad de prórroga de los plazos señalados**, con carácter general, **ni siquiera cuando concurran circunstancias extraordinarias**. Por esta razón mediante la Disposición final tercera del Real Decreto-ley 29/2021, de 21 de diciembre, por las que se adoptan medidas urgentes en el ámbito energético para el fomento de la movilidad eléctrica, el autoconsumo y el despliegue de energías renovables, se introdujo una prórroga de nueve meses para el cumplimiento de hitos intermedios debido a la imposibilidad de llevar a cabo la tramitación correspondiente por las Administraciones Públicas competentes.

28. Debe destacarse que la cumplimentación de dichos hitos **depende directamente de la obtención de los consiguientes permisos, que no de su solicitud**.

29. Por otro lado, el apartado 3 de la Disposición final octava del RDL 23/2020 establecía el mandato de desarrollar reglamentariamente la regulación del acceso y conexión a las redes, contenido con carácter general en el artículo 33 de la LSE.

3.2 El RD 1183/2020

30. Dicho desarrollo reglamentario se llevó a cabo con la aprobación del Real Decreto 1183/2020 que tiene por objeto establecer los principios, criterios y procedimientos en relación con la solicitud, tramitación y otor-

gamiento de los permisos de acceso y de conexión a las redes de transporte y distribución de energía eléctrica.

31. A continuación, nos encargamos de los aspectos más relevantes de la norma.

3.2.1 Obligación de obtención de los permisos de acceso y conexión y exenciones

32. Se establece la obligación de obtener los permisos de acceso y de conexión a un punto de la red para todos los sujetos que deseen conectar a la red de transporte o de distribución sus nuevas instalaciones, así como aquellas que, como resultado de una modificación sustancial, sean consideradas como nueva instalación.

33. Excepcionalmente, el artículo 17 dispone que quedan exentas de obtener permisos de acceso y conexión:

a. Las instalaciones de generación de los consumidores acogidos a la modalidad de autoconsumo sin excedentes.

b. Instalaciones de autoconsumo con excedentes de potencia igual o menor de 15 kW que se ubiquen en suelo urbanizado que cuente con las dotaciones y servicios requeridos por la legislación urbanística.

c. Las instalaciones de consumo de hasta 100 kW en baja tensión y de 250 kW en alta tensión, si está construidas en suelo urbanizado y si, con carácter previo a la necesidad de suministro eléctrico, cuentan con las dotaciones y servicios requeridos por la legislación urbanística.

3.2.2 Criterio de prelación temporal con carácter general

34. El artículo 7 del RD 1183/2020 prevé expresamente como criterio general para el otorgamiento de los permisos de acceso y conexión el de prelación temporal, fijándose como fecha relevante a estos efectos, la de admisión a trámite de la solicitud, la cual será la fecha y hora de presentación de la solicitud del permiso. En caso de subsanación de las solicitudes, será la

coincidente con la fecha y hora en la que se haya presentado correctamente toda la documentación e información requerida.

35. El criterio de prelación temporal, no obstante, tiene como excepción los casos de hibridación de instalaciones de generación existentes y de concursos de capacidad de acceso en nuevos nudos de la red de transporte o en aquéllos donde quede liberada capacidad de potencia.

3.2.3 Inadmisión de solicitudes y denegación de permisos

36. El RD 1183/2020 regula en su artículo 8 las causas de inadmisión de las solicitudes de acceso y de conexión, que quedan limitadas a:

a) no haber acreditado la presentación del resguardo de haber depositado la garantía económica, y que el órgano competente se haya pronunciado sobre que dicha garantía está adecuadamente constituida.

b) estar reservado el nudo para concursos de capacidad.

c) no aportar o subsanar la información requerida en virtud del RD 1183/2020 y con el contenido que establezca la CNMC.

d) que se presente en nudos en los que la capacidad de acceso sea nula.

37. En relación con la denegación de las solicitudes, el artículo 9 recoge que las causas sólo podrán ser aquellas que determine la CNMC debiendo de ser comunicada la denegación al solicitante de manera motivada.

3.2.4 Procedimiento único para la obtención de los permisos de acceso y conexión

38. El procedimiento único es aquel que aúna la tramitación de los permisos de acceso y conexión. Es el gestor de la red el que actúa como interlocutor único ante el solicitante, llevando a cabo los trámites necesarios con el titular de la red.

39. A estos efectos, los gestores de las redes de transporte y distribución deberán disponer de plataformas web dedicadas a la gestión de solicitudes de acceso y conexión, tramitación e información sobre el estado de las mismas.

40. El RD 1183/2020 suprime la figura del Interlocutor Único del Nudo (en lo sucesivo, «**IUN**») para aquellos procedimientos de acceso y conexión que se inicien con posterioridad a la entrada en vigor de esta norma, aunque se mantendrá transitoriamente en aquellos nudos en que ya exista.

3.2.4 Solicitud al gestor de la red

41. De acuerdo con la previsión del artículo 10.1 del RD 1183/2020, la Circular de la CNMC establece en su artículo 3 el contenido de la solicitud de acceso y conexión. Los gestores de red deberán contar con un modelo de solicitud disponible en su página web, sujeta a la revisión de pertinencia y proporcionalidad por parte de la CNMC.

42. La solicitud, se remitirá al gestor de la red a la que se pretenda conectar la instalación, quién deberá de pronunciarse en el plazo de 20 días sobre la admisión de la solicitud o, en su caso, sobre su posible subsanación. Transcurrido este plazo sin haberse notificado requerimiento de subsanación, se entenderá que la solicitud ha sido admitida a trámite. Por su parte, el solicitante dispondrá de un plazo de 20 días para atender el requerimiento de subsanación, bajo pena de inadmisión.

3.2.5 Evaluación de la solicitud

43. Una vez admitida a trámite la solicitud, el gestor de la red deberá valorar la existencia de capacidad de acceso y el titular de la red deberá valorar la viabilidad de la conexión en el punto solicitado.

44. Adicionalmente, si la conexión pudiera afectar a la red de transporte o a la red de distribución aguas arriba, se solicitará un informe de aceptabilidad sobre dichas posibles afecciones en el plazo de diez días desde que la solicitud haya sido admitida a trámite.

Finalmente, el titular de la red a la cual se solicita permiso de conexión debe evaluar la viabilidad de dicha conexión en el punto solicitado, pudiendo dar lugar a la aceptación; su aceptación parcial; o denegación de la solicitud.

3.2.6 Propuesta de acceso previa

45. En el supuesto de que la solicitud sea aceptada, el gestor de la red emitirá una propuesta previa cuyo contenido, según el artículo 6 de la Circular, debe incluir tanto la existencia de capacidad de acceso a la red como la viabilidad de la conexión a la misma, así como las correspondientes condiciones técnicas.

46. Las condiciones técnicas deberán acompañarse de un presupuesto económico pormenorizado, elaborado por el titular de la red para hacer efectiva la conexión física.

47. El plazo para que el gestor comunique al solicitante el resultado de la solicitud varía desde los 5 días desde la admisión a trámite de la solicitud hasta los 60 días.

3.2.7 Aceptación de la propuesta

48. El solicitante dispondrá de un plazo de 30 días para aceptar o no la propuesta, transcurrido el cual se considerará como no aceptación del punto propuesto.

49. En caso de estar disconforme con la solución propuesta, podrá, en ese mismo plazo, solicitar una revisión de aspectos concretos de las condiciones técnicas o económicas, debiendo atender los requerimientos en el plazo máximo de 10 días. El gestor dispondrá de un plazo de 15 días para atender la solicitud de revisión desde la subsanación del requerimiento de información adicional.

50. En cualquier caso, la revisión de una propuesta previa suspende los plazos de los procedimientos relativos a otras solicitudes de acceso y conexión cuando puedan verse afectados por el resultado de la revisión.

51. Tras la aceptación por el solicitante, el gestor y el titular de la red deberán emitir los correspondientes permisos de acceso y de conexión en el plazo de veinte días.

3.2.8 Procedimiento abreviado

52. El RD 1181/2020 prevé un procedimiento abreviado para la tramitación de permisos de acceso y conexión, en el que los plazos se reducen a la mitad, al que podrán acogerse los productores de energía eléctrica con potencia instalada igual o inferior a 15 kW no exentos; los consumidores de baja tensión que soliciten un nuevo punto de conexión de potencia igual o inferior a 15kV o una ampliación de potencia sobre un suministro existen ente cuya potencia final sea igual o inferior a 15 kW.

3.2.9 Concursos de capacidad

53. Tanto para las nuevas instalaciones de generación de energía renovable, como para las instalaciones de almacenamiento, la norma prevé la posibilidad de convocar concursos de capacidad de acceso en un nudo concreto de la red de transporte.

54. Los concursos se podrán referir a nuevos nudos de la red de transporte, aquellos en los que se libere capacidad de acceso o aflore nueva capacidad siempre y cuando sea, en ambos casos igual o superior a 100 MW (50 MW en territorios no peninsulares), sujeto al cumplimiento de una serie de condiciones.

3.2.10 Contratos técnicos de acceso y contratos de acceso

55. Tras la obtención de los permisos de acceso y de conexión, y obtenidas las pertinentes autorizaciones administrativas, sus titulares deberán firmar con el titular de la red un contrato técnico de acceso que regule la relación técnica entre ambos. Se establece para ello un plazo máximo de cinco meses. Sus discrepancias serán resueltas por la CNMC o por la Administración autonómica si fuera competente.

56. El contrato podrá ser modificado a petición de cualquiera de las partes, siempre que exista acuerdo explícito entre ambas, cumpla con los requisitos que le resulten exigibles y sea posible de acuerdo con la normativa sectorial que le sea de aplicación.

3.2.11 Garantías

57. El artículo 23 del RD 1183/2020 prevé, como ya lo hicieran los artículos 59 bis y 66 bis del RD 1955/2000, hoy derogados, las garantías económicas que serán necesarias constituir con carácter previo al inicio de la tramitación de un procedimiento de acceso y conexión a la red.

58. Se mantiene la cuantía equivalente a 40€/kW instalado y se exceptúan de la prestación de garantía las instalaciones de potencia igual o inferior a 15 kW o las destinadas al autoconsumo que no tengan la consideración de instalaciones de producción, salvo que formen parte de una agrupación cuya potencia sea superior a 1MW.

59. Una vez aportado al órgano competente el resguardo acreditativo del depósito de la garantía, este remitirá al solicitante la confirmación de la adecuada presentación de la garantía en el plazo máximo de 3 meses y esta confirmación se presentará ante el gestor de la red pertinente para que pueda admitir la solicitud.

60. La garantía económica será cancelada cuando el solicitante obtenga la autorización de explotación definitiva de la instalación en el plazo máximo de 3 meses desde la solicitud de cancelación.

3.2.12 Caducidad de los permisos de acceso y conexión

61. El RD 1183/2020 recoge en su artículo 26 las causas de caducidad de los permisos de acceso y conexión. Son las siguientes:

(i)   Si transcurridos cinco años desde su obtención las instalaciones a las que se refieren dichos permisos no hubieran obtenido la autorización administrativa de explotación (salvo hidráulica de bombeo donde este plazo se podrá extender, a solicitud del titular, hasta los siete años).

(ii) En el caso de instalaciones construidas y en servicio cuando, por causas imputables al titular de la instalación distintas del cierre temporal, cese el vertido de energía a la red por un periodo superior a tres años.

(iii) En caso de incumplimiento de los hitos administrativos, anteriormente mencionados, establecidos en el artículo 1 del RDL 23/2020, en los plazos que se establecen en el mismo.

(iv) La no realización de los pagos por actuaciones realizadas en las redes de transporte o distribución tras la obtención de los permisos de acceso y de conexión de instalaciones de generación de electricidad en puntos de tensión superior a 36 kV.

3.2.13 Hibridación

62. La regulación de la posibilidad de hibridar y su tramitación administrativa se regula en el RD 1183/2020 de un modo pormenorizado diferenciando las instalaciones con o sin permisos de acceso y conexión concedidos en los artículos 27 y 28, respectivamente.

63. Por un lado, se exime de obtener nuevos permisos de acceso y conexión a los titulares de instalaciones que cuenten ya con estos permisos e hibriden con tecnologías renovables o almacenamiento, en cuyo caso bastará con solicitar su actualización al gestor de la red, siempre que se cumplan los requisitos previstos en el artículo 27.

64. A la solicitud de actualización de estos permisos no les aplicará el criterio de prelación temporal, se tramitarán por el procedimiento abreviado y las garantías serán de 20€/kW.

3.2.14 Resolución de conflictos

65. Los posibles conflictos que puedan plantearse en relación con el permiso de acceso o el permiso de conexión, así como las denegaciones de los mismos emitidas por el gestor de la red de transporte y el gestor de la red de distribución se resolverán por la CNMC cuando su autorización sea de competencia estatal y por el órgano competente de la comunidad autónoma que corresponda, previo informe de la CNMC cuando su autorización sea de competencia autonómica.

66. Podrá presentarse en cualquier fase del procedimiento de obtención de los permisos.

67. La solicitud de resolución del conflicto deberá plantearse en el plazo máximo de un mes desde el momento en que el solicitante tiene conocimiento del hecho que la motiva, siendo el plazo para la resolución y notificación de dos meses, susceptible de ampliarse otros dos meses adicionales.

3.2.15 Régimen sancionador

68. El RD 1183/2020 remite al régimen sancionador del Título X de la Ley 24/2013, de 26 de diciembre, para cualquier incumplimiento de lo establecido en esta norma.

3.2.16 Modificación del RD 1955/2000: acuerdo vinculante para uso compartido de infraestructuras de evacuación

69. Se procede también a la modificación del RD 1955/2000, introduciendo un apartado segundo en el artículo 123 relativo al contenido del anteproyecto de la instalación.

70. Se contempla que para las líneas que cumplan funciones de evacuación de instalaciones de producción de energía eléctrica no podrá otorgarse la autorización administrativa previa sin la previa aportación de un documento, suscrito por todos los titulares de instalaciones con permisos de acceso y de conexión otorgados en la posición de línea de llegada a la subestación de la red de transporte o distribución, según proceda en cada caso, que acredite la existencia de un acuerdo vinculante para las partes en relación con el uso compartido de las infraestructuras de evacuación.

3.2.17 Modificación del Real Decreto 413/2014, de 6 de junio: definición de potencia instalada

71. Se modifica el Real Decreto 413/2014 en relación con las instalaciones híbridas y se introduce una nueva definición de potencia instalada para las instalaciones fotovoltaicas.

72. De este modo para determinar la potencia instalada deberá atenderse a la menor de entre (i) la suma de las potencias máximas unitarias de los módulos que configuran la instalación y (ii) la potencia máxima del inversor o los inversores que configuran la instalación.

3.3 La Circular 1/2021 y la Resolución de la CNMC

73. Tras la aprobación del RD 1183/2020, la CNMC aprobó la Circular, publicada el 22 de enero de 2020 en el Boletín Oficial del Estado.

74. Con este texto se persigue incrementar la eficiencia en el proceso de acceso y conexión a las redes, agilizando la tramitación y maximizando la información relacionada con la utilización de las redes en aras de elevar el grado de transparencia.

75. Esta Circular deja sin efecto las disposiciones anteriores al Real Decreto-ley 1/2019, aunque no incluye en su texto una disposición derogatoria.

76. Además de la obligación de publicidad y transparencia de la información relevante para el acceso y la conexión, establece el contenido de las solicitudes y los permisos, los criterios económicos, los criterios para la evaluación de la capacidad, los motivos para la denegación y el contenido mínimo de los contratos.

3.3.1 Contenido de las solicitudes

77. De acuerdo con el artículo 4 de la Circular, para las solicitantes que puedan acogerse al procedimiento abreviado se puede formular una «solicitud simplificada».

3.3.2 Contenido de los permisos

78. En el supuesto de que la solicitud sea aceptada, el gestor de la red emitirá una propuesta previa cuyo contenido, según el artículo 6 de la Circular, debe incluir tanto la existencia de capacidad de acceso a la red como la viabilidad de la conexión a la misma, así como las correspondientes con-

diciones técnicas, cuyo contenido está previsto en el apartado segundo del citado precepto.

3.3.3 Criterios económicos

79. La Circular dispone en su artículo 6 que el presupuesto deberá ajustarse, para las instalaciones incluidas en su ámbito de aplicación, a lo dispuesto en el artículo 6 del citado Real Decreto 1699/2011, y en los restantes casos, a lo dispuesto en la disposición adicional decimotercera del citado RD 1955/2000. Además, en su caso, deberá incluir una indicación expresa de los convenios de resarcimiento existentes.

3.3.4 Criterios para la evaluación de la capacidad

80. Para evaluar la capacidad disponible, el gestor de la red se guiará por los criterios establecidos en el Anexo I de la Circular «Criterios para evaluar la capacidad de acceso».

81. La Circular prevé en su Disposición transitoria única que, en el plazo de 3 meses desde la entrada en vigor del RD 1183/2020, aprobará mediante resolución aquellas especificaciones de detalle que puedan resultar necesarias para desarrollar la metodología y condiciones del acceso y conexión establecidas por la misma Circular. Por el momento, aplicarían los valores recogidos en su Disposición adicional segunda

82. En este sentido, el 2 de junio de 2021 se publicó en el BOE la Resolución de la CNMC, por la que se establecen las especificaciones de detalle para la determinación de la capacidad de acceso de generación a la red de transporte y a las redes de distribución. Dicha Resolución estableció que la publicación de los valores de capacidad de acceso disponible en las plataformas de los gestores de las redes de transporte y distribución tendría lugar a las 8 de la mañana del 1 de julio de 2021, momento a partir del cual sería posible reanudar la admisión de solicitudes de permisos de acceso y conexión.

83. Para valorar si una solicitud de acceso y conexión a la red de distribución tiene influencia en una red distinta de aquella a la que se pretende el acceso el gestor de la red deberá tener en cuenta los criterios establecidos en

el Anexo III de la Circular «*Criterios para determinar la influencia de productores en otra red distinta a la que se solicite los permisos a los efectos de establecer la necesidad del correspondiente informe de aceptabilidad*».

84. Finalmente, el titular de la red a la cual se solicita permiso de conexión debe evaluar la viabilidad de dicha conexión en el punto solicitado, teniendo en cuenta los criterios establecidos en el Anexo II de la Circular «*Criterios para evaluar la viabilidad de conexión*».

3.3.5 Motivos para la denegación

85. La CNMC dispone en el artículo 8 de su Circular que (i) el permiso de acceso solo podrá ser denegado por la falta de capacidad de acceso, motivada en virtud de los criterios del Anexo I de la Circular y (ii) el permiso de conexión solo podrá ser denegado si el titular de la red justifica la inviabilidad de la conexión, en base a los criterios del Anexo II de la Circular.

86. Asimismo, el art. 6 de la Circular dispone que las condiciones técnicas asociadas a la aceptación del punto deben ser de posible cumplimiento, y no estar sujetas a condiciones ajenas al solicitante.

87. Por último, establece la Circular en su artículo 8 los únicos motivos por los que los permisos de acceso y conexión pueden ser revocados:

a) Por la modificación de alguna de las características de cuya consecuencia resulte que la instalación de generación no pueda ser considerada la misma a efectos de los permisos de acceso y conexión, de acuerdo con lo establecido en la disposición adicional decimocuarta del RD 1955/2000.

b) Por el incumplimiento de las condiciones técnicas o económicas explicitadas en los permisos de acceso y de conexión.

3.3.6 Contenido mínimo de los contratos

88. Tras la obtención de los permisos de acceso y de conexión, y obtenidas las pertinentes autorizaciones administrativas, sus titulares deberán firmar con el titular de la red un contrato técnico de acceso que regule la

relación técnica entre ambos cuyo contenido, de acuerdo con el artículo 11 de la Circular, no puede incluir condiciones técnicas más exigentes que las incluidas en el resultado del análisis de la solicitud, y deberá ajustarse a lo dispuesto en el artículo 7 del Real Decreto 1699/2011, de 18 de noviembre y en su caso a lo dispuesto en el artículo 5 del Real Decreto 413/2014, de 6 de junio.

– Nueva definición de potencia instalada.

89. La Disposición final tercera del RD 1183/2020 modifica la definición de potencia instalada para las instalaciones de generación de tecnología fotovoltaica del artículo 3 del Real Decreto 413/2014, de 6 de junio. Según esta nueva definición:

> *«En el caso de instalaciones fotovoltaicas, la potencia instalada será la menor de entre las dos siguientes:*
> *a) la suma de las potencias máximas unitarias de los módulos fotovoltaicos que configuran dicha instalación, medidas en condiciones estándar según la norma UNE correspondiente.*
> *b) la potencia máxima del inversor o, en su caso, la suma de las potencias de los inversores que configuran dicha instalación».*

90. También hay que tener en cuenta que, en el caso de los módulos fotovoltaicos bifaciales, la potencia máxima del módulo será el resultado de la suma de las potencias máximas de ambas caras.

91. En este sentido, la Disposición transitoria quinta del RD 1183/2020 dispone que, a los efectos de tramitación administrativa de las autorizaciones, la nueva definición de potencia instalada introducida tendrá efectos para aquellas instalaciones que, habiendo iniciado su tramitación, aún no hayan obtenido la autorización de explotación definitiva.

92. No obstante, aquellos expedientes a los que la aplicación del nuevo criterio implicase un cambio en la administración competente, continuarán dicha tramitación en la primera hasta la obtención de la autorización de explotación e inscripción en el Registro Administrativo de Instalaciones Productoras de Energía Eléctrica (en lo sucesivo, el «**RAIPRE**»), siempre que no se produzcan cambios en la potencia instalada, y siempre que en el plazo de tres meses desde la entrada en vigor de este Real Decreto no se comunique a dicha administración el desistimiento del procedimiento iniciado.

93. Finalmente, la Disposición transitoria séptima del RD 1183/2020 establece la obligación de la autoridad competente de actualizar de oficio la potencia registrada en el RAIPRE para reflejar la nueva potencia instalada de las instalaciones.

El principio de legalidad en materia de subvenciones: una reflexión a propósito de la legislación de emergencia, aprobada por la Generalitat Valenciana, para conceder subvenciones con cargo a los fondos *Next Generation EU*

Luis Manent Alonso
Letrado de gobierno CC.AA
Abogado de la Generalitat Valenciana
Consejo Superior de Letrados CC.AA.

1. INTRODUCCIÓN

El 11 de marzo de 2020 la Organización Mundial de la Salud caracterizó el SARS-Cov-19 como pandemia. Tres días después, el Consejo de Ministros declaró el estado de alarma e impuso un confinamiento domiciliario que duró tres meses. Desde el 14 de marzo de 2020, primero el Gobierno de Estaña, y posteriormente los Consejos de Gobierno de las Comunidades Autónomas (CC.AA.), adoptaron una serie de disposiciones con rango de ley para hacer frente al coronavirus.

Paralelamente, el Consejo Europeo, acordó, el 21 de julio de 2020, una estrategia europea para superar la crisis económica que había propiciado el coronavirus. Esta respuesta se articuló a través del plan de recuperación europea *Next Generation EU* dotado con 750.000 millones de euros (360.000 millones de euros en préstamos y 390.000 euros en subvenciones)[1] . Con este mecanismo, mediante préstamos y subvenciones, las instituciones comunitarias pretendieron reparar, al menos en parte, los daños económicos y sociales causados por la pandemia, al tiempo que apoyaron los objetivos ecológicos y digitales de la Unión Europea (UE) a largo plazo. Como sucedió durante los tres estados de alarma, el Gobierno de la Nación y los consejos de gobierno autonómicos aprobaron una serie de decretos-leyes, esta vez

---

[1] Los fondos *NextGeneration EU* son un instrumento temporal de recuperación de la (UE), dotado con más de 800.000 millones de euros, destinado a minimizar las consecuencias económicas y sociales causadas por el coronavirus. Está formado por las siguientes herramientas: A) Mecanismo de Recuperación y Resiliencia (MRR). Es el instrumento central de apoyo a los Estados miembro y está dotado por 723.800 millones de euros, a repartir en préstamos y subvenciones. Con él, además, se pretende incentivar reformas e inversiones que hagan una Europa más sostenible, digital y resiliente. B) Ayuda a la Recuperación para la Cohesión y los Territorios de Europa (REACT-UE). Incluye 50.600 millones de euros destinados a dar continuidad a las políticas de cohesión de la UE. Los fondos REACT-UE se están canalizando con una inyección adicional de dinero, entre 2021 y 2022, de los siguientes fondos: Fondo Europeo de Desarrollo Regional (FEDER); Fondo Social Europeo (FSE); Fondo de Ayuda Europea para las Personas más Desfavorecidas (FEAD). c) Finalmente, los fondos *Next Generation* también están aportando fondos adicionales a otros programas o fondos europeos, como Horizonte 2020, *Invest EU*, Desarrollo Rural o el Fondo de Transición Justa (FTJ).

con la finalidad de agilizar cargas procedimentales en la distribución de los fondos *Next Generation*.

Pues bien, la máxima *hard cases make bad law* es aplicable tanto a los decretos-leyes aprobados durante los tres estados de alarma, como a las normas con rango de ley elaboradas para canalizar los fondos *Next Generation*[2]. Las situaciones extremas —*v.gr.* la legislación de emergencia propiciada por el coronavirus— no son el presupuesto adecuado para modificar leyes generales. Probablemente, den lugar soluciones contrarias al interés general así como a un debilitamiento de los necesarios controles administrativos. La reciente modificación del art. 160.2 b) de la Ley 1/2015, de 6 de febrero,

---

[2]   La expresión *hard cases make bad law* fue utilizada por el juez O. W. Holmes en su voto particular a la sentencia del Tribunal Supremo de Estados Unidos (EEUU) *Northern Security Company vs. Estados Unidos,* de 14 de marzo de 1904. Con él se opuso a la disolución, en aplicación de la Ley Sherman, de la empresa *Northern Securities Company,* por controlar las dos grandes compañías ferroviarias del noroeste de los EE.UU. (*Great Northen Railway* y *Northern Pacific Railway*), y con la que se adquirió la mayoría del capital social de la compañía *Chicago, Burlington and Quincy Railroad.* El disenso de Holmes incluyó la conocida máxima: «los grandes casos, como los casos difíciles, constituyen una mala ley» (jurisprudencia). Sostuvo que ello era así, porque «los grandes casos se consideran grandes, no por su importancia real en la configuración de la ley del futuro, sino por algún accidente de interés abrumador inmediato que apela a los sentimientos y distorsiona el juicio» (GUDÍN RODRÍGUEZ-MAGARIÑOS, Faustino (2017): *Introducción al derecho norteamericano,* El Masnou, Barcelona, pág. 74). Respecto del juez Holmes, cabe añadir que «a diferencia de lo que suele ser la regla con los principales juristas teóricos, Holmes no plasmó su pensamiento en monografías ni en tratados ni en un cuerpo sólido de artículos, sino en escritos de carácter menos académico, principalmente conferencias y sentencias judiciales» (ARJONA SEBASTIÁ, César (2006): *Los votos discrepantes del juez O. W. Holmes,* Iustel, Madrid págs. 59 y 60). A mayor abundamiento, según dijera LLOREDO en su recensión al libro de ARJONA: «los años que van desde 1902 a 1932 enmarcan un período sumamente convulso en la historia de los Estados Unidos (...). Etapa en la que, sin embargo, su Tribunal Supremo ha sido justamente calificado como el tribunal del *laissez faire* (...), opuesto a todo intento de renovar la legislación con miras a una protección de los nuevos sujetos políticos, que demandaban más derechos y unas mejores condiciones sociales (...). Ante semejante panorama, en el que los jueces ejercieron (...) una fidelidad a ultranza, (...) a la intención del legislador original, la postura de Holmes fue crítica en numerosas ocasiones» (LLOREDO ALIX, Luis Manuel (2007): «Los votos discrepantes del juez O. W. Holmes», *Derechos y libertades: Revista de Filosofía del Derecho y derechos humanos,* núm. 17, 2007, págs. 254 y 255).

de la Generalitat, de hacienda pública, del sector público instrumental y de subvenciones, en adelante LHPVal, es un ejemplo claro de ello.

El presente estudio tiene por objeto analizar una mala norma aprobada con ocasión de la inminente recepción de los fondos *Next Generation*: el Decreto-ley 6/2021 de 1 de abril, del Consell, de medidas urgentes en materia económico-administrativa para la ejecución de actuaciones financiadas por instrumentos europeos para apoyar la recuperación de la crisis consecuencia de la COVID-19. En lo sucesivo nos referiremos a él como el Decreto-ley *Next Generation*. Más en concreto, en las siguientes páginas explicaremos por qué, en nuestra opinión, una norma con rango de ley (Decreto-ley *Next Generatión*) no puede atribuir a las bases reguladoras de las subvenciones en régimen de concurrencias competitiva de la Generalitat Valenciana la naturaleza de acto administrativo (art. 160.2 b) LHPVal).

Para ello, expondremos cuál es la arquitectura jurídica de las subvenciones, así como los principios jurídicos sobre los que descansa. Posteriormente, en otro epígrafe, señalaremos porqué las bases reguladoras de las subvenciones en concurrencia competitiva deben aprobarse como disposiciones generales. En tercer lugar, criticaremos la ley de la Generalitat que atribuye a aquellas naturaleza de acto administrativo. Finalmente indicaremos los motivos por los que, en nuestro entender, debe inaplicarse esta ley de la Generalitat.

2. RÉGIMEN JURÍDICO DE LAS SUBVENCIONES

La conformación del régimen jurídico de las subvenciones, a diferencia de otras instituciones de Derecho administrativo, ha sido bien reciente[3]. Puede afirmarse, que la mayoría de edad del derecho de subvenciones no se

---

[3] Según afirma PASCUAL, «las mayores aportaciones en esta tarea [—configuración del derecho de subvenciones—] han venido de dos órganos que, en principio, pueden considerarse atípicos en la formación del Derecho. Nos referimos al Tribunal de Cuentas (TCu), "supremo órgano fiscalizador de las cuentas y de la gestión económica del Estado", y a la Intervención General de la administración del Estado (IGAE), órgano de control interno de la Administración» (PASCUAL GARCÍA, José (2004): *Régimen jurídico de las subvenciones púbicas,* Boletín Oficial del Estado, Madrid, pág. 31).

adquirió hasta la aprobación de la Ley 38/2003, de 17 de noviembre, de subvenciones (LGS), primera norma que específicamente regula esta modalidad de acción de fomento[4].

Como se expone a continuación, el plan estratégico, las bases reguladoras y la convocatoria son el esqueleto de las subvenciones. A su vez, estos tres elementos son una concreta aplicación de los principios de programación, legalidad e igualdad, a las subvenciones de concurrencia competitiva.

2.1 Elementos estructurales de las subvenciones

En la actualidad, la LGS dibuja las subvenciones de concurrencia competitiva sobre tres elementos basilares: el plan estratégico, las bases reguladoras y la convocatoria.

2.1.1 Planes estratégicos de subvenciones

Los planes estratégicos son «un instrumento destinado, por una parte a valorar el cumplimiento de los objetivos de estabilidad presupuestaria, y por

---

[4]   Con carácter previo a la LGS, la regulación de las subvenciones fue la siguiente: 1) EELL; cap. único tít. 2 (art. 23 a 29) del Reglamento de servicios de las EELL, aprobado por el Decreto de 17 de junio de 1955. 2) AGE; A) DA 16 de la Ley 44/1983, de 28 de diciembre, de PE para 1984 (LPE-84). B) arts. 81 y 82 de la redacción original del TRLGP, aprobado por el RDLeg 1091/1988, de 23 de septiembre (TRLGP-88). C) Sec. 2 cap. 1 tít. II (arts. 81 a 89) del TRLGP-88 en la redacción dada por el art. 16 de la Ley 31/1990, de 27 de diciembre, de PE (LPE-91). 3) CC.AA. *v.gr.* Cataluña: A) cap. IX (arts. 87 a 100) del TRLFCat, aprobado por el DLeg 9/1994, de 13 de julio (TRLFCat-94), añadido por el art. 28 de la Ley 25/1998, de 31 de diciembre, MAF y de adaptación al Euro (LAPCat-98). B) cap. IX (arts. 87 a 108) del TR de la Ley de finanzas públicas de Cataluña, aprobado por el DLeg 3/2002, de 13 de julio (TRLFCat). En este párrafo se han empleado las siguientes abreviaturas: AGE (Administración General del Estado); CC.AA. (Comunidades Autónomas); EELL (Entidades Locales); PE (presupuestos generales del Estado; LGP (Ley general presupuestaria); LFCat (Ley de finanzas públicas de Cataluña); RDLeg (Real Decreto Legislativo); DLeg (Decreto Legislativo); DA (disposición adicional); MAF (medidas administrativas y fiscales); Par. (párrafo); Tít; (título); cap. (capítulo).

otra a lograr una mayor coordinación entre las distintas líneas de subvención individualmente consideradas»[5].

La elaboración de planes estratégicos es una carga para la entidad otorgante que, además, orienta su actividad. Ahora bien, la aprobación del plan «no crea derechos ni obligaciones [ya que] (…) su efectividad quedará condicionada a la puesta en práctica de las diferentes líneas de subvención»[6]. Además, en consonancia con su carácter programático, los planes no tienen valor normativo. Por ello ni se publican ni innovan el ordenamiento jurídico[7]. Eso sí, su aprobación «deberá preceder tanto a las normas sectoriales mediante las que se creen subvenciones como a las bases reguladoras cuando la subvención se establezca a través de las mismas»[8].

---

[5] Consideración V E) del dictamen del Consejo de Estado, de 26 de junio de 2003, al anteproyecto de la LGS (núm. exp. 1756/2003).

[6] Art. 12.3 del Real Decreto 887/2006, de 21 de noviembre, por el que se aprueba el reglamento de la LGS. En efecto, los planes estratégicos, junto con la Base de Datos Nacional de Subvenciones, permiten programar la política de fomento de las Administraciones Públicas. De esta manera se facilita tanto «la eficacia en el cumplimiento de los objetivos fijados por la Administración otorgante» (art. 8.3 b LGS) como la «eficiencia en la asignación y utilización de los recursos públicos» (art. 8.3 c LGS).

[7] Como afirman COLLADO y TALENS, aun cuando se insertasen en un diario oficial, los planes estratégicos «no innovarían el ordenamiento jurídico, sino que se limitan a aplicarlo en cada ámbito sectorial de fomento al que fueran destinados (efecto ordenado) y tampoco tendrían vocación de permanencia, al estar su vigencia máxima definida en el tiempo (…) por lo que transcurrido el plazo para el que han sido diseñados se consumen o agotan (efecto consuntivo), siendo necesario para una nueva aplicación que se dicte un nuevo acto administrativo» (COLLADO BENEYTO, Pablo y TALENS RUBIO, Vicente (2009): *Comentario a la Ley General de Subvenciones y a su reglamento*, Tirant lo Blanch-Consell Jurídic Consultiu de la Comunitat Valenciana, Valencia, pág. 250).

[8] PASCUAL GARCÍA, José (2004): *Régimen jurídico de las subvenciones públicas, op. cit.* pág. 103. En efecto, la «aprobación (…) [de las Bases], con carácter previo al establecimiento de cualquier subvención, constituye un requisito esencial del procedimiento subvencional, de modo que el incumplimiento de esa obligación (…) determina la nulidad de la (…) convocatoria de la subvención» (FJ 3 STS 306/2021, de 4 marzo).

2.1.2 Bases reguladoras

Las bases reguladoras de las subvenciones, en lo sucesivo las Bases, concretan las diversas alternativas previstas en la legislación de subvenciones, señalando los aspectos esenciales, tanto sustantivos como de procedimiento, a los que debe sujetarse tanto la entidad otorgante como los beneficiarios de las subvenciones.

Las Bases, en atención a su carácter normativo, vinculan, en primer lugar, a la Administración. Esta, en aplicación de la regla de la inderogabilidad singular de reglamentos, deberá adecuar la convocatoria a aquellas. Dado su carácter normativo, también imponen obligaciones a los ciudadanos. Por ello, dejando de lado los supuestos en los que una ley sectorial establezca el régimen jurídico de la subvención, las Bases deben preceder a la convocatoria.

Como se verá, «la exigencia de una determinación normativa de las bases reguladoras a cargo de la Administración concedente obedece a un claro mandato de los principios de legalidad y seguridad jurídica»[9].

2.1.3 Convocatorias

«La convocatoria es una invitación (…) para conceder las subvenciones (…), y al propio tiempo, comprende el conjunto de condiciones que han de regir la concesión»[10]. En ella se hace un ofrecimiento concreto de concesión de una subvención a los hipotéticos beneficiarios.

Aunque pudiera pensarse lo contrario, la convocatoria no crea derechos ni genera obligaciones. Es una mera invitación[11]. A pesar de ello, como acto

---

[9]   FERNÁNDEZ TORRES, Juan Ramón (2005): «El establecimiento de las subvenciones» en FERNÁNDEZ FARRERES, Germán (dir.), *Comentario a la Ley General de Subvenciones,* Civitas, Madrid, págs. 311 y 312.

[10]   PASCUAL GARCÍA, José (2004): *Régimen jurídico de las subvenciones públicas, op. cit.* pág. 208.

[11]   Asiste la razón a PASCUAL cuando afirma que «por su carácter de invitación, la convocatoria no es vinculante para la Administración, que podrá anularla o modificarla y que podrá no conceder las ayudas convocadas o concederlas en distinta cuantía a

administrativo que es, tiene cierto carácter vinculante. Una vez publicada la convocatoria «no le estará permitido a la Administración (…) abstenerse de resolver (…) ni otorgar subvenciones en condiciones distintas a las previstas en la convocatoria»[12]. Eso sí, los efectos de la convocatoria se agotan con la aplicación de las Bases. Las convocatorias son acto administrativo. Por otro lado, salvo que existan normas por las establezcan el régimen jurídico de la subvención, no podrá efectuarse la convocatoria sin previa existencia de unas Bases.

2.2 Principios rectores de las subvenciones

Los elementos estructurales de las subvenciones tienen tal carácter porque permiten la realización de los principios rectores de la gestión de las subvenciones enumerados en el art. 8.3 LGS, a saber: eficacia y eficiencia, legalidad y publicidad, transparencia, concurrencia, objetividad, igualdad y no discriminación, así como eficacia y eficiencia. A ellos cabe añadir el de legalidad, el cual resulta de aplicación directa *ex* art. 9.1 CE.

2.2.1 Programación

Desde 2004, las Administraciones Públicas, y aquellas entidades de su sector público instrumental a las que les sea aplicable la LGS, deben elaborar planes estratégicos de subvenciones. Ello responde a la exigencia de gobernar desde la «planificación y dirección por objetivos y [el] control de la gestión y evaluación de los resultados de las políticas públicas»[13], y por lo tanto a los principios de eficacia y eficiencia, positivizados en el art. 8.3 c) y b) LGS.

Estamos ante una manifestación de la gobernanza, entendida como el conjunto de «normas, procesos y comportamientos que influyen en el ejerci-

---

la solicitada, pues como expresamente se prevé en la Ley (art. 24.6), ni siquiera de la propuesta de resolución surgen derechos mientras no se haya notificado la resolución de concesión» (PASCUAL GARCÍA, José (2004): *Régimen jurídico de las subvenciones públicas, op. cit,* pág. 209).

[12]   *Idem.*

[13]   Art. 3 de la Ley 40/2015, de 1 de octubre, de régimen jurídico del sector público.

cio de los poderes (...), especialmente desde el punto de vista de la apertura, la participación, la responsabilidad, la eficacia y la coherencia»[14].

2.2.2 Legalidad

En las subvenciones otorgadas en concurrencia competitiva, la obligación de aprobar unas Bases es consecuencia del principio de legalidad. Es más, la falta de Bases impedirá convocar la subvención porque «la doctrina española de forma prácticamente unánime ha dado acogida al principio de vinculación positiva de la Administración a la Ley y sostiene que el Derecho es presupuesto y no solo límite de actuación»[15]. Estas cuestiones serán abordadas en el siguiente epígrafe.

2.2.3 Igualdad

La convocatoria de las subvenciones hace posible los principios de publicidad, transparencia, concurrencia, objetividad, igualdad y no discriminación mencionados en el art. 8.3 a) LGS. Constituye la «aplicación al campo del gasto subvencional del principio de igualdad ante la Ley (art. 14 C. E.)»[16].

3. MENCIÓN ESPECIAL AL PRINCIPIO DE LEGALIDAD

Según la formulación clásica, el principio de legalidad es aquel que prohíbe limitar la esfera jurídica de los ciudadanos —su libertad y la propiedad privada— salvo que lo autorice la ley. Ahora bien, esta visión del principio de legalidad, como un *status* negativo, no se adapta al papel que, a día de hoy, debe asumir la Administración. La concepción tradicional del principio de legalidad, propia del Estado liberal, no puede aprehender todos los fines

---

[14]   Nota a pié 1, página 6, de la Comunicación de la Comisión *La gobernanza europea: Un libro blanco*, de 25 de julio de 2001, publicada en el Diario Oficial de la Unión Europea de 12 de octubre de 2001.

[15]   PASCUAL GARCÍA, José (2004): *Régimen jurídico de las subvenciones públicos, op. cit.*, pág. 65.

[16]   *Ibidem* pág. 103.

y objetivos que se imponen, en la actualidad, a los poderes públicos en un Estado social y democrático de Derecho[17].

En el siglo XXI, en el ámbito jurídico-público, «el principio de legalidad significa ante todo primacía de la Ley en el ordenamiento jurídico, así como fuente directamente habilitadora de las potestades administrativas»[18]. En efecto, cuando se relaciona el principio de legalidad con la Administración, se advierte que este debe proyectase tanto sobre su actividad normativa (reserva de ley) como ejecutiva (juridicidad o normatividad).

Desde el punto de vista normativo, el principio de legalidad se concreta en la doctrina de las materias reservadas a la ley (reserva de ley). Desde el punto de vista ejecutivo, el principio de legalidad implica la exigencia de que toda actuación administrativa tenga por base una norma jurídica previa (juridicidad o normatividad). Se puede hablar, siguiendo a Fernández Farreres, de un «doble plano fundamental [del principio de legalidad], dado que

---

[17] Sobre las diferencias entre el Estado liberal y el Estado social, GARCÍA PELAYO magistralmente señaló que «mientras el Estado tradicional se sustentaba en la justicia conmutativa, el Estado Social se sustenta en la justicia distributiva; mientras que el primero asignaba derechos sin mención de contenido el segundo distribuye bienes jurídicos de contenido material; mientras que aquél era fundamentalmente un Estado legislador, éste es, fundamentalmente un estado gestor a cuyas condiciones han de someterse las modalidades de la legislación misma (predominio de los decretos-leyes, leyes-medida, etc.); mientras que el uno se limitaba a asegurar la justicia legal formal, el otro se extiende a la justicia legal material. Mientras que el adversario de los valores burgueses clásicos era la expansión de la acción estatal, para limitar la cual se instituyeron los adecuados mecanismos (derechos individuales, principio de legalidad, división de poderes, etc.) en cambio, lo único que puede asegurar la vigencia de los valores sociales es la acción del Estado, para lo cual han de desarrollarse también los adecuados mecanismos institucionales. Allí se trataba de proteger a la sociedad del Estado, aquí se trata de proteger a la sociedad por la acción del Estado. Allí se trataba de un Estado cuya idea se realiza por la inhibición, aquí se trata de un Estado que se realiza por su acción en forma de prestaciones sociales, dirección económica y distribución del producto nacional» (GARCÍA PELAYO, Manuel (1977): *Las transformaciones del Estado Contemporáneo,* Alianza Universidad, Madrid, págs. 26 y 27).

[18] FERNÁNDEZ FARRERES, Germán (1983): *La subvención: concepto y régimen jurídico,* Instituto de Estudios Fiscales, Madrid, pág. 475.

solo teniéndolo en cuenta parece viable el poder llegar a comprender cómo se articula y manifiesta el principio de legalidad»[19].

3.1 Reserva de ley

El principio de legalidad, desde el punto de vista normativo, se plasma en la doctrina de la reserva de ley, y consiste en que determinadas decisiones solo puedan adoptarse por una asamblea representativa. Es una manifestación del sometimiento del Estado al Derecho y a la voluntad de la ley, entendida como expresión de la voluntad popular. Da lugar a lo que hoy se conoce como Estado de Derecho. Su configuración jurídica ha sido la siguiente:

3.1.1 Formulación clásica

La reserva de ley, en su proclamación inicial, se postuló primordialmente como un límite al ámbito competencial, tanto normativo como ejecutivo, del monarca[20]. Según dijera Martín-Retortillo, «la doctrina de las materias reservadas no surte su efecto tanto como atribución positiva de potestades al Poder legislativo, sino sobre todo en su aspecto negativo de la prohibición que se impone a la potestad reglamentaria»[21].

---

[19] *Idem.*

[20] A juicio de GARCÍA DE ENTERRÍA y FERNÁNDEZ, el principio de reserva de ley «tiene precedentes en el régimen medieval de asambleas (y por tanto, en el constitucionalismo anglosajón que prolonga y desarrolla), al reservarse dichas asambleas estamentales sobre todo el voto periódico al impuesto y la regulación del sistema de penas y de procedimiento penal, dos materias claves con las que se impiden la degeneración de los poderes del Rey en tiranía» (GARCÍA DE ENTERRÍA, Eduardo y FERNÁNDEZ, Tomás Ramón (2017): *Curso de Derecho Administrativo*, vol. 1 (decimoctava edición), Tecnos, Madrid, pág. 273).

[21] MARTÍN-RETORTILLO BAQUER, Lorenzo (1962): «La doctrina de las materias reservadas a la Ley y su reciente jurisprudencia del Tribunal Supremo», *Revista de Administración Pública*, núm. 39, pág. 290.

En particular, estaban reservados a la decisión de la asamblea representativa los ámbitos relativos a la libertad y la propiedad[22]. A partir de aquí, se afirmaba que toda regulación o actuación administrativa que constriñera estas dos áreas precisaba una habilitación previa, una ley[23]. Se entendía que las actuaciones de eficacia ablatoria —sintetizadas en la libertad y propiedad privada— no eran admisibles sin el consentimiento del individuo, el cual podía ser prestado por el afectado, por sumisión[24], o por sus representantes.

---

[22] La cláusula de «libertad y propiedad» aparece en Alemania hacia 1816, después de la invasión napoleónica, y posteriormente será recogida por muchas de las constituciones de los estados de Alemania del siglo XIX. «A decir de THOMA, la fórmula "libertad y propiedad" *(Freiheit und Eigentum)* la importó el BARÓN VOM STEIM de la realidad política inglesa —*liberty and property*—. Así, pues, se obtiene la reserva de ley = intervenciones reales en la libertad y propiedad de los ciudadanos». «Las materias en cuestión [que] se expresan en la fórmula "libertad y propiedad", en sentido amplio correspondía a las pretensiones de la clase social dominante en el siglo XIX: la burguesía» (GALLEGO ANABITARTE, Alfredo (1961): «Las relaciones especiales de sujeción y el principio de legalidad de la Administración», *Revista de Administración Pública*, núm. 34, págs. 28 y 29).

[23] El principio de reserva de ley, «va a ser objeto de una teorización general por parte de los juristas alemanes desde final del siglo XIX». «Esta construcción (…) es impuesta por la autoridad de la doctrina, pasa a la jurisprudencia y concluye consagrándose en los textos constitucionales de Weimar (1919) y de Bonn (1949)». «El Derecho francés (…) llegó (…) a resultados prácticamente idénticos aunque por la vía directa jurisprudencial (…) en dos *arrêts* de 1904 (*Chambre syndicale des fabricants constructeurs de matériel pour Chemin de fer*) y 1906 (*Babin*)». «En Derecho español la doctrina de las materias reservadas a la Ley ha sido una de las de elaboración más tardía (…). [Hubo que esperar a la] Ley de Régimen Jurídico de la Administración del Estado de 26 de julio de 1957» (GARCÍA DE ENTERRÍA y FERNÁNDEZ, Tomás Ramón (2017): *Curso de Derecho Administrativo, op. cit.*, págs. 275 y 276). De acuerdo con el art. 27 de la Ley de régimen jurídico de la Administración del Estado, los «Reglamentos, Circulares, Instrucciones y demás disposiciones administrativas no podían establecer penas ni imponer sanciones, tasas, cánones, derechos de propaganda u otras caras similares, salvo aquellos casos en que expresamente lo autorice una Ley votada en Cortes».

[24] Junto con el consentimiento general, expresado por la asamblea representativa, existía el consentimiento particular, la sumisión. Con esta premisa las normas reguladoras de relaciones especiales de sujeción no estaban afectadas por la reserva de ley porque en ellas se entra voluntariamente. En palabras de JESH, «en las relaciones de sujeción especial en las que se entra voluntariamente suele utilizarse como fundamento casi siempre el principio *volenti non fit iniuria*. El acceso voluntario se estima como una sumisión (de ahí la expresión de Otto Mayer "acto administrativo de sumisión" o Forsthoff «acto administrativo necesitado de cooperación») a las condiciones de la relación de sujeción

En este último caso, la limitación de la libertad o propiedad recibían el consentimiento de los afectados, formulado por el cauce de la legislación.

A contrario sensu, en aquellos ámbitos no reservados a la ley (formal), la Administración podía intervenir sin necesidad de puntuales apoderamientos. Existía, en palabras de Mayer un *gesetzesfreies Raum* (espacio sin ley) para la Administración[25]. De esta manera, se consagraron tres áreas exentas de la reserva de ley: las normas organizativas, las relaciones especiales de sujeción y la actividad prestacional o de fomento. La consecuencia de esta formulación era la ausencia de reserva de ley en materia de subvenciones toda vez que era una actividad prestacional que producía un incremento del patrimonio.

3.1.2 Formulación actual

Aunque la reserva de ley se alzó como un dique de contención frente a la medidas de eficacia ablatoria de la Administración (garantía individual), hoy en día esta se concibe, además, como una garantía más de carácter colectivo que individual. Es «una nueva visión en la que la exigencia de la intervención del Parlamento se funda ante todo en la discusión pública y abierta de las distintas posibilidades de la acción estatal»[26].

En efecto, la doctrina de la reserva de ley se asienta sobre la máxima de la primacía de la ley. «Dicha primacía tiene una primera manifestación

---

especial y como una conformidad para actuar con las intervenciones en la libertad y en la propiedad de carácter habitual, es decir, sobre todo necesarias y convenientes» (JESCH, Dietrich (1978): *La Ley y Administración (Estudio de la evolución del principio de legalidad)*, Instituto de Estudios Administrativos, Madrid, pág. 268). Como señala VILLAR PALASÍ, «las técnicas de intervención (administrativa) por vía de sumisión surgieron, generalizadamente, con los comienzos del constitucionalismo como fórmula de escape a la reserva legal, a la ley como tuitiva de la propiedad y al principio de legalidad» (VILLAR PALASÍ, José Luis (1964): *La intervención administrativa en la industria*, Instituto de Estudios Políticos, Madrid, pág. 97).

[25]   MAYER, Otto (1895): *Deutsches Verwaltungsrech*, Dunckler y Humblot, Leipzig, pág. 54.

[26]   PASCUAL GARCÍA, José (2004): *El régimen jurídico de las subvenciones públicas, op. cit.* pág. 59.

en la existencia de materias cuya regulación ha de hacerse mediante normas de rango legal»[27]. De este modo, hay que estar a lo previsto en cada constitución, para determinar a qué materias afecta la reserva de ley. Como afirma Fernández Farreres, «cualquier otra fundamentación (…) no dejará de ser (…) sino mera hipótesis teórica sujeta a diferentes interpretaciones no plenamente confirmativas luego (…) por la realidad normativa y práctica del ordenamiento jurídico»[28]. De hecho, en España, a falta de una reserva de ley expresa en materia de subvenciones, la doctrina se haya dividida[29].

---

[27] *Idem.*

[28] FERNÁNDEZ FARRERES, Germán (1983): *La subvención, concepto y régimen jurídico, op. cit.* pág. 504.

[29] En materia de subvenciones se han elaborado diversas formulaciones. Para FERNÁNDEZ FARRERES, cinco son los preceptos en los que se ha justificado la reserva de ley: 9.3 CE (positivación de los principios de legalidad y jerarquía normativa), 66.2 CE (atribución a las Cortes Generales de la potestad legislativa), 97 CE (atribución al Gobierno de la potestad reglamentaria), 103.1 CE (sometimiento de la Administración a la ley y al Derecho), y fundamentalmente el art. 53.1 CE (reserva de ley para la regulación derechos constitucionales. FERNÁNDEZ FARRERES, Germán (1983): *La subvención, concepto y régimen jurídico, op. cit.* pág. 504). Concretamente, GARCÍA DE ENTERRÍA, Eduardo y FERNÁNDEZ, Tomás Ramón (2017) sostienen que la reserva de ley alcanza a «*cualquier regulación que ataña (…) al ejercicio de los derechos fundamentales*, y (…) al "*libre desarrollo de la personalidad (…) que dichos derechos garantizan*"». Por ello toda normación que afecte a la esfera jurídica privada, como las subvenciones, estaría sujeta a reserva de ley (GARCÍA DE ENTERRÍA y FERNÁNDEZ, *Curso de derecho administrativo, op. cit.* pág. 281). En cambio, GÓMEZ-FERRER y CARRO han pretendido anclar la reserva de ley en el art. 53.3 CE. Para ellos, en el ámbito de las prestaciones positivas que amplían la esfera de los ciudadanos, entre ellas las subvenciones, no es «previsible que exista una potestad reglamentaria (…) que se ejerza directamente a partir de la Constitución sin intermediación alguna de una ley (…) [porque] la efectividad de los derechos económicos y sociales (…) supone una parte sustancial de la inversión pública y (…) de la acción política. Por ello es lógico que el legislativo intervenga en esta acción política por medio de leyes sectoriales» que protegen los principios rectores de la política económica y social del cap. III del tít. I CE. (GÓMEZ-FERRER MORANT, Rafael y CARRO FERNÁNDEZ-VALMAYOR, José Luis (1978): «La potestad reglamentaria del Gobierno y la Constitución», *Revista de Administración pública*, núm. 87, págs. 189 y 192). Por su parte, SALA ARQUER defiende la reserva de ley en materia de subvenciones a partir de la libertad de empresa del art. 38 CE, en relación con el art. 53.1 CE. Para él, la regulación del ejercicio de «la cobertura de la reserva de ley al ejercicio de la libertad de empresa va a exigir una habilitación legal (…) para la actividad de fomento»

En cualquier caso, «la técnica de las materias reservadas a la ley es [solo] uno de los elementos base a los cuales se manifestará de un forma determinada el principio de legalidad de la Administración Pública»[30]. El otro es el de la juridicidad.

3.2 Juridicidad

Es aquel principio que «exige (…) que la actuación de la Administración (…) no sea libre, esto es, que esté vinculada por el ordenamiento jurídico». «El principio de juridicidad [—afirma De Otto—] impone, por tanto, la existencia de normas jurídicas [previas] que vinculan a la Administración cuando actúa y que de este modo la someten a derecho»[31]. Desde esta perspectiva el «Derecho administrativo no es *conditio sine qua non*, sino más precisamente *conditio per quam*»[32].

Es más, según sostiene Merkl, el principio de legalidad «es un caso especial de aplicación del principio de juridicidad», pues «la ley no es más que una de las fuentes del Derecho, y la legalidad, por lo tanto, una juridicidad cualificada»[33].

(SALA ARQUER, José Manuel (1979): *Las bases constitucionales de la Administración del Estado: Ley y Administración en la Constitución de 1978*, en VVAA, *La Constitución española y las fuentes del derecho*, vol. 3, Instituto de Estudios Fiscales, Madrid, pág. 1784).

[30] GARCÍA-TREVIJANO FOS, José Antonio (1961): *Curso de Derecho Administrativo*, vol. I, Sindicato Español Universitario, Salamanca, pág. 166

[31] DE OTTO y PARDO, Ignacio (1987): *Derecho Constitucional. Sistema de fuentes*, Ariel, Barcelona, págs. 157 y 158. En opinión de DE OTTO «lo que el principio de juridicidad combate [es] la atribución a la Administración de un poder para actuar sin vinculación a las normas». Así quedan vinculados los conceptos de Administración y Derecho (administrativo). Por ello «de ese principio nace todo el Derecho administrativo y la sujeción de la Administración al control de los Tribunales». *Ibidem* pág. 158.

[32] RUBIO LLORENTE, Francisco (1993): «El principio de legalidad», *Revista Española de Derecho constitucional*, núm. 39 pág. 13.

[33] MERKL, Adolf (1980): *Teoría general del Derecho administrativo*, Editorial Nacional Ciudad de México, pág. 212.

3.2.1 Formulación clásica

En un primer momento, tras la Revolución Francesa, se sostuvo que el único poder legítimo era el que derivaba de una ley formal[34]. En opinión de García de Enterría, este postulado tiene «un sentido técnico muy riguroso y estricto. Significa que todo órgano público (del Rey abajo) ejerce el poder que la Ley ha definido previamente, en la medida tasada por la Ley, mediante el procedimiento y las condiciones que la propia Ley establece»[35]. Por ello, siendo la ley la única fuente de la voluntad estatal, el monarca y la Administración actuaban como mero poder ejecutivo. Por este motivo todas las acciones de la Administración debían apoyarse y justificarse en una ley previa que le habilite para realizarla.

No obstante, en el siglo XIX, gracias al principio monárquico[36], primero en Alemania y después en otros países, las Administraciones Públicas

---

[34] «La existencia del poder reglamentario de la Administración es algo evidente en el mundo actual (…). Fue, sin embargo, en su momento, una novedad que no se avenía fácilmente con el dogma de la división de poderes, que parecía imponer una concentración del poder normativo en el Legislativo y una limitación de la Administración a la pura ejecución de las Leyes. (…) [Para que se admitiese la potestad reglamentaria de la Administración hubo que esperar a] la promulgación de la Constitución del Consultado en el año VIII [1799 D.C.], cuyo artículo 44 estableció por vez primera (…) que "el *Gobierno* propone las Leyes y *hace los Reglamentos* necesarios para asegurar su ejecución"» (GARCÍA DE ENTERRÍA, Eduardo y FERNÁNDEZ, Tomás Ramón (2017): *Curso de Derecho Administrativo, op. cit.* págs. 211 y 212).

[35] GARCÍA DE ENTERRÍA, Eduardo (1994): *La lengua de los Derechos. La formación del Derecho Público europeo tras la Revolución Francesa*, Alianza Universidad, Madrid, págs. 127 y 128. En este sentido, el art. 5 de la Declaración de Derechos del Hombre y del Ciudadano de 1789 establecía que «todo lo que no está prohibido por la ley no puede ser impedido y nadie puede ser forzado a hacer lo que ella no ordena», y, especialmente, el art. 3 de la secc. 1 del cap. II de la Constitución de 1791, proclamó que «no hay en Francia autoridad superior a la de la ley. El Rey no reina más que por ella y sólo en nombre de la ley puede exigir obediencia».

[36] La consolidación definitiva de un poder reglamentario general de la Administración se produce con el llamado «principio monárquico», que buscó integrarse tras el fin del Imperio napoleónico en los esquemas democráticos alumbrados por la Revolución. Habría en el Estado un «principio democrático», pero a su lado, con su fuente de legitimidad propia, «un principio democrático»; el pacto de los dos (…) sería la Constitución (GARCÍA DE ENTERRÍA, Eduardo y FERNÁNDEZ, Tomás Ramón (2017): *Curso de Derecho Administrativo, op. cit.,* pág. 212). El gran teorizador del

dejaron de necesitar una ley formal para aprobar reglamentos o dictar actos administrativos, entre otras, en materia de subvenciones. Tal y como se ha expuesto *ut supra* (letra A), se exceptuaban de la habilitación legal previa aquellas regulaciones y actuaciones que carecieran de eficacia ablatoria. Así quedó reflejada en diversas constituciones de Estados alemanes aprobadas tras la revolución francesa.

En cualquier caso, «la formulación de estas teorías tiene su origen, por tanto, en un momento histórico determinado y es en ese contexto donde las mismas encuentran su verdadera significación. De ahí que, hoy en día, no puedan explicarse las relaciones entre la Administración y el Derecho acudiendo sin más a estas viejas ideas, sino que es preciso comprobar si alguna de ellas encuentra cobertura en nuestro ordenamiento jurídico»[37].

3.2.2 Formulación actual

El esquema expuesto quiebra tras la Segunda Guerra Mundial. «Bajo las premisas del Estado Social, [se afirma] la exigencia de que toda actuación administrativa, incluidas las tradicionalmente referidas al ámbito de los puramente interno, de lo organizativo, así como de las relaciones especiales de sujeción y también toda la Administración de Prestaciones [esto es, la actividad de fomento], deba tener, igualmente, por base una específica habilitación legislativa»[38].

En palabras de Tornós, «la ley deja de ser el límite para convertirse en fundamento de la actuación de la Administración»[39]. Como afirman García

---

«principio monárquico», y el primer representante de los que posteriormente se conocería como doctrina de la vinculación negativa de la Administración a la ley (*negative Bindung*), fue STAHL. Sobre la posición de STAHL puede leerse su libro sobre el principio monárquico. STAHL, Friedrich Julius (1845): *Das monarchische Prinzip. Eine Staatsrechtliche Abhandlung*, Weltgeist-Büche, Heidelberg.

[37] BELADIEZ ROJO, Margarita (2000): «La vinculación de la Administración al Derecho», *Revista de Administración Pública,* núm. 153, pág. 316.

[38] FERNÁNDEZ FARRERES, Germán (1983): *Las subvenciones: concepto y régimen jurídico, op. cit.* pág. pág. 473.

[39] TORNÓS MÁS, Joaquín (1983): «La relación entre la ley y el Reglamento. Reserva legal y remisión normativa. Algunos aspectos conflictivos a la luz de la jurisprudencia

de Enterría y Fernández, el Derecho, para la Administración, no es «una linde externa que señale hacia fuera una zona de prohibición y dentro de la cual pueda ella producirse con su sola libertad o arbitrio. Por el contrario, el Derecho condiciona y determina, de manera positiva, la acción administrativa, la cual no es válida sino responde a un previsión normativa»[40]. Ahora bien, tomando como referencia el *bloc de légalité*[41] , la previsión normativa quedaba colmada, no solo con la ley, sino también con las demás fuentes del Derecho.

Este planteamiento se ancla en la teoría de la vinculación positiva de la Administración (*positive Bindung*)[42]. Elaborada por Merkl con el nombre de principio de juridicidad, conlleva la necesidad de que «cada acción administrativa esté condicionada por la existencia de un precepto administrativo que admita semejante acción»[43]. Para este autor, «este principio es una ley jurídi-

---

constitucional», *Revista de Administración Pública*, núm. 100-102, vol. 1, pág. 474.

[40] GARCÍA DE ENTERRÍA, Eduardo y FERNÁNDEZ, Tomás Ramón (2017): *Curso de Derecho Administrativo, op. cit.* pág. 486.

[41] La expresión bloque de legalidad «permitía designar, por encima de las leyes, a todas las reglas que se imponen a la Administración en virtud del principio de legalidad y que no eran, a decir verdad, de la misma naturaleza que aquéllas, ya que un cierto número tenían un origen jurisprudencial (especialmente los principios generales de derecho)». Acuñada por HAURIOU, con ella «se quería indicar que la ilegalidad de un reglamento de la Administración podía surgir no sólo de la infracción de un norma concreto, sino de su carácter contrario al "ordenamiento" o al "Derecho". Se trataba de dar cabida a los principios generales del ordenamiento, a las normas deducibles del conjunto del Derecho vigente aunque no contaran con una traducción *expresis verbis* en una ley. [También se utilizaba para significar] la vinculación positiva de la Administración a la ley y al Derecho (…) [Desde este punto de vista significaba para la Administración] el sólo poder hacer aquello para lo cual tiene una habilitación específica (o cuando menos nada contrario al Derecho) (…). [Suponía] que aquella estuviese ligada no solo a las leyes, como textos formales escritos, sino en general al Derecho». FAVOREU, Louis (1990): «El bloque de constitucionalidad», *Revista del Centro de Estudios Constitucionales,* núm. 5, págs. 46 y 47 y 62.

[42] Los términos *positive bindung* y *negative bindung*, a partir de los cuales se ha conceptualizado la teoría de la vinculación positiva o negativa a la ley, fueron popularizados por WINKLER. WINKLER, Günther (1956): *Der Bescheid. Ein Beitrag zur Lehre vom Verwaltungsakt,* Manz, Viena, pág. 36.

[43] MERKL, Adolf (1980): *Teoría general de Derecho Administrativo, op. cit.,* pág. 212.

co-teórica sin excepciones e inviolable»[44], una verdadera «regla lógica»[45]. En España «no es cuestión pacífica la de cuál de los dos modelos de vinculación —positiva o negativa— es el consagrado por la CE»[46].

Entre nosotros Ballbé fue el primero en poner de manifiesto «la conexión necesaria entre Administración y Derecho y la máxima que lo cifra — *quae non sunt permissae prohibitia intelliguntur*—». A juicio de este autor, «para contrastar la validez de un acto no hay (…) que preguntarse por la existencia de algún precepto que lo prohíba, bajo el supuesto de que ante su falta ha de entenderse lícito; por el contrario hay que inquirir *si algún precepto* lo admite como acto administrativo para concluir por su invalidez en ausencia de tal disposición»[47].

Con posterioridad, «la doctrina mayoritaria ha venido pronunciándose a favor de la aplicación del principio de vinculación positiva, aunque la práctica acredita terminantemente lo contrario»[48]. Para algunos esta norma habi-

---

[44]   *Idem.*

[45]   Para MERKL, Incluso el monarca absoluto actuaba apoyándose en una norma atributiva de competencias: *regis voluntas suprema lex est. Ibidem* pág. 214. Por ello, según este autor, el principio de juridicidad sería previo al de legalidad porque «la existencia de la juridicidad precede a toda y a todas las Administraciones». *Ibidem* pág. 215. «Como puso de manifiesto MERKL, el principio de legalidad es un caso de aplicación del principio de legalidad. El principio de legalidad presupone el de juridicidad, pero el principio de juridicidad no condiciona en modo alguno al de legalidad. Como explico este autor, el principio de juridicidad es una ley jurídico-teórica que se funda en la naturaleza que poseen todas las actividades del Estado de ser funciones jurídicas; (…) Por el contrario el principio de legalidad, cualquiera que sea el significado que al mismo se le atribuya, es un postulado jurídico-político que requiere ser consagrado legalmente para que tenga existencia jurídico-positiva». BELADIEZ ROJO, Margarita (2020): «La vinculación de la Administración al Derecho», *Revista de Administración Pública*, núm. 153, pág. 326.

[46]   SANTAMARÍA PASTOR, Juan Alfonso (2016), *Principios de Derecho Administrativo General,* vol. I (cuarta edición), Iustel, Madrid, pág. 59.

[47]   BALLBÉ PRUNÉS, Manuel (1950): «Derecho administrativo», en MASCAREÑAS, Carlos Eugenio (dir), *Nueva Enciclopedia Jurídica*, vol. I, Seix, Barcelona, pág. 63.

[48]   SANTAMARÍA PASTOR, Juan Alfonso (2016), *Principios de Derecho Administrativo General, op. cit.* pág. 59.

litante debe tener rango formal de ley (*i.e.* Gómez-Ferrer y Carro[49]). Otros, en cambio, consideran que el principio de juridicidad debe entenderse en un sentido amplio, equivalente a norma jurídica o «bloque de legalidad» (*v.gr.* De Otto, Fernández Farreres, García de Enterría y Fernández, García-Trevijano, Rubio y Tornós[50]).

Existen, no obstante voces discordantes. Es el caso de Sánchez Morón, para el cual «la aplicación generalizada de la tesis de la vinculación positiva ni responde a la realidad ni se deduce del texto de la Constitución»[51]. Mismo parecer tiene Muñoz Machado. Para él «la vinculación no hay que entenderla como positiva»[52]. Beladiez entiende, refiriéndose a la regla de la juridicidad, que «si la misma se asocia con el principio de legalidad es porque se ha convertido en uno más de nuestros mitos jurídicos»[53].

---

[49] GÓMEZ-FERRER MORANT, Rafael y CARRO FERNÁNDEZ-VALMA-YOR, José Luis (1978): *La potestad reglamentaria del Gobierno en la Constitución, op, cit.* pág. 16.

[50] DE OTTO, Ignacio (1987): *Derecho Constitucional. Sistema de fuentes, op. cit.* pág. 159. GARCÍA DE ENTERRÍA, Eduardo y FÉRNÁNDEZ, Tomás Ramón (2017), *Curso de Derecho Administrativo, op. cit.* págs. 481 a 487. FERNÁNDEZ FARRERES, Germán (1983): *La subvención: concepto y régimen jurídico, op. cit.* pág. 506. GARCÍA-TREVIJANO FOS, José Antonio (1961): *Curso de Derecho Administrativo, op. cit.* pág. 465. RUBIO LLORENTE, Francisco (1993): «El principio de legalidad», *op. cit.* pág. 25. TORNÓS MÁS, Joaquín (1983): *La relación entre la ley y el Reglamento. Reserva legal y remisión normativa. Algunos aspectos conflictivos a la luz de la jurisprudencia constitucional, op. cit.* pág. 474. Para GARCÍA TREVIJANO, «el principio de legalidad significa el sometimiento de la Administración al "bloque jurídico" (no a la ley formal y a las normas únicamente) y tiene un significado negativo y otro positivo (…). En sentido negativo nos dice que los Reglamentos no pueden contradecir una ley formal normativa ni invadir la "reserva de ley" (principio de jerarquía normativa); en sentido positivo significa el respeto a la "habilitación" de ley formal para ciertas intervenciones (en la "libertad y propiedad") (…). Aunque no debe olvidarse que la ley puede facultar a la Administración a estas intervenciones mediante cláusulas generales (…) (principio de reserva legal)». *Idem.*

[51] SÁNCHEZ MORÓN, Miguel (2018): *Derecho Administrativo. Parte General* (decimocuarta edición), Tecnos, Madrid, pág. 88.

[52] MUÑOZ MACHADO, Santiago (2015): *Tratado de Derecho Administrativo y Derecho Público General,* vol. III (cuarta edición), Boletín Oficial del Estado, Madrid, pág. 102.

[53] BELADIEZ ROJO, Margarita (2000): *La vinculación de la Administración a Derecho, op. cit.* págs. 321 y 322.

Santamaría plantea una tesis intermedia. En su opinión, «es más sensato pensar que nuestro sistema constitucional no responde en bloque a ninguno de los dos regímenes de vinculación [positiva o negativa]». «Ante el silencio que la CE guarda sobre este punto (…) [afirma que] sigue siendo válido el [criterio] acuñado por la doctrina alemana, según el cual el régimen de vinculación positiva afecta a todas las actuaciones de eficacia ablatoria». En concreto, las «medidas de fomento (…) se rigen (…) por la regla de la vinculación negativa, salvo que requieran un desembolso de fondos públicos, en cuyo caso es obviamente necesaria la habilitación proveniente de la Ley de Presupuestos»[54].

Jurisprudencialmente tampoco existe una línea clara. Pueden encontrarse sentencias que resuelvan en base al «principio del derecho administrativo moderno de que "está permitido lo que no está prohibido" [(vinculación negativa)] (…) y que [a juicio del Tribunal Superior de Justicia de Asturias] hoy se encuentra positivizado con formulación explícita e imperativa en el vigente art. 4 de la Ley 40/2015, de 1 de octubre, de Régimen Jurídico del Sector Público»[55]. También es posible toparse con otras sentencias que fallen partiendo de «la explicación de la legalidad administrativa según la doctrina de la vinculación positiva (*positive bindung*) [la cual,] supone que la Administración actúe en virtud de potestades previamente atribuidas por el ordenamiento jurídico»[56].

4. NATURALEZA REGLAMENTARIA DE LAS BASES REGULADORAS DE LAS SUBVENCIONES

A día de hoy la naturaleza jurídica de las Bases es pacífica. Doctrina, jurisprudencia y Derecho positivo coinciden en caracterizarla como una disposición general. Sin embargo, esta realidad no puede ahorrarnos el estudio de la razón determinante de esta opción. Con frecuencia, «es preciso

---

[54]   SANTAMARÍA PASTOR, Juan Alfonso (2016), *Principios de Derecho Administrativo General, op. cit.* pág. 59.

[55]   FJ 2 STSJ de Asturias 230/2017, de 20 de marzo (núm. rec. 266/2016).

[56]   FJ 5 STS de 23 de junio de 2003 [núm. rec. 2829/2001 *(Tol 305752)*].

averiguar el porqué del surgimiento, el sentido latente, la finalidad concreta de que toda técnica jurídica es tributaria. Esto, sobre todo en el Derecho administrativo, no son meras fórmulas o números o ideas, sino que corresponden a objetivos concretos y específicos. El problema estriba en detectar esas finalidades, casi nunca confesadas o reconocidas»[57].

En nuestra opinión, la razón de ser no confesada o reconocida de la naturaleza reglamentaria de las Bases es el principio de legalidad, y más en concreto su vertiente de juridicidad. Esta opción no es casual. No puede olvidarse que «las instituciones y los conceptos jurídicos deberán ser entendidos, no como especies lógicas o logicizables, sino precisamente, como arbitrios políticos (y por ende, construidos, eventualmente artificiosos) con los que una comunidad atiende sus singulares exigencias de justicia»[58].

Veamos los antecedentes normativos de los arts. 9.2 y 17.3 LGS, la función de las Bases en la arquitectura legal de las subvenciones, y la singularidad de la LPHVal, que prohíbe que las Bases tengan naturaleza normativa.

4.1 Antecedentes normativos de la Ley general de subvenciones

Los arts. 9.2 y 17.3 LGS atribuyen, con carácter básico, naturaleza reglamentaria a las Bases. De acuerdo con el primero, previamente «al otorgamiento de las subvenciones, deberán aprobarse las *normas* que establezcan las bases reguladoras de concesión». Para el segundo, «la *norma* reguladora de las bases de concesión» tendrá el contenido mínimo previsto en el art. 17.3 LGS.

La naturaleza reglamentaria de las Bases no es una novedad en nuestro ordenamiento jurídico. La única innovación, introducida en 2003, es la extensión de esta opción jurídica a todas las Administraciones Públicas. Previamente la Ley general presupuestaria, de 23 de septiembre de 1988 (LGP-

[57]   VILLAR PALASÍ, José Luis (1965): *El mito y la realidad de las disposiciones aclaratorias,* Centro de Formación y Perfeccionamiento de Funcionarios, Madrid, pág. 11.

[58]   GARCÍA DE ENTERRÍA, Eduardo (1974): *Dos estudios sobre la usucapión en Derecho Administrativo (El dogma de la reversión de concesiones),* Tecnos, Madrid, pág. 11.

88), exigía aprobar, en la Administración General del Estado, unas Bases, con carácter normativo, antes de convocar cada subvención en concurrencia competitiva. Y antes de la LGP-88, la DA 16 de Ley de presupuestos generales del Estado para 1984 ya prescribía lo mismo[59]. Por su parte, en Cataluña, antes de 2003, sus leyes de finanzas públicas (TRLFCat), tanto la de 13 de julio de 1994 como la de 24 de diciembre como 2002, permitían atribuir a las Bases carácter normativo[60].

En definitiva, el contenido de los arts. 9.2 y 17.3 LGS no es caprichoso, sino que está ligado a la primera legislación reguladora de las subvenciones.

---

[59]   Antes de 2003 varias leyes establecían el carácter reglamentario de las Bases: 1) Pár. 2 de la DA 16 LPE-84. Establecía que, en el caso de subvenciones no nominativas, para ajustarse aquellas los principios de publicidad, concurrencia y objetividad, «por los Ministerios correspondientes se establecerán, caso de no existir, y previamente a la disposición de los créditos, las oportunas *normas reguladoras de la concesión*». Por lo tanto, la LPE-84 exigía, que con carácter previo a la concesión de subvenciones no nominativas, se aprobasen unas normas reguladoras de la subvención, o sea unas Bases. 2) Pár. 2 del art. 81 TRLGP-88. En su redacción original, reproducía lo dispuesto en el pár. 2 de DA 16 LPE-84. 3) Par. 2 art. 81.6 y par. 1 81.8 TRLGP-88. Tras ser modificado el TRLGP-88, por el art. 16 LPE-91; por un lado, el par. 2 del art. 86.1 TRLGP-88 reiteraba que, con el fin de garantizar los principios de publicidad, concurrencia y objetividad, «por los Ministros correspondientes se establecerán, caso de no existir y previamente a la disposición de los créditos, las *oportunas bases reguladoras de la concesión*»; por otro lado el par. 1 del art. 81.8 TRLGP-88 añadía que, para poder modificar la resolución de concesión de la subvención, «esta circunstancia se deberá hacer constar en las *correspondientes normas reguladoras de las subvenciones a que se alude en el número 6 anterior*» [del art. 81 TRLGP-88]. Así, el art. 81.6 TRLGP-81 exigía aprobar unas Bases, y posteriormente, el art. 81.8 TRLPG-88 atribuía a estas naturaleza reglamentaria.

[60]   El art. 92.1 TRLFCat-94, en la redacción dada por el art. 28 LAPCat-98, señalaba que «el ente concedente, con carácter previo al acuerdo de concesión, debe aprobar las *bases reguladoras* de la subvención». Adicionalmente 92.5 a) TRLFCat-94, tras la LAPCat-98, al referirse al contenido mínimo de la convocatoria, incluía en él «las bases reguladoras de la subvención o [la] indicación de la *disposición [general] donde se contienen*». De esta manera con carácter previa a la convocatoria de la subvención, mediante una disposición general, o al tiempo de convocar la subvención, mediante un acto administrativo, era necesario dar publicidad a las Bases. Estas, tendrían carácter de disposición general sino estaban incorporadas a la convocatoria. Al no incorporarse a la convocatoria tenían vigencia indefinida y naturaleza normativa. En otro caso, participarían de la consideración de acto administrativo, como las bases. En el mismo sentido se pronuncian los arts. 92.1 y 92.4 a) TRLFCat-02.

Esta opción —naturaleza reglamentaria de las Bases— es consecuencia de un modo concreto de entender el principio de legalidad. Además, «en el ámbito de las Administraciones autonómicas son igualmente necesarias las bases reguladoras, si bien a cada Comunidad competerá en el ejercicio de su autonomía elegir su instrumento normativo, al par que goza de un margen de autonomía en la configuración de su contenido, del que sólo algunos extremos son de necesaria inclusión»[61].

4.2 Elementos estructurales y principios ordenadores de las subvenciones

Según se dijo, la arquitectura jurídica de la LGS descansa sobre tres elementos: el plan estratégico, las Bases y la convocatoria: El plan general sirve para estimular la eficiencia y eficacia de la Administración (principio de programación); las Bases encuentran su razón de ser en el principio de legalidad, y la convocatoria responde a exigencias del principio de igualdad.

Las Bases se diferencian de la convocatoria por su distinta naturaleza jurídica. Las primeras tienen vocación de permanencia y las segundas se agotan con su aplicación. Unas son disposiciones generales, las otras son actos administrativos[62].

La distinción entre Bases y convocatoria no es casual, arbitraria o caprichosa. Responde a una tradición jurídica que arranca en el siglo XIX y que entronca con la aplicación del principio de legalidad a las subvenciones.

Como es sabido, «la Administración Pública (…) actúa (…), con sometimiento pleno a la ley y al Derecho» (art. 103.1 CE). Además, «sólo por ley

---

[61] PASCUAL GARCÍA, José (2004): *El régimen jurídico de las subvenciones públicas, op. cit.* pág. 75.

[62] Como afirma PASCUAL, cada una de las Bases «no es un acto meramente aplicativo sino innovador del ordenamiento, susceptible de una pluralidad indefinida de cumplimientos. Contrariamente la convocatoria, aunque su contenido se refiere a una pluralidad indeterminada de sujetos, es un acto ordenado, producido en el seno del ordenamiento y por éste previsto como aplicación del mismo; en definitiva, es un mero acto administrativo y, como tal, se agota con su cumplimiento» (PASCUAL GARCÍA, José (2004): *El régimen jurídico de las subvenciones públicas, op. cit.* pág. 75).

(…), podrá regularse el ejercicio de (…) [los] derechos y libertades» del cap. 2 del tít. I de la CE, entre otros, la libertad de empresa (art. 38 CE). Estos preceptos, como se expone a continuación, dan cobertura jurídica a las dos manifestaciones del principio de legalidad: reserva de ley y juridicidad.

4.2.1 Principio de reserva de ley

En el siglo XXI, el principio de reserva de ley se traduce en la primacía de la ley. Por mor de este principio, una ley formal debería regular, al menos con carácter primario, las cuestiones más relevantes para la sociedad. A ello habría que añadir, que las constituciones —como *norma normarum*— serían los textos llamados a delimitar qué materias están sujetas a reserva de ley.

En España, aunque la CE no incorpora una reserva de ley expresa en materia de subvenciones, parte de la doctrina ha pretendido anclarla en preceptos genéricos de la Carta Magna. Uno de esos autores es Gimeno Feliú. En su opinión, «cualquier medida de fomento (y, por ende, de intervención de los poderes públicos en el mundo económico) necesita cobertura legal (…) por mandato de los artículos 9.3, 53 y 103 de la CE»[63].

Esta proposición —primacía de la ley— habría dado lugar, en primer lugar, a la DA 16 de la Ley 44/1983, de 28 de diciembre (LPE-84). Esta disposición fue la primera que ordenó, mediante ley formal, la adecuación de la gestión de las subvenciones a los principios de publicidad, concurrencia y objetividad. Complementariamente señaló, por primera vez, con rango de ley, la carga de las Administración General del Estado, de elaborar unas Bases, para cada tipo de subvenciones, así como la naturaleza reglamentaria de las mismas. En segundo término, la reserva de ley en materia de subvenciones habría sido la que propició la incorporación, por la Ley 31/1990, de 27 de diciembre (LPE-91), de los arts. 81 a 89 a la Ley general presupuestaria de 23 de septiembre de 1988 (TRLGP-88). Con ellos se complementó la regulación legal en materia de subvenciones. Finalmente, detrás de la LGS, también habría que ver el principio de legalidad. La LGS supondría

---

[63]   GIMENO FELIÚ, José María (1995): «Legalidad, transparencia, control y discrecionalidad en las medidas de fomento del desarrollo económico (Ayudas y subvenciones)», *Revista de Administración Pública*, núm. 137, pág. 168.

la culminación —la mayoría de edad— del Derecho de subvenciones. Por primera vez una ley *ad hoc* ha regulado, con carácter básico, las subvenciones.

4.2.2 Principio de juridicidad

A partir del art. 103.1 CE, que prescribe el sometimiento de los poderes públicos no solo a la ley sino también al Derecho, se encuentra reconocido —según el parecer de Fernández Farreres— el principio de juridicidad. A juicio de este profesor, por este precepto, la Administración está «sometida al "bloque de legalidad", tanto en su actuación normativa como meramente ejecutiva». Para él, «nuestra Constitución ha dado plena acogida al principio de vinculación positiva de la Administración por la legalidad, por lo que toda actuación administrativa debe responder a una *previsión normativa* (…) y toda potestad de la Administración tiene que encontrar su origen en una norma»[64].

Esta previsión normativa, en materia de subvenciones, son las Bases. Siguiendo los postulados de la *positive Bindung*, para que las Administraciones Públicas pudieran otorgar concretas subvenciones, deberían estar amparadas por una norma que legitimase la distribución de fondos públicos para una finalidad concreta. Por eso, se ha dicho que, con carácter previo a la convocatoria de una subvención, ha de haberse aprobado una norma, las Bases, que habilite a la Administración a fomentar una determinada actividad. Ello sería así, en palabras de García de Enterría y Fernández, porque «el Derecho condiciona y determina, de manera positiva, la acción administrativa, la cual no es válida sino responde a un *previsión normativa*»[65].

---

[64] FERNÁNDEZ FARRERES, Germán (1983): *La subvención: concepto y régimen jurídico, op. cit.* pág. 506.

[65] GARCÍA DE ENTERRÍA, Eduardo y FERNÁNDEZ, Tomás Ramón (2017), *Curso de Derecho Administrativo, op. cit.* pág. 486.

4.3 Las bases reguladoras como acto administrativo en la Generalitat Valenciana

Lo escrito en las páginas anteriores nos permite concluir, con Pascual, que «las normas de aprobación de las bases constituyen reglamentos. Dicho carácter y su diferencia de naturaleza con la orden o resolución de la convocatoria son patentes, tanto si se atiende al procedimiento de elaboración, como a su contendido. La norma aprobatoria de las bases complementa y desarrolla la ley»[66].

Desde un punto de vista teórico, con la carga de aprobar como disposición general las Bases, «ha quedado claramente resuelta la discusión acerca de si la Administración podría otorgar subvenciones sin norma expresa previa, como consecuencia del principio de vinculación positiva de la Administración a la legalidad»[67].

Desde un punto de vista práctico, «la exigencia de que se establezcan dichas bases se justifica por la gran variedad de subvenciones que conoce la acción de los poderes públicos y la consiguiente necesidad de adaptar a cada tipo las condiciones principios generales establecidos en la LGS»[68].

A pesar de ello, el Decreto-ley *Next Generation*, ha modificado la LHPVal, para afirmar que las «bases reguladoras de la concesión de las subvenciones (…) no tendrán la consideración de disposiciones de carácter general» (art. 160.2 b). Dicho esto, a continuación realizamos una valoración crítica y señalamos las razones de la modificación del art. 160.2 b) LHPVal.

4.3.1 Valoración crítica

A esta modificación de LHPVal le resulta de aplicación, sin lugar a dudas, la máxima *hard cases make bad law*. Una situación extrema como la CO-

---

[66]　PASCUAL GARCÍA, José (1983): *Régimen jurídico de las subvenciones públicas, op. cit.* pág. 75.

[67]　*Ibidem* pág. 58.

[68]　*Ibidem* pág. 75.

VID-19 no es el presupuesto adecuado para modificar una ley general como la LHPVal.

El resultado está siendo desastroso. El Decreto-ley *Next Generation* ha propiciado un auténtico cortocircuito jurídico en las diferentes consellerias de la Administración del Consell. Desde entonces; unas han optado por conservar las Bases y aprobar las convocatorias mediante resolución; otras han decidido derogarlas. En este segundo caso; bien se han aprobado las Bases y la convocatoria en dos tiempos, atribuyendo a aquellas tres años de vigencia (para vincularlas al plan estratégico) y un año a estas (en atención a la periodicidad anual de las subvenciones); bien se ha decidido aprobar ambas, mediante resolución, y en un solo tiempo.

Esta diversidad de modos de actuar pone de manifiesto cómo al privar, por decreto-ley, de naturaleza reglamentaria a las Bases, estas devienen superfluas. En primer lugar porque si estas no son una disposición general —aprobada con vocación de permanencia— carece de sentido asignarles un contenido mínimo —reserva de Bases— y diferente al de las convocatorias[69]. En segundo término porque su existencia, de manera diferenciada a la convocatoria, no tiene razón de ser. En la medida en que las Bases y la convocatoria tienen la misma naturaleza —actos administrativos—, lo razonable es que ambas se aprueben al mismo tiempo y sin diferenciarse conceptualmente. Tanto unas como otras se agotan con su aplicación.

En definitiva, el Decreto-ley *Next Generation*, desconoce que «las bases reguladoras constituyen el punto de intersección entre el grupo normativo horizontal de las subvenciones encabezado por la LGS y el grupo vertical encabezado por la disposición que las crea o establece»[70]. Como afirma la sabiduría popular, «nadie echa vino nuevo en odres viejos; de otra manera, el

---

[69] Como apunta PASCUAL, «naturalmente las diferencias [entre Bases y convocatoria] se escurecen en los casos en los que, con una técnica inadecuada, en una misma Orden (…) se contienen las bases y la convocatoria, debiendo tenerse presente, en todo caso, que la LGS únicamente permite la acumulación de supuestos excepcionales, al establecer que ello puede hacerse "en atención a su especificidad"» (PASCUAL GARCÍA, José (2004): *Régimen jurídico de las Subvenciones Públicas, op. cit.*, pág. 75).

[70] *Ibidem* pág. 76.

vino nuevo rompe los odres, y se derrama el vino, y los odres se pierden»[71]. Esto es precisamente lo que no hay que hacer y ha hecho el Decreto-ley *Next Generation*. Al echar vino nuevo —legislación de emergencia— en odres viejos —principio de legalidad en materia de subvenciones— las Bases han perdido su razón de ser.

4.3.2 Razón determinante del cambio

El Decreto-ley *Next Generation* no revela la causa de la modificación del art. 160.2 b) LHPVal. Aunque es una percepción personal, intuyo que el «sindicato de las prisas» está detrás de la transformación de la naturaleza jurídica de las Bases[72].

En la Generalitat Valenciana, las Bases, como disposición general, deben aprobarse, previa tramitación del procedimiento previsto en el art. 43 de la Ley 5/1983, de 30 diciembre, de la Generalitat, del Consell. Ello supone, entre otras actuaciones, la necesidad de elaborar ciertos documentos (*v.gr.* informe de necesidad y oportunidad), dar traslado del texto a los departamentos del Consell, oír a los potenciales interesados (trámite de audiencia) y recabar sendos informes jurídicos de la Abogacía de la Generalitat y el Consell Juridic Consultiu de la Comunitat Valenciana. En cambio, como acto administrativo, «sólo será preceptivo el previo informe de la Abogacía General de la Generalitat y de la correspondiente intervención delegada»[73].

Además, no es la primera vez que se intenta «agilizar», en la Generalitat Valenciana, la tramitación de Bases. El art. 18 de la Ley 21/2017, de 28 de diciembre, de medidas fiscales, de gestión administrativa y financiera y de organización de la Generalitat (LAPVal-18) suprimió, del art. 165.1 LHPVal, el inciso que indicaba que «las bases (…) serán aprobadas (…) de acuerdo con el procedimiento previsto para la elaboración de disposiciones generales».

---

[71]   Evangelio de San Marcos, capítulo 2, pasajes 18 a 20.

[72]   En este sentido es significativo que el Decreto-ley *Next Generation* del Consell no fue objeto de informe jurídico de la Abogacía de la Generalitat. Al menos este no consta en el portal de transparencia de la Generalitat.

[73]   Art. 165.1 LHPVal.

En 2016, el Consell Jurídic Consultiu de la Comunitat Valenciana (CJC), en su dictamen al anteproyecto recordó que «las bases reguladoras son reglamentos ejecutivos (...) con todas las consecuencias como hasta la fecha han venido siéndolo»[74]. Por este motivo, llama la atención el hecho de que el CJC, ahora, tras el Decreto-ley *Next Generation,* haya concluido que las Bases «tendrán la consideración de acto administrativo»[75]. No se comparte esta decisión[76]. Según nuestro parecer procede inaplicar la LHPVal en virtud de la regla de la prevalencia del Derecho estatal.

En este estado de cosas, resta por analizar las vías que el ordenamiento jurídico ofrece al operador jurídico para garantizar el principio de legalidad en materia de subvenciones.

---

[74] Consideración quinta del DCJC 552/2016, de 25 de noviembre. Previamente, la Abogacía General de la Generalitat había señalado que, mientras el art. 44.5 del Estatuto de Autonomía de la Comunitat Valenciana (EACV) «exija una mayoría de 3/5 de Les Corts [para aprobar la Ley de creación del CJC, ello] (...) impide la modificación de la Ley 10/1994 mediante la Ley de Medidas Fiscales, de Gestión Financiera y Administrativa y de Organización» (informe de 9 de agosto de 2016, de la Abogacía General de la Generalitat en la Conselleria de Agricultura, Medio Ambiente, Cambio Climático y Desarrollo Rural).

[75] El DCJC 262/2021, de 5 de mayo, fue el primero en pronunciarse sobre la modificación del art. 160.2 b) LHPVal. Después vinieron más dictámenes (*i.c.* 347/2021, de 9 de junio, y 460/2021, de 21 de julio). Incluso el CJC llegó a realizar una moción al Consell, de 3 de junio de 2021, instando volver a la situación anterior. Para el CJC, ignorando los arts. 9.2 y 17.3 LGS, la tramitación de las Bases como una disposición general «incumple de plano, y desde su origen, el mandato sobre la naturaleza jurídica de las bases que se establece en el Decreto Ley del Consell 6/2021, y por ello, es contrario al ordenamiento jurídico» (consideración quinta DCJC 262/2021).

[76] Tanto el Consejo de Estado como los consejos consultivos de las CC.AA., de forma mayoritaria, atribuyen naturaleza normativa a las Bases. Entre otros, el Consejo Consultivo de Castilla y León, considera que, «en el caso de las subvenciones, debe tenerse en cuenta, además, que las bases reguladoras son disposiciones generales que desarrollan el régimen jurídico de cada subvención y que (...) lo dispuesto en el artículo 17.3 (...) de la LGS [tiene] (...) carácter básico» (consideración V del dictamen de 21 de marzo de 2018). Previamente el Consejo de Estado, al dictaminar el anteproyecto de la LGS, ya había puesto de manifiesto que «los procedimientos contemplados [en la LGS] (...) son simples procedimientos de mínimos, y [que] el texto permite que las propias bases reguladoras [, como normas que son,] establezcan fases o trámites adicionales».

5. PREVALENCIA DEL DERECHO ESTATAL

Como se ha expuesto, el Decreto-ley *Next Generation* ha provocado una antinomia entre los arts. 9.2 y 17.3 LGS y el art. 160.2 b) LHPVal. Según nuestro parecer la contradicción debe ser resuelta por la cláusula de prevalencia del Derecho estatal del art. 149.3 CE.

«La regla de prevalencia [del art. 149.3 CE] es una norma de colisión respecto de dos normas en conflicto sobre una materia que se encuentren dentro de sus respectivos ámbitos competenciales»[77]. En virtud de esta regla, «cuando no es posible una interpretación de la norma autonómica que la haga conciliable con la legislación básica [del Estado], la resolución de la controversia debe basarse en la aplicación de esta última»[78].

Ahora bien, la regla de la prevalencia solo resuelve el problema de la norma aplicable (y con carácter provisional), pero no el de la norma válida[79]. La regla de prevalencia no incide sobre la validez de la norma autonómica. Se limita a declarar la aplicación de una y la inaplicación de otra. Incide en la eficacia. El juicio sobre la constitucionalidad de la ley estatal o autonómica corresponde en exclusiva al Tribunal Constitucional (TC), el cual no se encuentra vinculado por la cláusula de prevalencia.

Pues bien, de «la prevalencia de las normas del derecho estatal (…) resultan destinatarios los aplicadores del Derecho sin distinción»[80], entre ellos la Generalitat Valenciana. «Las Comunidades Autónomas ni son competentes … para determinar los efectos que sus normas producen sobre el Derecho estatal preexistente (…), ni lo pueden ser para condicionar el Derecho estatal posterior»[81]. En este punto hay que recordar que la Generalitat Valenciana,

---

[77] FJ 4 STS de 13 de octubre de 2003 [rec. cas. 2602/2000 *(Tol 325119)*].

[78] FJ 5 STS de 9 de diciembre de 2008 [rec. cas. 7459/2004 *(Tol 1413349)*].

[79] La prevalencia opera como una norma de conflicto, dirigida en el caso que nos ocupa a la Generalitat, en virtud de la cual, en tanto en cuanto no se pronuncie el TC, la norma estatal desplaza a la autonómica por razones de seguridad jurídica. En caso contrario cualquier Comunidad Autónoma podría evitar la legislación estatal con la simple aprobación de una norma con rango de ley por su asamblea o consejo de gobierno.

[80] FJ 3 STC 204/2016, de 1 de diciembre *(Tol 5928501)*.

[81] FJ 3 STC 204/2016, de 1 de diciembre *(Tol 5928501)*.

como «operador jurídico primario, al que preferentemente van destinadas las normas, tiene necesariamente que operar con la técnica del desplazamiento de una de las leyes en conflicto y[a que] no tiene legitimación para suscitar cuestión de inconstitucionalidad, pues su planteamiento se reserva a los jueces y tribunales»[82].

Por estos motivos, en nuestra opinión, tanto empleados públicos como órganos superiores y directivos de la Generalitat deben aplicar la ley estatal que atribuye carácter normativo a las Bases (arts. 9.2 y 17.3 LGS) y desplazar la ley autonómica que afirma que estas son actos administrativos (160.2 b) LHPVal). Ello implica que las Bases deben ser tramitarlas como una disposición general.

Ante tal postura, entendemos que no puede fundarse el rechazo a la cláusula de prevalencia del Derecho estatal en el supuesto carácter exclusivo de la competencia de la Generalitat en materia de procedimiento.

Como es sabido, uno de los requisitos exigidos para que sea aplicable la cláusula de prevalencia es que el Estado haya legislado a partir de un título competencial propio. La cláusula de prevalencia no juega en materias atribuidas de forma exclusiva a las CC.AA.. Por ello es necesario indagar el título competencial por el que la LHPVal ha establecido que «las (…) bases reguladoras (…) no tendrán la consideración de disposiciones de carácter general» (art. 160.2 b) LHPVal).

El art. 160.2 b) LHPVal se dicta al amparo del art. 49.1.3ª del Estatuto de Autonomía de la Comunitat Valenciana (EACV), que habilita a la Generalitat para dictar «normas (…) de procedimiento administrativo derivadas (…) de las especialidades de la organización de la Generalitat Valenciana». Este título competencial es el reverso del art. 149.1.18 CE, que atribuye competencia exclusiva al Estado para fijar «el procedimiento administrativo común, sin perjuicio de las especialidades derivadas de la organización propia de las Comunidades Autónomas».

Por ello el art. 49.1.3ª EACV no da lugar a una competencia exclusiva en el sentido del art. 149.3 CE. Como afirma la STC 130/2013, de 4 de junio,

---

[82]   FJ 4 STC 204/2016, de 1 de diciembre *(Tol 5928501)*.

«en la regulación del procedimiento administrativo de las subvenciones, nos encontramos con una situación de concurrencia competencial. Por un lado, y de acuerdo con lo que dispone el art. 149.1.18 CE, el Estado puede regular, desde una perspectiva general y abstracta, el procedimiento subvencional común, mientras que las Comunidades Autónomas pueden establecer "las especialidades derivadas de la organización propia"»[83].

Esta conclusión no queda oscurecida porque el art. 49.1.3ª EACV exprese que la Generalitat Valenciana tiene competencia «exclusiva» para fijar las «normas (…) de procedimiento administrativo derivadas de (…) las especialidades de la organización de la Generalitat». Esta afirmación debe entenderse, sin perjuicio del art. 149.1.18 CE «Esa "preferencia" del Derecho autonómico en materia de competencias exclusivas de la Generalitat no impide la aplicación del Derecho del Estado emanado en virtud de sus competencias concurrentes. Por lo dicho, el sentido del precepto [del art. 49.1.3ª EACV] se compadece sin dificultad con el art. 149.3 CE, cuyas cláusulas de prevalencia y supletoriedad no se ven menoscabadas por la norma en cuestión»[84].

En efecto, el art. 160.2 b) LHPVal, además de concretar que compete a los consellers aprobar mediante orden las bases reguladoras de la concesión de subvenciones, efectúa una valoración jurídica. Afirma que las bases «no tendrán la consideración de disposiciones de carácter general». Ello supone un exceso de la competencia para señalar una especialidad procedimental derivada de la organización de la Generalitat Valenciana, que es lo que atribuye el art. 49.1.3º EACV, que además contradice los arts. 9.2 y 17.3 LGS. Esta cuestión, no obstante, es analizada a continuación.

En definitiva, en todas las Administraciones Públicas, las Bases deben tramitarse como normas, y en ese caso, tendrán la consideración de disposiciones generales. En este sentido es significativo que el art. 17 LGS se titule «bases reguladoras de las subvenciones». Las Bases regulan, norman, con carácter indefinido los extremos a que se refiere el art. 17.3 LGS, y en la Generalitat Valenciana, el art. 165.2 LHPVal. Al existir una «reserva de bases», determinados elementos de la subvención deben establecerse por norma,

---

[83]   FJ 8 STC 130/2013, de 4 de junio *(Tol 3785912)*.
[84]   FJ 59 STC 31/2010, de 16 de julio *(Tol 1880189)*.

sin que un acto administrativo pueda señalarlos en cada convocatoria. Ello es así porque el «diseño del "procedimiento administrativo común" (…) es competencia exclusiva del Estado»[85].

6. CONCLUSIÓN

Según dijera el juez Holmes, *hard cases make bad law*. Con esta máxima se significa que los casos importantes pueden dan lugar a malas soluciones, no porque sean difíciles, sino porque están sometidos a fuertes presiones. También se expresa la inconveniencia de establecer cambios generales a partir de circunstancias excepcionales.

Esto es precisamente lo que ha sucedido con el Decreto-ley 6/2021, del Consell, que ha modificado la Ley 1/2015, de 6 de febrero, de la Generalitat, para atribuir a las bases reguladoras de las subvenciones la naturaleza de acto administrativo. Hoy en día tanto doctrina como jurisprudencia convergen a la hora de atribuir a las bases reguladoras el carácter de disposición general. A pesar de ello, en la Generalitat Valenciana, por decreto-ley, estas son actos administrativos. Ello es así porque *hard cases make bad law*.

Para conseguir este propósito se ha utilizado una norma de urgencia (Decreto-ley 6/2021, del Consell), dictada en circunstancias de excepcionalidad —una pandemia— para cambiar una norma general (Ley 1/2015, de 6 de febrero, de la Generalitat). De esta manera se ha introducido un cambio de calado en materia de subvenciones, sin someterse a controles internos durante su tramitación, y desconociendo que el carácter reglamentario es consecuencia de una tradición jurídica —asumida por las Cortes Generales— que considera que la Administración está vinculada positivamente a la ley. Es lo que se conoce como principio de juridicidad, y que se concreta en la necesidad de aprobar una disposición general —las bases reguladoras— antes de convocar una subvención.

Ante esta situación, en virtud de la cláusula de prevalencia del Derecho estatal, entendemos que debe ser desplazada la norma autonómica (art. 160.2

---

[85] FJ 5 STC 166/2014, de 22 de octubre *(Tol 4552852)*.

b) de la Ley 1/2015, de la Generalitat) y ser aplicada la estatal (arts. 9.2 y 17.3 de la Ley general de subvenciones).

Dicen que la realidad siempre supera la ficción. Así ha sucedido con las bases reguladoras de las subvenciones. Como se ha expuesto, en 2021, un decreto-ley despojó a las bases reguladoras de su carácter reglamentario. Pues bien, en 2022 —una vez enviado este artículo a la imprenta— otro decreto-ley ha devuelto la naturaleza normativa a las bases reguladas de las su

---

Bibliografía

ARJONA SEBASTIÁ, César (2006): *Los votos discrepantes del juez O. W. Holmes*, Iustel, Madrid.

BALLBÉ PRUNÉS, Manuel (1950): «Derecho administrativo», en MASCAREÑAS, Carlos Eugenio (dir.), *Nueva Enciclopedia Jurídica*, vol. I, Seix, Barcelona.

BELADIEZ ROJO, Margarita (2000): «La vinculación de la Administración al Derecho», *Revista de Administración Pública,* núm. 153.

COLLADO BENEYTO, Pablo y TALENS RUBIO, Vicente (2009): *Comentario a la Ley General de Subvenciones y a su reglamento*, Tirant lo Blanch-Consell Jurídic Consultiu de la Comunitat Valenciana, Valencia.

DE OTTO y PARDO, Ignacio (1987): *Derecho Constitucional. Sistema de fuentes,* Ariel, Barcelona.

FERNANDES FARRERES, Germán (1983): *La subvención: concepto y régimen jurídico,* Instituto de Estudios Fiscales, Madrid.

FERNÁNDEZ TORRES, Juan Ramón (2005): «El establecimiento de las subvenciones», en FERNÁNDEZ FARRERES, Germán (dir.), *Comentario a la Ley General de Subvenciones,* Civitas, Madrid.

GALLEGO ANABITARTE, Alfredo (1961): «Las relaciones especiales de sujeción y el principio de legalidad de la Administración», *Revista de Administración Pública*, núm. 34.

GARCÍA PELAYO, Manuel (1977): *Las transformaciones del Estado Contemporáneo,* Alianza Universidad, Madrid

GARCÍA DE ENTERRÍA, Eduardo (1974): *Dos estudios sobre la usucapión en Derecho Administrativo (El dogma de la reversión de concesiones),* Tecnos, Madrid.

GARCÍA DE ENTERRÍA, Eduardo (1994): *La lengua de los Derechos. La formación del Derecho Público europeo tras la Revolución Francesa,* Alianza Universidad, Madrid.

GARCÍA DE ENTERRÍA, Eduardo y FÉRMÁNDEZ, Tomás Ramón (2017): *Curso de Derecho Administrativo,* vol. 1 (decimoctava edición), Tecnos, Madrid.

GARCÍA-TREVIJANO FOS, José Antonio (1961): *Curso de Derecho Administrativo,* vol. I, Sindicato Español Universitario, Salamanca.

GIMENO FELÍU, José María (1995): «Legalidad, transparencia, control y discrecionalidad en las medidas de fomento del desarrollo económico (Ayudas y subvenciones)», *Revista de Administración Pública*, núm. 137.

GÓMEZ-FERRER MORANT, Rafael y CARRO FERNÁNDEZ-VALMAYOR, José Luis (1978): «La potestad reglamentaria del Gobierno y la Constitución», *Revista de Administración pública*, núm. 87.

GUDÍN RODRÍGUEZ-MAGARIÑOS, Faustino (2017): *Introducción al derecho norteamericano,* El Masnou, Barcelona.

JESCH, Dietrich (1978): *La Ley y Administración (Estudio de la evolución del principio de legalidad,* Instituto de Estudios Administrativos, Madrid.

LLOREDO ALIX, Luis Manuel (2007): «Los votos discrepantes del juez O. W. Holmes», *Derechos y libertades: Revista de Filosofía del Derecho y derechos humanos*, núm. 17, 2007.

MARTÍN-RETORTILLO BAQUER, Lorenzo (1962): «La doctrina de las materias reservadas a la Ley y su reciente jurisprudencia del Tribunal Supremo», *Revista de Administración Pública*, núm. 39.

MAYER, Otto (1895): *Deutsches* Verwaltungsrech, Dunckler y Humblot, Leipzig.

MERKL, Adolf (1953): *Teoría general del Derecho administrativo,* Revista de Derecho Privado, Madrid.

MUÑOZ MACHADO, Santiago (2015): *Tratado de Derecho Administrativo y Derecho Público General,* vol. III (cuarta edición), Boletín Oficial del Estado, Madrid.

PASCUAL GARCÍA, José (2004): *Régimen jurídico de las subvenciones púbicas,* Boletín Oficial del Estado, Madrid.

RUBIO LLORENTE, Francisco (1993): «El principio de legalidad», *Revista Española de Derecho constitucional*, núm. 13.

SALA ARQUER, José Manuel (1979): *Las bases constitucionales de la Administración del Estado: Ley y Administración en la Constitución de 1978,* en VVAA, *La Constitución española y las fuentes del derecho*, vol. 3, Instituto de Estudios Fiscales, Madrid.

SÁNCHEZ MORÓN, Miguel (2018): *Derecho Administrativo. Parte General* (decimocuarta edición), Tecnos, Madrid.

SANTAMARÍA PASTOR, Juan Alfonso (2016), *Principios de Derecho Administrativo General,* vol. I (cuarta edición), Iustel, Madrid.

STAHL, Friedich Julius (1845): *Das Monarchische Prinzip. Eine Staatsrechtliche Abhandlung,* Weltgeist-Büche, Heildelberg.

TORNÓS MÁS, Joaquín (1983): «La relación entre la ley y el Reglamento. Reserva legal y remisión normativa. Algunos aspectos conflictivos a la luz de la jurisprudencia constitucional», *Revista de Administración Pública*, núm. 100-102, vol. 1.

VILLAR PALASÍ, José Luis (1964): *La intervención administrativa en la industria*, Instituto de Estudios Políticos, Madrid.

VILLAR PALASÍ, José Luis (1965): *El mito y la realidad de las disposiciones aclaratorias,* Centro de Formación y Perfeccionamiento de Funcionarios, Madrid.

WINKLER, Günther (1956): Der Bescheid. Ein Beitrag zur Lehre vom Verwaltungsakt, Manz.

Problemática en torno a la consolidación del personal temporal de la administración. Análisis de la Ley 20/2021, de medidas urgentes para la reducción de la temporalidad en el empleo público

Lourdes Morate Martín
Letrada Consistorial del Ayuntamiento de Oviedo;
Académica Correspondiente RAJLE y de Número Real
Academia de Jurisprudencia y Legislación Asturiana

1. ANTECEDENTES. ACLARACIÓN DE PUNTO DE PARTIDA

Es preciso comenzar este estudio partiendo de la diferente naturaleza jurídica de los trabajadores temporales de la Administración, unos con vínculo laboral y otros administrativo, lo que indudablemente motiva que las consecuencias de la declaración de abuso de la temporalidad, en uno y otro caso, sean diferentes. En el primer supuesto, el reconocimiento del abuso ante la jurisdicción laboral dará lugar a la declaración de la condición de «indefinido no fijo» de la Administración con derecho a la permanencia en el puesto, hasta que se proceda la cobertura reglamentaria del mismo, *«conforme los principios de igualdad, mérito y capacidad»...*[1] En el segundo, en principio y hasta la aprobación del RD 14/2021 y su reciente convalidación por la Ley 20/2021, el abuso en la temporalidad del funcionario interino, no tenía consecuencia alguna en cuanto a una eventual permanencia del mismo, más allá de que consiguiera demostrarse la existencia de un perjuicio, por vía del instituto de responsabilidad patrimonial de la Administración[2], lo cual hasta la fecha, se ha venido a demostrar como algo sumamente complicado.

---

[1]   El Tribunal Supremo en su STS de 28 de junio de 2021 (rec. 3263/19) rectifica su doctrina previa y considera que la declaración de indefinido no fijo en caso de abuso por encadenamiento de contratos temporales en la administración, es una sanción adecuada, y fija el plazo máximo de 3 años para la interinidad por vacante, sancionando en su caso el abuso con la declaración de la condición de indefinido no fijo, establece además que la existencia de limitaciones presupuestarias no justifican la no convocatoria de la OPE más allá de los 3 años ni, por ende la situación de abuso de la temporalidad.

En muchos casos dicha Sentencia ha sido erróneamente interpretada, en tanto que se olvidaba que no se refería a interinos con vínculo funcionarial como tal, sino a personal laboral con contrato de interinidad por vacante con encadenamiento de sucesivos contratos laborales temporales. Evidentemente, ello no implicaba que la doctrina de la Sala de lo Social del Tribunal Supremo pueda ser exportable a la jurisdicción Contencioso-Administrativa que examina la relación de interinidad de los trabajadores con vínculo funcionarial de la Administración bajo otro prisma totalmente diferente, ni por supuesto que pueda declararse a un trabajador con vínculo funcionarial interino como «indefinido no fijo» en caso de abuso, como también fue erróneamente afirmado durante aquellos días.

[2]   Sobre esta cuestión el Tribunal Supremo en la Sentencia de 30 de noviembre de 2021 (rec. 6103/2018), refiere: *«Es perfectamente sabido que la relación estatutaria de servicio se rige por el Derecho Administrativo y consiste, entre otras cosas, en la aceptación por el empleado*

2. SITUACIÓN DOCTRINAL EN AMBAS JURISDICCIONES (CONTENCIOSO-ADMINISTRATIVA Y SOCIAL)

2.1 Doctrina reciente relativa a interinos con vínculo funcionarial

Para poner la situación en el contexto adecuado, debemos de partir de que de conformidad con el art. 10.1 del TREBEP 5/2015 *«Son funcionarios interinos los que, por razones expresamente justificadas de necesidad y urgencia, son nombrados como tales para el desempeño de funciones propias de funcionarios de carrera, cuando se de alguna de las siguientes circunstancias (…) Existencia de vacantes, no siendo posible la cobertura por los titulares, sustitución transitoria, ejecución de programas de carácter temporal, exceso o acumulación de tareas (…)».*

La problemática del abuso de personal temporal por la Administración puede concretarse en la duración de la situación de interinidad por encima de lo razonable, con independencia de que la contratación se haya formalizado bajo un único nombramiento, o múltiples, como ocurre frecuentemente el ámbito de educación y sanidad, planteándose innumerables demandas por esta cuestión, algunas de cuales, ha finalizado ante el Tribunal de Justicia de la Unión Europea, bajo un objetivo común, el reconocimiento del derecho a la permanencia en el puesto como sanción al abuso; En este sentido, la **Sentencia de 19 de marzo de 2020,** C-103/18 (Sánchez Ruiz) y 429/18 (Fernández Alvarez y otras), discernía la cuestión planteada por los JCA nº 8 y 14 de Madrid relativa a si, ante un abuso de la situación de temporalidad, una vez declarado el mismo, como compensación el trabajador tendría derecho a la permanencia de su puesto en condición de personal estatutario fijo (en equivalencia a la figura del «indefinido no fijo» de los contratados laborales de duración determinada), o por el contrario, era posible una indemnización como sanción a la Administración, concluyendo el TJUE, que correspondía a los Tribunales españoles determinar en cada caso si debe concederse una indemnización al trabajador por el abuso cometido (que se canalizaría como

---

de una serie de reglas que conforman un "estatuto" en gran medida heterónomo. En este sentido, no hay ninguna identidad de razón con la legislación laboral, por lo que carece de fundamento que los tribunales la apliquen en este ámbito, ni siquiera como fuente de inspiración».

una responsabilidad patrimonial) en otro procedimiento «adhoc»[3]. En esta línea, la Sentencia del caso del caso IMIDRA (interinos por vacante con vínculo laboral) dictada por el TJUE, el 3 de junio de 2021 en el asunto C-726/19 estableció también que, partiendo de la base de que no existe ninguna medida equivalente y eficaz de protección respecto del personal que *«presta servicios en las Administraciones públicas en régimen de Derecho administrativo (…)»,* la asimilación de dicho personal con relaciones de servicio de duración determinada a los «trabajadores indefinidos no fijos» podría ser una medida apta para sancionar la utilización abusiva de los contratos de trabajo de duración determinada y eliminar las consecuencias de la infracción de lo dispuesto en el Acuerdo Marco.

Partiendo de esta base, en los últimos tiempos el Tribunal Supremo ha rectificado las Sentencias de tribunales inferiores en las que se obviaba el vínculo funcionarial administrativo de un trabajador temporal y se declaraba, como sanción de la Administración el reconocimiento de la fijeza del mismo, sentencias que han obtenido también casi mayoritariamente, la revocación de las Salas respectivas de los Tribunales Superiores de Justicia competentes, así por ejemplo la Sentencia del Tribunal Superior de Justicia de la Comunidad Valenciana de 19 de mayo de 2021[4] que, revocando una sentencia de un Juzgado de lo Contencioso Administrativo de Alicante, textualmente refiere que, *«la conclusión jurídica alcanzada en el fallo, en cuanto reconoce el derecho (de la actora) a permanecer en el puesto de trabajo que actualmente desempeña con los mismos derechos y con sujeción al mismo régimen de estabilidad e inamovilidad que rige para los funcionarios de carrera comparables (sin adquirir la condición de funcionario de carrera) con base al carácter fraudulento que aprecia en la contratación, no alcanza a contar, en criterio de la Sala, con un respaldo fáctico, normativo o jurisprudencial lo suficientemente sólido que elude que no se trata de una sucesión de contrataciones sino de una única relación laboral prolongada en el tiempo, que aplica erróneamente la sentencia del TJUE de 19 de marzo de 2020 (…)»*

---

[3] Entiende el Tribunal Supremo en su Sentencia de 30 de noviembre de 2021 (rec. 6103/2018) que *«el mero hecho de haber sido personal interino durante un tiempo más o menos largo, incluso si ha habido nombramientos sucesivos no justificados por la Administración, no implica automáticamente que haya habido un daño».*

[4] Sentencia TSJCV 371/2021, dictada en el Recurso de Apelación 315/2020.

En idéntico este sentido, negando la aplicación de fraude de Ley por la prórroga en nombramientos interinos de una trabajadora, auxiliar del Ayuntamiento de Santiago de Compostela, se pronuncia la Sentencia del 20 de enero de 2021 del Tribunal Superior de Justicia de Galicia en el recurso 280/20:

> *«A mayor abundamiento no considera la Sala que la solución jurídica sea la aplicación de la Sentencia del TJUE de 19 de marzo de 2020 en los asuntos acumulados C-103/18 y C-429/18, pues que aquellas se referían a supuestos de sucesivos contratos o relaciones laborales de duración determinada. (…). En el caso que nos ocupa, (…) se constata claramente, como reconoce la Interventora municipal, que la recurrente ha venido realizando las funciones propias de un auxiliar administrativo (…) y fue como funcionaria interina para la ejecución de un programa de carácter temporal, al amparo del art. 10.1.c) EBEP (…) De ese relato de hechos debe concluirse, a diferencia de lo concluido en las Sentencias de esta Sala y Sección anteriormente citadas, que las sucesivas prórrogas en el nombramiento de la recurrente, si bien excedieron del plazo legalmente establecido no se realizaron de manera fraudulenta (…)».*

En idéntica línea, opuesta a la permanencia en su puesto de los interinos en fraude de ley, la Sentencia dictada por Tribunal Superior de Justicia del País Vasco el 13 de mayo de 2021[5], resuelve la reclamación de una trabajadora interina con 17 años de antigüedad en su puesto de delineante para el Ayuntamiento de Bilbao, en el recurso de apelación interpuesto contra la Sentencia dictada por el JCA nº 4 de Bilbao que desestimó su pretensión de fijeza, o subsidiariamente de indemnización como sanción por el abuso cometido por a Administración.

Es sumamente interesante la conclusión de la Sala que considera que, no puede asumirse la pretensión de la actora de ser nombrada funcionaria de carrera y, mucho menos, que se cree *«una categoría nueva de empleados públicos (empleado público fijo) con los mismos derechos y condiciones que los funcionarios de carrera, pero con una designación diferente. Hemos de tener en cuenta que, de acuerdo con el artículo 63 EBEP, el primer requisito que ha de cumplir una persona para que adquiera la condición de funcionario de carrera es la superación del proceso selectivo».* No considera además la Sala que la superación de un proceso selectivo para

---

[5]   Recurso de apelación nº 752/2020, Sentencia número 191/2021.

acceder a la interinidad pueda ser equiparable al exigido para ser funcionario de carrera pues *«los requisitos exigidos para acceder a ella son más laxos que los impuestos para quienes pretenden adquirir la condición de funcionario de carrera. Es por ello que es fácil ver que acceder a la pretensión de la actora podría dar lugar a evidentes abusos destinados a ahorrar a determinadas personas el superar un proceso selectivo»*[6].

Con similar argumento la Sentencia del Tribunal Superior de Justicia de Navarra de 1 de junio de 2021[7] , rechazó la solicitud de convertir en funcionarios fijos a tres personas contratadas con vínculo administrativo, concurriendo abuso de la temporalidad y, entiende además, que no procedería conceder indemnización alguna por vía de responsabilidad patrimonial, en tanto que aquella se solicita sin acreditar el daño o el perjuicio concreto, a consecuencia de la contratación abusiva.

2.2 Doctrina reciente relativa a los trabajadores interinos con vínculo laboral

En el ámbito de **la jurisdicción social** (trabajadores temporales con vínculo laboral) la situación de los trabajadores de la Administración que encadenan sucesivos contratos temporales es sustancialmente diferente toda vez que, la legislación laboral les otorga en caso de abuso, el derecho a una indemnización (en el supuesto de cese en su relación laboral) o en otros caso, su derecho a la permanencia en condición de indefinido no fijo (concepto que, de suyo implica la naturaleza «temporal» de la declaración, que no impedirá la convocatoria de las plazas ocupadas por dicho colectivo.

En este contexto hay que referirse nuevamente a la Sentencia dictada por el TJUE el 19 de marzo de 2020 en los asuntos C–103/18 y 429/18, en la que admite la existencia de una situación abusiva en los interinos (por

---

[6] *«Pero es que, además, en el caso que nos ocupa, la interesada se presentó al concurso-oposición convocado para cubrir, entre otras, la plaza por ella ocupada. Sin embargo, no fue capaz de superar esas pruebas y pretende ahora obtener, por esta vía, aquello que no fue capaz de lograr en concurrencia con los demás aspirantes. Y ello pese a que, tratándose de un concurso-oposición, se le valoró específicamente la experiencia adquirida en los años de servicio para la administración. …»*

[7] STSJ NA 420/2021.

vacante, con vínculo laboral) no obstante, remite a los Tribunales españoles la competencia para determinar cual es la sanción por tal abuso, si debería ser la conversión en indefinidos no fijos de los mismos, o, por otro lado, la indemnización equivalente a despido improcedente. En este sentido respecto de los interinos por vacante con vínculo laboral, el Tribunal Supremo en su STS de 28 de junio de 2021 (rec. 3263/19) consideró que la declaración de indefinido no fijo en caso de abuso por encadenamiento de contratos temporales en la Administración es una sanción adecuada, fijando el plazo máximo de 3 años para la interinidad por vacante, sancionando el abuso con la declaración de la condición de indefinido no fijo, y, estableciendo paralelamente que, la existencia de limitaciones presupuestarias no justifican la no convocatoria de la OPE más allá de los 3 años ni, por ende, la situación de abuso de la temporalidad[8].

No obstante, ha habido cierto debate doctrinal en los últimos tiempos, sobre si en el caso de los trabajadores temporales que encadenan contratos temporales de la Administración y que han superado un proceso selectivo inicial, podrían ser declarados, en lugar de «indefinidos no fijos», lo que no afecta a la naturaleza temporal de su vínculo, «indefinidos fijos» que implicarían de suyo una declaración de permanencia en la Administración propiciadora el abuso, creando una nueva categoría en materia de empleo público, consideración a la que con carácter general nuestros tribunales se muestran contrarios, salvo contadas excepciones, como el Tribunal Superior de Justicia de Galicia (Sala de lo Social) que, en su Sentencia de 28 de junio de 2018, revocó una sentencia de instancia, estimando el recurso de suplicación planteado y entendió que, toda vez que los trabajadores demandantes pertenecientes al Ayuntamiento de la Guardia habían accedido por un proceso

---

[8]   Blog de Ignasi Beltrán. «*Una mirada crítica a las relaciones laborales*». Comentario a la STS de 30 de noviembre de 2021. «*El abuso no se produjo por el cese en la condición de interina, que la sentencia de instancia declaró ajustado a Derecho, sin que ninguna de las partes lo haya combatido. La situación objetivamente abusiva se produjo por el encadenamiento de nombramientos como personal estatutario no fijo para cubrir necesidades que la Administración no ha mostrado que no fuesen permanentes*». El TS afirma que en casos de nombramientos duración determinada abusivos «*la respuesta no puede ser aplicar criterios de la legislación laboral*». https://ignasibeltran.com/2021/12/21/un-encadenamiento-de-nombramientos-interinos-abusivo-no-precipita-una-indemnizacion-automaticamente-stsc-a-30-11-21/ Entrada 21 de diciembre 2021.

selectivo de libre concurrencia, en la forma de concurso–oposición, donde no estaba adecuadamente publicitado que su cobertura era para un puesto temporal y no para fijo, sentenciaba la fijeza de los mismos, al entender que la limitación impuesta por el EBEP al ser empleados públicos, estaba proporcionalmente superada.

Consideró en ese caso, la Sala de lo Social del TSJG que, precisamente, el hecho de que se haya celebrado un proceso selectivo para una plaza temporal «*era suficiente para garantizar que el empleado público ha accedido conforme los principios de igualdad, mérito y capacidad, entiende que, en estos casos no procede la declaración de la condición de indefinido no fijo del trabajador sino que debe procederse al reconocimiento de la fijeza*». En este sentido, las SSTSJ Galicia 27 de noviembre 2020 (rec. 1476/2020) y 9 de diciembre 2020 (rec. 1631/2020) y ATSJ Galicia 19 de enero 2021.

En oposición a esta doctrina, se ha manifestado el Tribunal Supremo (Sala de lo Social) en su Sentencia de 30 de septiembre de 2020[9], ante reclamaciones por parte de los empleados temporales de la Junta de Andalucía que habían visto estimada su pretensión por Sentencia del TSJA, que los declaró «*personal laboral fijo*», por abuso de la temporalidad por parte de la administración contratante (Servicio Andaluz de Empleo), revocando la misma nuestro Alto Tribunal sobre la base de que «*los trabajadores no eran trabajadores fijos cuando pasaron a tener como empleador al Servicio Andaluz de Empleo, ni lo son ahora, sin que la naturaleza de su relación pueda depender de los informes de vida laboral, de la excedencia de algunos de ellos o del capítulo y concepto presupuestario con los que reciban sus retribuciones. Si alguna de las circunstancias examinadas supone una actuación no ajustada a derecho las consecuencias serán las que procedan, pero entre tales consecuencias no se encuentra la de adquirir por ello la condición de trabajadores fijos. Para la adquisición de dicha condición tendrían que haber realizado y superado los concursos y pruebas establecidos y no los procesos de selección que realizaron*». La calificación de estos empleados, puntualiza la Sala sentenciador es la de «*indefinidos no fijos*» que, como es de sobra sabido, implica un vínculo temporal con la Administración. En idéntico sentido, la Sentencia de la misma Sala del Alto Tribunal de noviembre 2021 (rec. 2337/2020), entiende que no cabe declarara la fijeza por cuanto el proceso selectivo era para la

---

9   Sentencia 822/2020; Recurso 112/2018.

cobertura temporal de la plaza y no respetaba en consecuencia los principios de igualdad, mérito y capacidad, a los que debe sujetarse la contratación de los empleados públicos. «*La mera superación de un proceso selectivo para la suscripción de un contrato de trabajo temporal no garantiza que se hayan cumplido dichos principios de igualdad, mérito y capacidad en el acceso al empleo público exigidos por el Derecho nacional*».

Acatando esta línea doctrina, la Sala de lo Social del TSJ de Galicia rectifica su doctrina, como se muestra, la STSJ Galicia 2 de noviembre 2020 (rec. 1503/2020) que también declaraba como «*indefinida no fija*» a una trabajadora con una relación laboral formalizada a través de un contrato de obra y servicio con una Administración al que se ha accedido a través de un proceso de selección para la provisión interina de la plaza (rechazando nuevamente que un proceso de esta naturaleza sea suficiente para adquirir la condición de fijo, como pretendió la sentencia de instancia), siguiendo esa línea doctrinal, la Sentencia del Tribunal Superior de Galicia de 9 de diciembre 2020 (rec. 1631/2020) denomina como «relación como indefinida no fija» la de una trabajadora que mantiene una relación de interinidad por vacante durante 13 años con la Administración rectificando la sentencia de instancia que había declarado la relación como «fija»[10].

Sirva por tanto este punto de partida para exponer que, conscientes de que las diferentes consecuencias jurídicas del abuso de la administración en lo que se refiere a la temporalidad entre los trabajadores laborales y funcionarios, son en este momento enormes.

---

[10]   En este sentido, es evidente la diferente situación jurídica de los trabajadores indefinidos fijos respecto de los indefinidos no fijos (considerando la inherente vinculación de éstos respecto de la plaza que ocupan), así la reciente Sentencia de la Sala de los Social del Tribunal Supremo de 29 de marzo de 2022, (rec. 109/2020), ha entendido que los indefinidos no fijos reclamantes no tienen derecho a participar en un concurso de traslados, entre otras consideraciones, por su ingreso en la Administración sin haber superado un proceso selectivo basado en los principios de igualdad, mérito y capacidad, lo cual constituye para el Alto Tribunal, un dato objetivo que justifica la diferencia de trato respecto de los indefinidos fijos.

3. SITUACIÓN LEGISLATIVA: APROBACIÓN DEL RD 14/2021 Y CONSECUENTE LEY 20/2021 DE 29 DE DICIEMBRE

Una de las últimas herramientas que ha publicado la Administración para luchar contra la temporalidad de las Administraciones Públicas es el Real Decreto 14/2021 (tácitamente sustituido por la Ley 20/2021) que ha nacido con la pretensión de ser la herramienta adecuada para solventar la misma con el objetivo de reducirla por debajo del 8%.

Se trata una forma de abordar la temporalidad cuando menos ambiciosa y compleja por la materia, por todas las suceptibilidades implicadas, pues no puede olvidarse que estamos ante una encrucijada donde deben valorarse múltiples factores, todos ellos transcendentales y en delicado equilibrio, como son los derechos y la protección de estos trabajadores públicos temporales contra el abuso de la Administración contratante, y, el respeto de los principios de igualdad, mérito y capacidad en el acceso al empleo público.

En esta línea ya en la exposición de motivos, se proclaman como objetivos «(…) *reforzar el carácter temporal de la figura del personal interino; aclarar los procedimientos de acceso; objetivar las causas de cese de este personal e implantar un régimen de responsabilidades que incluya un mecanismo proporcionado, eficaz y disuasorio de futuros incumplimientos que, además, permita clarificar cualquier vacío o duda interpretativa que la actual regulación haya podido generar».*

3.1 Duración máxima de la interinidad (modificación del art. 10 del TREBEP)

Las convocatorias dirigidas a reclutar personal interino aparecen guiadas por los principios de celeridad y publicidad, señalándose expresamente que el nombramiento de personal interino no implica en ningún caso el reconocimiento de la condición de funcionario de carrera (reforzando las notas de temporalidad). En tal sentido en la modificación operada por este RD del art. 10 del EBEP, se refleja exactamente la duración máxima de **tres años** de los nombramientos interinos vinculados a la existencia de plazas vacantes (cuando no sea posible su cobertura por funcionarios de carrera) o ejecución de programas de carácter temporal ambas durante tres años, previéndose en el último caso un plazo extraordinario de 12 más siempre que una Ley dictada en desarrollo del EBEP así lo previera.

Excepciones a esa limitación de tres años en la duración de la interinidad son las siguientes:

a) El exceso o acumulación de tareas por plazo máximo de nueve meses dentro de un periodo de dieciocho meses.

b) La interinidad por «*sustitución transitoria del titular*», que se prorrogará «*durante el tiempo estrictamente necesario*», lo que ciertamente, suponiendo que el titular se encuentre por ejemplo en situación de «*servicios especiales*», ello puede suponer que la interinidad se alargue durante mucho más allá del límite temporal de los 3 años establecidos, llevando a situaciones donde el trabajador interino permanezca años en un mismo puesto, generando la situación supuestamente abusiva de la temporalidad que el Real Decreto venía a paliar.

3.2 Finalización de la relación de servicio. Indemnización

La relación de servicio del interino finalizaría sin derecho a indemnización, como se regula en la modificación del citado artículo 10. 3º del TREBEP, por la cobertura reglada del puesto por personal funcionario de carrera o por la finalización del plazo de nombramiento o de la causa que dio lugar al mismo.

Sin embargo, por el contrario, sí prevé indemnización, en caso de incumplimiento del plazo máximo de permanencia del interino (abuso de la temporalidad) en una cuantía de 20 días de salario por año de servicio con un límite de 12 mensualidades en equivalencia con la indemnización por causas objetivas para el personal laboral. Se regula además la compatibilidad indemnizatoria anteriormente citada con la que le correspondería al trabajador por la vulneración de la normativa laboral relativa a su contrato específico, siempre respetando el citado límite máximo, para evitar la duplicidad indemnizatoria y la discriminación que supondría la extinción del contrato en uno y en otro caso[11].

---

[11]   Nueva Disposición Adicional Decimoséptima del TREBEP aprobado por Real Decreto Legislativo 5/2015.

En idéntica línea, si el interino ha participado en un proceso de estabilización de empleo temporal y no hay obtenido plaza también tendría derecho a una indemnización con idéntica cuantía a la señalada anteriormente, puntualizando la norma la procedencia de denegar la indemnización si el trabajador temporal no participa en el proceso de consolidación convocado al efecto.

3.2.1. Extinción automática: En el caso de interinos por vacante, la interinidad se extinguirá automáticamente transcurridos tres años desde el nombramiento interino, y la vacante sólo podrá ser ocupada por funcionario de carrera (modificación del art. 10.4 de TREBEP). La finalidad no es otra que evitar que las Administraciones recurran a la «triquiñuela» de no convocar el puesto y así perpetuar la situación de interinidad.

3.2.2 Excepciones a la extinción automática. Prevé la ley la excepción de que el caso de que el proceso selectivo convocado para la cobertura del puesto quede desierto, en cuyo caso se podrá efectuar otro nombramiento de personal interino. Aquí es donde, podría perpetuarse la picaresca, pues no parece aclarado si, en el caso de quedar desierto el proceso el nombramiento podría ser el mismo funcionario interino, que venía ocupando el puesto, el beneficiario de un nuevo nombramiento, o necesariamente, al producirse el cese, debería nombrarse otro distinto, pues, si se entendiese que podría efectuarse un nuevo nombramiento a favor de la misma persona la picaresca de perpetuar la temporalidad podría estar servida, propiciando procesos selectivos de una dificultad considerable a fin de que la convocatoria quedara desierta para poder efectuar un nuevo nombramiento en favor de la misma persona.

Igualmente, otro resquicio, podría venir de la mano de la segunda parte del artículo cuando se refiere que «excepcionalmente», el personal funcionario interino podrá permanecer en la plaza que ocupe siempre que se haya publicado la convocatoria dentro de esos tres años desde el nombramiento, teniendo el derecho a quedarse hasta la resolución de la convocatoria (lo que indudablemente implica el riesgo de sobra conocido de que lo «excepcional» acabe convirtiéndose en la «práctica general») como se ha visto en no pocas ocasiones con el riesgo de que esos nombramientos de interinos por vacantes acaben extendiéndose más allá del límite de lo razonable, generando nuevos abusos de la temporalidad por parte de la Administración respectiva.

3.2.3 Responsabilidad de autoridades o funcionarios. Se prevé en línea con las Leyes anteriores la responsabilidad por los actos que favorezcan el abuso de la temporalidad. Esa responsabilidad puede desglosarse en responsabilidad a título personal, y vicio de nulidad de los actos dictados bajo dicha premisa.

Respecto de la primera, la responsabilidad a título personal de funcionarios o autoridades que favorezcan el abuso, debe puntualizarse que, no parece que las disuasorias medidas de exigencias de responsabilidad al personal o autoridades por las actuaciones irregulares en la materia, a las autoridades que, ya existían en la Ley 3/2017[12] de Presupuesto Generales del Estado y la Ley 6/2018 de Presupuestos Generales del Estado[13], vayan a servir de medida disuasoria, pues, en este caso el supuesto o hipotético «abuso» en la temporalidad podría, en muchos casos, de venir avalado bajo la excusa de la «excepcionalidad» prevista en la cláusula del art— 10.4 del EBEP, en cualquier caso y existiendo parecida regulación de la responsabilidad desde el año 2017, ello no fue óbice para los excesos en el abuso de temporalidad producidos desde el citado año hasta ahora, ni se tienen antecedentes de exigencia de responsabilidad alguna por dicho motivo.

Sí supone sin embargo, una novedad **la nulidad de pleno derecho de todo acto**, pacto o acuerdo que suponga directa o indirectamente, el incumplimiento por parte de la Administración **de los plazos máximos de permanencia del personal temporal**. Esta cláusula dará lugar a no poca litigación por parte de quienes, con legitimación o por cualquier otro motivo, impugnen toda clase de actos bajo la excusa de que amparan el abuso de la temporalidad de la Administración, abriéndose un enorme abanico de posibilidades ante los Juzgados y Tribunales de lo Contencioso-Administrativo, pues esta nueva aproximación, nos traerá indudablemente interesante doctrina, en la que se plantee desde la cuestión de la legitimación para recurrir los citados acuerdos, hasta cuales son los actos que pueden entenderse incluidos en dicha cláusula, pasando por los efectos de dicha declaración de nulidad en su caso, esto es, si tendrá o no consecuencias indemnizatorias para los afectados por la misma.

---

[12]   Ley 3/2017 de 27 de junio de 2017.

[13]   Ley 6/2018 de 3 de julio de 2018.

4. LOS PROCESOS DE ESTABILIZACIÓN
EN LA LEY 20/2021

No pocas discusiones ha generado en la doctrina el proceso de estabilización de los trabajadores temporales de la Administración por las expectativas y susceptibilidades generadas en diversos ámbitos. Tal parece que esos procesos serán una realidad, pero, como se expondrá a continuación, y con la normativa hasta la fecha aprobada o en proyecto, ni son *«café para todos»* ni todos los que reúnan las condiciones para ello van a poder quedarse o «consolidar» al menos en su mismo puesto, en este sentido, tales son los problemas de interpretación en cuanto a la forma de ejecutar esos procesos de estabilización que se ha publicado una Resolución dictada por la Secretaría de Estado para la Función Pública de 1 de abril de 2022, que introduce directrices no vinculantes (aclaratorias) para la «puesta en marcha» de los procesos de estabilización derivados de la Ley 20/2021:

En el artículo 2 del precedente de la citada Ley se dispone textualmente que, adicionalmente, se crea una plaza de estabilización de empleo temporal para las plazas de naturaleza estructural que *«estando dotadas presupuestariamente hayan estado ocupadas de forma temporal e ininterrumpidamente al menos en los tres años anteriores a 31 de diciembre de 2020»*. En este sentido la Resolución de 1 de abril de 2022, aclara que una plaza será susceptible de estabilización cuando haya sido ocupada por la misma o por distintas personas de forma consecutiva, alternativa o con alguna interrupción (no superior a tres meses). Ello nos lleva a diferenciar los siguientes procesos de estabilización:

4.1 Procesos de estabilización del personal
temporal que ocupe la misma plaza durante los
3 años anteriores ininterrumpidamente

La Ley 20/2021 señala que las ofertas de empleo que articulen dichos procesos deberán aprobarse antes del finales de 2021 y la resolución de los procesos finalizar antes de 31 de diciembre de 2024, pero lo importante es cómo se van a articular dichos procesos:

En primer lugar se trata de garantizar la igualdad, el mérito, la capacidad y la publicidad en los mismos. Las plazas objeto de estabilización serán las estructurales ocupadas por personal con vínculo temporal. El sistema de selección podrá ser el **concurso-oposición no eliminatorio**[14]. La consecuencia de la no superación de dicho proceso es la indemnización de 20 días de salario por año de servicio con un máximo de doce mensualidades, una auténtica novedad por implantar definitivamente, lo que era de justicia, la indemnización laboral al ámbito de la extinción de los **trabajadores interinos con vínculo funcionarial**. Ahora bien, se prevé, con acierto, que la no participación en dicho proceso selectivo no dará derecho a la compensación económica, lo que es de lógica pues se trata de evitar que, quienes no hacen el esfuerzo de ni tan siquiera presentarse al examen, puedan obtener compensación.

La novedad además y no poco importante, para el personal temporal de la Administración Local[15] es que en dichos procesos **no será obligatorio en la fase de oposición un determinado número mínimo de temas** conforme los programas mínimos para cada categoría establecidos en los artículos 8 y 9 del Real Decreto 896/1991, de 7 de junio[16]

Si la finalidad del Real Decreto es estabilizar el personal temporal imponer en la fase de oposición un mínimo por ejemplo de 90 temas para un grupo A de titulación, era una traba difícil de superar (por más que ello pudiera resultar lógico desde el punto de vista de los funcionarios de carrera y restantes opositores, cuyos derecho e intereses también están en juego, pues no ha de olvidarse del delicado equilibrio entre los derechos y expectativas de unos y otros), no obstante, en este caso, el legislador pretende solventar dicha traba, dejando en manos de cada Administración o Ente Público de que se trate el fijar número mínimo de temas que recogerán las bases para cada categoría en dichos procesos de estabilización.

---

[14]   Se consolida la valoración de la fase de concurso con el 40% puntualizándose que la oposición puede no tener carácter eliminatorio, en función de lo que se disponga en el marco de la negociación colectiva.

[15]   Disposición Adicional primera Ley 20/2021.

[16]   Disponen los citados artículos que «*cómo mínimo para cada categoría se estableciese el siguiente número de temas: Para el ingreso en la subescala del grupo A: 90 temas; Para el ingreso en la subescala del grupo B: 60 temas; Para el ingreso en la subescala del grupo C: 40 temas (...)*»

4.2 Procesos de estabilización del personal temporal que ocupe interrumpidamente la misma plaza durante cinco años

La Ley 20/2021 en su Disposición Adicional Sexta, prevé la convocatoria de concurso respecto a las plazas que hubieran estado ocupadas de forma ininterrumpida con anterioridad a 1 de enero de 2016. La Ley 20/21, incorpora entre sus principales medidas, que todas las plazas temporales que están actualmente ocupadas por deban salir a oferta pública antes del 1 de junio de 2022, debiendo finalizar dichos procesos selectivos antes del 31 de diciembre de 2024 en términos idéntico respecto a la finalización de los mismos a como disponía el RD 14/2021. Como bien recuerda la Resolución de 1 de abril de 2022 de la Secretaría de Estado de Función Pública, en su punto 3.6 «La plaza ocupada de forma de interina o temporal debe ser ofertada para su cobertura de forma definitiva. Se recuerda que lo que se estabiliza son las plazas y su cobertura, no las personas».

Esta automática estabilización del empleo temporal de larga duración y será aplicable tanto al personal funcionario, como al personal laboral de la Administración, siempre que se cumplan los requisitos. Lo dicho, ello no implica que, pese a poder convocarse concurso, todo el que está ocupando un determinado puesto permanezca en el mismo, puesto que no se puede impedir que a ese concurso se presente personal, de otras Administraciones o Entes Públicos, que en caso de ostentar mayor experiencia puedan en su caso resultar adjudicatarios de la plaza en cuyo caso desplazarán a aquellos para los que se había convocado esa estabilización, sin perjuicio de que éstos, llegado el caso, también podrán en su caso participar en otros concurso de otras Administraciones y resultar adjudicatarios, con lo cual realmente se facilita la consolidación en la Administración Pública pero no se puede garantizar en modo alguno, que la misma se obtenga en la que se está actualmente prestando servicios. En este sentido, la Resolución de 1 de abril de 2022, antes referida, puntualiza la prohibición de realizar convocatorias restringidas, señalando que, en todo caso deben garantizarse los principios de igualdad, mérito y capacidad.

4.3 Obligación de respeto del principio de igualdad y no discriminación

El artículo 3.2 de la Resolución de 1 de abril de 2022 de la Secretaría de Estado para la Función Pública, refiere que «En ningún caso cabe que se apruebe una oferta de empleo público o que se convoque un proceso que restrinja la participación en el mismo únicamente a aquellos que estuvieran o hubieran estado ocupando previamente esas plazas (...)». En tal sentido una convocatoria que pretendiese restringir la participación a personal de otras administraciones, o valorar la experiencia en una Administración o Ente Público concreto sobre otras, en idéntica categoría, plenamente impugnables las bases de la misma. Así en este sentido. El Profesor Sánchez Morón, M.[17] refiere que *«todo español tiene derecho a acceder a cualquier cargo o función pública sin diferenciación por motivo de vecindad local o de la "condición política" autonómica, las cuales vulnerarían el principio de igualdad que establece la Constitución. En este sentido una discriminación de la experiencia en función de la administración de origen sería contraria al artículo 23 de la CE y al acceso al empleo público de acuerdo con los principios de igualdad, mérito y capacidad».* Sin embargo, tal parece que conforme a la Resolución mencionada, la previsión de una mayor valoración de la experiencia en una Administración concreta sobre otras, sería posible en los procesos de estabilización (art. 3.4.1 (iii), por lo que habrá que estar a resultas de la interpretación que hagan los Tribunales de Justicia respecto de previsiones en las bases en ese sentido en los procesos de estabilización del personal temporal en aplicación de la Ley 20/2021.

Bibliografía

SÁNCHEZ MORÓN, M.: *«Derecho de la Función Pública»*, 12 ed., Tecnos, Madrid, 1996, pág. 123

BLOG DE IGNASI BELTRÁN. *«Una mirada crítica a las relaciones laborales».* Comentario a la STS de 30 de noviembre de 2021. https://ignasibeltran.com/2021/12/21/un-enca-denamiento-de-nombramientos-interinos-abusivo-no-precipita-una-indemnizacion-automaticamente-stsc-a-30-11-21/ Entrada 21 de diciembre 2021.

---

[17]   SÁNCHEZ MORÓN, M.: Derecho de la Función Pública, 12 ed., Tecnos, Madrid, 1996, pág. 123

La crisis de las materias primas en el escenario post-pandemia como supuesto de reequilibrio contractual

María Moreno de la Santa
Abogada de Deloitte Legal

María Guinot Barona
Abogado del Estado
Socia de Deloitte Legal

1. INTRODUCCIÓN

El día 11 de marzo de 2020 la Organización Mundial de la Salud declaró la COVID-19 como pandemia y anticipó que la crisis que iba a provocar esta nueva enfermedad no se limitaría únicamente al ámbito sanitario, sino que afectaría de igual forma a todos los sectores de la sociedad en el conjunto de los países.

Hoy, casi dos años después de aquel anuncio, nadie puede poner en duda la realidad de la afirmación relativa al carácter sistémico y transversal de los efectos de la pandemia, que, más allá de lo sanitario, se proyectan en los ámbitos económico, social y geopolítico.

Desde el fin de los confinamientos masivos, los mercados globales están sufriendo graves problemas de carencia y desabastecimiento de materias primas, con la consiguiente ruptura de la continuidad de los procesos de fabricación y de las cadenas de suministro. Pero el retraso en las entregas no es el único problema, sino que a él se añade el exorbitante encarecimiento de los precios de muchos materiales.

Razones como el incremento exponencial de la demanda tras el confinamiento, la deslocalización de las industrias de muchos países occidentales y la estrategia desarrollada por China son elementos que han contribuido a provocar y agravar esta crisis.

Además, el histórico incremento del precio del transporte internacional y de la energía, ha coincidido con la puesta en marcha de todos los planes previstos por las grandes economías para su recuperación. Esto ha supuesto una importante apuesta por la inversión en la construcción y la modernización de infraestructuras a través de la implementación de nuevas tecnologías, lo que supone un factor adicional de presión al alza en los niveles de precios futuros.

Cuando aún se desconoce si esta crisis será puramente coyuntural o puede convertirse en estructural, lo cierto es que, desde el punto de vista práctico, el encarecimiento de los precios de las materias primas e, incluso, el desabastecimiento de algunas de ellas, son factores que están afectando muy gravemente a las empresas de construcción, tanto en sus relaciones contractuales con el Sector Privado como con el Sector Público.

Centraremos nuestra atención en este último ámbito, analizando las posibilidades de actuación que el marco regulatorio actual ofrece a los contratistas de la Administración para hacer frente a este riesgo sobrevenido cuya magnitud puede convertir el contrato en antieconómico o incluso acarrearles severas penalizaciones.

Y esta reflexión es importante también desde la perspectiva de las Administraciones Públicas que deben velar por la viabilidad de los contratos en la medida en que el interés público exige su correcta y puntual ejecución, que puede verse comprometida en caso de excesiva onerosidad para el contratista privado, obligando a resoluciones y nuevas licitaciones que supondrán un mayor coste.

2. LAS CONSECUENCIAS DE LA CRISIS DE LAS MATERIAS PRIMAS SOBRE LOS CONTRATOS ADMINISTRATIVOS DE OBRAS

Como se ha indicado la crisis de las materias primas se ha traducido no sólo en el encarecimiento, sino también en el retraso en el suministro de ciertas materias primas, por disrupciones en la cadena logística o incluso por la reticencia de algunos contratistas a adquirir los materiales necesarios a precios tan desorbitados que comprometen la viabilidad de los proyectos.

Por ello, lo primero que no debe perderse de vista es que el retraso en la ejecución puede llevar aparejadas importantes consecuencias económicas para el contratista. Así, el artículo 193 de la Ley 9/2017, de 8 de noviembre, de Contratos del Sector Público (LCSP 2017) prevé que la demora del contratista permite a la Administración optar por la resolución del contrato o por la imposición de las penalidades diarias en la proporción prevista en los pliegos, o en su defecto, a razón de 0,60 euros por cada 1.000 euros del precio del contrato.

En caso de optar por la imposición de penalidades, cada vez que éstas alcancen un múltiplo del 5 por 100 del precio del contrato, el órgano de contratación podrá optar de nuevo entre resolver o continuar penalizando al contratista. Estas penalidades tienen carácter indemnizatorio, de modo que, no hallándose previstas, podrá el órgano de contratación exigir los daños y perjuicios que el retraso le hubiera ocasionado (artículo 194 de la LCSP 2017).

Tanto la resolución como la imposición de penalidades por demora exigen que el retraso sea imputable al contratista. Por tanto, si la ralentización de la obra es debida a circunstancias ajenas a su voluntad —como el desabastecimiento de ciertas materias primas— cabe concluir que no sufriría perjuicio, si bien será el empresario quien deberá acreditar la concurrencia de esta circunstancia.

Esta precisión es relevante porque una cosa es el desabastecimiento y otra distinta que el contratista pueda abastecerse a un precio superior al inicialmente previsto, pues en este último caso podría entenderse que cualquier retraso le sería imputable al existir disponibilidad de materiales. De ahí la conveniencia de documentar la causa del retraso, e incluso, de solicitar una justificación externa a través de un informe pericial.

Cuando el retraso no es culpable, cabe solicitar la ampliación del plazo por un tiempo igual al perdido (artículo 195.2 de la LCSP 2017), solicitud que en todo caso es conveniente que el contratista realice si está sufriendo retrasos en el suministro como consecuencia de la actual crisis.

Si el retraso del contratista que no puede hacer frente al incremento de los precios determina la resolución del contrato, que exige previo informe del Consejo de Estado u órgano consultivo autonómico equivalente, se le incautará la garantía (artículo 213.3 de la LCSP 2017) y podrá imponerse prohibición de contratar con el órgano de contratación que hubiese resuelto el contrato (artículo 71.2.d) y artículo 73.1 de la LCSP 2017).

Es evidente, en definitiva, que la crisis de materias primas puede tener severas consecuencias para el contratista si se traduce en retrasos en la ejecución y éste no adopta las oportunas cautelas.

3. MECANISMOS DE REACCIÓN PREVISTOS EN LA NORMATIVA ACTUAL

3.1 Revisión de precios

Es incuestionable que una de las principales vicisitudes que pueden afectar al contrato durante su ejecución es la variación en los precios de los materiales. Por ello, uno de los supuestos paradigmáticos o típicos de modificación contractual ha sido la revisión de precios, si bien se trata de un caso de novación que siempre ha contado con un régimen particular o específico (como expresamente indica el artículo 203 de la LCSP 2017), cuyo tratamiento ha variado sustancialmente en los últimos años.

El Texto Refundido de la Ley de Contratos de las Administraciones Públicas aprobado por Real Decreto Legislativo 2/2000, de 16 de junio preveía que la revisión de precios tendría lugar, de acuerdo con los índices previstos en los pliegos y salvo exclusión expresa, si bien quedaba fuera de la posibilidad de revisión el 20% inicial del importe del contrato y el primer año de ejecución. Un modelo similar se mantuvo en la Ley 30/2007, de 30 de octubre, de Contratos del Sector Público. Esta revisión se llevaba a cabo mediante la aplicación de índices oficiales o fórmulas aprobadas por el Consejo de Ministros.

En este modelo, por tanto, la posibilidad de revisión constituía la regla general.

Sin embargo, la Ley 2/2015, de 30 de marzo, de desindexación de la economía española (Ley 2/2015) modificó el artículo 89 del Texto Refundido de la Ley de Contratos del Sector Público aprobado por Real Decreto Legislativo 3/2011, de 14 de noviembre que regulaba esta materia cambiando por completo el modelo hasta entonces vigente. Esta modificación entró en vigor con la aprobación del Real Decreto 55/2017, de 3 de febrero, por el que se desarrolla la Ley 2/2015.

Así, además de ampliar el régimen jurídico de la revisión a la totalidad de los contratos del Sector Público —lo que supuso extenderlo no sólo a los contratos administrativos, sino también a los contratos privados—, y excluir la posibilidad de aplicar índices oficiales, la nueva regulación vino a convertir la revisión en la excepción, al establecer que sólo tendría lugar cuando se previera expresamente en los pliegos, previa justificación en el expediente, y sólo en los contratos de obra, en los contratos de suministro de fabricación de armamento y equipamiento de las Administraciones Públicas y en aquellos otros contratos en los que el período de recuperación de la inversión sea igual o superior a cinco años.

Ésta es, en esencia, la regulación actualmente vigente, contenida en el artículo 103 de la LCSP 2017.

En la práctica, las restricciones introducidas por la Ley 2/2015 han determinado que un elevadísimo número de contratos licitados desde entonces no contemplen revisión de precios, lo que determinan la inaplicabilidad de ésta que no se configura ya como un derecho del contratista. Siendo así, en un escenario en que, según datos publicados por la Confederación Nacional de la Construcción, materiales como la madera han incrementado su precio en un 125%, resulta necesario analizar cuáles son otras vías de solución.

3.2 El eventual reequilibrio

Mientras en el ámbito de los contratos de concesión de obras y de servicios se ha reconocido tradicionalmente —al menos desde el punto de vista teórico— el derecho al mantenimiento del equilibrio económico del contrato cuando éste se ha visto alterado por cambios sobrevenidos e imprevisibles, la aplicabilidad de esta doctrina a otros contratos ha sido más controvertida.

En relación con el contrato administrativo de obras, en los años 90 algunas Sentencias del Tribunal Supremo (véase, por ejemplo, la Sentencia del Tribunal Supremo de 9 de marzo de 1999 *(Tol 1719353)*) consideraron que el incremento extraordinario del precio de los ligantes asfálticos durante los años ochenta, pese a haberse pactado en el contrato la revisión de precios, suponía una ruptura del equilibrio económico-financiero del contrato, que, en caso de no compensarse, daría lugar a un enriquecimiento injusto de la Administración.

Así, la Sentencia citada señalaba que «*Es cierto que la doctrina del factum principis, como la de la "alteración de las circunstancias" —el tradicional rebus sic stantibus—, pueden justificar la alteración unilateral de los términos del contrato en función de "circunstancias sobrevenidas", como excepción admitida al principio fundamental contractus lex, cuando se trata del contrato administrativo de obras que han sido objeto de una regulación legal específica, a través de la figura jurídica de la "revisión de precios", encontrándose su regulación vigente, integrada básicamente por el Decreto— Ley 2/1964, de 4 de febrero, y sus disposiciones reglamentarias —sentencia del Tribunal Supremo de 20 de junio de 1983—. Pero también es cierto que cuando dicha figura de la revisión de precios deviene ineficaz, por concurrir otros hechos que escapan a las previsiones normativas establecidas al efecto, produciendo con ello en la relación jurídico-contractual que vincula a las partes, un desequilibrio económico de tal entidad y naturaleza, que el cumplimiento por el contratista de sus obligaciones derivadas de ella, sea excesivamente oneroso para el mismo, el cual razonablemente no pudo precaver, incluso empleando una diligencia fuera de la normal en este tipo de contrataciones, entonces y en este último supuesto ha de acudirse a la aplicación de la doctrina de "riesgo razonablemente imprevisible" como medio extraordinario, como extraordinarias son sus causas, para restablecer el equilibrio económico del contrato».* En el supuesto analizado los precios de los ligantes asfálticos habían experimentado un incremento del 88,5%.

Estos pronunciamientos hacían hincapié en dos aspectos importantes, la relevancia del impacto y la imprevisibilidad conforme al estándar de diligencia exigible. Así, de un lado, el Tribunal Supremo destaca que la valoración del riesgo o desequilibrio ha de ser casuística, atendiendo a su relevancia y significación —su impacto económico, en definitiva— en el contexto total de la contratación, por lo que este límite no puede cuantificarse matemática y exactamente para todos los supuestos. Por otra parte, exige que el desequilibrio se produzca sin culpa del contratista, lo que se traduce en que no pudo preverlo, ni siquiera empleando una diligencia especial o fuera de lo normal.

La Jurisprudencia posterior, aunque admite la aplicación de la doctrina del riesgo imprevisible al contrato de obras, ha negado sistemáticamente la compensación al contratista por los eventuales incrementos de precio de las materias primas, generalmente sobre la base de considerar que el impacto no era relevante en el caso concreto, y que, en todo caso, la variación de precios es previsible. Especialmente, se ha rechazado la aplicación de la doctrina del riesgo imprevisible cuando está prevista la revisión.

La reciente Sentencia del Tribunal Supremo de 9 de septiembre de 2020 *(Tol 8078041)* nuevamente en relación con el incremento de precios de los ligantes bituminosos señala que *«el principio de riesgo y ventura no cede ante una alteración sobrevenida de las circunstancias sino cuando ésta (fuera de los supuestos de fuerza mayor) es de tal índole que comporta una quiebra radical del equilibrio económico financiero contractual, por su excesiva onerosidad, por su imposible compensación mediante la revisión de precios cuando así esté pactada —como aquí acontece, revisión que fue efectuada y asumida, sin protesta, por la hoy recurrente— y por suponer una frustración completa de los presupuestos contractuales (todo ello conjuntamente)»* y rechaza la pretensión de reequilibrio por considerar que el contratista debe conocer las fluctuaciones, a veces muy importantes, de los precios del crudo y sus derivados, desde que el mercado quedó liberalizado, algo que ha de tener en cuenta a la hora de efectuar la correspondiente oferta, asumiendo el riesgo económico que dichas subidas pueda comportar en el beneficio esperado.

En la misma línea se ha pronunciado el Consejo de Estado. Así, el dictamen de 11 de abril de 2019 *(Tol 5968269)* indicaba *«Así pues, el contrato de obras está sujeto, como se ha indicado, al criterio general de la obligatoriedad. Sin embargo, la obligatoriedad de las prestaciones debidas por las partes cede en el caso de que su cumplimiento resulte excesivamente oneroso, hasta el punto de alterar los presupuestos del negocio (la propia base del negocio) o sus condiciones (cláusula rebus sic stantibus). Esta onerosidad, cuyo origen puede estar en decisiones de la propia Administración factum principis, en circunstancias ajenas a ésta o en la fuerza mayor, debe obedecer a una causa imprevisible o de ordinario injustificable, no ha de poder ser adecuadamente compensada mediante el instrumento ordinario de la revisión de precios y, además, debe producir la ruptura del efectivo equilibrio de las prestaciones y trastocar completamente la relación contractual».*

Muy claro es también el dictamen del Consejo de Estado, también de 11 de abril de 2019 *(Tol 5968268)* al exigir una actuación diligente por parte de los contratistas para mitigar los efectos de la subida de precios. En ella se indicaba que *«En el contrato de obra pública la obligación principal es la de ejecutar la misma, no la del suministro de materiales, y el precio no se fija por el de los materiales, sino por el de la realización de ese servicio (la obra). La conmutatividad de las prestaciones se mide en la correspondencia del precio al servicio, no a los materiales de que se provee quien lo presta. (…) Tampoco es incuestionable que los citados incrementos de los precios de los ligantes fueran del todo imprevisibles habida cuenta de la tendencia previa a la licitación en la evolución de sus precios, lo cual habría aconsejado mayor diligencia en las correspondientes previsiones, si bien la contratista optó por realizar una baja muy significativa del precio en su oferta para conseguir la adjudicación, ajustando al máximo los márgenes hasta un punto en que difícilmente podía absorber eventuales desviaciones de precios de los materiales a emplear en la obra, como parece que ocurrió en su caso. No obstante, ello no empece para que la contratista haya de estar al albur del principio de riesgo y ventura propio de los contratos de obras públicas. No se trata de hacer una valoración de la subjetiva estimación empresarial para una obra en concreto, ni tampoco de indagar acerca de parámetros objetivos en los que encajar esa previsión mercantil. En el régimen contractual español la postura de la contrata se refleja en una auténtica oferta, y es la Administración quien la acepta mediante la adjudicación. La posible representación errónea de las circunstancias que para sí realice la contrata, a fin de competir con otras en su oferta, tiene su significado estricta y exclusivamente en su ámbito interno».*

Cabría plantearse si ahora que la revisión de precios no es aplicable con carácter general, es posible que esta doctrina se matice. Sin embargo, creemos que será difícil modular el rigor con que el que el Alto Tribunal ha definido el requisito de la imprevisión, pues en muchos pronunciamientos se hace referencia a que las fluctuaciones en los precios han de ser conocidas por los contratistas.

Algunos pronunciamientos, además de hacer hincapié en que son las empresas las que definen el riesgo que quieren asumir al realizar su oferta, prestan especial atención a elementos como si se solicitó o no una suspensión del contrato (artículo 208 LCSP 2017) a la espera de una mejoría en los mercados de materias primas.

3.3 Modificación del contrato

Otra posibilidad que cabría plantearse es si ante el desmesurado incremento del precio de los materiales de construcción pueden las Administraciones Públicas acudir a un expediente de modificación con el fin de reformular los términos de las prestaciones inicialmente pactadas.

El artículo 205.2.b) de la LCSP 2017 prevé que, aunque el contrato no lo prevea, éste podrá modificarse cuando concurran *«circunstancias sobrevenidas y que fueran imprevisibles en el momento en que tuvo lugar la licitación del contrato».*

Nuevamente, el presupuesto de hecho que debe cumplirse es que la crisis en el precio de las materias primas pueda ser calificada como un evento revestido de las nota de imprevisibilidad para un contratista diligente.

La modificación exige que se cumplan tres requisitos cumulativos:

(i)   Que la necesidad de la modificación se derive de circunstancias que una Administración diligente no hubiera podido prever;

(ii) Que la modificación no altere la naturaleza global del contrato; y

(iii) Que la modificación del contrato implique una alteración en su cuantía que no exceda, aislada o conjuntamente con otras modificaciones acordadas conforme a este artículo, del 50 por ciento de su precio inicial, IVA excluido.

En este contexto, cabría solicitar non sólo la revisión del precio, sino también, por ejemplo, la sustitución de materiales o alguna modificación de los proyectos.

Sin embargo, el principal problema será nuevamente el excesivo rigor con que doctrina y jurisprudencia han interpretado la exigencia de previsión por parte de los licitadores.

Un reciente informe de la Junta Consultiva de Contratación Pública del Estado, el Informe 38/2020, de 12 de febrero de 2021, aunque contempla un supuesto algo distinto al que aquí se trata parece abrir esta posibilidad. Dicho informe analiza el impacto de la pandemia sobre un contrato de obras para la construcción de un centro infantil en Melilla; en ese caso, el cierre de la frontera entre Melilla y Marruecos supuso un incremento notable del coste de transporte de los áridos necesarios para la fabricación del hormigón necesario para la obra, que en lugar de importarse por vía terrestre hubo de pasar a ser importado por vía marítima.

En primer lugar, la Junta Consultiva de Contratación Pública del Estado determina que la pandemia no puede considerarse un supuesto de fuerza mayor del artículo 239 de la LCSP 2017 por no tener encaje en la dicción literal de este precepto que identifica la fuerza mayor con incendios, con fenómenos naturales de efectos catastróficos o con destrozos ocasionados violentamente en tiempo de guerra, robos tumultuosos o alteraciones graves del orden público.

Analiza después si cabe la posibilidad de introducir como nuevo precio, tras el correspondiente procedimiento de precios contradictorios, el coste de transporte de los áridos durante el periodo de permanencia de la situación excepcional, incardinándolo dentro de una modificación del contrato en los términos del artículo 242.4 ii de la LCSP 2017.

Dicho precepto prevé expresamente —e indica que no tendrá la consideración de modificación del contrato— la inclusión de precios nuevos, fijados contradictoriamente, siempre que no supongan incremento del precio global del contrato ni afecten a unidades de obra que en su conjunto exceda del 3 por ciento del presupuesto primitivo.

La Junta admite esta opción, pero advierte de lo limitado de su alcance en la medida en que está sujeta a un doble límite «*el primero, referente al precio del contrato; el segundo, que limita objetivamente el marco sobre el que puede recaer la inclusión de precios nuevos, de modo que no puede afectar a concretas unidades de obra descritas en el proyecto que en su conjunto representen, por su valor, más del 3% del precio de adjudicación*».

Finalmente, se examina la posibilidad de tratar el supuesto como un caso de modificación contractual del artículo 205 de la LCSP 2017. A este respecto, la Junta insiste en la necesidad de acreditar el cumplimiento de los requisitos que dicho precepto establece y concluye que «*el cumplimiento de las anteriores condiciones permitiría modificar el contrato para adaptarlo a las necesidades surgidas como consecuencia de las medidas adoptadas para luchar contra el COVID-19 y, como dice el órgano consultante, en la medida en que sea necesario y durante el periodo de tiempo en que están medidas impidan volver al escenario previsto inicialmente en los pliegos*».

Lo más relevante, a nuestro juicio, es la afirmación del órgano consultivo de que «*las especialísimas circunstancias que ha provocado el advenimiento de la pandemia, entre ellas el cierre de la frontera con Marruecos, eran difícilmente previsibles en el momento de la celebración del contrato. Ni siquiera la administración más diligente hubiera podido preverlas con muchos meses de antelación*». Y es que la principal cuestión a resolver en orden a la aplicación de los diferentes mecanismos de compensación previstos en la legislación de contratos —no sólo en el ámbito de las obras, sino también, por ejemplo, en el de las concesiones— es la determinación de si la pandemia, y las distintas consecuencias normativas, económicas y sociales derivadas de ella, puede o no calificarse como un riesgo imprevisible.

Este Informe de la Junta Consultiva de Contratación Pública del Estado abre, por ello, una posibilidad que puede facilitar las reclamaciones de los contratistas, aunque no puede obviarse que el caso que allí se analizaba era muy específico por tratarse de una problemática singular. El contrato no se había visto afectado por la subida generalizada de precios, sino por una coyuntura puntual, el cierre de la frontera terrestre, lo que puede dificultar la aplicación de las conclusiones contenidas en él a otros casos, especialmente si se tiene en cuenta la delimitación de la doctrina sobre el riesgo imprevisible en relación con las alteraciones de precios.

Este es, precisamente, el argumento que utiliza el Informe 10/2021, de 29 de noviembre de 2021, del Pleno de la Junta Central de Contratación de la Administración de la Junta de Comunidades de Castilla-La Mancha analiza con carácter general la posibilidad de modificar los contratos de obra adjudicados en la anualidad anterior y en la presente, y de revisar sus precios, ante la subida de los precios de la mayoría de las materias primas utilizadas en la ejecución de estos contratos.

Dicho Informe rechaza la posibilidad de modificar el contrato por la subida de los precios de las materias primas por entender que la variación del precio del contrato no puede considerarse en ningún caso una modificación de éste en sentido técnico-jurídico.

Por ello concluye que «*desde el punto de vista material una modificación que afectase al precio de los contratos sería claramente una revisión de precios encubierta. Además, supondría una alteración de las condiciones del contrato que afectaría a dos elementos fundamentales del mismo, que han sido definidos en la fase de preparación como son el presupuesto y el valor estimado*».

Y es que el artículo 205 de la LCSP 2017 considera una modificación sustancial del contrato, y por tanto proscrita por la norma, la modificación que altere el equilibrio económico del contrato en beneficio del contratista de una manera que no estaba prevista en el contrato inicial, lo que la Junta entiende que podría ocurrir en estos supuestos analizados.

El cauce de reclamación adecuado sería, a juicio de la Junta Central de Contratación de la Administración de la Junta de Comunidades de Castilla-La Mancha, la invocación de la doctrina del riesgo imprevisible, que deberá analizarse caso por caso.

En este análisis habrán de tomarse en consideración, entre otros elementos, «*la fecha de licitación del contrato, la fecha de la oferta de la contratista, el uso de las materias primas en la ejecución del contrato, el porcentaje efectivo en que difieren los nuevos precios de los establecidos en el contrato y su repercusión en el global del contrato*».

No obstante, se anticipa un criterio negativo al reequilibrio pues concluye apuntando «*parece que la subida de precios de las materias primas entraría dentro de la previsibilidad que haría responder al contratista de las obligaciones a que se hubiera comprometido en virtud del contrato y de la aplicación del principio de riesgo y ventura en la ejecución del mismo. Los contratistas deben ser conocedores de las fluctuaciones de los precios tanto al alza como a la baja; y así, igual que si bajan estos precios, el contratista se ve beneficiado con ellos aumentado su lucro, también debe soportar que la subida de precios pueda suponer una minoración del precio del contrato (riesgo y ventura). En los casos a que se refiere el presente informe, se trata de una subida del precio de las materias primas que, por efectos del propio mercado, con precios libres, ha sufrido una variación al alza, como ya ocurrió hace unos años atrás, como ha quedado expuesto. Por lo que es una situación que, aunque poco probable, sí puede darse, como sucedió en su día con la subida del petróleo y sus derivados; circunstancia que quizá valoraron otros posibles licitadores que no concurrieron a la licitación porque, acaso, no podían ejecutar el contrato con los precios inicialmente previstos para el mismo».*

No parece pues, que las reclamaciones por esta vía vayan a merecer una acogida favorable.

4. RESPUESTAS NORMATIVAS

Como acaba de verse, la viabilidad de aplicar los mecanismos contemplados en el marco regulatorio actual para la compensación de los sobrecostes de las materias primas es muy cuestionable.

Quizá la normativa es insuficiente para abordar un escenario tan complejo como el resultante después de la pandemia. Así parece corroborarlo el hecho de que se hayan dictado medidas excepcionales en materia de contratación pública, como las contenidas en el Real Decreto-Ley 8/2020, de 17 de marzo, de medidas urgentes extraordinarias para hacer frente al impacto económico y social del COVID-19.

Por ello, desde el sector privado se insiste en la necesidad de una modificación normativa que permita revisar los precios de los contratos en vigor mientras dure la subida de precios de los materiales y de la energía.

Ésta es la vía que han iniciado algunas Comunidades Autónomas, como Extremadura y Galicia, que han aprobado normas excepcionales que permiten a los contratistas obtener el reequilibrio por el incremento de precios bajo ciertas condiciones.

En Galicia, la Disposición Adicional Segunda de la Ley 18/2021, de 27 de diciembre, de medidas fiscales y administrativas ha regulado este supuesto para el conjunto de entidades del sector público de esa Comunidad Autónoma.

El presupuesto es que se haya producido una alteración extraordinaria e imprevisible de los precios de los materiales tenidos en cuenta en la formalización del contrato o, en su caso, en las modificaciones posteriores que haya tenido el contrato, si bien sólo en relación con las obras que tengan ejecución después del 1 de enero de 2021.

A estos efectos, se considera alteración extraordinaria e imprevisible una variación en los costes de los materiales, individualmente considerados, superior a un 20% con respecto a los precios que para esos materiales se recogen en el contrato, siempre y cuando, aisladamente o en su conjunto, suponga una pérdida económica para el contratista superior al 6% del importe de adjudicación del contrato o, en su caso, de su modificación posterior.

Como mecanismos de mitigación se prevén:

a) Una compensación económica al contratista consistente en la diferencia entre el coste de los materiales justificado por el contratista en su solicitud y el precio de los materiales recogido en el contrato, incluyendo, por tanto, los porcentajes adoptados para formar el presupuesto base de licitación y el coeficiente de adjudicación.

b) Una modificación de los materiales tenidos en cuenta para la elaboración del proyecto que sirvió de base para la licitación que permita un abaratamiento de sus precios y que no implique una minoración en la funcionalidad de la obra en ejecución. En este caso, se deberá optar, en la medida de lo posible, por materiales de proximidad cuya elección responda a criterios que permitan una reducción de las emisiones y de la huella de carbono.

Adicionalmente, la norma prevé que cuando concurra una situación que supone grave peligro, el órgano de contratación quedará legitimado para acudir al procedimiento de emergencia para la ejecución de la obra inacabada que permita garantizar la prestación del servicio público afectado.

En Extremadura, la Disposición Adicional Decimoquinta de la Ley 3/2021, de 30 de diciembre, de Presupuestos Generales de la Comunidad Autónoma de Extremadura para 2022 ha establecido un mecanismo similar.

En ambos casos, el procedimiento para la adopción de estas medidas se incia a solicitud del contratista, dirigida al órgano de contratación.

El plazo de presentación de solicitudes comenzará el día siguiente a la entrada en vigor la norma y, en todo caso, han de formularse antes de que se emita la certificación final de la obra.

El contratista deberá adjuntar a su solicitud la documentación justificativa que acredite tanto la existencia de un cambio extraordinario e imprevisible en los precios de los materiales tomados en cuenta para la formalización del contrato como la realidad, efectividad y monto de la pérdida sufrida como consecuencia del cambio en el coste de los materiales soportado por el contratista.

Recibida la solicitud, el órgano de contratación procederá a su estudio teniendo en cuenta las certificaciones de trabajo emitidas desde el 1 de enero de 2021.

Si el contratista solicita modificación de los materiales, la solicitud deberá incluir una propuesta relativa a los tomados en cuenta para la elaboración del proyecto que sirvió de base a la licitación y su sustitución por otros más económicos.

Por tanto, en realidad lo que este tipo de normas están haciendo es causalizar y limitar los supuestos de modificación basados en la pandemia. Sin embargo, no terminan de resolverse algunas incertidumbres, como son las relativas al importe de las compensaciones a obtener o a los costes que se incluirían.

Por ello sería conveniente buscar un escenario de mayor previsibilidad en lo relativo a los presupuestos y consecuencias de esta revisión de precios.

La defensa del administrado ante la vía de hecho. La extensión del plazo para su impugnación por el cauce del artículo 30 de la ley reguladora de la jurisdicción contencioso-administrativa

Tomás Navalpotro Ballesteros
Letrado de la Comunidad de Madrid Letrado-Jefe del Servicio Jurídico en la Consejería de Familia, Juventud y Política Social de la Comunidad de Madrid Profesor de Derecho Administrativo URJC Consejo Superior de Letrados CC.AA.

SUMARIO: 1. LA VÍA DE HECHO. ASPECTOS CONCEPTUALES BÁSICOS. 2. ACOGIDA DE LA FIGURA EN LA LEY DE LA JURISDICCIÓN CONTENCIOSO-ADMINISTRATIVA DE 1998. 3. EL PROBLEMA DEL PLAZO: ESTADO PREVIO DE LA CUESTIÓN. 4. LA CUESTIÓN DEBATIDA EN LAS SENTENCIAS DE INSTANCIA Y DE APELACIÓN. 5. UN PRECEDENTE DE INTERÉS: EL PLAZO PARA LA IMPUGNACIÓN DE LA INACTIVIDAD. 6. FIJACIÓN DE LA DOCTRINA DEL TRIBUNAL SUPREMO SOBRE EL PLAZO PARA LA IMPUGNACIÓN DE LA VÍA DE HECHO.

1. LA VÍA DE HECHO. ASPECTOS CONCEPTUALES BÁSICOS

Según nos enseñaron grandes maestros[1], el concepto de vía de hecho se originó en el Consejo de Estado francés para poner coto a las actuaciones materiales de la Administración realizadas sin el necesario sustento jurídico. En su configuración inicial, abarcaba tanto los supuestos en que la Administración había usado de un poder del que carecía legalmente (*manque de droit*), como cuando actuaba sin observar los procedimientos establecidos por la norma atributiva de la potestad (*manque de procédure*).

Como es sabido, la recepción en España de la figura tuvo lugar a través de la normativa expropiatoria, en la que precisamente prevalecen las garantías de los particulares frente al carácter coactivo de la privación de sus bienes por parte de la Administración pública. Así, el artículo 125 de la Ley de Expropiación Forzosa, en redacción todavía vigente, permite a los ciudadanos hacer uso de *los interdictos de retener y recobrar*[2] cuando la Administración ocupare o intentase ocupar la cosa objeto de la expropiación sin haber cumplido con los requisitos sustanciales de declaración de utilidad pública o interés social, necesidad de ocupación y previo pago o depósito, en los términos establecidos en dicha ley. Lo característico de estas groseras ilegalidades residía en que, cuando se producía una vía de hecho, la Administración quedaba despojada de las prerrogativas que adornan su actuación y se situaba frente al afectado en una infrecuente situación de igualdad, lo que incluía la posibilidad de ser demandada ante la Jurisdicción ordinaria o Civil.

Sin perjuicio de que nuestro derecho siga careciendo de una definición legal de «vía de hecho»[3], la posterior evolución de esta figura en el derecho

---

[1] GARCÍA DE ENTERRÍA, EDUARDO y TOMÁS-RAMÓN FERNÁNDEZ, «La garantía patrimonial en la expropiación. Las expropiaciones especiales», en CURSO DE DERECHO ADMINISTRATIVO. II, Thomson-Civitas, 11ª edición, 2008, págs. 272 y ss.

[2] En la vía civil, la tutela interdictal se realiza actualmente a través del juicio verbal conforme a lo previsto en el artículo 240.1.4º de la Ley 1/2000, de 7 de enero, de Enjuiciamiento Civil.

[3] MUÑOZ MACHADO, SANTIAGO, «Tratado de Derecho Administrativo y Derecho Público General», tomo XII, 2ª edición, Editorial BOE, pág. 137.

patrio ha supuesto su extrapolación a la generalidad de potestades administrativas, suponiendo una garantía del administrado frente a posibles excesos o irregularidades de la Administración en la ejecución de sus actos[4]. Su aplicación ya no se limita, por consiguiente, a la expropiación forzosa, aunque algunos de los casos que se sigan planteando ante los tribunales de Justicia se relacionen con ella o con actuaciones urbanísticas. Así, en los repertorios jurisprudenciales más recientes podemos encontrar situaciones litigiosas en las que se plantea la posible existencia de una vía de hecho en actuaciones de la Administración tributaria (entrada de la AEAT en los locales de los recurrentes y la incautación de documentos y soportes informáticos, STS, 3ª, de 27/9/2021, RC 4393/2020), actuaciones de control poblacional de determinadas especies animales (STS, 3ª, de 23/11/2020, RC 6552/2019), la negativa de una regidora municipal a reconocer la designación del portavoz de un grupo municipal (ATS, 3ª, de 25/11/2021, RC 6382/2021) o la realización de un embargo sobre una pensión (ATS, 3ª, de 8/6/2021, RC 17/2021). La *vis expansiva* de la institución queda fuera de toda duda.

No sin razón se ha apuntado que, al no señalar el artículo 105 de la LPAC[5] de modo taxativo cuáles son las infracciones de competencia y de procedimiento constitutivas de una vía de hecho, la designación de los supuestos que la producen, en todo caso consistentes en las infracciones más graves, queda reservada a la creación doctrinal y jurisprudencial.

Sin perjuicio de lo anterior, esa progresiva evolución se ha mantenido fiel a los caracteres originarios ya reseñados, reservando la figura para las actuaciones materiales de la Administración más grotescas. En esa línea se sigue diciendo que la vía de hecho se da en la actuación administrativa que prescinde absolutamente del procedimiento legalmente establecido para realizarla, o que carece manifiestamente de ningún posible fundamento legal (STS, 3ª, de 27/9/2021, RC 4393/2020), aunque, siendo este uno de los aspectos más confusos, no parece que todo motivo de nulidad encaje en

---

[4]   En dicho sentido, GAMERO CASADO, EDUARDO, y FERNÁNDEZ RAMOS, SEVERIANO, «Manual Básico del Derecho Administrativo», 7ª edición, 2008, págs. 453 y 454.

[5]   «No se admitirán a trámite acciones posesorias contra las actuaciones de los órganos administrativos realizadas en materia de su competencia y de acuerdo con el procedimiento legalmente establecido».

dicha figura, sino solo cuando se produzca una «vulneración grosera de la legalidad» (STS, 3ª, de 27/9/2021, RC 4393/2020).

Asimismo, sigue rigiendo la clasificación de los supuestos de vía de hecho en dos grandes grupos: los casos en los que la Administración pasa al terreno de los hechos sin la cobertura de una resolución que le sirva de fundamento jurídico, como aquellos otros en los que su actuación material extravasa los límites de la cobertura previa. En dicho sentido, la sentencia del Tribunal Supremo de 22 de mayo de 2019, RC 523/2016, ha recordado que, conforme a la jurisprudencia consolidada de la Sala Tercera, se incluyen en el concepto de vía de hecho, en primer lugar, los supuestos de actuación material de las Administraciones Públicas sin el sustento previo de una decisión declarativa que le sirva de fundamento jurídico (art. 97.1 LPAC). A la falta de acto previo se le asimilan aquellos casos en los que, existiendo tal acto, se ve afectado de una irregularidad sustancial, que permite hablar de acto nulo de pleno derecho o, incluso, inexistente, privando al acto de la presunción de validez que en principio lleva ínsita (art. 39.1 LPAC). Como característica adicional, la vía de hecho protege frente a los actos materiales de ejecución que excedan evidentemente del ámbito al que da cobertura el acto administrativo previo.

2. ACOGIDA DE LA FIGURA EN LA LEY DE LA JURISDICCIÓN CONTENCIOSO-ADMINISTRATIVA DE 1998

La Exposición de Motivos de la vigente Ley 29/1998, de 13 de julio, reguladora de la Jurisdicción Contencioso-administrativa, alardeaba entre sus principales avances, de haber articulado sendas vías procesales específicas para la impugnación de la inactividad de la Administración y de las actuaciones materiales constitutivas de vía de hecho. Mediante estas figuras se venía a reconfigurar de forma más extensa el objeto del recurso contencioso-administrativo, que venía a estar constituido, en general, por las *actuaciones administrativas* (art. 25), concepto este último que abarca no solo los actos expresos y las disposiciones de carácter general (actuaciones formalizadas), sino también los supuestos de inactividad y las vías de hecho. En dicho sentido, ha proclamado el Tribunal Supremo que, por medio de dicha ley, se pasó de la concepción tradicional del recurso contencioso-administrativo como un proceso entablado frente a un acto o a una disposición, a su instrumentación como un cauce para controlar auténticas situaciones fácticas o materiales, o simples pasividades de la Administración pública (STS, 3ª, de 27/7/2021, RC 6012/2019).

De las explicaciones dadas por el legislador en esa parte preliminar de la ley se podían deducir algunas de las características de la vía impugnatoria específica configurada frente a la vía de hecho: su habilidad para permitir combatir aquellas actuaciones materiales de la Administración que carecen de la necesaria cobertura jurídica y lesionan derechos e intereses legítimos de cualquier clase, es decir, no quedando restringida su aplicación al instituto de la expropiación forzosa; su naturaleza mixta declarativa y de condena y, en cierto modo, interdictal, cuasiasimilable en su eficacia a las medidas cautelares, manifestación esta que denota claramente la virtualidad práctica de este recurso como un medio para obtener de forma expeditiva la paralización de una actuación administrativa groseramente irregular, y la atribución de su control al orden jurisdiccional contencioso-administrativo.

La regulación de la figura en la propia LJCA, ciertamente dispersa, permite comprobar la plasmación en su articulado de estas ideas previas.

Así, como ya se ha apuntado, el artículo 25, al delimitar las actuaciones administrativas impugnables, es decir, qué actuaciones pueden ser objeto del recurso contencioso-administrativo y, por consiguiente, de control judicial, no olvidó mencionar entre ellas, junto a las disposiciones de carácter general y los actos administrativos expresos o presuntos, la inactividad de la Administración y las actuaciones materiales constitutivas de vía de hecho, si bien, en cuanto a estas dos últimas modalidades, matiza no sin intención que su impugnación se admitirá «en los términos establecidos en esta Ley». Quiere ello decir que no se puede proceder a su impugnación de cualquier manera, sino dentro de los límites y con arreglo a las condiciones que marca la ley procesal.

Posteriormente, el artículo 30, que es clave para entender este breve análisis, modula con cierta parquedad un doble camino para conseguir la tutela interdictal ante la vía de hecho en sede judicial contencioso-administrativa. Frente a ella —se nos dice—, el interesado podrá, bien formular un requerimiento a la Administración actuante, intimando su cesación, pero, cuando dicha intimación no hubiere sido formulada o no fuere atendida dentro de los diez días siguientes a la presentación del requerimiento, podrá deducir directamente recurso contencioso-administrativo. Es decir, se permite su impugnación a través de este procedimiento específico tendente a la paralización de la actuación, bien con previa intimación administrativa, bien de forma directa en sede jurisdiccional. La salvedad estriba en que, si se formulara ese potestativo requerimiento, el interesado deberá esperar diez días para poder acudir a la vía judicial, configurándose así un término de gracia en que la Administración puede reconsiderar su actuación y cesarla voluntariamente.

Retoma la referencia a esa doble configuración impugnatoria de la vía de hecho el artículo 46.3 que, al contemplar el plazo para la interposición del recurso contencioso-administrativo, distingue en función de que el interesado haya hecho o no uso de la facultad de intimar previamente a la Administración. En el caso de que hubiera mediado el requerimiento, «*el plazo para interponer el recurso será de diez días a contar desde el día siguiente a la terminación del plazo establecido en el artículo 30*». En cambio, cuando no hubiera mediado intimación, «*el plazo será de veinte días desde el día en que se inició la actuación administrativa en vía de hecho*».

La regulación de la LJCA se completa reseñando cuáles son las pretensiones que puede articular el recurrente frente a la vía de hecho, que, conforme al carácter interdictal anunciado en la Exposición de Motivos, podrán consistir no solo en que se declare contraria a derecho la actuación administrativa de que se trate, sino también en que se ordene su cese y en la adopción de medidas para el restablecimiento de la situación jurídica individualizada que hubiera sido afectada por aquella, entre ellas, singularmente, la condena a indemnizar los daños y perjuicios causados (art. 32.2).

Asimismo, se contienen en la ley procesal referencias a la vía de hecho al regular la interposición del recurso contencioso-administrativo (art. 45), el plazo para su formulación (art. 46), el requerimiento del expediente administrativo (art. 48), la inadmisión *a limine* del recurso (art. 51), el procedimiento especial para la protección de los derechos fundamentales (art. 115), el objeto del procedimiento para la garantía de la unidad de mercado (art.

127 bis) y en sede de medidas cautelares (art. 136)[6]. Este último aspecto es especialmente interesante, puesto que, según no cesa de proclamar la Sala Tercera cuando actúa como tribunal de instancia y ha de decidir sobre pretensiones de tutela cautelar, en la regulación de las medidas cautelares en la ley jurisdiccional se pueden distinguir dos supuestos procesales especiales, el primero de ellos el previsto en el artículo 135 para los supuestos de singular urgencia (medidas provisionalísimas o cautelarísimas adoptadas *inaudita parte*) y el segundo, el modulado en el artículo 136 para los casos de inactividad y vía de hecho cuya impugnación se realice por el cauce instaurado en los artículos 29 y 30[7].

Todo ello da cuenta de que, sin perjuicio de insuficiencias, lagunas o posibles incertidumbres interpretativas a la hora de su aplicación y de una indeseable dispersión sistemática, la apuesta del legislador de 1998 por la atribución a los administrados de un medio ágil y eficaz en orden a la paralización de las actuaciones de la Administración susceptibles de ser calificadas como una vía de hecho, no era una simple bravuconada de su exposición de motivos.

Sin perjuicio de la importancia y novedad de este cauce procesal habilitado *ex novo*, al tener por objeto el establecimiento de una garantía en favor del administrado, se vino a considerar que no limitaba la posibilidad de articular la defensa frente a la vía de hecho por los trámites del procedimiento ordinario[8]. Es decir que, aparte de existir libertad en cuanto a la

---

[6]   También alude la letra b) del artículo 13 a la vertiente competencial y el 44.1, al referirse al requerimiento en los litigios entre Administraciones Públicas, contiene una referencia velada a ella al aludir a la solicitud de que se «haga cesar o modifique la actuación material».

[7]   AATS, 3ª, de 8 de abril de 2021, RCA 81/2021, y de 26 de enero de 2021, Rec. 380/2020, y otros muchos concordantes. En estos casos, la principal particularidad reside en que la medida cautelar se adoptará de suyo, obteniendo anticipadamente la protección jurisdiccional, salvo que se aprecie con evidencia que no concurre la inactividad o la vía de hecho o cuando, a los ojos del juzgador, la medida sea susceptible de ocasionar una perturbación grave de los intereses generales o de tercero.

[8]   En dicho sentido, SANTAMARÍA PASTOR, JUAN ALFONSO, y otros, «1.700 Preguntas sobre Contencioso-Administrativo», Francis Lefebvre, página 316, citan en sustento de este criterio las SSTS de 7/2/2007, RC 9727/2003, y de 10/11/2009, RC 1754/2006.

formulación o no del requerimiento previo cuando se acude a la vía interdictal expeditiva del artículo 30, también era disponible para el interesado el obtener la tutela por una vía procesal distinta de esa específica.

Asimismo, cuando el recurso se sustente en su vulneración, será posible hacer uso del procedimiento para la protección de los derechos fundamentales, al acoger expresamente esta posibilidad el artículo 115.1 de la LJCA. Recientemente se nos ha recordado la pervivencia de este cauce procesal alternativo para la defensa frente a la vía de hecho en la STS, 3ª, de 22/12/2021, RC 5992/2020.

Interesa destacar asimismo que uno de las grandes innovaciones de la LJCA de 1998 en la materia fue el situar el medio de protección interdictal frente a la vía de hecho ante la Jurisdicción Contencioso-Administrativa, que es la especializada por antonomasia en el control de la legalidad de los actos de la Administración. Con anterioridad, la protección sumaria se articulaba a través de los interdictos posesorios de retener y de recobrar, que actualmente se sustancian por los trámites del juicio verbal, y en lo contencioso-administrativo el control frente a la vía de hecho se derivaba a través del procedimiento ordinario.

En relación con ello, existe una interminable controversia desde la entrada en vigor de la LJCA sobre si el particular afectado por la vía de hecho sigue gozando de la posibilidad de demandar a la Administración ante la Jurisdicción Civil a través de los instrumentos procesales de tutela posesoria. Quienes están a favor de la doble vía impugnatoria suelen invocar en favor de esta tesis el artículo 105 de la LPAC, interpretado *contrario sensu*, al exceptuar la admisión a trámite de las acciones posesorias dirigidas contra las actuaciones de los órganos administrativos realizadas en materia de su competencia y de acuerdo con el procedimiento legalmente establecido. Otra fuerte corriente interpreta por el contrario que el recurso contencioso-administrativo contra la vía de hecho, como medio específico para la tutela frente a ella, deja sin campo de actuación frente a las Administraciones Públicas a las acciones posesorias civiles.

Extendernos sobre esta polémica nos desviaría de la cuestión que nos interesa especialmente.

3. EL PROBLEMA DEL PLAZO: ESTADO
PREVIO DE LA CUESTIÓN

Uno de los riesgos de diseminar la regulación de la vía de hecho a lo largo de diversas partes de la LJCA residía en la posible aparición de lagunas e incoherencias o, en el mejor de los casos, de incertidumbres interpretativas.

El artículo 30 de la LJCA parecía haber establecido con cierta claridad que la intimación previa a la impugnación de la vía de hecho era una simple facultad de la persona afectada por la actuación administrativa. Ese carácter potestativo explicaba que estuviera en sus manos una opción: requerir previamente a la Administración para el cese de la actuación constitutiva de vía de hecho o bien impetrar directamente la tutela judicial. Como ya hemos apuntado, se trataba de dos fórmulas alternativas para llegar a una misma meta: la tutela interdictal frente a la vía de hecho.

La existencia de esa alternativa oscurece la comprensión de la regulación del plazo para la refutación de la vía de hecho en sede jurisdiccional. Conviene destacar que se trata de una cuestión fundamental, puesto que los plazos de impugnación de las actuaciones administrativas tienen de por sí carácter preclusivo, esto es, delimitan el momento a partir del cual ya no es posible formular recurso contencioso-administrativo frente a aquellas[9]. En tales casos, se suele decir que la actuación administrativa ha causado estado o devenido firme, quedando consolidada por su falta de impugnación en el plazo conferido legalmente para ello, lo que la convierte en inatacable sin perjuicio de la *ultima ratio*, las más de las veces remota, del procedimiento de revisión de oficio del artículo 106 de la LPAC.

Interpretando de forma cohonestada los artículos 30 y 46.3 deducimos que, de haberse formulado el requerimiento previo, el interesado debía esperar diez días desde su presentación para poder acudir a la vía judicial

---

[9]   Cuestión aparte es la de la impugnación del silencio administrativo negativo, en la cual, a raíz de la doctrina del Tribunal Constitucional en las SSTC 14/2006, de 16 de enero, y 39/2006, de 16 de marzo, después seguida por el Tribunal Supremo, el plazo para su impugnación continúa abierto entretanto la Administración no proceda a dictar resolución expresa. Esta misma idea ha sido remachada por el máximo intérprete constitucional en la STC 52/2014, de 10 de abril.

contencioso-administrativa, lo cual solo tendría sentido, como es lógico, en el caso de que la Administración no hubiera atendido dentro de dicho plazo la solicitud del interesado cesando su actuación. Una vez finalizado ese primer plazo de diez días sin ser atendida la intimación previa, el interesado contaría con otro período de diez días para formular recurso contencioso-administrativo contra la vía de hecho.

En el caso contrario, es decir, cuando no hubiera mediado intimación, la persona afectada por la pretendida vía de hecho contaría con un plazo de veinte días en orden a su impugnación en sede jurisdiccional, plazo que se computaría esta vez desde el día en que se inició la actuación administrativa irregular.

No pasan desapercibidas las dudas que deja abiertas esta regulación. De forma somera, se puede advertir una incertidumbre inicial, a reserva de posteriores aclaraciones jurisprudenciales, sobre si los días que conforman los tres plazos a los que se refiere la ley son naturales o hábiles, la difícil situación en que se dejaría al afectado en el supuesto de que hubiera tenido conocimiento de la actuación administrativa una vez transcurrido el plazo máximo de veinte días para su impugnación judicial o el posible efecto preclusivo de dejar pasar el plazo señalado por la ley para la formulación del recurso contencioso-administrativo, ya hubiera mediado o no un requerimiento previo.

4. LA CUESTIÓN DEBATIDA EN LAS SENTENCIAS DE INSTANCIA Y DE APELACIÓN

Nos vamos acercando poco a poco a la Sentencia de 1 de octubre de 2021, dictada por la Sala de lo Contencioso-Administrativo en el recurso de casación 2374/2020, que constituye la meta de nuestro camino.

En concreto, debemos remontarnos al recurso contencioso-administrativo formulado en las postrimerías de 2019 por una comunidad de propietarios contra el Ayuntamiento de Badajoz con motivo de la ocupación parcial de una parcela para la realización de una obra pública *«realizada por tercero sin previo expediente de contratación pública y al margen de la licencia concedida»*. Para el juzgador de instancia[10], resultó determinante que por parte de la comunidad de propietarios se hubiera presentado un escrito en el que solicitaba a la Administración la suspensión de las obras, ya que, a su juicio, era equiparable al requerimiento previo potestativo a que alude el artículo 30 en relación con el 46.3 de la LJCA. Teniendo en cuenta la fecha en que se había presentado la intimación (15 de mayo de 2018), resultaba que el recurso contencioso-administrativo contra la vía de hecho se habría formulado transcurridos más de diez días desde la expiración del plazo de favor conferido legalmente a la Administración para la atención del requerimiento (en concreto, el 11 de julio siguiente), determinando su inadmisión.

Al llegar el asunto, en vía de apelación, a la Sala de lo Contencioso-Administrativo del Tribunal Superior de Justicia de Extremadura, esta, en la Sentencia de su Sección 1ª de 31 de enero de 2020, RA 2/2020, enriqueció el debate añadiendo alguna perspectiva adicional. Así, la Sala extremeña detectó que, entre el primer requerimiento y la formulación del recurso contencioso-administrativo había interferido un segundo requerimiento, presentado el 15 de junio de 2018, si bien este hecho no determinaría inicialmente el éxito de la pretensión de la comunidad de propietarios, puesto que, en cualquier caso, el recurso contencioso-administrativo se habría planteado igualmente más allá del exiguo plazo de diez días a contar desde la conclusión del periodo de favor previsto legalmente en beneficio de la Administración.

Igualmente, la Sala de apelación consideró la posibilidad de que el escrito presentado por la comunidad de propietarios no fuera asimilable al requerimiento previo de cesación en la vía de hecho. Sin embargo, no vio la cuestión de forma especialmente favorable para la copropiedad, puesto que, de no haber requerimiento, el plazo para la formulación del recurso contencioso-administrativo sería de 20 días que, a juicio del tribunal de Extremadura sobre la base del inciso final del artículo 46.3 de la LJCA, en la interpretación más favorable para la recurrente se debía computar desde el día en que la actora tuvo conocimiento de la vía de hecho.

---

[10]   Auto 82/2019, de 28 de octubre de 2019, del Juzgado de lo Contencioso-Administrativo nº 2 de Badajoz, recaído en el recurso contencioso-administrativo 193/2018.

La fundamentación de la sentencia de apelación, que a continuación resumimos, no podía resultar más demoledora para los intereses de la comunidad de propietarios:

- Si el interesado, desde que tiene conocimiento de la vía de hecho, deja transcurrir el plazo de 20 días establecido en el artículo 46.3 de la LJCA sin formular el requerimiento y sin interponer el recurso contencioso-administrativo, caduca el plazo de la acción impugnatoria.

- Dicho plazo no se puede rehabilitar acudiendo a la presentación de un requerimiento extemporáneo, con posterioridad no sólo al inicio de la vía de hecho, sino incluso al conocimiento de la misma.

- El espíritu de la norma impide la utilización sucesiva de ambos mecanismos, a criterio del interesado, de suerte que si se conoce el inicio de la actuación administrativa en vía de hecho, supuesto al que se refiere el artículo 46 de la LJCA, no se puede obviar el plazo allí mencionado para disponer indefinidamente de la posibilidad de reabrir el plazo de interposición por el mecanismo de dirigir un requerimiento a la Administración (art. 30) y acogerse entonces al plazo previsto para este específico supuesto en el artículo 46.

- La inmediatez exigible en el ejercicio de la acción frente a la actuación material que se pretende combatir, se trasluce no solo en la regulación de los breves plazos procesales reguladores de su interposición, sino que aparece reflejada en la exposición de motivos de la LJCA: «*Mediante este recurso se pueden combatir aquellas actuaciones materiales de la Administración que carecen de la necesaria cobertura jurídica y lesionan derechos e intereses legítimos de cualquier clase. La acción tiene una naturaleza declarativa y de condena y a la vez, en cierto modo, interdictal, a cuyo efecto no puede dejar de relacionarse con la regulación de las medidas cautelares*».

Como habremos de ver, esta perspectiva tan concluyente tampoco amilanó a la comunidad de propietarios, que formalizaría recurso de casación contra la sentencia del Tribunal Superior de Justicia de Extremadura. El debate estaba servido.

5. UN PRECEDENTE DE INTERÉS: EL PLAZO PARA LA IMPUGNACIÓN DE LA INACTIVIDAD

Ya hemos señalado que la impugnación de la vía de hecho y de la inactividad administrativa entraron de la mano en la LJCA, al ser señaladas por el legislador como dos de los grandes avances del sistema jurisdiccional de control de las actuaciones administrativas. Interesa por ello destacar que la duda que hemos apuntado en el epígrafe anterior con respecto a la posible pervivencia del plazo para impugnar la vía de hecho, se había suscitado con carácter previo en relación con el recurso contra la inactividad administrativa en su modalidad del artículo 29.1 de la LJCA.

En el caso de la inactividad, como es sabido, la ley de 1998 recogió dos figuras procesales anteriormente inexistentes, la primera de ellas enderezada al cumplimiento por las Administraciones Públicas de prestaciones que vengan obligadas a realizar en favor de ciertas personas o entidades (art. 29.1), y la segunda con el objeto de compeler a las entidades públicas a la ejecución de sus actos firmes (art. 29.2).

Centrándonos en la primera de esas manifestaciones, interesa reseñar que el artículo 29.1 incorpora en favor de quien tenga derecho a percibir una prestación de la Administración que esté reconocida en una disposición general que no precise de actos de aplicación o en un acto, contrato o convenio administrativo[11], un cauce procesal que le habilita para obtener de una forma sumaria la condena a su cumplimiento por parte de la Administración. En su régimen jurídico, el requerimiento previo no es potestativo, sino preceptivo, y, ante su desatención por la entidad pública requerida, el interesado tendrá la posibilidad de acudir a la vía judicial una vez transcurridos tres meses (plazo de gracia en favor de la Administración) desde la formulación del requerimiento[12].

---

[11]   Aunque, en realidad, el Tribunal Supremo ha ido más allá de los términos estrictos de la ley validando su utilización ante ciertas omisiones de la Administración que, en realidad, no se reflejaban en el derecho de determinada persona a obtener una prestación concreta. Así, por ejemplo, en la conocida sentencia de 3 de diciembre de 2008, RC 5550/2006, sobre la recuperación de oficio de una vía de hecho.

[12]   Conforme al artículo 46.2, transcurridos los tres meses desde la realización del requerimiento previo, al interesado le quedarían otros dos para presentar el recurso contra

Ocurre que, de no atenderse el requerimiento realizado a la Administración en orden a la realización de la prestación debida, la situación de inactividad perduraría, lo que llevó a plantearse si, aun habiendo dejado pasar el interesado la posibilidad de entablar recurso jurisdiccional frente al desprecio de un primer requerimiento dentro del plazo señalado por la ley, le sería dable realizar un segundo (o posteriores) exhortos en tanto no se procediera al cumplimiento de la obligación.

Esta cuestión, una vez instaurado el actual sistema de casación contencioso-administrativa[13], suscitó interés objetivo casacional en el Tribunal Supremo, dando lugar a la fijación de doctrina mediante sentencia de su Sala Tercera de 26 de junio de 2018, RC 1017/2017.

En ella, en pro del interés del acreedor de la Administración y, sobre todo, de su derecho a la tutela judicial efectiva, el Alto Tribunal aclaró que, mientras persista la inactividad y, por consiguiente, la Administración no haya cumplido la obligación que le incumbe, esta no podría beneficiarse de su propio incumplimiento invocando que el interesado dejó de acudir a la vía judicial, consintiendo la situación, tras la desatención de un primer requerimiento. Por ello —nos dice el Alto Tribunal—, mientras perdura la inactividad, los sujetos abocados a soportar sus consecuencias mantendrán abierta la posibilidad de realizar un nuevo requerimiento a la Administración, con el consiguiente reinicio del cómputo de los plazos procesales previstos para el ejercicio de dicho recurso y, por consiguiente, la posibilidad de formular recurso contencioso-administrativo contra la inactividad una vez transcurridos tres meses sin que la intimación haya sido atendida.

La decisión del Alto Tribunal se fundamentó principalmente en dos argumentos entrelazados: la falta de contemplación expresa en la LJCA de un efecto preclusivo derivado de la falta de interposición del recurso contencioso-administrativo en el plazo de dos meses siguientes al plazo de favor concedido legalmente a la Administración tras el requerimiento previo, y la necesidad de realizar una interpretación de las disposiciones legales favora-

---

la inactividad administrativa en vía judicial.

[13] Ley Orgánica 7/2015, de 21 de julio, por la que se modifica la Ley Orgánica 6/1985, de 1 de julio, del Poder Judicial.

ble al derecho a la tutela judicial efectiva. Con respecto a esto último, dejó indicado la Sala Tercera que incluso una previsión legal que negara de forma expresa el derecho a formular recurso contencioso-administrativo en las circunstancias referidas, sería de dudosa constitucionalidad al poder atacar al contenido esencial de dicho derecho fundamental.

El recurso de casación resuelto en la sentencia de referencia planteaba una cuestión igualmente interesante, que consistía en si, una vez transcurridos los tres meses tras el requerimiento, y no habiendo sido atendido por la Administración, se podría considerar que el recurso contencioso-administrativo podría ser formulado hábilmente más allá de los dos meses que la ley concede al efecto. Con ello, se pretendía articular una equiparación de esa falta de reacción de la Administración frente al requerimiento con el silencio administrativo negativo, proyectando sobre el recurso contra la inactividad en la modalidad prevista en el artículo 29.1 de la LJCA la doctrina plenamente consolidada en sede constitucional y jurisprudencial que hace ineficaz el plazo de seis meses para entablar el recurso contencioso-administrativo previsto en el artículo 46.1 de la misma ley en tanto la Administración no cumpla la obligación legal de dictar resolución expresa[14]. El Tribunal Supremo entendió que, tal como había sido resuelta la primera cuestión que planteaba el recurso de casación, era innecesario entrar a esta segunda disquisición. No obstante, con posterioridad se aclararía también esta cuestión en la interesante sentencia de 28 de mayo de 2020, RC 7296/2018, en un sentido muy favorable a los administrados, es decir, equiparando —a los efectos planteados— la falta de atención al requerimiento de inactividad con el silencio administrativo negativo.

6. FIJACIÓN DE LA DOCTRINA DEL TRIBUNAL SUPREMO SOBRE EL PLAZO PARA LA IMPUGNACIÓN DE LA VÍA DE HECHO

Retomando el caso que nos interesa, conviene observar que la Sala de lo Contencioso-Administrativo del Tribunal Supremo, al admitir el recurso de

---

[14]   SSTC, ya citadas 14 y 39/2006.

casación formulado por la comunidad de propietarios, quiso dar, como no podía ser de otra manera, cierto alcance general a la doctrina que en su momento debiera establecer. Así, por medio del Auto de 22 de julio de 2020, RC 2374/2020, al fijar la cuestión que presentaba interés casacional objetivo en relación con el cauce interdictal específico del recurso contencioso-administrativo contra la vía de hecho (art. 30 LJCA), se preguntaba si, una vez transcurrido el plazo del requerimiento sin haber obtenido respuesta de la Administración, y superado también el plazo para la formulación del recurso contencioso-administrativo directo sin previa intimación, de mantenerse la situación de ocupación ilegal, un posterior requerimiento permitiría al interesado habilitar de nuevo los plazos para acudir a la vía judicial impetrando una respuesta expeditiva frente a la ocupación. La cuestión, como se puede ver, era clave en el contexto del derecho de defensa frente a las actuaciones administrativas irregulares, puesto que, en función de la respuesta que se le diera, podía suponer, bien restringir a los interesados toda opción para obtener la cesación de la vía de hecho una vez dejada pasar la posibilidad de formular recurso contencioso-administrativo en el plazo previsto legalmente, bien mantener en pie sus posibilidades de defensa y reacción judicial entretanto se prolongue la actuación irregular.

En el debate casacional también estaba presente una cuestión que se había situado en el tablero de la controversia procesal en las sentencias precedentes: si el carácter interdictal de la acción para impugnar la vía de hecho debía constituir un límite a su virtualidad. En este sentido, el Ayuntamiento de Badajoz, parte recurrida en casación, alegó que la conceptuación de la acción como sumaria y destinada a propiciar una reacción inmediata ante una actuación material era incompatible con el mantenimiento de plazos abiertos *sine die* a efectos impugnatorios, situación que se daría en el caso de permitirse la formulación de requerimientos sucesivos entretanto se mantuviera la situación de ocupación ilegal.

A la hora de abordar la cuestión debatida, la Sala de casación parte en su sentencia del carácter potestativo del requerimiento frente a la vía de hecho, dibujando la doble posibilidad de intimar previamente a la Administración para la cesación de su actuar o de acudir directamente a la Jurisdicción Contencioso-Administrativa. A decir del Alto Tribunal, el plazo *«para reaccionar frente a la vía de hecho»* es en definitiva similar en ambos casos, bien surja de la adición de los dos periodos de diez días (el primero tras la intimación y el segundo para acudir a la vía judicial tras su desatención) o consista en veinte días (el que se dispone para formular recurso contencioso-administrativo directo frente a la vía de hecho). Nos podemos preguntar si con esta equiparación se está resolviendo una de las dudas que plantea la escueta regulación legal, puesto que, siendo cierto que el artículo 46.3 concede veinte días para la impugnación directa de la vía de hecho *«desde el día en que se inició la actuación administrativa en vía de hecho»*, en relación con el requerimiento no se determina, en cambio, ni en el artículo 30 ni en el 46.3, de qué plazo dispone el afectado para formular la intimación previa.

Por el contrario, solo nos dice el legislador que, de haberse formulado el requerimiento, habrán de dejarse transcurrir diez días para que la Administración lo atienda y que, de no ser así, en los diez días siguientes se podrá acudir a la vía judicial. Luego, aun no habiendo sido aclarado por el legislador cuál es el plazo de que se dispone para realizar el requerimiento desde que se tiene conocimiento de la vía de hecho, resulta discutible que, en el caso de haberse optado por realizarlo, se disponga de veinte días de plazo en su conjunto al igual que cuando aquel no se formula; en realidad, el primer periodo de diez días se computa desde que se presentó el requerimiento, lo cual difícilmente se producirá el día siguiente a aquel en que se haya producido, o al menos se haya tenido conocimiento, de la vía de hecho.

Si, en lo relativo a la anterior cuestión, se ha podido sembrar cierta duda en la aplicación del mecanismo procesal, no ocurre lo mismo con una aclaración relevante que hace el Alto Tribunal. Recogiendo lo que la lógica de los hechos impone, la sentencia anota como *«una realidad notoria que no siempre es posible que el interesado tenga conocimiento inmediato del inicio de la vía de hecho»*. Conviene poner de manifiesto al respecto que autorizadas voces venían alertando de que los supuestos en principio calificables como una vía de hecho se producen muchas veces sin dar un aviso previo al particular del inicio de las actuaciones materiales que no cuentan con un sustento jurídico previo o exceden de sus contornos.

La sentencia esclarece esta cuestión, señalando que, cuando se acredite que el interesado no ha tenido noticia del comienzo de la vía de hecho en el momento en que tuvo lugar, en aplicación de la doctrina de la *actio nata*, a efectos del cómputo del plazo para ejercicio de la acción deberá tenerse en cuenta la fecha en que el interesado *«tomó conocimiento de esa actuación en vía de hecho y pudo ejercitar la acción correspondiente».* Esta aclaración se pone en relación con la doctrina del Tribunal Europeo de Derechos Humanos, en concreto con su sentencia de 25 de enero de 2000, Caso Miragall Escolano y otros contra España, y otras también recogidas en la sentencia del Alto Tribunal nº 1.160/2021, de 22 de septiembre. Con todo, no puede dejar de significarse un aspecto que puede plantear cierta complejidad, al aludir la Sala a la necesidad, para la aplicación de esta doctrina, de que el interesado acredite que no tuvo conocimiento de la vía de hecho desde su inicio, prueba que, al referirse a un hecho negativo, puede conllevar cierta dificultad práctica en la mayoría de los casos.

A continuación, aborda la Sala otra faceta que ya estaba previamente en el debate jurídico y ha sido comentada en estas líneas, que es la relativa a la existencia de una doble vía para impugnar la vía de hecho. Si el artículo 30, en relación con el 46.3, articula la tutela interdictal frente a la vía de hecho, ya sea con requerimiento previo o sin él, a través del ejercicio de una acción enderezada principalmente al cese de la actuación ilegal, se venía sustentando que esta posibilidad se había reconocido por la ley sin impedimento de que la persona afectada, de entenderlo oportuno, pudiera acometer su defensa, no por la vía de la acción de cesación, sino por la del recurso contencioso-administrativo ordinario. De esta forma, el ejercicio en sí de la vía interdictal reviste carácter potestativo para el interesado, que, en palabras de la sentencia que ocupa nuestra atención, bien puede *«reaccionar rápidamente contra la actuación de la Administración que estima producida en vía de hecho, a fin de conseguir su cese inmediato y evitar así que la Administración persista en su actuación y, de ese modo, pueda alcanzar o consolidar el objetivo último que perseguía con esa ocupación ilegal»,* bien interponer recurso contencioso-administrativo sobre la base de la nulidad de la actuación de la Administración con arreglo al plazo establecido en el artículo 46.1 de la LJCA. Lo que a juicio de la Sala está fuera de toda duda es que la falta de utilización de la vía interdictal no privaría al particular *«en ningún caso de la posibilidad de reaccionar ulteriormente contra el resultado conseguido a través de esa vía de hecho».*

Ocurre que la Sala, quizás por los términos en que estaba planteada la cuestión de interés casacional en el auto de 22 de julio de 2020, al hacer esta declaración al punto III del fundamento de derecho quinto, se refiere a *«la posibilidad de formular nuevos requerimientos»;* a *«que el interesado pueda formular nuevos requerimientos a la Administración»;* apunte que *«mientras persista la situación de ocupación ilegal el interesado tendrá la oportunidad de interponer recurso contencioso-administrativo en un nuevo plazo, que se abrirá tras cada nuevo requerimiento»*, y remache finalmente que *«Esta conclusión resulta aún más consistente, a juicio de la Sala, en aquellos casos en que la Administración no sólo hubiera desatendido el requerimiento inicial (y, en su caso, los sucesivos), sino que lo hubiera ignorado, persistiendo en la ocupación».* Tenemos que, en apenas tres párrafos, se ha aludido hasta cuatro veces a la reiteración de los requerimientos.

Estas precisiones realizadas por la Sala permiten dudar sobre el alcance real de la jurisprudencia establecida en la sentencia de 1 de octubre de 2021. En una interpretación amplia, podría pensarse que la posibilidad de ejercitar la acción interdictal frente a la vía de hecho subsiste mientras se mantenga la actuación administrativa reputada como tal (en el caso de la sentencia, una ocupación ilegal). Si tal tesis se abrazara, resultaría indiferente el haber formulado un primer o anteriores requerimientos, puesto que sería la mera persistencia de la situación irregular la que permitiría hacer uso del instrumento procesal dirigido a su cesación.

En cambio, y sin perjuicio de que la cuestión apuntada pueda ser dilucidada en posteriores sentencias de la Sala Tercera, los términos en los que, como hemos visto, se expresa esta, parecen más bien llevar a considerar que la doctrina que establece la sentencia de 1 de octubre de 2021 se limita a sustentar la posibilidad de que se produzca la reiteración de requerimientos mientras la Administración no haya atendido el realizado o los realizados con anterioridad y persista la actuación constitutiva de vía de hecho. Lo cual, a su vez, conduciría a dar otra vuelta de tuerca a la cuestión, puesto que tampoco ha fijado la sentencia, que en este punto se ha mantenido en los límites de la cuestión casacional admitida[15], si el primer requerimiento se debe formular en determinado plazo para que sea posible mantener en pie la posibilidad de articular la vía interdictal del artículo 30 en relación con el 46.3 contra la actuación administrativa. Se trata de una cuestión compleja, puesto que, como ya hemos señalado, mientras el recurso contencioso-administrativo

---

[15]   Actualmente, esta limitación de la Sección que resuelve a los límites marcados por la que admitió el recurso, parece haberse levantado en su rigidez inicial a la vista del Acuerdo no jurisdiccional del Pleno de la Sala Tercera del Tribunal Supremo de 3 de noviembre de 2021, en sus puntos II a V.

sin requerimiento previo tiene indicado un plazo de veinte días desde el día en que se inició la actuación administrativa en vía de hecho, no se ha establecido un plazo concreto para la formulación de la intimación previa.

Lo que sí que parece admitir implícitamente la sentencia, y quizás por ahí se podría encontrar una respuesta a la cuestión que planteamos, es que el segundo o ulteriores requerimientos no están sometidos a determinado plazo a la hora de su presentación (es decir, no parece que sea necesario no dejar pasar más de un determinado periodo de tiempo entre el primer o anterior requerimiento y el sucesivo o sucesivos), sino simplemente a la persistencia de la ocupación (o actuación ejecutiva irregular) de la Administración. En cualquier caso, aunque de aquí se pudiera deducir que el primer requerimiento no está sometido tampoco a un plazo determinado, seguiría en pie la duda sobre si en todo caso es necesario haber realizado un requerimiento previo para conservar la posibilidad de realizar otros ulteriormente. En particular: para habilitar de nuevo los plazos, ¿es necesario hacer un requerimiento y ya no se puede hacer uso de la vía del recurso contencioso-administrativo directo contra la vía de hecho, que quedaría así limitado a los dos meses posteriores al conocimiento de la actuación irregular? Si tal cosa hubiéramos de deducir de la sentencia, y a pesar de que exista una alusión al silencio administrativo dentro de su fundamentación, no sería posible equiparar la situación con la producida cuanto concurre silencio administrativo negativo, en que el plazo se mantiene abierto *sine die* en tanto la Administración no dicte resolución expresa.

En fin, la Sala, retomado la argumentación de la sentencia de 26 de junio de 2018 referente a la inactividad, vuelve a hacer especial alusión al derecho de defensa, volviendo a señalar que una regulación legal que impidiera la defensa frente a una vía de hecho subsistente sería de dudosa constitucionalidad. Queda confirmada así la orientación garantista de la jurisprudencia recaída en los últimos años en relación con los instrumentos procesales tendentes a controlar la inactividad y la vía de hecho.

Bibliografía

GARCÍA DE ENTERRÍA, EDUARDO y TOMÁS-RAMÓN FERNÁNDEZ, «La garantía patrimonial en la expropiación. Las expropiaciones especiales», en CURSO DE DERECHO ADMINISTRATIVO. II, Thomson-Civitas, 11ª edición, 2008.

GAMERO CASADO, EDUARDO, y FERNÁNDEZ RAMOS, SEVERIANO, «Manual Básico del Derecho Administrativo», 7ª edición, 2008

MUÑOZ MACHADO, SANTIAGO, «Tratado de Derecho Administrativo y Derecho Público General», tomo XII, 2ª edición, Editorial BOE.

SANTAMARÍA PASTOR, JUAN ALFONSO, y otros, «1.700 Preguntas sobre Contencioso-Administrativo», Francis Lefebvre

Los fondos carentes de personalidad jurídica del sector público estatal: ¿de origen presupuestario a nueva categoría administrativa?

MANUEL LUIS PÉREZ GARCÍA
Doctor en Derecho. Subdirector adjunto. Presidencia del Tribunal de Cuentas. Subdirector adjunto Asesoría Jurídica. Departamento Empresas Estatales y otros Entes. Tribunal de Cuentas[*]

SUMARIO: 1. ANTECEDENTES NORMATIVOS: DISPERSIÓN Y FRAGMENTARIEDAD. 2. LOS FONDOS CARENTES DE PERSONALIDAD JURÍDICA DEL SECTOR PÚBLICO ESTATAL EN LA LEY 40/2015, DE 1 DE OCTUBRE, DE RÉGIMEN JURÍDICO DEL SECTOR PÚBLICO: ¿UN RÉGIMEN ADMINISTRATIVO COMÚN?. 2.1 Creación y extinción. 2.2 Régimen jurídico. 2.2.1 Contratación. 2.2.2 Ayudas públicas. 2.3 Régimen presupuestario, de contabilidad y de control económico-financiero. 2.4 COVID-19 y *Next Generation UE*. 3. CONCLUSIONES SUCINTAS.

---

[*] Las opiniones expresadas en el presente trabajo son estrictamente personales y no reflejan, necesariamente, la opinión de la institución en la que presta sus servicios.

1. ANTECEDENTES NORMATIVOS: DISPERSIÓN Y FRAGMENTARIEDAD

Los fondos sin personalidad jurídica (FSPJ, en adelante), y una de sus subespecies, la de los fondos carentes de personalidad jurídica (FCPJ, en lo sucesivo), no han gozado de gran atención normativa, doctrinal ni jurisprudencial. En la España constitucional no se incluyó su regulación salvo en las respectivas normas de creación, inicialmente, y tras un período de evolución, tan sólo en una norma de carácter sectorial, la Ley 47/2003, de 26 de noviembre, General Presupuestaria (LGP)[1]. Prueba de ello es que la Ley 6/1997, de 14 de abril, de Organización y Funcionamiento de la Administración General del Estado (LOFAGE) no los incluía en su regulación. En el Preámbulo de la LGP: *«se señala el pleno sometimiento a sus disposiciones de los fondos sin personalidad jurídica con dotación en los Presupuestos Generales del Estado»*. En su redacción original la LGP dedicó a los mismos Fondos sin personalidad jurídica su artículo 2 («Sector público estatal»), aunque no los incluía en la relación de entidades del sector público estatal[2] del apartado 1º, sino que les dedicaba otro apartado, el 2º, que establecía que: *«se regula por esta ley el régimen presupuestario, económico-financiero, contable y de control de los fondos carentes de personalidad jurídica cuya dotación se efectúe mayoritariamente desde los Presupuestos Generales del Estado»*. Sin embargo, no se incorporó una definición legal de fondo sin personalidad jurídica, laguna que tampoco se ha cubierto de manera satisfactoria por la jurisprudencia (tanto constitucional como ordinaria). A nivel doctrinal, no se puede obviar una definición clásica[3] que entiende que los Fondos son masas patrimoniales afectas a fines

---

[1]   Salvando las diferencias, como antecedente remoto, se puede mencionar que la Ley de 26 de diciembre de 1958 sobre régimen jurídico de las Entidades estatales autónomas incluía los denominados «Servicios sin personalidad jurídica» (arts. 84-90).

[2]   Configurando a los fondos carentes de personalidad jurídica como una fórmula organizativa excepcional frente a las más generales que integran el sector público estatal. Cfr. CAZORLA PRIETO, Luis María (2009): «La crisis económica y la aportación de fondos públicos», *Revista de Derecho Bancario y Bursátil*, nº 115, págs. 77-112.

[3]   A manos de PASCUAL GARCÍA, José (2010): «La huida del Derecho Administrativo, del Presupuesto y de los controles financieros por los nuevos entes del sector público», *Presupuesto y Gasto Público*, nº 60, pág. 119. Para el citado autor los protagonistas de la que denomina «huida del Presupuesto» son estos entes que según su criterio eran inclasificables en las categorías administrativas existentes en ese momento

específicos en virtud de una disposición legal ajena a la LGP, cuya gestión se realiza con arreglo a normas financieras más propias del subsector empresarial que del administrativo, en parte específicas y en parte contenidas en la LGP. Cabe mencionar que también existen fondos dotados de personalidad sujetos a normas singulares: el Fondo de Garantía de Depósitos (FGD) o el Fondo de Reestructuración Ordenada Bancaria (FROB)[4].

El Informe de la Comisión para la Reforma de la Administración Pública (CORA) que se presentó al Consejo de Ministros el 21 de junio de 2013 incluyó, a nuestros efectos, que el sector público empresarial se completa con los FSPJ, que han alcanzado un notable desarrollo en los últimos ejercicios presupuestarios. Responden a la necesidad de disponer de un instrumento flexible, que facilite la gestión de recursos financieros con vocación de permanencia superior al ejercicio presupuestario. En el Inventario de entes del sector público estatal (INVESPE), a 31 de diciembre de 2012 se enumeraban 22, 8 de los cuales correspondían al Ministerio de Hacienda. Lo que resulta una evidencia es que los FSPJ ya suponían una figura de progresiva importancia en la configuración y funcionamiento de la actividad económico-financiera del sector público estatal, tanto en términos cualitativos como cuantitativos[5].

2. LOS FONDOS CARENTES DE PERSONALIDAD JURÍDICA DEL SECTOR PÚBLICO ESTATAL EN LA LEY 40/2015, DE 1 DE OCTUBRE, DE RÉGIMEN JURÍDICO DEL SECTOR PÚBLICO: ¿UN RÉGIMEN ADMINISTRATIVO COMÚN?

La Ley 40/2015, de 1 de octubre, de Régimen Jurídico del Sector Público (LRJSP) traza una nueva clasificación del sector público estatal para

---

    pero que contaban con una importante capacidad de gestión de una masa creciente de recursos fuera de los cauces ordinarios de la gestión y control presupuestarios.

[4]   La Ley 40/2015 en su disposición adicional vigésima, ha establecido que el FROB tendrá la consideración de autoridad administrativa independiente.

[5]   ECHENIQUE CONDE, Álvaro (2012): «El limbo de los fondos públicos carentes de personalidad jurídica: régimen jurídico y análisis sistemático del gran desconocido», *Técnica contable*, nº 749, pág. 100.

los organismos y entidades que se creen tras su entrada en vigor. Su artículo segundo distingue entre el «sector público territorial»: la Administración General del Estado, las Administraciones de las Comunidades Autónomas, las Entidades que integran la Administración Local (art. 2.1 LRJSP); y lo que denomina el «sector público institucional» integrado por: i) los organismos públicos y entidades de derecho público vinculados o dependientes de las Administraciones Públicas; ii) las entidades de derecho privado vinculadas o dependientes de las Administraciones Públicas y iii) las Universidades públicas que se regirán por su normativa específica y supletoriamente por las previsiones de la presente Ley (art. 2.2 LRJSP). De forma más detallada y concreta[6], se establece la delimitación del sector público institucional estatal[7], donde se incluyen de manera novedosa los Fondos sin personalidad jurídica (artículo 84.1.f LRJSP). En el mismo sentido, la disposición final 8.1 de la LRJSP ha modificado el artículo 2 de la LGP por la que los Fondos sin personalidad jurídica pasan también a incluirse en el listado de entidades integrantes del sector público institucional estatal (artículo 2.2.f LGP). Aunque para Santamaría Pastor[8] sin ignorar la utilidad práctica que tiene refundir en un único texto las normas dispersas relativas a las sociedades estatales, las fundaciones públicas, los consorcios y los fondos sin personalidad jurídica resulta evidente que esta mezcla temática confiere un contenido altamente heterogéneo a la LRJSP[9]; y quizá hubiera sido preferible extraer

---

[6] Aunque con una incoherencia contraria a la mejor técnica normativa al incluir en el artículo 84 LRJSP figuras que no aparecen contempladas en el artículo 2.2 LRJSP.

[7] GARCÍA DE ENTERRÍA, Eduardo y FERNÁNDEZ, Tomás Ramón (2020): *Curso de Derecho Administrativo*, Vol. I, 19ª edic., Cizur Menor (Navarra), Civitas Thomson Reuters. Sobre la Administración institucional, incluyendo de manera somera a los FCPJ, véanse las páginas 437 y ss. Aunque la parte más significativa hace referencia a los entes institucionales personificados muchos de sus rasgos configuradores son trasladables a los FCPJ: proliferación (*multiplicatio entium*), instrumentalidad, artificiosidad, flexibilidad, fenómeno de la huida de controles, etc.

[8] En SANTAMARÍA PASTOR, Juan Alfonso (2015): «Los proyectos de ley del Procedimiento Administrativo Común de las Administraciones Públicas y de Régimen Jurídico del Sector Público: una primera evaluación», *Documentación Administrativa*, nº 2, pág. 3.

[9] En la misma línea señala GÓMEZ JIMÉNEZ, que la LRJSP incorpora un tratamiento asistemático de los entes que conforman el sector público Estatal. Asistemático porque incluye a los FCPJ, una figura cuya calificación como Ente público del Sector

de él los mencionados títulos primero y segundo, así como buena parte de las disposiciones adicionales, y limitar su contenido a lo que indica su rótulo, el régimen jurídico organizativo común a todas las Administraciones y a sus relaciones.

El preámbulo de la Ley 40/2015 justificó la inclusión de la regulación de los fondos carentes de personalidad jurídica del sector público estatal al entender que se trata de una figura cuya frecuente utilización demandaba el establecimiento de un régimen jurídico. Los Fondos carentes de personalidad jurídica del sector público estatal son masas patrimoniales afectas a un fin determinado que se encuentran regulados en el vigente capítulo VIII del Título II de la LRJSP[10], que les dedica tres preceptos consagrados respectivamente a su «creación y extinción» (art. 137), al «régimen jurídico» (art. 138) y al «régimen presupuestario, de contabilidad y de control económico-financiero» (art. 139)[11]. La LRJSP es la primera norma administrativa de carácter general que ha consagrado a los FCPJ como una categoría independiente dentro del inventario de instrumentos administrativos (personalizados y sin personalizar). Sí resulta de interés la eliminación en la Ley 40/2015 del requisito de que los fondos del artículo 2.2 debieran estar dotados mayoritariamente con cargo a los Presupuestos Generales del Estado (PGE).

Público empresarial es discutible, si bien a efectos presupuestarios y de control exijan una específica regulación. En GÓMEZ JIMÉNEZ, María Luisa (2016): «Organización y funcionamiento del sector público institucional (II)», en AA.VV., *El nuevo régimen jurídico del sector público*, GOSÁLBEZ PEQUEÑO, Humberto (dir.), Madrid, Wolters Kluwer, pág. 358.

[10]   El artículo 59.1.e) del proyecto de la LRJSP incluyó los fondos carentes de personalidad jurídica dentro del sector público institucional del Estado, que se regulaban en el capítulo VII del título II del mismo (artículos 112 a 114).

[11]   Preceptos no básicos según la disposición final decimocuarta de la LRJSP y que por ello no vinculan a las comunidades autónomas. Sin embargo, éstas pueden incluir una regulación propia en sus respectivos ordenamientos. Por todas véase el artículo 5.3 del Decreto Legislativo 1/2010, de 2 de marzo, que aprueba el Texto Refundido de la Ley General de la Hacienda Pública de la Junta de Andalucía: *«Los fondos carentes de personalidad jurídica cuya dotación se efectúe mayoritariamente desde el Presupuesto de la Junta de Andalucía, sin perjuicio de la legislación específica que les sea de aplicación, se sujetarán a los efectos de esta Ley al régimen establecido para las entidades mencionadas en el apartado 3 de este artículo».*

Desde su entrada en vigor no es necesario que se doten mayoritariamente con cargo a los PGE para sujetarse a la normativa común[12].

En el Inventario de Entes del Sector Público Estatal, Autonómico y Local (INVENTE)[13] constan 30 fondos sin personalidad jurídica pertenecientes al sector público estatal de diferente naturaleza: el Fondo de Financiación de las Comunidades Autónomas, el Fondo de Financiación de los Entes Locales o el Fondo de Compensación Interportuario, a los que cabe añadir fondos de capital riesgo (FCR), fondos de inversión colectiva de tipo cerrado (FICC). Por otra parte, existen 16 FCPJ. En relación al número de entes, los FSPJ representan el 1,08% del sector público institucional estatal[14]. A continuación, seguiremos el esquema legal en nuestra exposición, aunque de manera previa cabe destacar que, tras unas esquemáticas reglas sobre su creación y extinción, la LRJSP realiza un reenvío a lo que dispongan las respectivas Leyes de creación de cada fondo, a la legislación presupuestaria y a la normativa administrativa, que se aplica de manera supletoria.

2.1 Creación y extinción

La creación de un Fondo carente de personalidad jurídica se ha de efectuar por Ley, que deberá determinar expresamente su adscripción a la Administración General del Estado. Por lo tanto, el propio precepto legal crea una expresa reserva de Ley en la creación de los Fondos carentes de personalidad jurídica. Las respectivas leyes de creación de los distintos Fondos regularán el régimen jurídico que, sin perjuicio de lo dispuesto en la LRJSP, se aplicará de forma particular a cada uno de ellos.

---

[12]   Esto, sin embargo, no ha supuesto un cambio significativo. Salvo dos excepciones, los fondos que hasta 2015 estaban excluidos de la LGP siguen estándolo. En HERNÁNDEZ LÓPEZ, Claudia (2020): *Los fondos públicos: estudio de su régimen jurídico-administrativo*, Valencia, Tirant lo Blanch, pág. 46.

[13]   El artículo 82 LRJSP, atribuye a la Intervención General de la Administración del Estado (IGAE) la integración, gestión y publicación del Inventario del Sector Público Estatal, Autonómico y Local (INVENTE).

[14]   Datos del INVENTE.

La exigencia de que la creación de estos Fondos se efectúe por Ley se explica por las consecuencias que acarrea su creación, no sólo desde el punto de vista administrativo (dada la calificación que les otorga la LRJSP, su creación supone «engrosar» el sector público estatal), sino también (y principalmente) desde la perspectiva económica, ya que constituyen una forma de gestionar recursos públicos estatales.

Del análisis de los FCPJ existentes se desprende que un importante número han sido creados mediante reales decretos-leyes (véase anexo), sin que ello vulnere las materias proscritas a este instrumento normativo por el artículo 86 de la Constitución.

2.2 Régimen jurídico

A pesar de lo que pudiera parecer a primera vista, la LRJSP no ha establecido un régimen jurídico completo y acabado[15] para los FCPJ. Más bien se limita a consolidar la situación preexistente de la LGP, ya que las innovaciones son de poco calado. Lo verdaderamente importante es que se reconoce a los fondos como instrumento al servicio de la Administración en su norma de cabecera, la ley 40/2015. La clave no está en la regulación de los fondos, sino en el mismo hecho de recogerlos como una figura del sector público institucional. Para BOTO en lo sustantivo, la única novedad es la obligación de que en su denominación aparezca de forma expresa la indicación de su naturaleza. Previsión semejante a la de los medios propios[16].

---

[15] Hecho que ha sido objeto de críticas: «Una anormalidad jurídica —al menos su inclusión entre estos sujetos instrumentales— que plantea muchísimos interrogantes, por su regulación tan pobre y su inclusión en un elenco institucional de figuras "serias"». En TOLIVAR ALAS, Leopoldo (2021): «Sigue el engorro de los fondos sin personalidad», en: https://www.administracionpublica.com/sigue-el-engorro-de-los-fondos-sin-personalidad/.

[16] En BOTO ÁLVAREZ, Alejandra (2015): «La noción de sector público institucional: Aplauso, crítica y desconcierto», *Documentación Administrativa*, nº 2, pág. 6.

2.2.1 Contratación

Siguiendo a Díez Sastre[17] en la nueva Ley 9/2017, de 8 de noviembre, de Contratos del Sector Público, por la que se transponen al ordenamiento jurídico español las Directivas del Parlamento Europeo y del Consejo 2014/23/UE y 2014/24/UE, de 26 de febrero de 2014 (LCSP), aparece una novedosa mención a los fondos sin personalidad jurídica [art. 3.1.i) LCSP], que no existía en el Real Decreto Legislativo 3/2011, de 14 de noviembre, por el que se aprueba el texto refundido de la Ley de Contratos del Sector Público. Aunque no se hace ninguna precisión, parece que se trata de los fondos carentes de personalidad jurídica regulados en el art. 2.2.f) de la Ley 47/2003, General Presupuestaria y en los arts. 137-139 LRJSP, como parte del sector público estatal; así como a los fondos de la misma naturaleza regulados en la legislación autonómica. Los FCPJ se incorporaron en el texto de la LCSP como consecuencia de la labor del Consejo de Estado en su Dictamen sobre el anteproyecto de Ley de Contratos del Sector Público (1116/2015, de 10 de marzo de 2016), cuando señaló que, aunque carecen de personalidad jurídica formal, actúan en el tráfico como sujetos formales de imputación de intereses y, por tanto, como actores en el ámbito de la contratación pública. El Alto órgano consultivo también señaló que la inclusión de estos fondos dentro del sector público institucional del Estado regulado por el anteproyecto deriva de una equiparación del concepto de sector público a efectos presupuestarios y organizativos. Asimismo, las directivas comunitarias conciben a los sujetos a los que les resultan de aplicación sus previsiones desde un punto de vista funcional y no meramente orgánico, de manera que su falta de personalidad jurídica no les impide constituirse en sujetos del tráfico económico y en centros formales de imputación de intereses desde la perspectiva estrictamente jurídica. Los contratos que celebren los fondos sin personalidad jurídica, sujetos del sector público que no son poderes adjudicadores, son contratos estrictamente privados (no SARA). Estos contratos se rigen por lo dispuesto en los arts. 321 y 322 LCSP. Sin embargo, por seguir otra clave diferente, el Real Decreto-ley 3/2020, de 4 de febrero, de medidas urgentes por el que se incorporan al ordenamiento jurídico español diversas directivas de la Unión

---

17 DÍEZ SASTRE, Silvia (2017): «La contratación de los entes del sector público que no son Administración Pública», *Anuario Aragonés del Gobierno Local*, nº 9, pág. 309.

Europea en el ámbito de la contratación pública en determinados sectores
no incluye a los FCPJ dentro de sus «entidades contratantes», todas ellas
personalizadas, en los denominados sectores excluidos o especiales: agua, la
energía, los transportes y los servicios postales.

2.2.2 Ayudas públicas

A través de los FSPJ (y de los FCPJ) se articulan principalmente incentivos o apoyos de carácter financiero, pero también otras ayudas moneta-
rias típicas con la colaboración de su ente gestor personalizado. A modo de
ejemplo, el artículo 73.2 de la Ley 18/2014, de 15 de octubre, de aprobación
de medidas urgentes para el crecimiento, la competitividad y la eficiencia,
según el cual la gestión de las subvenciones que puede realizar el Fondo
Nacional de Eficiencia Energética (FNEE), FCPJ *ex* art. 72.1 del mismo
cuerpo legal, corresponde al IDAE: «La gestión del Fondo se asigna al Instituto para la Diversificación y Ahorro de la Energía». La supervisión y el
control del Fondo corresponden a un Comité de Seguimiento y Control
(CSC). La Sentencia 69/2018, de 21 de junio del Tribunal Constitucional,
recurso de inconstitucionalidad núm. 283-2015 interpuesto por el Gobierno
de la Generalitat de Cataluña contra, entre otros, los artículos 71 a 73 de la
Ley 18/2014, que forman parte de la sección rubricada «Sistema nacional de
obligaciones de eficiencia energética», concluye que la gestión centralizada
por parte del IDAE del FNEE se considera acorde a derecho, pero pone de
manifiesto que la concesión de subvenciones que den aplicación a los recursos del FNEE y se convoquen para el fomento de la eficiencia energética
deben territorializarse. Tras dicha Sentencia, se hizo necesario territorializar
las convocatorias de ayudas posteriores a ella, por lo que, en marzo de 2019
el CSC acordó la primera convocatoria de ayudas gestionada conjuntamente
por el IDAE y las comunidades autónomas.

Desde un punto de vista pasivo, los FCPJ también pueden ser receptores. Así, el FNEE ha sido beneficiario de las subvenciones recibidas de fondos estructurales comunitarios del Fondo Europeo de Desarrollo Regional
(FEDER) en concepto de cofinanciación recibida por las actuaciones realizadas por el Fondo dentro del Marco de Economía Baja en Carbono, en el
marco del Programa FEDER 2014-2020.

2.3 Régimen presupuestario, de contabilidad y de control económico-financiero

Los FCPJ estarán sujetos al régimen de presupuestación, contabilidad y control previsto en la Ley General Presupuestaria (art. 139 LRJSP)[18]. El artículo 33.1.b) de la Ley General Presupuestaria (LGP) dispone que los Presupuestos Generales del Estado estarán integrados por los presupuestos estimativos de los fondos sin personalidad jurídica. Los fondos elaborarán presupuestos de explotación y de capital (art. 64.1 LGP). Los presupuestos de explotación y de capital estarán constituidos por una previsión de la cuenta de resultados y del estado de flujos de efectivo del correspondiente ejercicio. La Orden HAC/669/2021, de 25 de junio, por la que se dictan las normas para la elaboración de los Presupuestos Generales del Estado para 2022 obliga a las entidades gestoras de los fondos sin personalidad jurídica del sector público estatal a remitir a la Dirección General de Presupuestos en el plazo de un mes desde su aprobación por el órgano correspondiente, y por los medios electrónicos mencionados en la disposición final segunda, copia de las cuentas anuales y del informe de auditoría correspondientes al ejercicio 2020.

El artículo 125.1 de la LGP establece que la Intervención General de la Administración del Estado (IGAE) es el centro directivo de la contabilidad pública, al cual compete, entre otros, aprobar las normas de contabilidad aplicables a los fondos regulados en su art. 2.2. La reciente Resolución de 2 de junio de 2021, de la IGAE, por la que se modifica la de 12 de septiembre de 2013, por la que se regula el procedimiento de obtención, formulación, aprobación y rendición de las cuentas anuales para los fondos carentes de personalidad jurídica a que se refiere el apartado 2 del artículo 2 de la Ley General Presupuestaria[19] ha establecido que las cuentas anuales se publicarán por la IGAE anualmente en el portal de la Administración presupuestaria,

---

[18]   Un estudio sobre diversos aspectos (régimen presupuestario, económico-financiero, de contabilidad y de control) en CASADO ROBLEDO, Susana (2014): «El régimen jurídico de los fondos carentes de personalidad jurídica cuya dotación se efectúa mayoritariamente desde los Presupuestos Generales del Estado», *Revista Española de Control Externo*, nº 47, págs. 83-108.

[19]   *BOE* nº 136, de 8 de junio de 2021. Con entrada en vigor el 9 de junio de 2021.

dentro del canal «Registro de cuentas anuales del sector público», de acuerdo con lo previsto en el artículo 136.2 LGP. Asimismo, la IGAE publicará en el BOE el día 31 de julio la referencia al «Registro de cuentas anuales del sector público», de acuerdo con lo previsto en el artículo 136.3 LGP.

En cuanto a su control, la LGP en su art. 139 bis dispone la rendición de cuentas por los fondos carentes de personalidad jurídica, siéndoles de aplicación las normas contenidas en su Capítulo IV, teniendo la condición de cuentadantes los titulares de los órganos de decisión en relación con su administración o gestión. El encargado de formular y aprobar las cuentas anuales de dichos fondos será el cuentadante, salvo que en su normativa reguladora se establezca otro criterio. La Intervención General de la Administración del Estado realizará anualmente la auditoría de las cuentas anuales de los fondos sin personalidad jurídica, salvo que su legislación específica disponga lo contrario [art. 168.1.d) LGP]. Los FCPJ al ser parte integrante del sector público estatal rendirán al Tribunal de Cuentas, por conducto de la IGAE, su información contable. La Resolución de 22 de diciembre de 2021, de la IGAE, por la que se modifica la de 1 de julio de 2011, por la que se aprueban las normas contables relativas a los Fondos carentes de personalidad jurídica a que se refiere el apartado 2 del artículo 2 de la Ley General Presupuestaria y al registro de operaciones de tales fondos en las entidades aportantes del sector público administrativo, trata de homogeneizar el tratamiento del deterioro de valor de todos los instrumentos de patrimonio valorados al coste, permitiendo la reversión del deterioro, incluidos aquellos clasificados en la categoría de activos disponibles para la venta[20].

2.4 COVID-19 y *Next Generation UE*

Al igual que sucedió en la anterior crisis económica los fondos sin personalidad jurídica en general y los FCPJ en particular se han convertido en uno de los principales instrumentos para luchar contra los efectos de la actual pandemia. Los fondos *Next Generation EU*, creados por la Unión Europea para la recuperación y la transformación económica tras el COVID-19. Su pieza principal es el Mecanismo de Recuperación y Resiliencia (MRR) do-

---

[20]   BOE nº 312, de 29 de diciembre de 2021.

tado con 672.500 millones de euros. Su ejecución requiere de una ingente actividad administrativa de los Estados miembros. No sólo de la Administración estatal, sino también las Administraciones autonómicas y locales. Como muestra, el Real Decreto-ley 25/2020, de 3 de julio, de medidas urgentes para apoyar la reactivación económica y el empleo, creó el «Fondo de apoyo a la solvencia de empresas estratégicas, FCPJ» y su Consejo Gestor, órgano al que se encomienda la gestión del Fondo, a través de la Sociedad Estatal de Participaciones Industriales (SEPI), dotado inicialmente con 10.000 millones de euros. Con posterioridad, el artículo 17 del Real Decreto-ley 5/2021, de 12 de marzo, de medidas extraordinarias de apoyo a la solvencia empresarial en respuesta a la pandemia de la COVID-19 creó el «Fondo de recapitalización de empresas afectadas por la COVID-19, FCPJ», adscrito al Ministerio de Industria, Comercio y Turismo a través de la Secretaría de Estado de Comercio y dotado con 1.000 millones de euros. Se encomienda la gestión a la Compañía Española de Financiación del Desarrollo, COFIDES, S.A., S.M.E., y crea, asimismo, el Comité Técnico de Inversiones del Fondo, órgano al que, entre otras funciones, se encomienda el control, y el seguimiento de las operaciones del Fondo, así como la aprobación para realizarlas[21]. O el Fondo de restauración ecológica y resiliencia (FRER)[22], con objeto de poner en práctica aquellas medidas destinadas a apoyar la consecución de los objetivos para lograr la transición a un modelo productivo y social más ecológico del Plan de recuperación, transformación y resiliencia.

3. CONCLUSIONES SUCINTAS

En los últimos años hemos asistido a una eclosión de los fondos sin personalidad jurídica en el mundo público. Algo que ya venía ocurriendo en el mundo privado con los fondos de inversión, los fondos de pensiones o los

---

[21] Resolución de 15 de junio de 2021, de la Secretaria de Estado de Comercio, por la que se publica el Acuerdo del Consejo de Ministros de 15 de junio de 2021, por el que se establece el funcionamiento del Fondo de recapitalización de empresas afectadas por la COVID-19, FCPJ.

[22] Conforme a los Presupuestos Generales del Estado 2021, el FRER recibirá 1395 millones de € para canalizar actuaciones medioambientales.

fondos de capital riesgo. Desde un origen presupuestario, la LRJSP ha dado carta de naturaleza a los fondos carentes de personalidad jurídica en el sector público estatal como una nueva figura administrativa despersonalizada junto a las categorías e instituciones clásicas del Derecho administrativo. En un movimiento contrario al de la huida del derecho administrativo en otros campos[23]. A pesar de que el Consejo de Estado criticó la inclusión de los fondos carentes de personalidad jurídica dentro del sector público institucional al tratarse de instituciones de naturaleza exclusivamente patrimonial y no orgánica. Sin embargo, la unificación de su régimen jurídico está aún lejos de alcanzarse. La regulación vigente solo homogeiniza ciertos aspectos de su régimen jurídico dejando gran parte de su actuación a lo que dispongan sus respectivas normas singulares. Pero lo que resulta una obviedad, es su papel preponderante en el abordaje de los perniciosos efectos de la actual pandemia del COVID-19[24]. Además, no debe perderse de vista que los FCPJ son entes despersonalizados instrumentales que siempre están controlados por un ente personalizado: ya sea un Ministerio, una entidad de Derecho Público (SEPI) o una sociedad mercantil estatal (COFIDES), como se ha indicado en este trabajo. La utilización de un ente instrumental personalizado o despersonalizado, como en el caso de los FCPJ, es una decisión del legislador que debería seguir unas pautas basadas en criterios de racionalidad, eficiencia y economía que optimicen el principio de buena administración. Sin desconocer que, por nuestra pertenencia a la Unión Europa, en algunos casos la normativa comunitaria establece obligaciones en esta materia. Es el caso de la Directiva 2012/27/UE relativa a la eficiencia energética. En su artículo 20.1 dispone que sin perjuicio de las normas relativas a las ayudas de Estado (arts. 107 y 108 TFUE) los Estados miembros deben facilitar el

---

[23]   Sobre el control de la expansión de los entes instrumentales personalizados tras un fenómeno calificado de: «tocata y fuga del derecho administrativo» y «huida peligrosa» véase CHAVES, José Ramón (2020): *Derecho administrativo mínimo*, Salamanca, Editorial Amarante, pág. 265 y ss.

[24]   «Se trata de una forma organizativa —la de los fondos sin personalidad jurídica— que parece llamada a marcar tendencia —en términos de moda— en la organización administrativa española». En PALOMAR OLMEDA, Alberto (2021): «El fondo de apoyo a la solvencia de empresas estratégicas: ¿un precedente de una tendencia?», *Revista General de Insolvencias & Reestructuraciones: Journal of Insolvency & Restructuring (I&R)*, nº 1, pág. 45.

establecimiento de mecanismos de financiación o el recurso a los existentes, a fin de que se aprovechen al máximo en las medidas de mejora de la eficiencia energética las ventajas de la presencia de múltiples flujos de financiación. En concreto, la Directiva prevé que los Estados miembros puedan crear un Fondo nacional de eficiencia energética con el objetivo de respaldar las iniciativas nacionales de eficiencia energética (art. 20.3), y el art. 20.6 incluye la aludida previsión de que los Estados miembros puedan estipular que las partes obligadas puedan cumplir las obligaciones previstas en el artículo 7, antes contribuyendo anualmente al fondo en una cuantía equivalente a las inversiones que exija el cumplimiento de dichas obligaciones.

Bibliografía

BOTO ÁLVAREZ, Alejandra (2015): «La noción de sector público institucional: Aplauso, crítica y desconcierto», *Documentación Administrativa*, n° 2, págs. 1-6.

CASADO ROBLEDO, Susana (2014): «El régimen jurídico de los fondos carentes de personalidad jurídica cuya dotación se efectúa mayoritariamente desde los Presupuestos Generales del Estado», *Revista Española de Control Externo*, n° 47, págs. 83-108.

CAZORLA PRIETO, Luis María (2009): «La crisis económica y la aportación de fondos públicos», *Revista de Derecho Bancario y Bursátil*, n° 115, págs. 77-112.

CHAVES, José Ramón (2020): *Derecho administrativo mínimo*, Salamanca, Editorial Amarante.

DÍEZ SASTRE, Silvia (2017): «La contratación de los entes del sector público que no son Administración Pública», *Anuario Aragonés del Gobierno Local*, n° 9, págs. 305-347.

ECHENIQUE CONDE, Álvaro (2012): «El limbo de los fondos públicos carentes de personalidad jurídica: régimen jurídico y análisis sistemático del gran desconocido», *Técnica contable*, n° 749, págs. 99-113.

GARCÉS SANAGUSTÍN, Mario y MONZÓN MAYO, María José (2018): «Ámbito subjetivo de la Ley General de Subvenciones. Capacidad jurídica para el establecimiento y otorgamiento de subvenciones», en AA.VV., *Derecho de las Subvenciones y Ayudas Públicas*, GARCÉS SANAGUSTÍN, Mario, PALOMAR OLMEDA, Alberto y ARTEAGABEITIA GÓMEZ, Idoya María (coords.), Cizur Menor (Navarra), Thomson Reuters Aranzadi, págs. 345-388.

GARCÍA DE ENTERRÍA, Eduardo y FERNÁNDEZ, Tomás Ramón (2020): *Curso de Derecho Administrativo*, Vol. I, 19ª edic., Cizur Menor (Navarra), Civitas Thomson Reuters.

GÓMEZ JIMÉNEZ, María Luisa (2016): «Organización y funcionamiento del sector público institucional (II)», en AA.VV., *El nuevo régimen jurídico del sector público*, GOSÁLBEZ PEQUEÑO, Humberto (dir.), Madrid, Wolters Kluwer, págs. 285-359.

HERNÁNDEZ LÓPEZ, Claudia (2020): *Los fondos públicos: estudio de su régimen jurídico-administrativo*, Valencia, Tirant lo Blanch.

PALOMAR OLMEDA, Alberto (2021): «El fondo de apoyo a la solvencia de empresas estratégicas: ¿un precedente de una tendencia?», *Revista General de Insolvencias & Reestructuraciones: Journal of Insolvency & Restructuring (I&R)*, nº 1, págs. 43-71.

PASCUAL GARCÍA, José (2010): «La huida del Derecho Administrativo, del Presupuesto y de los controles financieros por los nuevos entes del sector público», *Presupuesto y Gasto Público*, nº 60, págs. 109-128.

SANTAMARÍA PASTOR, Juan Alfonso (2015): «Los proyectos de ley del Procedimiento Administrativo Común de las Administraciones Públicas y de Régimen Jurídico del Sector Público: una primera evaluación», *Documentación Administrativa*, nº 2, págs. 1-15.

TOLIVAR ALAS, Leopoldo (2021): «Sigue el engorro de los fondos sin personalidad», en: https://www.administracionpublica.com/sigue-el-engorro-de-los-fondos-sin-personalidad/.

FONDOS CARENTES DE PERSONALIDAD JURÍDICA (FCPJ) SOMETIDOS A LA LRJSP Y A LA LGP	
DENOMINACIÓN	**NORMATIVA: CREACIÓN Y REGULACIÓN**
Fondo para Inversiones en el Exterior (FIEX)	Ley 66/1997, de 30 de diciembre, de Medidas Fiscales, Administrativas y del Orden Social. Real Decreto 1226/2006, de 27 de octubre, por el que se regulan las actividades y el funcionamiento del Fondo para inversiones en el exterior y el Fondo para operaciones de inversión en el exterior de la pequeña y mediana empresa.
Fondo para Inversiones en el exterior de la Pequeña y Mediana Empresa (FONPYME)	Ley 66/1997, de 30 de diciembre, de Medidas Fiscales, Administrativas y del Orden Social. Real Decreto 1226/2006, de 27 de octubre, por el que se regulan las actividades y el funcionamiento del Fondo para inversiones en el exterior y el Fondo para operaciones de inversión en el exterior de la pequeña y mediana empresa.
Fondo Financiero del Estado para la Competitividad Turística (FOCIT)	Creado por la Disposición adicional 49 de la Ley 2/2004 de 27 de diciembre de PGE para 2005 (modificada por la Disposición adicional 43 de la Ley 42/2006, de 28 de diciembre de PGE para 2007, y por la Disposición Final 14.2, de la Ley 51/2007, de 26 diciembre, de PGE para 2008). Real Decreto 1072/2021, de 7 de diciembre, por el que se regula el Fondo Financiero del Estado para la Competitividad Turística, FCPJ, en el marco del Plan de Recuperación, Transformación y Resiliencia.
Fondo de Garantía del Pago de Alimentos	Disposición adicional quincuagésima tercera de la Ley 42/2006, de 28 de diciembre, de Presupuestos Generales del Estado para el año 2007. Real Decreto 1618/2007, de 7 de diciembre, sobre organización y funcionamiento del Fondo de Garantía del Pago de Alimentos.
Fondo de Apoyo a la diversificación del Sector Pesquero y Acuícola (FADISPA)	Disposición adicional cuadragésima segunda de la Ley 42/2006, de 28 de diciembre, de Presupuestos Generales del Estado para el año 2007.
Fondo de Cooperación para Agua y Saneamiento (FCAS)	Disposición adicional sexagésima primera de la Ley 51/2007, de 26 de diciembre, de Presupuestos Generales del Estado para el año 2008. Real Decreto 1460/2009, de 28 de septiembre, sobre organización y funcionamiento del Fondo de Cooperación para Agua y Saneamiento.
Fondo de Apoyo para la Promoción y Desarrollo de Infraestructuras y Servicios del Sistema de Autonomía y Atención a la Dependencia (FSAAD)	Creado y regulado por la Disposición adicional sexagésima primera de la Ley 2/2008, de 23 de diciembre, de Presupuestos Generales del Estado para el año 2009.
Fondo de Ayuda al Comercio Interior (FACI)	Disposición adicional trigésima de la Ley 2/2008, de 23 de diciembre, de Presupuestos Generales del Estado para el año 2009. Real Decreto 1786/2009, de 20 de noviembre, por el que se regula la iniciativa de apoyo financiero a la modernización y mejora del comercio interior.

FONDOS CARENTES DE PERSONALIDAD JURÍDICA (FCPJ) SOMETIDOS A LA LRJSP Y A LA LGP	
DENOMINACIÓN	**NORMATIVA: CREACIÓN Y REGULACIÓN**
Fondo Estatal para el Empleo y la Sostenibilidad Local (FEESL)	Real Decreto-ley 13/2009, de 26 de octubre, por el que se crea el Fondo Estatal para el Empleo y la Sostenibilidad Local. La Resolución de 9 de junio de 2017, cambia la denominación para adaptarlo a la LRJSP.
Fondo para la Internacionalización de la Empresa (FIEM)	Ley 11/2010, de 28 de junio, de reforma del sistema de apoyo financiero a la internacionalización de la empresa española. Real Decreto 1797/2010, de 30 de diciembre, por el que se aprueba el Reglamento del Fondo para la Internacionalización de la Empresa.
Fondo para la Promoción del Desarrollo (FONPRODE)	Ley 36/2010, de 22 de octubre, del Fondo para la Promoción del Desarrollo. Real Decreto 597/2015, de 3 de julio, por el que se aprueba el Reglamento del Fondo para la Promoción del Desarrollo.
Fondo de Carbono para una Economía Sostenible (FES-CO2)	Ley 2/2011, de 4 de marzo, de Economía Sostenible. Real Decreto 1494/2011, de 24 de octubre, por el que se regula el Fondo de Carbono para una Economía Sostenible.
Fondo de Eficiencia Energética (FNEE)	Real Decreto-ley 8/2014, de 4 de julio, de aprobación de medidas urgentes para el crecimiento, la competitividad y eficiencia, tramitado como Proyecto de Ley y aprobado como Ley 18/2014, de 15 de octubre, de aprobación de medidas urgentes para el crecimiento, la competitividad y eficiencia.
Fondo de compensación de los Consorcios de Zona Franca	Disposición adicional sexagésima segunda de la Ley 6/2018, de 3 de julio, de Presupuestos Generales del Estado para el año 2018.
Fondo Español de Reserva para Garantías de Entidades Electrointensivas (FERGEI)	Real Decreto-ley 24/2020, de 26 de junio, de medidas sociales de reactivación del empleo y protección del trabajo autónomo y de competitividad del sector industrial. Real Decreto 1106/2020, de 15 de diciembre, por el que se regula el Estatuto de los consumidores electrointensivos.
Fondo de apoyo a la solvencia de empresas estratégicas (FASEE)	Real Decreto-ley 25/2020, de 3 de julio, de medidas urgentes para apoyar la reactivación económica y el empleo. Orden PCM/679/2020, de 23 de julio, por la que se publica el Acuerdo del Consejo de Ministros de 21 de julio de 2020, por el que se establece el funcionamiento del Fondo de apoyo a la solvencia de empresas estratégicas
Fondo de Restauración Ecológica y Resiliencia (FRER)	Real Decreto-ley 36/2020, de 30 de diciembre, por el que se aprueban medidas urgentes para la modernización de la Administración Pública y para la ejecución del Plan de Recuperación, Transformación y Resiliencia. Real Decreto 690/2021, de 3 de agosto, por el que se regula el Fondo de Restauración Ecológica y Resiliencia, FCPJ.
Fondo de recapitalización de empresas afectadas por la COVID-19	Real Decreto-ley 5/2021, de 12 de marzo, de medidas extraordinarias de apoyo a la solvencia empresarial. Resolución de 15 de junio de 2021, de la Secretaria de Estado de Comercio, por la que se publica el Acuerdo del Consejo de Ministros de 15 de junio de 2021, por el que se establece el funcionamiento del Fondo de recapitalización de empresas afectadas por la COVID-19, FCPJ.

Fuente: Elaboración propia a partir de datos INVENTE, BOE, webs.

Las actuaciones inspectoras de entrada y registro en domicilio. Casuística y estado actual

Eduardo Pflueger Tejero

Letrado de la Comunidad de Madrid.
Subdirector Adjunto del Servicio Jurídico de la Agencia Estatal de
Administración Tributaria Consejo Superior de Letrados CC.AA.

SUMARIO: 1. INTRODUCCIÓN. 2. SOBRE LA NECESIDAD DE ACTO PREVIO: CRITERIO JURISPRUDENCIAL ACTUAL; MODIFICACIÓN LEGISLATIVA. 3. CASUÍSTICA. LAS ACTUACIONES INSPECTORAS DE ENTRADA Y REGISTRO EN RELACIÓN CON. 3.1 Apertura de cajas de seguridad bancarias. 3.2 El registro en clínicas o consultas médicas; la intimidad de los pacientes. 3.3 Denuncia anónima y diligencia de entrada y registro. 3.4 Pruebas obtenidas durante un registro a terceros que son posteriormente declaradas nulas por sentencia penal. 4. CONCLUSIÓN.

1. INTRODUCCIÓN

Las actuaciones administrativas de entrada y registro en domicilio, fundamentadas en el principio de autotutela administrativa, encuentran un límite en el derecho fundamental a la inviolabilidad domiciliaria consagrado tanto a nivel constitucional, en el artículo 18.2 de la CE como en el internacional en el artículo 12 de la Declaración Universal de Derechos Humanos, artículo 17 del Pacto Internacional de Derechos Civil y Políticos y 8 del Convenio Europeo de Derechos Humanos.

Ello implica la necesaria autorización judicial para la legalidad de cualquier actuación administrativa que implique la entrada en el domicilio cuyo acceso requiera el consentimiento de su titular, atribuyendo el artículo 8.6 de la Ley 29/1998, de 13 de julio, reguladora de la Jurisdicción Contencioso Administrativa, la competencia a los juzgados de lo contencioso administrativo.

En el ámbito administrativo, la ley 39/2015, de 1 de octubre, del Procedimiento Administrativo Común de las Administraciones Públicas, recoge la necesidad de resolución administrativa para la ejecución de resoluciones que limiten derechos de los particulares, con respeto al principio de proporcionalidad, consentimiento del titular o en su defecto autorización judicial (artículos 97 y 100).

Dichas previsiones se completan, en la esfera tributaria, en el artículo 113 de la Ley 58/2003, de 17 de diciembre, General Tributaria (LGT), quedando regulado el régimen de entrada de los funcionarios de la Inspección de Hacienda en establecimientos y domicilios en el artículo 142, así como en el artículo 172.2 del Real Decreto 1065/2007, de 27 de julio, por el que se aprobó el Reglamento general de las actuaciones y procedimientos de gestión e inspección tributaria y de desarrollo de normas comunes de los procedimientos de aplicación de los tributos.

En la aproximación a la problemática jurídica que plantean estos asuntos, conviene tener presente que, como señala la Sentencia del Tribunal Supremo de 19 de septiembre de 2011, recurso de casación 4917/2010, *«en el caso de las personas jurídicas tienen la consideración de domicilio a efectos de la protección constitucional otorgada por el artículo 18.2 de la Constitución los espacios que requieren reserva y no intromisión de terceros en razón a la actividad que en los mismos se lleva a cabo, esto es, los lugares utilizados por representantes de la persona jurídica para desarrollar sus actividades internas, bien porque en ellos se ejerza la habitual dirección y administración de la sociedad, bien porque sirvan de custodia de documentos u otros soportes de la vida diaria de la sociedad o de su establecimiento, exigiéndose en estos casos la autorización judicial o el consentimiento del interesado».*

Ha sido la jurisprudencia tanto del Tribunal Supremo como del Tribunal Constitucional, la que ha venido estableciendo los criterios en relación con la autorización judicial para ejecutar la entrada y registro domiciliario en el ámbito tributario, que pueden verse en la Sentencia nº 1343/2019, de 10 de octubre, rec. 2818/2017 de la Sección Segunda de la Sala Tercera del Tribunal Supremo.

En particular, para otorgar la autorización debe superarse un triple juicio —que debe efectuar el juez competente—: el de la idoneidad de la medida (toda vez que esta debe ser útil para el actuación inspectora), el de necesidad (esto es, que no exista otra medida sustitutiva más moderada que la intromisión que se pretende, sentencias del Tribunal Constitucional de 31 de enero 1985, 24 de junio y 18 de julio de 1996) y de la proporcionalidad en sentido estricto, pues han de ponderarse los beneficios de tal medida para el fin perseguido frente al sacrificio de un derecho fundamental como el que nos ocupa (sentencias del Tribunal Constitucional núms. 69/1999, de 26 de abril y 188/2013, de 4 de noviembre).

Con tal marco legal y jurisprudencial, la problemática jurídica que plantean estas actuaciones es variada, y ha dado lugar a numerosas cuestiones jurídicas y a planteamientos casuísticos variados; a algunos de ellos nos aproximamos en estas líneas.

2. SOBRE LA NECESIDAD DE ACTO PREVIO: CRITERIO JURISPRUDENCIAL ACTUAL; MODIFICACIÓN LEGISLATIVA

A los criterios jurisprudenciales expuestos, resulta necesario añadir la cuestión más novedosa que ha planteado un cambio de criterio del Tribunal Supremo a partir de su sentencia de la Sección Segunda de 10 de octubre de

2019 (rec. 2828/2017) y 1 de octubre de 2020 (rec. 2966/2019), en las que se recoge que:

1) Es necesaria la existencia de un procedimiento inspector ya abierto y cuyo inicio se haya notificado al inspeccionado, con indicación de los impuestos y periodos a que afectan las pesquisas (artículos 113 y 142 de la LGT). Este acto previo debe acompañarse a la solicitud y fundamenta la competencia de la medida (art. 8.6 LJCA y 91.2 LOPJ).

2) La posibilidad de adopción de la autorización de entrada inaudita parte es de rigurosa excepcionalidad, y ha de ser objeto de expresa fundamentación sobre su necesidad en el caso concreto, tanto en la solicitud de la Administración y, con mayor obligación, en el auto judicial.

3) No cabe la autorización de entrada con fines prospectivos, estadísticos o indefinidos, para ver qué se encuentra.

4) Es preciso que el auto judicial motive y justifique —esto es, formal y materialmente— la necesidad, adecuación y proporcionalidad de la medida de entrada, sometiendo a contraste la información facilitada por la Administración, que debe ser puesta en tela de juicio, en su apariencia y credibilidad, sin que quepan aceptaciones automáticas, infundadas o acríticas de los datos ofrecidos.

5) No pueden servir de base, para autorizar la entrada, los datos o informaciones generales o indefinidos procedentes de estadísticas, cálculos o, en general, de la comparación de la situación supuesta del titular del domicilio con la de otros indeterminados contribuyentes o grupos de estos, o con la media de sectores de actividad en todo el territorio nacional, sin especificación o segmentación detallada alguna que avale la seriedad de tales fuentes.

El punto que ha suscitado mayor debate es el relativo a la necesidad de la existencia de un procedimiento inspector abierto y notificado al inspeccionado, pues hasta ahora, el inicio de actuaciones inspectoras y la ejecución de la entrada coincidían en el tiempo; en el momento del registro se realizaba tal comunicación al inspeccionado.

Se trata de una interpretación de las normas aplicables con un marcado carácter proteccionista en relación al domicilio, que, sin embargo, no cabe duda desactiva la eficacia de las labores inspectora. Si el obligado tributario tiene conocimiento de la apertura de tales actuaciones con carácter previo a la entrada y registro, se corre un peligro cierto de destrucción de pruebas que pudiera frustrar la finalidad perseguida con la solicitud.

Además, desde la perspectiva de aplicación normativa, la posibilidad de inicio del procedimiento de inspección, mediante personación de los funcionarios de la Inspección en la empresa, oficinas, dependencias, instalaciones, centros de trabajo o almacenes del obligado tributario, está expresamente contemplada en el art. 177.2 del Real Decreto 1065/2007, de 27 de julio, por el que se aprueba el Reglamento General de las actuaciones y los procedimientos de gestión e inspección tributaria y de desarrollo de las normas comunes de los procedimientos de aplicación de los tributos, en relación con los arts. 87.2, 90.3 y 172 del mismo reglamento (además del artículo 151 LGT).

Reflejo de la discusión jurídica que este punto ha planteado, es que el propio Tribunal Supremo ha admitido diversas cuestiones de interés casacional objetivo en relación con recursos de casación planteados al respecto (autos de 19 de noviembre de 2020 (recurso 2672/2020), y de 21 de julio de 2021 (recursos 2673/2020, 7353/2020 y 3410/2020).

Por último, esta cuestión ha dado lugar a la modificación del artículo 8.6 LJCA (Ley 11/2021, de 9 de julio). Así, el precepto recoge que la medida de entrada y registro puede adoptarse por la Administración Tributaria «en el marco de una actuación o procedimiento de aplicación de los tributos aún con carácter previo a su inicio formal cuando, requiriendo dicho acceso el consentimiento de su titular, este se oponga a ello o exista riesgo de tal oposición», requiriendo la preceptiva autorización judicial para su ejecución.

3. CASUÍSTICA. LAS ACTUACIONES INSPECTORAS DE ENTRADA Y REGISTRO EN RELACIÓN CON

3.1 Apertura de cajas de seguridad bancarias

En no pocos casos, la autorización judicial de entrada y registro en el marco de las actuaciones inspectoras, abarca la apertura de cajas de seguridad en entidades bancarias, cuya titularidad pertenece al inspeccionado, actuación que provoca multitud de situaciones que requieren una calificación jurídica.

Debemos partir, que, a pesar de la común presunción en cuanto a que su titularidad implica «algo que ocultar», lo cierto es que nos encontramos ante uno de esos lugares cuyo acceso requiere el consentimiento del titular o autorización judicial para su registro (artículo 8.6 LJCA), si bien consolidada jurisprudencia no le otorga un nivel de protección similar al que ostenta la inviolabilidad del domicilio del artículo 18 CE.

Además, la apertura de la caja de seguridad suele venir precedida del precinto que realiza la AEAT como medida cautelar al amparo del artículo 146 LGT, si bien se trata de un acto preliminar que tiene como fin su apertura, pero que no exime a la Inspección Tributaria de solicitar autorización judicial para conocer su contenido[1].

La apertura de la caja de seguridad también plantea otra cuestión relativa a si la autorización de apertura y registro abarca a los sobres y recipientes cerrados que se encuentran en su interior, especialmente cuando se trata de una actuación con finalidad de incautación de bienes embargables.

En este punto, los pronunciamientos judiciales parten que no nos hallamos ante un procedimiento de inspección propiamente dicho, sino ante la ejecución forzosa de una diligencia de embargo que tiene como finalidad la satisfacción de la deuda tributaria. Por ello el derecho a la intimidad personal que consagra el artículo 18.1 CE no debe verse violentado, limitando la autorización judicial a aquellas actuaciones necesarias para la consecución del fin reseñado. Ello sentado, resulta lógico pensar que en los recipientes o sobres depositados en una caja de seguridad existen bienes realizables, por lo que carecería de sentido autorizar la apertura de la caja de seguridad y no de los sobres, paquetes o similares que estuviesen dentro de ella[2].

Otras veces acontece que existen otras personas distintas del titular que están autorizadas a utilizar la caja de seguridad, oponiéndose por el obliga-

---

[1] Sentencia del Tribunal Superior de Justicia de Cataluña, de 5 de marzo de 2020 (recurso de apelación 141/2019).

[2] Sentencia del Tribunal Superior de Justicia de Cataluña, de 10 de octubre de 2019 (recurso de apelación 74/2019) y las que cita.

do tributario inspeccionado que su apertura atentaría contra el derecho a la intimidad de las primeras.

A tal efecto cabe argüir, que siendo el inspeccionado el titular no puede negarse a exhibir la caja bajo tal excusa, ya que es precisamente la persona que responde del contenido, con independencia de otras personas autorizadas y sin perjuicio del derecho que puedan tener a estar presentes cuando se abra, así como a la entrega de algún objeto justificadamente suyo[3].

Tampoco la existencia de diversos titulares de la caja de seguridad es obstáculo a la concesión de la autorización de registro. Así, el tercero titular no obligado tributario suele interponer tercería de dominio sobre el contenido, siquiera parcial, de la caja, pretensión que no afecta a la autorización judicial de apertura. De este modo, el derecho a la intimidad del titular no inspeccionado se ve limitado por el precinto de la caja y su apertura, «pero no supone que deban ofrecer una protección absoluta respecto a los intereses públicos cuya protección ostenta la AEAT, por cuanto en el momento en el que se concrete y determine el contenido de la caja al ser abierta, (…) podrá ejercer su derecho de defensa en relación a su titularidad en un procedimiento autónomo y ante la AEAT, como es la tercería de dominio»[4].

3.2 El registro en clínicas o consultas médicas; la intimidad de los pacientes

La entrada y registro en clínicas o consultas médicas, plantea numerosos problemas en relación con la intimidad de los datos de los pacientes. Hay que tener en cuenta que en general, la actuación médica es el hecho imponible del que nace la obligación tributaria, y que por tanto el dato de conocimiento necesario para la liquidación tributaria se haya unido a tal actuación, que no obstante pertenece totalmente a la intimidad del paciente (artículo 18. 1 CE en relación con su apartado 4 relativo a la protección de datos).

---

[3]   Auto del Juzgado de lo Contencioso Administrativo núm. 2 de Zaragoza (recurso 92/2019).

[4]   Sentencia del Tribunal Superior de Justicia de Cataluña, de 14 de diciembre de 2018 (recurso de apelación 93/2018).

Así por ejemplo, el tipo de tratamiento o intervención es el que determina la exención o no de la prestación del servicio a IVA, de modo que si se trata de tratamientos estéticos no están exentos de IVA y los contribuyentes deben repercutirlo, y si se trata de tratamientos médicos, sí están exentos de IVA. De este modo, la única forma de comprobar si un contribuyente —clínica o profesional médico— ha cumplido correctamente con sus obligaciones tributarias a efectos del IVA es conocer los tratamientos que recibieron sus clientes (art. 20. Uno.3° ley 37/1992, de 28 de diciembre, del Impuesto sobre el Valor Añadido). A ello habría que añadir las obligaciones de los profesionales médicos en relación con el IRPF en su caso.

A este respecto, la protección de los datos clínicos y de salud son objeto de especial consideración normativa, al contemplarse en el Reglamento 2016/679 de 27 de abril de 2016, relativo a la protección de las personas físicas, de obligada consideración por la remisión que realiza la Ley Orgánica 3/2018, de 5 de diciembre, de Protección de Datos Personales y garantía de los derechos digitales. El Reglamento comunitario incluye como en otros ámbitos, la posibilidad de acceso a datos de este tipo por razones de interés público, entre los que no cabe desconocer las actuaciones inspectoras.

Además, los derechos de los pacientes se han regulado en la Ley 41/2002, de 14 de noviembre, básica reguladora de la autonomía del paciente y de derechos y obligaciones en materia de información y documentación clínica. Entre sus principios básicos, el artículo 2.1 de la Ley 41/2002 señala que «La dignidad de la persona humana, el respeto a la autonomía de su voluntad y a su intimidad orientarán toda la actividad encaminada a obtener, utilizar, archivar, custodiar y transmitir la información y la documentación clínica», y trata el derecho a la intimidad, y los usos y acceso a la historia clínica en sus artículos 7 y 16.

En caso de posible conflicto entre la obligación de rango constitucional de contribuir al sostenimiento de los gastos públicos (art. 31.1 CE) y el derecho a la intimidad (art. 18.1 CE), deben ponderarse los derechos e intereses en juego para lograr que el sacrificio de un derecho en aras de la protección de otro sea proporcionado y se lleve a cabo en la medida estrictamente imprescindible.

También hay que tener en cuenta, que los deberes de información en relación con la Administración Tributaria (artículo 93 LGT), no otorgan cobertura a la cesión de cualesquiera datos, sino simplemente de aquellos que revistan «trascendencia tributaria», atendiendo al caso concreto.

En la práctica, se produce un mayor rigor en la exigencia del principio de proporcionalidad en las autorizaciones de entrada y registro en clínicas o consultas médicas, y en todo caso una garantía de salvaguarda de los datos personales de los pacientes por parte de los funcionarios públicos[5].

Puede encontrarse alguna resolución judicial incluso más restrictiva de la posibilidad de ampararse en la confidencialidad para evitar un registro tributario, al considerar que el propio inspeccionado ha conjugado los datos de relevancia tributaria con los de confidencialidad del paciente, poniendo así en riesgo estos últimos, sin que en la inspección los datos de los pacientes deban trascender pues lo relevante es comprobar las cantidades ingresadas por el contribuyente y el medio de pago[6].

3.3 Denuncia anónima y diligencia de entrada y registro

La denuncia pública en el ámbito tributario se encuentra expresamente recogida en el artículo 114 LGT. Esta habilitación legal para iniciar o no actuaciones inspectoras tras una denuncia pública, activa la posibilidad conceder judicialmente la medida de entrada y registro cuando la denuncia sea anónima, y siempre que se cumplan los requisitos que exige el precepto con carácter general, es decir, que se hayan realizado las actuaciones tendentes a averiguar si los hechos denunciados tienen o no trascendencia tributaria.

De este modo, la Administración no debe limitarse a solicitar la medida, sino que, siguiendo los trámites establecidos en el art. 114.2 LGT, debe contrastar la información que en ella se recoja con los datos que tenga en su poder, hasta el punto de deducir la veracidad de los hechos consignados en dicha denuncia.

---

[5] Sentencia del Tribunal Superior de Justicia de Andalucía (Málaga), de 9 de marzo de 2020 (recurso de apelación 5082/2019).

[6] Sentencia del Tribunal Superior de Justicia de Galicia, de 20 de mayo de 2019 (recurso de apelación 15011/2019).

Tal proceder excluye la posibilidad a priori de considerar que las actuaciones de entrada y registro provocadas por una denuncia anónima constituyen investigaciones prospectivas con finalidad de incautar documentación para luego comprobar el ilícito tributario.

Sin embargo, también se ha exigido una extrema diligencia a la Administración Tributaria, de modo que se podrán iniciar actuaciones inspectoras cuando los hechos aparezcan muy fundados y «tras la ponderación de la intensidad ofensiva, la proporcionalidad y conveniencia de la investigación y, en fin, la legitimidad con la que se pretende respaldar las imputaciones», con una especial motivación plasmada en la orden del Inspector Jefe[7].

3.4 Pruebas obtenidas durante un registro a terceros que son posteriormente declaradas nulas por sentencia penal

El Tribunal Supremo, en su Sentencia de 14 de julio de 2021 (recurso de casación 3895/2020, con voto particular, consideró que la Administración tributaria no puede realizar válidamente comprobaciones, determinar liquidaciones o imponer sanciones a un obligado tributario tomando como fundamento fáctico de la obligación fiscal supuestamente incumplida, los documentos o pruebas incautados como consecuencia de un registro practicado en el domicilio de terceros (aunque se haya autorizado la entrada y registro por el juez de esta jurisdicción), cuando tales documentos fueron considerados nulos en sentencia penal firme, por estar incursos en vulneración de derechos fundamentales en su obtención.

Esta doctrina se conecta con la problemática de los denominados «hallazgos casuales», pues resulta habitual que, en el curso de la ejecución de la entrada y registro, que debe ir encaminada a la exclusiva búsqueda de los conceptos y periodos tributarios para los que se autorizó judicialmente, aparezcan otros datos tributarios que pudieran ser objeto de infracciones tributarias distintas.

---

[7]   Sentencia del Tribunal Superior de Justicia de Andalucía, de 17 de octubre de 2019 (recurso de apelación 1824/2019). Sentencia del Tribunal Superior de Justicia de Aragón, de 18 de diciembre de 2020 (recurso de apelación 146/2018).

Estos hallazgos son comunes al producirse el volcado informático de información, pues no se puede pretender que solo pueda ser incautado el material del que conste plenamente acreditada su utilidad para la investigación, lo cual haría prácticamente ineficaz la labor inspectora.

Estos «hallazgos casuales» plantean una verdadera problemática, pues la jurisprudencia rechaza que puedan producirse volcados genéricos o búsquedas indiscriminadas de material.

Así se consideran hallazgos casuales los documentos referidos a otros sujetos y relativos a otros impuestos y ejercicios distintos a aquéllos para los que se obtuvo la autorización judicial de entrada y registro y, por tanto, supeditados en su validez como prueba y en su idoneidad para servir de base a las actuaciones inspectoras y sancionadoras a la licitud y regularidad del registro de que se trate, lo que afecta tanto a su adopción y autorización como al modo de efectuarse su práctica.

Cuándo se habrá ejecutado la medida de una u otra manera produce una casuística numerosa que se resuelve caso por caso, bajo el criterio general de que la carga de la corrección de lo ejecutado corresponde a la Administración.

4. CONCLUSIÓN

Las autorizaciones judiciales de entrada y registro en el ámbito de las inspecciones tributarias presentan una importante casuística, alguno de cuyos ejemplos hemos expuesto en estas líneas.

La entrada domiciliaria se sujeta a control judicial, dentro de los parámetros de su regulación, y se conjuga con el deber de todos de contribuir al sostenimiento de los gastos públicos (artículo 31 CE).

Ni un muro domiciliario que impidiera cualquier inspección tributaria, ni una patente de corso administrativa en sus labores de inspección estarían justificadas en nuestro sistema constitucional.

Hay que tener en cuenta, que las entradas en domicilio suponen el 0,3% de las actuaciones inspectoras, y en el 97% de casos en este tipo de actuación se accede a domicilios de persona jurídica, mientras que el resto (3%) son domicilios de personas físicas que comparten vida profesional y privada[8].

No puede hablarse por tanto de un uso indiscriminado de las potestades administrativas, que en todo caso se someten a unos rigurosos requisitos legales y exigencia jurisprudenciales, sin perjuicio de los importantes conflictos jurídicos que plantea.

---

[8]   Fuente: Agencia Estatal de Administración Tributaria.

Sobre la directiva (UE) 2019/1937 de protección de los denunciantes de infracciones *(Whistleblowers)*

José Luis Piñar Mañas
Of Counsel. CMS Albiñana & Suárez de Lezo
Catedrático de Derecho Administrativo.
Universidad CEU-San Pablo de Madrid

SUMARIO: 1. LUCHA CONTRA LA CORRUPCIÓN EN UN ESTADO DEMOCRÁTICO. 2. LA NECESARIA PROTECCIÓN DE LOS DENUNCIANTES DE INFRACCIONES DEL ORDENAMIENTO. 3. LA DIRECTIVA (UE) 2019/1937 COMO REACCIÓN DE LA UNIÓN EUROPEA PARA PROTEGER A LOS DENUNCIANTES. 3.1 Objeto y alcance de la Directiva. 3.2 Protección del denunciante e interpretación amplia de la Directiva. 3.3 Definición de «denunciante». 3.4 Vías de comunicación o denuncia. 3.4.1 Canales internos de denuncia. 3.4.2 Canales externos de denuncia y Autoridad Independiente de protección del denunciante. 3.4.3 Revelación pública. 3.5 Carácter confidencial o anónimo de las denuncias. 3.6 Protección de datos de carácter personal. 3.7 Exención de responsabilidad de los denunciantes, prohibición de represalias y medidas de protección del denunciante. 3.8 Medidas de protección del denunciado. 3.9 Régimen sancionador. 4. SOBRE EL POSIBLE EFECTO DIRECTO DE LA DIRECTIVA.

1. LUCHA CONTRA LA CORRUPCIÓN EN UN ESTADO DEMOCRÁTICO

Raro es el día que no se produce alguna noticia relacionada con la corrupción. Una lacra para la sociedad y para la misma democracia. Así como para el correcto funcionamiento y la credibilidad de las Instituciones. Los datos sobre lo que nos cuesta la corrupción son demoledores. Según el Informe «*The Costs of Corruption across the EU*» elaborado por el Grupo Los Verdes/Alianza Libre Europea del Parlamento Europeo en 2018[1], la corrupción supone para España un quebranto de 90.000 millones de euros al año, de modo que cada español recibiría 1.949 euros si se repartiera la cantidad perdida por tal motivo. Los entonces 28 Estados miembros de la Unión Europea pierden cada año 904.000 millones de euros por corrupción.

Luchar contra la corrupción debe ser por tanto una prioridad para cualquier estado democrático.

Las tramas corruptas saben bien que su mezquina actividad se basa en gran medida en el secretismo, la opacidad, la falta de transparencia y la posibilidad de reaccionar, con represalias no siempre imaginables, contra los delatores, contra quienes se atreven a desvelar la corrupción. Por eso es capital contar con un marco jurídico que garantice la transparencia, la rendición de cuentas y la protección de los denunciantes o alertadores de buena fe. Un marco jurídico que diseñe vías eficaces para luchar contra la corrupción. Desde el Derecho público, y el Administrativo en particular, no es nuevo denunciar los excesos de los poderes públicos. García de Enterría[2], Alejandro Nieto[3] o Tomás-Ramón Fernández[4] ya se alzaron su voz contra las inmunidades del poder, la corrupción o la arbitrariedad, como también más

---

[1]   https://www.greens-efa.eu/files/doc/docs/e46449daadbfebc325a0b408bbf5ab1d.pdf

[2]   E. GARCÍA DE ENTERRÍA (2016) *La lucha contra las inmunidades del poder en el derecho administrativo (poderes discrecionales, poderes de gobierno, poderes normativos)*, Madrid, Thomson Civitas. 2016 (reimpresión de la 3ª edición de 1983). La primera versión de la obra, que coincide en lo esencial con la última, se publicó en el nº 38 de la Revista de Administración Pública, 1962.

[3]   A. NIETO (1997), *La corrupción en la España democrática*, Barcelona: Ariel.

[4]   T. R. FERNÁNDEZ (2008), *De la arbitrariedad de la Administración*, Madrid: Thomson Civitas (5ª ed.).

recientemente lo hizo Luciano Vandelli[5]. Y los Tribunales sin duda pueden y deben reaccionar con contundencia frente a la corrupción. Pero es necesario que la legislación reaccione también con fuerza frente a las conductas que fomentan o permiten la corrupción.

La legislación de transparencia del Estado y de las Comunidades Autónomas es bien conocida y no vamos ahora a ocuparnos de ella. Cierto que, después de muchos años esperando una ley de transparencia, se aprobó en 2013 un texto (ley 19/2013) que es mejorable y que demuestra el poco convencimiento de nuestros legisladores en materia de transparencia y acceso a la información pública (acceso, por cierto, y como es sabido, que la ley no ha configurado como derecho fundamental). Algo que se refleja asimismo en el Gobierno, que todavía no ha aprobado el Reglamento de desarrollo de la Ley. Pero esto no quita para afirmar que hoy España está entre los países que reconocen la transparencia como uno de los fundamentos del funcionamiento de la democracia.

2. LA NECESARIA PROTECCIÓN DE LOS DENUNCIANTES DE INFRACCIONES DEL ORDENAMIENTO

Muy distinto es, sin embargo, el tema de la protección de los denunciantes, que incomprensiblemente carece todavía de regulación general estatal. Algunas Comunidades Autónomas han dado un paso al frente adelantándose a la regulación del Estado y han aprobado leyes anticorrupción que también se ocupan, con más o menos intensidad, de la protección de los denunciantes. Tal es el caso de Cataluña, Valencia, Baleares, Navarra, Aragón, Castilla y León o Andalucía[6]. Asimismo alguna legislación sectorial

---

[5]   Así lo hizo, junto con otros autores, en la obra coordinada por él mismo y F. MERLONI (2010), *La corruzione amministrativa. Cause, prevenzione e rimedi*. Florencia: Passigli Editori.

[6]   Ley 14/2008, de 5 de noviembre, de la Oficina Antifraude de Cataluña; Ley 11/2016, de 28 de noviembre, de la Agencia de Prevención y Lucha contra el Fraude y la Corrupción de la Comunitat Valenciana; Ley 16/2016, de 9 de diciembre, de creación de la Oficina de Prevención y Lucha contra la Corrupción en las Illes Balears;

establece en ciertos casos o sectores la obligación de crear canales internos de denuncias. Es el caso de la Ley 10/2010, de 28 de abril, de prevención del blanqueo de capitales y de la financiación del terrorismo (recientemente modificada por Real Decreto Ley 7/2021, de 27 de abril)[7]. Poco a poco, pues, va configurándose un marco normativo que pretende fijar instrumentos contra la corrupción[8], del que debería formar parte ya la ley de trasposición de la Directiva (UE) 2019/1937 del Parlamento Europeo y del Consejo, de 23 de octubre de 2019, relativa a la protección de las personas que informen sobre infracciones del Derecho de la Unión.

La Directiva, sin embargo, no ha sido traspuesta en plazo, lo que plantea no pocos problemas[9]. Su artículo 26.1 dispone que los Estados miembros pondrán en vigor las disposiciones legales, reglamentarias y administrativas necesarias para dar cumplimiento a lo establecido en ella a más tardar el 17 de diciembre de 2021. Fecha que ha transcurrido sin que se haya aprobado la norma de trasposición. Tan sólo en Andalucía se ha asumido en parte el contenido de la Directiva. El artículo 36 de su Ley 2/2021, de 18 de junio,

---

Ley Foral 7/2018, de 17 de mayo, de creación de la Oficina de Buenas Prácticas y Anticorrupción de la Comunidad Foral de Navarra; Ley 5/2017, de 1 de junio, de Integridad y Ética Públicas de Aragón; Ley 2/2016, de 11 de noviembre, de Castilla y León, por la que se regulan las actuaciones para dar curso a las informaciones que reciba la Administración Autonómica sobre hechos relacionados con delitos contra la Administración Pública y se establecen las garantías de los informantes; Ley 2/2021, de 18 de junio, de lucha contra el fraude y la corrupción en Andalucía y protección de la persona denunciante

[7]   Artículo 26 bis, introducido por el art. 2.12 del Real Decreto-ley 11/2018, de 31 de agosto.

[8]   Puede consultarse el *Código de Lucha contra el Fraude y la Corrupción,* preparado por J. A. FERNÁNDEZ AJENJO y editado por el BOE. Puede consultarse en https://www.boe.es/biblioteca_juridica/codigos/codigo.php?id=322_Codigo_de_Lucha_contra_el_Fraude_y_la_Corrupcion&modo=1

[9]   A ello me he referido ya en «La transposición de la Directiva relativa a la protección de las personas que informen sobre infracciones del derecho de la Unión» en *Anuario del Buen Gobierno y de la Calidad de la Regulación,* 2020, Fundación Democracia y Gobierno Local. Y en el «Prólogo» al libro: Jordi GIMENO BEVIÁ y Belén LÓPEZ DONAIRE (Directores), *La directiva de protección de los denunciantes y su aplicación práctica al sector público,* Tirant lo Blanch, Valencia, 2022. Lo que entonces dije es en gran parte la base de lo que ahora expongo en el presente trabajo.

regula las garantías de las denuncias y a tal fin dispone que la presentación de denuncias ante la Oficina Andaluza contra el Fraude y la Corrupción se realizará por medio de procedimientos y canales diseñados, establecidos y gestionados de una forma segura, de modo que se garantice que la confidencialidad de la identidad de las personas denunciantes y de cualesquiera terceras personas mencionadas en la denuncia esté protegida, impidiéndose también el acceso de las personas no autorizadas a la información contenida en la denuncia. Asimismo, los procedimientos y canales descritos deberán prever la remisión a las personas denunciantes de un acuse de recibo de la denuncia en un plazo máximo de siete días desde su recepción. Y añade que mediante el reglamento de régimen interior y funcionamiento se establecerán los procedimientos y canales referidos, «que deberán cumplir con los requisitos previstos en la Directiva (UE) 2019/1937, del Parlamento Europeo y del Consejo de 23 de octubre de 2019».

La protección de los denunciantes no es nueva en otros sistemas jurídicos. La *False Claims Act* estadounidense de 1863 es considerara como uno de los primeros ejemplos de ello. Pero ha sido muy a finales del siglo XX y ya en el presente cuando ha empezado a extenderse una regulación que ya venía considerándose muy necesaria. El Convenio Civil sobre la Corrupción del Consejo de Europa (número 174) de 4 de noviembre de 1999 impuso en su artículo 9 obligaciones para los Estados de regular la protección de los denunciantes de buena fe. Apenas unos años más tarde, en 2002, el Congreso de Estados Unidos aprobó la *Sarbanes-Oxley Act*, referente indudable en la lucha contra la corrupción y la protección de los denunciantes.

3. LA DIRECTIVA (UE) 2019/1937 COMO REACCIÓN DE LA UNIÓN EUROPEA PARA PROTEGER A LOS DENUNCIANTES

3.1 Objeto y alcance de la Directiva

La Unión Europea ha tardado en reaccionar, pero finalmente lo ha hecho mediante la Directiva 2019/1937, que, al igual que ha ocurrido con otros sectores, está llamada a desempeñar un papel capital en la generación de una regulación homogénea en los Estados miembros. Su artículo 1º ya advierte que con la Directiva se pretenden establecer «normas mínimas comunes que proporcionen un elevado nivel de protección de las personas que informen sobre infracciones del Derecho de la Unión». Algo que explica con más detalle el Considerando 5:

> *Deben aplicarse normas mínimas comunes que garanticen una protección efectiva de los denunciantes en lo que respecta a aquellos actos y ámbitos en los que sea necesario reforzar la aplicación del Derecho, en los que la escasez de denuncias procedentes de denunciantes sea un factor clave que repercuta en esa aplicación, y en los que las infracciones del Derecho de la Unión puedan provocar graves perjuicios al interés público. Los Estados miembros podrían decidir hacer extensiva la aplicación de las disposiciones nacionales a otros ámbitos con el fin de garantizar que exista un marco global y coherente de protección de los denunciantes a escala nacional.*

Estas normas no impiden, por supuesto, que los Estados puedan ampliar la protección en su Derecho nacional a infracciones no previstas en la Directiva (art. 2.2) o mantener o introducir disposiciones más favorables, y en ningún caso pueden suponer una reducción del nivel de protección ya garantizado por los Estados miembros en los ámbitos regulados por la Directiva (artículo 25).

La Directiva no es muy extensa, pero sí muy densa (cuenta con 110 Considerandos de lectura imprescindible para su correcta comprensión). Sus apenas 29 artículos se distribuyen en siete Capítulos: ámbito de aplicación, definiciones y condiciones de protección; denuncias internas y seguimiento; denuncias externas y seguimiento; revelación pública; disposiciones aplicables a las denuncias internas y externas; medidas de protección; y disposiciones finales.

Lo que persigue es diseñar un modelo completo de protección de los denunciantes o alertadores. Su intención es no dejar huecos y prever las vías posibles de denuncia, protección frente a represalias y mecanismos de reacción frente a los incumplimientos de la Directiva, en base al establecimiento de sanciones efectivas, disuasorias y proporcionadas.

Para comprender el alcance de la norma es imprescindible tener en cuenta el Considerando 1:

> *Las personas que trabajan para una organización pública o privada o están en contacto con ella en el contexto de sus actividades laborales son a menudo las*

primeras en tener conocimiento de amenazas o perjuicios para el interés públi-
co que surgen en ese contexto. Al informar sobre infracciones del Derecho de la
Unión que son perjudiciales para el interés público, dichas personas actúan co-
mo denunciantes (en inglés conocidas coloquialmente por whistleblowers) y por
ello desempeñan un papel clave a la hora de descubrir y prevenir esas infrac-
ciones y de proteger el bienestar de la sociedad. Sin embargo, los denunciantes
potenciales suelen renunciar a informar sobre sus preocupaciones o sospechas
por temor a represalias. En este contexto, es cada vez mayor el reconocimiento,
a escala tanto de la Unión como internacional, de la importancia de prestar una
protección equilibrada y efectiva a los denunciantes.

Queda clara, pues, la importancia de los denunciantes de infracciones en la lucha por evitar los perjuicios al interés público, y la necesidad de protegerles para que no renuncien, por temor a represalias, a dar el paso al frente que supone la denuncia de la infracción. Represalias que son mucho más habituales y destructivas de lo que podemos imaginar, y que han afectado enormemente a la vida de no pocas personas.

3.2 Protección del denunciante e interpretación amplia de la Directiva

La protección del denunciante o alertador es el objetivo prioritario del legislador de la Unión Europea.

La Directiva regula la protección de «las personas que informen sobre infracciones del Derecho de la Unión» (art. 1º), en determinados ámbitos (art. 2º y Anexos)[10]. No pretende pues establecer por sí misma un régimen de protección general de las personas que denuncien infracciones de los derechos nacionales en los distintos Estados miembros. Ahora bien, la Directiva no impide para nada que, como hemos visto, los Estados miembros

---

[10]   Contratación pública; servicios, productos y mercados financieros, prevención del blanqueo de capitales y financiación del terrorismo; seguridad y conformidad de los productos comercializados en el mercado de la Unión; seguridad del transporte; protección del medio ambiente; radiaciones y seguridad nuclear; seguridad, sanidad y bienestar de los animales; salud pública; protección de los consumidores y, en fin, protección de la privacidad y de los datos personales y seguridad de las redes y los sistemas de información.

amplíen la protección a infracciones no previstas en la Directiva (art. 2.2). Y de hecho eso es lo que si duda debe hacer la norma de trasposición.

La Directiva, en definitiva, debe aplicarse en relación con cualquier infracción del ordenamiento jurídico que afecte al interés general. Por infracciones deberán entenderse, en línea con lo que señala el considerando 43 de la Directiva (que se concreta en su artículo 5.1):

> *Una prevención efectiva de las infracciones del Derecho de la Unión exige que se conceda protección a las personas que faciliten información necesaria para revelar infracciones que ya hayan ocurrido, infracciones que no se hayan materializado todavía, pero que muy probablemente se vayan a cometer, actos u omisiones que el denunciante tenga motivos razonables para considerar infracciones, así como intentos de ocultar infracciones. Por las mismas razones, también está justificada la protección para las personas que no aporten pruebas concluyentes pero que planteen dudas o sospechas razonables.*

Además, el concepto de infracción debe extenderse a «las prácticas abusivas, como establece la jurisprudencia del Tribunal de Justicia, a saber, actos u omisiones que no parecen ilícitos desde el punto de vista formal, pero que desvirtúan el objeto o la finalidad de la ley» (considerando 42). Merece la pena llamar la atención sobre esta previsión, que nos pone sobre la pista de la desviación de poder, que tan complicado resulta perseguir y demostrar. Que los denunciantes de esas «prácticas abusivas» puedan gozar de la protección inicial que otorga el anonimato o la confidencialidad de la denuncia y la protección final frente a las represalias, facilitará sin duda la lucha contra los supuestos de desviación de poder.

El art. 5 de la Directiva define qué debe entenderse tanto por «infracciones» como «información sobre infracciones»:

- 1) «Infracciones»: las acciones u omisiones que: i) sean ilícitas y estén relacionadas con los actos y ámbitos de actuación de la Unión que entren dentro del ámbito de aplicación material del artículo 2, o ii) desvirtúen el objeto o la finalidad de las normas establecidas en los actos y ámbitos de actuación de la Unión que entren dentro del ámbito de aplicación material del artículo

- 2) «información sobre infracciones»: la información, incluidas las sospechas razonables, sobre infracciones reales o potenciales, que se hayan producido o que muy probablemente puedan producirse en la organización en la que trabaje o haya trabajado el denunciante o en otra organización con la que el denunciante esté o haya estado en contacto con motivo de su trabajo, y sobre intentos de ocultar tales infracciones;

Sentado lo anterior, «no debe protegerse a personas que comuniquen información que ya esté completamente disponible para el público, o rumores y habladurías no confirmados» (considerando 43).

Teniendo en cuenta, eso sí, que hay determinados ámbitos que no quedan afectados por la Directiva, tal como advierte el artículo 3: denuncias de infracciones de las normas de contratación pública que estén relacionadas con cuestiones de defensa o seguridad, salvo que se rijan por los actos pertinentes de la Unión; protección de información clasificada; protección del secreto profesional de los médicos y abogados; secreto de las deliberaciones judiciales; normas de enjuiciamiento criminal. Además, la Directiva no afectará a las normas nacionales relativas al ejercicio del derecho de los trabajadores a consultar a sus representantes o sindicatos, a la protección frente a posibles medidas perjudiciales injustificadas derivadas de tales consultas ni a la autonomía de los interlocutores sociales y su derecho a celebrar convenios colectivos.

3.3 Definición de «denunciante»

En cuanto a las personas que tengan la condición de posibles denunciantes y que por tanto deban ser objeto de protección frente a represalias, la Directiva las define de modo amplio. Pese a que el artículo 5.7 lo circunscribe a quienes mantengan una relación laboral u obtengan la información «en el contexto de sus actividades laborales», el artículo 4 define el ámbito de aplicación personal refiriéndose a quienes «como mínimo» se encuentren en alguna de las situaciones que en él se enumeran.

El considerando 37 de la Directiva es muy claro en cuanto a sus objetivos:

La ejecución efectiva del Derecho de la Unión exige que debe otorgarse protección a la gama más amplia posible de categorías de personas que, independientemente de que sean ciudadanos de la Unión o nacionales de un tercer país, en virtud de sus actividades laborales, con independencia de su naturaleza y de si son retribuidas, disponen de un acceso privilegiado a información sobre infracciones que redundaría en interés de los ciudadanos denunciar y que pueden sufrir represalias si lo hacen. Los Estados miembros deben garantizar que la necesidad de protección se determine atendiendo a todas las circunstancias pertinentes y no solo a la naturaleza de la relación, para amparar al conjunto de personas vinculadas a la organización, en sentido amplio, en la que se haya cometido la infracción.

En consecuencia, la protección alcanza a los trabajadores en el sentido más amplio posible, incluyendo a los empleados públicos. Pero también a los proveedores, consultores, autónomos, contratistas, subcontratistas, accionistas, exempleados, aspirantes a obtener un puesto de trabajo, personas que buscan prestar servicios en una entidad pública o privada, voluntarios. Así como a los familiares, compañeros de trabajo, clientes, representantes sindicales, e incluso las entidades de las que el denunciante sea propietario, para las que trabaje o con las que esté relacionado[11].

En cualquier caso, para poder tener derecho a protección, los denunciantes deben actuar de buena fe y los hechos que denuncien deben ser ciertos, aunque también en este caso es preciso ser flexible. En este sentido se pronuncia el considerando 32:

Para gozar de protección al amparo de la presente Directiva, los denunciantes deben tener motivos razonables para creer, a la luz de las circunstancias y de la información de que dispongan en el momento de la denuncia, que los hechos que denuncian son ciertos. Ese requisito es una salvaguardia esencial frente a denuncias malintencionadas, frívolas o abusivas, para garantizar que quienes, en el momento de denunciar, comuniquen deliberada y conscientemente información incorrecta o engañosa no gocen de protección. Al mismo tiempo, el requisito garantiza que la protección no se pierda cuando el denunciante comunique información inexacta sobre infracciones por error cometido de buena fe. De manera similar, los denunciantes deben tener derecho a protección en virtud de la presente Directiva si tienen motivos razonables para creer que la información comunicada entra dentro de su ámbito de aplicación.

---

[11]   Considerandos 39, 40 y 41 de la Directiva.

Para que los denunciantes tengan derecho a protección el artículo 6 exige que la información sobre infracciones denunciadas sea veraz en el momento de la denuncia y que la citada información entre dentro del ámbito de aplicación de la Directiva. Y además condiciona la protección a que los alertadores hayan denunciado la infracción por canales internos, por canales externos o hayan hecho una revelación pública, en los términos que luego veremos.

No es necesario que los denunciantes invoquen un motivo por el que formulen la denuncia o hagan la revelación pública. Como dice el citado considerando 32, «los motivos de los denunciantes al denunciar deben ser irrelevantes para determinar si esas personas deben recibir protección».

3.4 Vías de comunicación o denuncia

Como hemos visto, la Directiva protege a los denunciantes que utilicen los canales de denuncia internos, los canales externos y la revelación pública. Estas son las vías que pueden y deben utilizar los denunciantes, al objeto de garantizar una protección efectiva y evitar las represalias.

El considerando 3 de la Directiva señala:

> En determinados ámbitos, las infracciones del Derecho de la Unión, con independencia de si el Derecho nacional las clasifica como administrativas, penales o de otro tipo, pueden provocar graves perjuicios al interés público, en el sentido de que crean riesgos importantes para el bienestar de la sociedad. Cuando se detecten deficiencias de aplicación en esos ámbitos, y los denunciantes suelen encontrarse en una posición privilegiada para revelar la existencia de infracciones, es necesario potenciar la aplicación del Derecho introduciendo canales de denuncia efectivos, confidenciales y seguros y garantizando la protección efectiva de los denunciantes frente a represalias

La Directiva considera los canales internos de denuncia como los preferentes. Así se desprende de su artículo 7.1: como principio general, la información sobre infracciones podrá comunicarse a través de los canales y procedimientos de denuncia interna. Pero haber denunciado antes la infracción por tales canales no debe ser requisito para acudir a los canales externos o a la revelación pública. La preferencia que deriva de la Directiva no es una opción por una suerte de prelación de las vías de denuncias. El artículo 7.2

así lo establece: «los Estados miembros promoverán la comunicación a través de canales de denuncia interna antes que la comunicación a través de canales de denuncia externa, siempre que se pueda tratar la infracción internamente de manera efectiva y siempre que el denunciante considere que no hay riesgo de represalias». En el mismo sentido, el artículo 10 dispone que, sin perjuicio de poder acudir a la revelación pública, los denunciantes comunicarán información sobre infracciones por los canales y los procedimientos externos tras haberla comunicado en primer lugar a través de los canales de denuncia interna; pero añade que asimismo pueden comunicarla «directamente a través de los canales de denuncia externa». Por tanto, la protección que otorga la Directiva ampara por igual a quien haya denunciado por canales internos o por canales externos, o haya hecho una revelación pública (art. 6.1.b) de la Directiva). Queda claro, pues, que el denunciante puede acudir indistintamente a cualquiera de las vías que la Directiva regula, si bien debe promoverse el uso de los canales internos.

El considerando 33 de la Directiva es especialmente relevante en relación con lo que acabo de exponer:

> *En general, los denunciantes se sienten más cómodos denunciando por canales internos, a menos que tengan motivos para denunciar por canales externos. Estudios empíricos demuestran que la mayoría de los denunciantes tienden a denunciar por canales internos, dentro de la organización en la que trabajan. La denuncia interna es también el mejor modo de recabar información de las personas que pueden contribuir a resolver con prontitud y efectividad los riesgos para el interés público. Al mismo tiempo, el denunciante debe poder elegir el canal de denuncia más adecuado en función de las circunstancias particulares del caso. Además, es necesario proteger la revelación pública de información, teniendo en cuenta principios democráticos tales como la transparencia y la rendición de cuentas, y derechos fundamentales como la libertad de expresión y la libertad y el pluralismo de los medios de comunicación, al tiempo que se encuentra un equilibrio entre el interés de los empresarios en la gestión de sus organizaciones y la defensa de sus intereses, por un lado, y el interés de los ciudadanos en que se los proteja contra todo perjuicio, por otro, conforme a los criterios desarrollados por la jurisprudencia del TEDH.*

3.4.1 Canales internos de denuncia

Como vimos más atrás, la Ley 10/2010, de 28 de abril, de prevención del blanqueo de capitales y de la financiación del terrorismo, establece ya la obligación para los sujetos obligados (enumerados en su art. 2) de establecer «procedimientos internos de comunicación de potenciales incumplimientos» (art. 26 bis). Y las leyes autonómicas hasta ahora aprobadas también suelen incluir la existencia de canales internos de denuncias. Ahora la Directiva impone con carácter general a numerosas entidades públicas y privadas la obligación de establecer «canales y procedimientos de denuncia interna y de seguimiento» que permitan «comunicar información sobre infracciones» (art. 8, 1 y 2). Se trata de un mecanismo imprescindible para la efectividad de la protección de los denunciantes[12]

La obligación de establecer tales canales afecta tanto a entidades del sector público como del privado.

El art. 8.3 de la Directiva dispone que deberán contar con canales internos las entidades jurídicas del sector privado que tengan 50 o más trabajadores, si bien hay que tener en cuenta: a) que en ciertos casos el canal debe implantarse sea cual sea el número de trabajadores, ya que dicho límite no se aplicará a las entidades que entren en el ámbito de aplicación de la normativa europea en materia de servicios, productos y mercados financieros, prevención del blanqueo de capitales y financiación del terrorismo, seguridad del transporte o protección del medio ambiente; b) tras una adecuada evaluación del riesgo y teniendo en cuenta la naturaleza de las actividades de las entidades y el correspondiente nivel de riesgo, en particular, para el medio ambiente y la salud pública, podría establecerse que las entidades jurídicas del sector privado con menos de 50 trabajadores establezcan canales y procedimientos de denuncia interna; c) las entidades que tengan entre 50 y 249 trabajadores podrán compartir recursos para la recepción de denuncias y toda investigación que deba llevarse a cabo.

El art. 8.5 dispone que los canales de denuncia «podrán gestionarse internamente por una persona o departamento designados al efecto o podrán ser proporcionados externamente por un tercero».

---

[12]   Como ya había apuntado la Circular 1/2016, de la Fiscalía General del Estado, sobre la responsabilidad penal de las personas jurídicas conforme a la reforma del Código Penal efectuada por Ley Orgánica 1/2015

En cuanto al sector público, y de acuerdo con el artículo 8.9 de la Directiva, todas las entidades que lo integren deberán establecer canales internos. Dado el espíritu de la Directiva parece que el concepto de sector público debería interpretarse en el sentido más amplio posible[13]. Como sabemos, no pocas leyes definen lo que se considera sector público «a los efectos de» lo que en ellas se establece (entre otras, y en relación con la legislación estatal, Ley Orgánica 2/1982, de 12 de mayo, del Tribunal de Cuentas, ley 47/2003, de 26 de noviembre, General Presupuestaria, ley 40/2015, de 1 de octubre, de régimen jurídico del sector público, Ley 37/2007, de 16 de noviembre, sobre reutilización de la información del sector público, Ley 9/2017, de 8 de noviembre, de Contratos del Sector Público,). Y el Tribunal Supremo admite que hay diversas concepciones de sector público, optando a veces por un concepto muy generoso. Así la STS, Sala 3ª, 3373/2016, de 4 de julio de 2016 (y con ella otras muchas), deja claro que el concepto de sector público puede serlo a muchos efectos: «Los preceptos que se citan de la Ley General Presupuestaria (arts. 2 y 3) regulan lo que llaman "el sector público estatal", y lo hacen solo "a los efectos de esta ley…", no a efectos tributarios. E incluso a tales limitados efectos incluyen las sociedades mercantiles estatales dentro de tal sector público. La sociedad anónima no es Administración, eso es claro. Pero es cien por cien del Estado y forma parte del sector público estatal. Es decir, es del Estado»[14].

Dicho lo anterior, la propia Directiva (art. 8.9) permite que los Estados miembros puedan eximir de la obligación de contar con canales internos a los municipios de menos de 10.000 habitantes o con menos de 50 trabajadores, u otras entidades del sector público con menos de 50 trabajadores. Asimismo, permite que varios municipios compartan los canales de denuncia interna o que estos sean gestionados por autoridades conjuntas. Pero en este caso, «los canales de denuncia interna compartidos [deben estar]… diferenciados y [ser]… autónomos respecto de los correspondientes canales de denuncia externa».

---

[13] Así lo expuse ya en «La transposición de la Directiva relativa a la protección de las personas que informen sobre infracciones del Derecho de la Unión», *op. cit.*

[14] J. L. PIÑAR, «Sector público» (2021), en B. PENDAS (dir.) *Enciclopedia Ciencias Morales y Políticas para el siglo XXI*, Madrid: Real Academia de Ciencias Morales y Políticas. Pág. 1076.

3.4.2 Canales externos de denuncia y Autoridad Independiente de protección del denunciante

En cuanto a los canales externos, la Directiva (art. 11) dispone también la obligación de establecerlos y de seguir las denuncias: «los Estados miembros designarán a las autoridades competentes para recibir las denuncias, darles respuesta y seguirlas, y las dotarán de recursos adecuados». Seguramente este es uno de los aspectos más novedosos de la Directiva pues implica la creación de una Autoridad independiente de tutela de los denunciantes o la atribución de tales funciones a alguna entidad ya existente[15]. No se trataría de una total novedad pues ya existen autoridades de ese tipo en varias Comunidades Autónomas. Tal es el caso de la Oficina Antifraude de Cataluña, la Agencia de Prevención y Lucha contra el Fraude y la Corrupción de la Comunidad Valenciana, la Oficina de Prevención y Lucha contra la Corrupción de las Islas Baleares, la Oficina de Buenas Prácticas y Anticorrupción de la Comunidad Foral de Navarra, la Agencia de Integridad y Ética Públicas de Aragón o la Oficina Andaluza contra el Fraude y la Corrupción. Es esencial, en cualquier caso, garantizar su total independencia y que esté dotada de medios y recursos suficientes que garanticen su autonomía.

Por su parte, los artículos 11 a 14 de la Directiva regulan con detalle los procedimientos, tramitación y seguimiento de las denuncias.

3.4.3 Revelación pública

El artículo 5.6 de la Directiva define revelación pública como «la puesta a disposición del público de información sobre infracciones». Está regulada, sucintamente pero de modo relevante, en el artículo 15.

La Directiva considera la revelación pública, en principio, como la última de las opciones de denuncia. Así se desprende del citado artículo 15: la persona que haga una revelación pública podrá acogerse a protección en virtud de la Directiva si la persona había denunciado primero por canales

---

[15] En mi opinión la solución más correcta sería la creación de una autoridad *ad hoc*. Así lo he puesto de manifiesto en «La transposición de la Directiva relativa a la protección de las personas que informen sobre infracciones del Derecho de la Unión», *op. cit.*

internos y externos, o directamente por canales externos, sin que se hayan tomado medidas apropiadas al respecto.

Y el considerando 79 lo aclara:

> *«las personas que revelen públicamente infracciones deben poder acogerse a protección en los casos en que, pese a la denuncia interna o externa, la infracción siga sin ser atendida, por ejemplo, cuando la infracción no se ha evaluado o investigado adecuadamente o no se han adoptado medidas correctoras adecuadas».*

Pero el propio artículo 15, y con él los considerandos 80 y 81, aclara que también es posible la revelación pública como primera opción. En efecto, las personas que revelen directa y públicamente infracciones también deben poder acogerse a protección en los casos en que a), tengan motivos razonables para pensar que existe un peligro inminente o manifiesto para el interés público o un riesgo de daños irreversibles, incluido un peligro para la integridad física de una persona. O, b) tengan motivos razonables para pensar que en caso de denuncia externa exista un riesgo de sufrir represalias o sea poco probable que la infracción se trate de manera efectiva, dadas las circunstancias particulares del caso, como que puedan ocultarse o destruirse las pruebas o que una autoridad pueda estar en connivencia con el autor de la infracción o implicada en esta.

3.5 Carácter confidencial o anónimo de las denuncias

Como ya he señalado en otro lugar[16], la protección de los denunciantes tiene en la confidencialidad o carácter anónimo de la denuncia una de sus bases fundamentales. El considerando 34 de la Directiva señala que «debe ser posible para los Estados miembros decidir si se requiere a las entidades jurídicas de los sectores privado y público y a las autoridades competentes que acepten y sigan denuncias anónimas de infracciones que entren en el ámbito de aplicación de la presente Directiva» (art. 6.2 de la Directiva). Hoy la Ley

---

[16]   «La transposición de la Directiva relativa a la protección de las personas que informen sobre infracciones del Derecho de la Unión», *op. cit.* Como he venido apuntando, no pocas de las reflexiones que ahora expongo ya las he adelantado en la obra citada.

Orgánica 3/2018, de 5 de diciembre, de Protección de Datos y garantía de los derechos digitales, reconoce en su artículo 24 la posibilidad de presentar denuncias anónimas en el marco de los «sistemas de información de denuncias internas». En mi opinión debe ser incuestionable la posibilidad, no ya de presentar denuncias con garantía de absoluta confidencialidad, sino de que éstas sean anónimas. Lo que por supuesto implica la garantía de protección del denunciante anónimo en caso de que finalmente resulte identificado. El art. 6.3 de la Directiva señala que «Las personas que hayan denunciado o revelado públicamente información sobre infracciones de forma anónima pero que posteriormente hayan sido identificadas y sufran represalias seguirán, no obstante, teniendo derecho a protección en virtud del capítulo VI, siempre que cumplan las condiciones establecidas en el apartado 1». Tales condiciones son:

a) Que tengan motivos razonables para pensar que la información sobre infracciones denunciadas es veraz en el momento de la denuncia y que la citada información entra dentro del ámbito de aplicación de la Directiva, y

b) Que hayan denunciado por canales internos, o por canales externos, o hayan hecho una revelación pública.

Así lo recuerda el mismo considerando 34.

3.6 Protección de datos de carácter personal

Lo anterior nos pone en relación directa con el régimen de la protección de datos de carácter personal, en particular lo referente a la licitud de los tratamientos que sean necesarios para la efectividad de la norma y del sistema y la garantía del anonimato o confidencialidad de las denuncias.

El artículo 17 de la Directiva exige que todo tratamiento de datos personales realizado en aplicación de la Directiva, incluido el intercambio o transmisión de datos personales por las autoridades competentes, se realizará de conformidad con el Reglamento (UE) 2016/679 y la Directiva (UE) 2016/680 y que todo intercambio o transmisión de información por parte de las instituciones, órganos u organismos de la Unión se realizará de conformidad con el Reglamento (UE) 2018/1725. Añade que no se recopilarán datos personales cuya pertinencia no resulte manifiesta para tratar una denuncia específica o, si se recopilan por accidente, se eliminarán sin dilación indebida.

En particular deben tomarse todas las medidas que sean necesarias para preservar la identidad del denunciante y garantizar asimismo el recto tratamiento de los datos personales del denunciado.

Tanto la Agencia Española de Protección de Datos[17] (así como otras autoridades de protección de datos de diversos países), como el Comité Europeo de Protección de Datos (antes Grupo de Trabajo del Artículo 29)[18] y el Supervisor Europeo de Protección de Datos[19] se han pronunciado expresamente sobre el tema.

Hoy el art. 24 de la Ley Orgánica 3/2018, de 5 de diciembre regula el tratamiento de datos personales en los «sistemas de información de denuncias internas»[20] que es claramente insuficiente[21]. En cualquier caso, en dicho artículo se admiten expresamente las denuncias anónimas y se regula la legitimación del tratamiento de datos personales, que se entiende basado

---

[17] Por ejemplo, Informe de su Gabinete Jurídico 2007/0128, sobre creación de sistemas de denuncias internas en las empresas (mecanismos de «whistleblowing»). Asimismo, el propio Informe 0194/2017, de la Agencia sobre el Proyecto de Ley Orgánica de Protección de Datos.

[18] Grupo de Trabajo del Art. 29 de la Unión Europea sobre protección de datos (2006) *Dictamen 1/2006, relativo a la aplicación de las normas sobre protección de datos de la Unión Europea a los sistemas internos de denuncia de irregularidades en los ámbitos de la contabilidad, controles de auditoría internos, cuestiones de auditoría, lucha contra la corrupción y delitos financieros y bancarios*, adoptado el 1 de febrero de 2006 (WP 117)

[19] *Guidelines on processing personal information within a whistleblowing procedure*, diciembre de 2019. Disponible en https://edps.europa.eu/sites/default/files/publication/19-12-17_whisteblowing_guidelines_en.pdf

[20] Sobre ello *vid.* M. RECIO GAYO (2020), «Canales electrónicos de denuncias de infracciones del Derecho de la UE y la figura del DPD», *Revista Derecho Digital e innovación,* Wolers Kluwer, núm. 4

[21] Entre otras cosas, como señala el citado Informe 0194/2017 de la AEPD, porque «los sistemas descritos en el precepto únicamente se refieren a las denuncias internas formuladas en el sector privado y ninguna relación guardan con el tratamiento de las denuncias que se formulasen, cualquiera que sea su naturaleza, ante el sector público, en que el órgano administrativo receptos de las mismas habrá de estar a lo dispuesto en su normativa específica y en la Ley 39/2015, de 1 de octubre».

en el interés público del responsable del tratamiento. El artículo 24.1 dispone que «será lícita la creación y mantenimiento de sistemas de información a través de los cuales pueda ponerse en conocimiento de una entidad de Derecho privado, incluso anónimamente, la comisión en el seno de la misma o en la actuación de terceros que contratasen con ella, de actos o conductas que pudieran resultar contrarios a la normativa general o sectorial que le fuera aplicable. Los empleados y terceros deberán ser informados acerca de la existencia de estos sistemas de información». Por su parte, la Exposición de Motivos de la Ley señala expresamente que en los sistemas de denuncias internas la licitud del tratamiento proviene de la existencia de un interés público, en los términos establecidos en el artículo 6.1.e) del Reglamento (UE) 2016/679.

3.7 Exención de responsabilidad de los denunciantes, prohibición de represalias y medidas de protección del denunciante

Una parte muy relevante de la Directiva es la que regula la prohibición de represalias contra el denunciante y la exención de responsabilidad de éste cuando actúe de acuerdo a la Directiva.

La prohibición de represalias es vital para proteger a los denunciantes. Ya lo señalé desde las primeras líneas de este trabajo. Sin dicha prohibición la protección del denunciante sería ilusoria.

El artículo 5.11 define represalia como «toda acción u omisión, directa o indirecta, que tenga lugar en un contexto laboral, que esté motivada por una denuncia interna o externa o por una revelación pública y que cause o pueda causar perjuicios injustificados al denunciante». La referencia al «contexto laboral» debe entenderse en el sentido más amplio posible, o incluso ignorarse. Es lo que debemos concluir a la vista de la lista de represalias prohibidas (en relación con todas las personas que más atrás veíamos) que es no sólo enormemente amplia, sino que además es una lista abierta. En efecto, la Directiva se refiere a las represalias que deben considerarse prohibidas, «en particular». Además, no sólo están prohibidas «todas las formas de represalias», sino asimismo las amenazas y tentativas de represalias[22]. Lista que desborda ampliamente lo que cabría reconducir a un entorno laboral.

Los Considerandos 39 y 40 dejan claro que la protección debe extenderse también a otras categorías de personas físicas que, sin ser «trabajadores» puedan desempeñar un papel clave a la hora de denunciar infracciones y que puedan encontrarse en una situación de vulnerabilidad económica en el contexto de sus actividades laborales. Por ejemplo, señala que:

> *«en lo que respecta a la seguridad de los productos, los proveedores están mucho más cerca de la fuente de información sobre posibles prácticas abusivas e ilícitas de fabricación, importación o distribución de productos inseguros; y respecto de la ejecución de los fondos de la Unión, los consultores que prestan sus servicios se encuentran en una posición privilegiada para llamar la atención sobre las infracciones que presencien. Dichas categorías de personas, que incluyen a los trabajadores que prestan servicios por cuenta propia, los profesionales autónomos, los contratistas, subcontratistas y proveedores, suelen ser objeto de represalias, que pueden adoptar la forma, por ejemplo, de finalización anticipada o anulación de un contrato de servicios, una licencia o un permiso, de pérdidas de negocios o de ingresos, coacciones, intimidaciones o acoso, inclusión en listas negras o boicot a empresas o daño a su reputación. Los accionistas y quienes ocupan puestos directivos también pueden sufrir represalias, por ejemplo, en términos financieros o en forma de intimidación o acoso, inclusión en listas negras o daño a su reputación. Debe concederse también protección a las personas cuya relación laboral haya terminado y a los aspirantes a un empleo o a personas que buscan prestar servicios en una organización que obtengan información sobre infracciones durante el proceso de contratación u otra fase de negociación precontractual y puedan sufrir represalias, por ejemplo, en forma de referencias de trabajo negativas, inclusión en listas negras o boicot a su actividad empresarial».*

Por su parte, el Considerando 40 resalta que *«una protección eficiente de los denunciantes también implica la protección de otras categorías de personas que, aunque no dependan económicamente de sus actividades laborales, pueden, no obstante, sufrir represalias por denunciar infracciones. Las represalias contra voluntarios y trabajadores*

---

[22] El artículo 19 prohíbe todas las formas de represalia, y en particular una larga lista de ellas que no es el caso ahora enumerar, pero que alcanzan desde la suspensión o despido a la anulación de una licencia, anulación de contratos, denegación de formación, degradación, cambio de puesto de trabajo, coacciones, acoso, ostracismo, daños a la reputación…

en prácticas que perciben o no una remuneración pueden consistir en prescindir de sus servicios, en dar referencias de trabajo negativas o en dañar de algún modo su reputación o sus perspectivas profesionales».

Es decir, la prohibición de represalias debe entenderse en un sentido muy amplio, tanto en relación con las personas protegidas como las conductas que pueden considerarse represalias.

La protección del denunciante alcanza no sólo a la prohibición de represalias, sino a la exención de responsabilidad del denunciante en base a las denuncias presentadas o las informaciones hechas públicas. El considerando 91 dispone:

> *No debe ser posible ampararse en las obligaciones legales o contractuales de las personas, como las cláusulas de fidelidad o los acuerdos de confidencialidad y no revelación para impedir las denuncias, para denegar la protección o para penalizar a los denunciantes por haber comunicado información sobre infracciones o haber efectuado una revelación pública cuando facilitar la información que entre dentro del alcance de dichas cláusulas y acuerdos sea necesario para revelar la infracción. Cuando se cumplan esas condiciones, los denunciantes no deben incurrir en responsabilidad alguna, ya sea civil, penal, administrativa o laboral. Es conveniente que haya una protección frente a la responsabilidad por la denuncia o revelación pública de información en virtud de la presente Directiva respecto de la información de la que el denunciante tenía motivos razonables para pensar que era necesario denunciar o hacer una revelación pública para poner de manifiesto una infracción en virtud de la presente Directiva. Dicha protección no debe hacerse extensiva a la información superflua que la persona hubiera revelado sin tener dichos motivos fundados.*

Cáigase en la cuenta de que los denunciantes no deberán incurrir en responsabilidad alguna, «ya sea civil, penal, administrativa o laboral». Lo que expresamente se recoge en el artículo 21 de la Directiva. Que en su apartado 7 advierte que «en los procesos judiciales, incluidos los relativos a difamación, violación de derechos de autor, vulneración de secreto, infracción de las normas de protección de datos, revelación de secretos comerciales, o a solicitudes de indemnización basadas en el Derecho laboral privado, público o colectivo, las personas a que se refiere el artículo 4 [los denunciantes] no incurrirán en responsabilidad de ningún tipo como consecuencia de denuncias o de revelaciones públicas en virtud de la presente Directiva».

Por otra parte, la Directiva regula en su artículo 20 las medidas de apoyo al denunciante, tales como información, asesoramiento, asistencia por parte de las autoridades, asistencia jurídica, asistencia financiera y psicológica.

Además, al objeto asimismo de proteger al denunciante, el artículo 24 de la Directiva dispone que no podrán limitarse los derechos y vías de recurso previstos por la Directiva, ni se pueda renunciar a ellos, por medio de ningún acuerdo, política, forma de empleo o condiciones de trabajo, incluida cualquier cláusula de sometimiento a arbitraje.

La Directiva permite en cualquier caso diseñar el modelo de protección, apoyo e incentivo que cada Estado miembro considere oportuno con respeto siempre al marco de «normas mínimas comunes» que regula la Directiva (art. 1°), así como «introducir o mantener disposiciones más favorables para los derechos de los denunciantes» (art. 25). Por ello se ha planteado la posibilidad de regular asimismo algún tipo de incentivo, incluso económico, para impulsar las denuncias, algo que podría trasladarse a la futura Ley de transposición.

3.8 Medidas de protección del denunciado

La Directiva tiene como objetivo proteger al denunciante, pero también es imprescindible proteger al denunciado. Tengamos en cuenta que éste no debe conocer la identidad del denunciante, por razones obvias, y puede verse involucrado en la denuncia de conductas que se le achacan y de las que debe poder defenderse. Del mismo modo debe respetarse su identidad. El considerando 100 de la Directiva (que se concreta en su artículo 22) señala:

> *Los derechos de la persona afectada deben estar protegidos para evitar daños a la reputación u otras consecuencias negativas. Además, sus derechos de defensa y de acceso a vías de recurso deben ser plenamente respetados en cada fase del procedimiento tras la denuncia, de conformidad con los artículos 47 y 48 de la Carta. Los Estados miembros deben proteger la confidencialidad de la identidad de la persona afectada y garantizar sus derechos de defensa, incluido el derecho de acceso al expediente, el derecho a ser oído y el derecho a una tutela judicial efectiva contra una decisión que le concierna con arreglo a los procedimientos aplicables establecidos en el Derecho nacional en el contexto de investigaciones o procesos judiciales ulteriores.*

3.9 Régimen sancionador

Por último, la Directiva dispone que los Estados miembros «establecerán» un régimen sancionador que, al objeto de garantizar la efectividad de la norma, permita establecer (según el artículo 23 de la Directiva) sanciones efectivas, proporcionadas y disuasorias a quienes impidan o intenten impedir las denuncias; adopten medidas de represalia o promuevan procedimientos abusivos contra los denunciantes; incumplan el deber de mantener la confidencialidad de la identidad de los denunciantes.

Pero además dicho régimen sancionador debe impedir un uso abusivo o fraudulento de las denuncias. Por ello deberán también establecerse sanciones aplicables respecto de denunciantes que comuniquen o revelen públicamente información falsa a sabiendas. Asimismo, la ley de trasposición deberá establecer medidas para indemnizar los daños y perjuicios derivados de dichas denuncias o revelaciones públicas (art. 23.2).

4. SOBRE EL POSIBLE EFECTO DIRECTO DE LA DIRECTIVA[23]

La Directiva, como he indicado al principio, debería haberse traspuesto antes del 17 de diciembre de 2021, pero no ha sido así. Los retos que plantea la transposición no son en absoluto menores[24]. Dicho todo lo anterior, cabe plantear si la Directiva, no traspuesta, tiene o no efecto directo.

Como ya he señalado en otra ocasión anterior[25], ante todo debe tenerse muy presente que la falta de trasposición de una Directiva no puede en nin-

---

[23]   Las siguientes consideraciones las he expuesto ya en el «Prólogo» al libro: Jordi GIMENO BEVIÁ y Belén LÓPEZ DONAIRE (Directores) (2022), *La directiva de protección de los denunciantes y su aplicación práctica al sector público*, Tirant lo Blanch, Valencia.

[24]   Vid. J. AMERIGO ALONSO (2020), «Los retos de la transposición de la Directiva Whistleblowing», *Diario La Ley*, Nº 9699, Sección Tribuna, 18 de septiembre de 2020; o mis reflexiones en «La transposición de la Directiva relativa a la protección de las personas que informen sobre infracciones del derecho de la Unión», *op. cit.*

[25]   Prólogo, *cit.*

gún caso traducirse en una merma de los derechos conferidos a los particulares. La STJUE de 11 de noviembre de 2021, *Stiching Cartel Compensation*, Asunto C-819/19, es clara (apartado 52): «*los órganos jurisdiccionales nacionales encargados de aplicar, en el marco de sus competencias, las disposiciones del Derecho de la Unión no solo están obligados a garantizar la plena eficacia de dichas normas, sino también a proteger los derechos que estas confieren a los particulares (sentencia de 6 de junio de 2013, Donau Chemie y otros, C-536/11, EU:C:2013:366, apartado 22 y jurisprudencia citada). A dichos órganos jurisdiccionales se les ha atribuido la función de garantizar la protección jurídica que se deriva para los justiciables del efecto directo de las disposiciones del Derecho de la Unión (véase, en este sentido, la sentencia de 16 de diciembre de 1976, Rewe-Zentralfinanz y Rewe-Zentral, 33/76, EU:C:1976:188, apartado 5)*». Y la Directiva 2019/1937 reconoce indudablemente a los denunciantes una serie de derechos dirigidos a evitar las represalias que contra ellos pudieran tomarse, como hemos visto más atrás.

Se plantean entonces al menos dos cuestiones. Por un lado, el conocido debate acerca del efecto directo horizontal de las directivas. En relación con este punto, cabe ahora señalar, al menos, que, por un lado, debe interpretarse de forma extensiva el efecto directo horizontal cuando la norma es suficiente en sí misma para conferir un derecho fundamental. Así se desprende de lo señalado por el TJUE en varias ocasiones, y en particular en su Sentencia (Gran Sala) de 6 de noviembre de 2018, *Wuppertal— Willmeroth*, asuntos acumulados C-569/16 y C-570/16.

Por otro, el efecto directo en relación con entidades que no son propiamente autoridad pública pero que, aún siendo entidades de derecho privado, pueden ser consideradas «emanación del Estado» por tener encomendada una misión de interés público. En este caso, también debe afirmarse el efecto directo de las Directivas, tal como ha señalado el TJUE en su sentencia (Gran Sala) de 10 de octubre de 2017, *Farrell & Whitty*, asunto C-413/15.

En mi opinión, a la vista de las anteriores consideraciones, existen argumentos que permiten afirmar el efecto directo, incluso horizontal, de gran parte de la Directiva, que no en vano está directamente relacionada con el respeto a no pocos derechos fundamentales reconocidos en la Carta Europea de Derechos Fundamentales. El considerando 109 de la Directiva es bien claro:

> *La presente Directiva respeta los derechos fundamentales y los principios reconocidos, en particular, por la Carta, especialmente su artículo 11. En consecuencia, es esencial que la presente Directiva se aplique de conformidad con esos derechos y principios, garantizando el pleno respeto, entre otros, de la libertad de expresión y de información, el derecho a la protección de los datos de carácter personal, la libertad de empresa, el derecho a un elevado nivel de protección de los consumidores, el derecho a un alto nivel de protección de la salud humana, el derecho a un alto nivel de protección medioambiental, el derecho a una buena administración, el derecho a la tutela judicial efectiva y los derechos de defensa.*

Pero por si no fuera suficiente, debo traer a colación las Conclusiones del Abogado General Maciej Szpunar, presentadas el 9 de diciembre de 2021 en el Asunto C-278/20, *Comisión Europea contra Reino de España*. En particular el apartado 98:

> *No obstante, invocar útilmente normas del Derecho de la Unión ante los órganos jurisdiccionales nacionales no se reduce exclusivamente a invocar la exclusión de las normas nacionales, como parece sugerir la Comisión. En particular, disposiciones del Derecho de la Unión sin efecto directo pueden invocarse ante el juez nacional a efectos de la obligación de interpretación conforme que le incumbe y tener una incidencia en el resultado del litigio, incluso cuando no tienen efecto directo.*

Es decir, incluso es posible invocar normas del Derecho de la Unión Europea sin efecto directo a efectos de la obligación de interpretación conforme.

Por tanto, la Directiva 2019/1937 no puede en ningún caso ser ignorada, pues atribuye de forma clara, precisa e incondicional derechos de los denunciantes frente a las represalias (y derechos de los denunciados) y enlaza directamente con la Carta Europea de Derechos Humanos.

Medidas cautelares. Posición jurisprudencial y novedades sobre la pérdida sobrevenida del objeto en el incidente cautelar

Pablo E. Ramírez Pino
Letrado de Gobierno CC.AA.
Letrado de la Comunidad Autónoma de la Región de Murcia
Consejo Superior de Letrados CC.AA.

SUMARIO: 1. LAS MEDIDAS CAUTELARES EN EL ORDEN JURISDICCIONAL CONTENCIOSO-ADMINISTRATIVO. 1.1 Marco legal. 1.2 Esencia de las medidas cautelares. 2. LA ADOPCIÓN DE MEDIDAS CAUTELARES. 2.1. Requisitos. 2.2 Procedimiento. Medidas que se pueden adoptar. 2.3. Vigencia de las medidas cautelares. 2.4 Caución y cumplimiento de la medida cautelar. 3. PÉRDIDA SOBREVENIDA DEL OBJETO EN LA PIEZA CAUTELAR.

1. LAS MEDIDAS CAUTELARES EN EL ORDEN JURISDICCIONAL CONTENCIOSO-ADMINISTRATIVO

1.1 Marco legal

El artículo 117.3 de la Constitución Española establece que «*El ejercicio de la potestad jurisdiccional en todo tipo de procesos, juzgando y haciendo ejecutar lo juzgado, corresponde exclusivamente a los Juzgados y Tribunales determinados por las leyes, según las normas de competencia y procedimiento que las mismas establezcan*».

El **régimen jurídico** de las medidas cautelares en el orden jurisdiccional contencioso-administrativo viene previsto en los **artículos 129 a 136 de la Ley 29/1998**, de 13 de julio, reguladora de la Jurisdicción Contencioso-Administrativa (en adelante, LJCA). Desde su aprobación, han ido ganando importancia para asegurar el sometimiento de la administración y de los particulares al ordenamiento jurídico, ello, sin embargo, **no exento de críticas**, como se posicionó García de Enterría «*Insuficiente regulación del tema esencial de las medidas cautelares que, aunque consagra el numerus apertus en cuanto a su contenido, entrega luego su pertinencia a la virtual discreción del juzgador, cuando es conocida la tendencia rígidamente restrictiva de éste*».

Como criterios rectores podemos destacar:

– La justicia cautelar se configura como instrumento al servicio del derecho a la tutela judicial efectiva.

– El criterio que ha de presidir la adopción de cualquier medida cautelar consiste en que la ejecución del acto o la aplicación de la disposición objeto de recurso puedan hacer perder la finalidad legítima al mismo, pero siempre sobre la base de una ponderación suficientemente motivada de todos los intereses en conflicto.

– El criterio de que no existe límite en cuanto a las medidas cautelares que pudieran adoptarse, dándose pie incluso a las de carácter positivo.

El primero de los artículos que la Ley de la Jurisdicción dedica a las medidas cautelares dispone que:

> «*1. Los interesados podrán solicitar en cualquier estado del proceso la adopción de cuantas medidas aseguren la efectividad de la sentencia. 2. Si se impugnare una disposición general, y se solicitare la suspensión de la vigencia de los pre-*

ceptos impugnados, la petición deberá efectuarse en el escrito de interposición o en el de demanda».

Del mismo, podemos extraer los siguientes **caracteres** de las medidas cautelares:

– **Provisionalidad:** Las medidas cautelares se caracterizan por ser situaciones con una vida limitada. Así, las mismas decaerán al finalizar el procedimiento con la resolución que ponga fin al mismo. No obstante, y bajo unos requisitos, las mismas pueden variar durante el curso del proceso, siempre que varíen las condiciones en virtud se decretaron.

– **Instrumentalidad**: Las medidas cautelares no cumplen un fin en sí mismo, sino que ayudan a cumplir otra finalidad, que es asegurar la efectividad del fallo que ponga fin al procedimiento.

– **Accesoriedad:** Las medidas cautelares son siempre accesorias del proceso en el que se dictan y, consecuentemente, en el caso que el mismo procedimiento finalice, ya sea normalmente, con una resolución sobre el fondo del asunto, o anormalmente como puede ser el desistimiento o la caducidad, las mismas por regla general decaerán.

– **Revocabilidad:** Las medidas cautelares pueden ser revocadas, justificándose estas en virtud de la concurrencia de unos requisitos que, desaparecidos, permiten su revocación o modificación

1.2 Esencia de las medidas cautelares

En nuestro ordenamiento jurídico, la interposición del recurso contencioso-administrativo no produce ipso iure la suspensión de la ejecutividad del acto o disposición recurridos. La adopción de las medidas cautelares en el proceso contencioso-administrativo no es propiamente una excepción a la ejecutividad del acto administrativo, sino una facultad del órgano judicial para asegurar la efectividad de la sentencia y, consiguientemente, para satisfacer la tutela judicial efectiva. Así, la suspensión constituye una medida extraordinaria frente a la regla general de la ejecutividad de los actos administrativos lo que determina que deba aplicarse con carácter restrictivo, como ha declarado reiteradamente el Tribunal Supremo.

Con anterioridad, el párrafo 2° del artículo 122 de la anterior Ley jurisdiccional admitía la suspensión sólo *cuando la ejecución del acto hubiese de producir daños o perjuicios de reparación imposible o difícil*. Interpretando este precepto, la jurisprudencia declara que *tanto el perjuicio como la dificultad de su reparación han de acreditarse por el recurrente de la suspensión de manera suficiente en el mismo instante de solicitarla* (Auto del TS de 7 de diciembre de 1988, entre otros). En consecuencia, el recurrente debe facilitar los elementos, fundamentos y circunstancias de los que se deriven los perjuicios que sean de imposible o difícil reparación, para que así los valore el juzgador, según exige el artículo 130.1 de la actual Ley de la Jurisdicción.

La Sala Tercera del Tribunal Supremo, en los Autos de 8 de marzo de 2017 (recurso 88/2017) y 31 de marzo de 2011 (recurso 169/2011), recordaba lo dicho en la Sentencia de 4 de febrero de 2008, recaída en el recurso de casación 926/2006, sobre la constante doctrina acerca de que nuestro ordenamiento parte del principio de eficacia de la actividad administrativa (artículo 103.1 CE) y del principio de presunción de validez de la actuación administrativa ex artículo 39 de la LPACAP.

Establece el artículo 129 LJCA la posibilidad de interesar la adopción de medidas cautelares para luego declarar el **artículo 130**:

> «1. **Previa valoración circunstanciada** de todos los intereses en conflicto, la medida cautelar podrá acordarse **únicamente cuando la ejecución del acto o la aplicación de la disposición pudiera hacer perder su finalidad legítima al recurso**. 2. La medida cautelar podrá denegarse cuando de ésta pudiera seguirse perturbación grave de los intereses generales o de tercero que el Juez o Tribunal ponderará en forma circunstanciada».

El Tribunal Constitucional, por su parte, ha sentado que la justicia cautelar forma parte del contenido esencial del derecho a la tutela judicial efectiva (SSTC 115/87, 7 de julio, 238/92, 17 diciembre, 148/93, 29 de abril) ya que *«la tutela judicial no es tal sin medidas cautelares que aseguren el efectivo cumplimiento de la resolución definitiva que recaiga en el proceso»*. Sucede, en consecuencia, que *«la medida cautelar a adoptar en cada caso ha de ser adecuada a su finalidad de garantizar la efectividad de la tutela judicial que en su día se otorgue»* (STC 148/93, 29 de abril). Posición que asimismo ha mantenido el Tribunal Supremo al declarar que *«la necesidad de atenerse a la singularidad de cada caso debatido por las circunstancias concurrentes en el mismo, lo que implica, desde luego* *un claro relativismo en desacuerdo con declaraciones dogmáticas y con criterios rígidos o uniformes» (*ATS de 10 de julio de 2008, recurso 292/2008).

2. LA ADOPCIÓN DE MEDIDAS CAUTELARES

2.1. Requisitos

El artículo 130 de la LJCA, anteriormente citado, jurisprudencialmente presenta un gran desarrollo. La procedencia de la medida cautelar comporta un alto grado de ponderación conjunta de criterios por parte del Juzgador que puede resumirse en los siguientes puntos:

a) **Necesidad de justificación o prueba**, aun mínima o indiciaria, de aquellas circunstancias que puedan permitir al Tribunal efectuar la valoración de la procedencia de la medida cautelar.

En este sentido, el interesado en obtener la suspensión tiene la carga de probar adecuadamente qué daños y perjuicios de reparación imposible o difícil concurren en el caso para acordar la suspensión sin que sea suficiente, como exige el Tribunal Supremo, una mera invocación

b) **El periculum in mora**, entendiéndose por tal la medida en que la ejecución del acto o la aplicación de la disposición determinen, dada la duración del proceso, una situación irreversible o de difícil reversibilidad tras la sentencia, en el supuesto de que finalmente fuera estimatoria.

La apreciación o no de este requisito habrá de efectuarse mediante una adecuada y casuística ponderación de los intereses en conflicto, siendo decisivo el resultado que en esa ponderación se obtenga, con el carácter indiciario y provisional que corresponde a esta fase cautelar, sobre cuál de tales intereses se revela como más prioritario, por ser su sacrificio el que presente mayor gravedad o trascendencia.

c) Lo anterior ha de ponderarse, como criterio también esencial, con el grado en que **el interés público esté en juego**, esto es, con la intensidad con la que el interés público exija la ejecución del acto o disposición. Como señala la jurisprudencia «*cuando las exigencias de ejecución que el interés público presenta son tenues bastarán perjuicios de escasa entidad para provocar la suspensión;*

por el contrario, cuando aquella exigencia es de gran intensidad, sólo perjuicios de elevada consideración podrán determinar la suspensión de la ejecución del acto».

Por ello, el interés público e intereses de tercero, por una parte, y perjuicios individuales unidos a la finalidad legítima del recurso, por otra, son los conceptos que, armonizados, deben determinar la procedencia o improcedencia de la medida cautelar teniendo en cuenta, como parámetro de referencia, que los conceptos aludidos han de valorarse, en cada caso, en muy directa relación con el interés público presente en la actuación administrativa. Si se determina que existe algún tipo de riesgo de minoración o perdida, mientras se tramita el proceso, del interés o derecho de la parte solicitante de tutela cautelar, deberá comprobarse la existencia de algún interés general concreto o de tercero que pueda verse perjudicado con la medida cautelar solicitada para, a renglón seguido, ponderar estos con aquél y determinar cuál pude sufrir más con la pendencia del proceso.

d) **La apariencia de buen derecho (fumus bonis iuris)**. Dicho criterio, no contenido en la LJCA, es de creación jurisprudencial, (aunque si recogido en la LEC), permite valorar dentro del limitado ámbito que incumbe a los incidentes de esta naturaleza y sin prejuzgar lo que en su día declare la sentencia definitiva, los fundamentos jurídicos de la pretensión deducida, a los meros fines de la tutela cautelar.

Como vemos, la medida de la suspensión cautelar debe ser decidida sin pronunciarse sobre la cuestión de fondo que ha de constituir el objeto de valoración y decisión en el proceso principal, pues, de lo contrario, se prejuzgaría dicha cuestión, con el posible riesgo, a evitar en lo posible, de que por amparar el derecho a una efectiva tutela judicial se vulneraría otro derecho, también fundamental y recogido en el **artículo 24 CE**, cual es el derecho al proceso con las garantías debidas de contradicción y prueba. Y la razón de esto último es que el incidente de suspensión no es trámite idóneo que permita un adecuado debate y análisis de la controversia principal objeto del pleito. En este sentido, el Auto del Tribunal Supremo 5893/2018 razona de forma clara y precisa que «*La apariencia del buen derecho, que supone la posibilidad de valorar con carácter provisional los fundamentos de la pretensión deducida a los meros efectos de la justicia cautelar, queda limitada a muy concretos supuestos, como son los de manifiesta nulidad de pleno derecho del acto o disposición impugnada, los de ejecución de una disposición general declarada nula, los de anulación del acto* *impugnado por sentencia anterior y los de aquellos otros de resistencia contumaz de la administración a un criterio jurisprudencial reiterado».*

Por tanto, para apreciar este requisito el derecho de fondo del recurrente se debe mostrar de forma clara, rotunda, a primer golpe de vista, sin necesidad de mayor estudio y análisis de las circunstancias del caso, pues no se puede hurtar, a través de este incidente, el debate propio del procedimiento.

En esta línea, la Sala Contencioso-Administrativo del Tribunal Superior de Justicia de Madrid, ha afirmado *«Hemos de reconocer que la jurisprudencia es enormemente casuística en este particular y, por tanto, no uniforme, pero en modo alguno descarta reconocer al fumus boni iuris un papel más o menos relevante entre los intereses en conflicto a ponderar en el juicio cautelar, como un elemento de decisión más en la valoración circunstanciada de aquéllos, al que cabe reconocer los siguientes fines: a) evitar que a través de demandas de todo punto infundadas se perturbe el interés público o los derechos de terceros; b) evitar que la necesidad de acudir al proceso corra en perjuicio de quien aparentemente tiene la razón, y c) inclinar la decisión en uno u otro sentido en aquellos casos extremos en que, tanto la no adopción como la adopción de la cautela pueda determinar una situación gravemente perjudicial o irreversible. Se trata, pues, de un elemento que presenta utilidad u operatividad práctica de "segundo grado", como factor de apreciación complementario, orientado simplemente a iluminar y sostener el juicio valorativo sobre los intereses en conflicto, en la medida en que la apreciación del periculum in mora se puede hacer con mayor fundamento, cuando cabe apreciar indiciaria y provisionalmente que la acción ejercitada parece infundada o no lo parece, o incluso, se presenta en términos seriamente fundados»* (Auto 48/2021, recurso 566/2021).

Por otra parte, para los **casos específicos de inactividad y vía de hecho**, el artículo 136 de la LJCA establece criterios singulares:

> *«1. En los supuestos de los artículos 29 y 30, la medida cautelar se adoptará salvo que se aprecie con evidencia que no se dan las situaciones previstas en dichos artículos o la medida ocasione una perturbación grave de los intereses generales o de tercero, que el Juez ponderará en forma circunstanciada».*

La ley, al entender que en las situaciones de vía de hecho o de silencio administrativo, la administración no ha sido diligente en el cumplimiento de aquellas obligaciones que el ordenamiento jurídico le impone, permite que el propio tribunal pueda adoptar tales medidas solo con apreciar la concurrencia de los requisitos para que podamos estar ante vía de hecho o silencio administrativo, previendo que solo se podrá denegar dicha medida cautelar en aquellos supuestos que la misma perjudique a terceros o al interés público, cuestión que le corresponde ponderar suficientemente al Juzgador.

2.2 Procedimiento. Medidas que se pueden adoptar

El **procedimiento** para la adopción de las medidas cautelares se prevé en el artículo 131 de la LJCA:

«*El incidente cautelar se sustanciará en pieza separada, con audiencia de la parte contraria, que ordenará el Secretario judicial por plazo que no excederá de diez días, y será resuelto por auto dentro de los cinco días siguientes. Si la Administración demandada no hubiere aún comparecido, la audiencia se entenderá con el órgano autor de la actividad impugnada*».

Si bien, en **caso de urgencia** dispone el artículo 135 1. «*Cuando los interesados alegaran la concurrencia de circunstancias de especial urgencia en el caso, el juez o tribunal sin oír a la parte contraria, en el plazo de dos días podrá mediante auto: a) Apreciar las circunstancias de especial urgencia y adoptar o denegar la medida, conforme al artículo 130. Contra este auto no se dará recurso alguno. En la misma resolución el órgano judicial dará audiencia a la parte contraria para que en el plazo de tres días alegue lo que estime procedente o bien convocará a las partes a una comparecencia que habrá de celebrarse dentro de los tres días siguientes a la adopción de la medida. Recibidas las alegaciones o transcurrido el plazo en su caso o bien celebrada la comparecencia, el juez o tribunal dictará auto sobre el levantamiento, mantenimiento o modificación de la medida adoptada, el cual será recurrible conforme a las reglas generales. En cuanto se refiere a la grabación de la comparecencia y a su documentación, serán aplicables las disposiciones contenidas en el artículo 63. b) No apreciar las circunstancias de especial urgencia y ordenar la tramitación del incidente cautelar conforme al artículo 131, durante la cual los interesados no podrán solicitar nuevamente medida alguna al amparo del presente artículo. 2. En los supuestos que tengan relación con actuaciones de la Administración en materia de extranjería, asilo político y condición de refugiado que impliquen retorno y el afectado sea un menor de edad, el órgano jurisdiccional oirá al Ministerio Fiscal con carácter previo a dictar el auto al que hace referencia el apartado primero de este artículo*».

La LJCA prevé que las medidas cautelarísimas se puedan adoptar inaudita parte. También se podrán rechazar o no apreciar y tramitarse por la pieza de medidas cautelares. En todo caso, la parte demandada tiene la facultad de oponerse a la mismas en el plazo de tres días —cautelarísimas— o hasta 10 días —cautelares—.

En cuanto a las **medidas cautelares que pueden adoptarse**, es ya doctrina unánime y norma de Derecho positivo, que cabe cualquiera que sea precisa, según las circunstancias del caso, para lograr el fin garantizador de la tutela cautelar, incluidas las llamadas medidas positivas, que no se limitan a conservar el «status quo» precedente a la actuación administrativa impugnada, sino que constituyen provisionalmente una situación nueva, que puede coincidir, en todo o en parte, con las pretensiones principales de las partes.

2.3. Vigencia de las medidas cautelares

Las causas de extinción de las medidas cautelares se recogen en el artículo 132 de la LJCA:

> *«1. Las medidas cautelares estarán en vigor hasta que recaiga sentencia firme que ponga fin al procedimiento en el que se hayan acordado, o hasta que éste finalice por cualquiera de las causas previstas en esta Ley. No obstante, podrán ser modificadas o revocadas durante el curso del procedimiento si cambiaran las circunstancias en virtud de las cuales se hubieran adoptado. 2. No podrán modificarse o revocarse las medidas cautelares en razón de los distintos avances que se vayan haciendo durante el proceso respecto al análisis de las cuestiones formales o de fondo que configuran el debate, y, tampoco, en razón de la modificación de los criterios de valoración que el Juez o Tribunal aplicó a los hechos al decidir el incidente cautelar».*

Este precepto ha sido objeto de desarrollo jurisprudencial por nuestro Tribunal Supremo. A título ejemplificativo, resulta de interés la Sentencia 4405/2018, recurso 481/2017, de la que se puede destacar:

– La posibilidad de modificación o revocación de las medidas cautelares adoptadas **no constituye un medio para revisar la corrección de una decisión** firme relativa a medidas cautelares, que estarán en vigor hasta que recaiga sentencia firme que ponga fin al proceso o éste finalice por cualquier otra causa legal.

– Excluye que esta modificación o revocación pueda proceder en razón de los distintos **avances que se vayan haciendo durante el proceso** respecto al análisis de las cuestiones formales o de fondo que configuran el debate.

– También excluye que esta modificación o revocación pueda proceder en razón de la **modificación de los criterios de valoración que juzgador** aplicó a los hechos al decidir el incidente cautelar.

2.4 Caución y cumplimiento de la medida cautelar

La adopción de la medida cautelar puede estar condicionada a la **prestación de caución**. Tal posibilidad se prevé en el artículo 133 de la LJCA, que establece:

*«1. Cuando de la medida cautelar pudieran derivarse perjuicios de cualquier naturaleza, **podrán acordarse las medidas que sean adecuadas para evitar o paliar dichos perjuicios**. Igualmente podrá exigirse la presentación de caución o garantía suficiente para responder de aquéllos. 2. **La caución o garantía podrá constituirse en cualquiera de las formas admitidas en Derecho**. La medida cautelar acordada no se llevará a efecto hasta que la caución o garantía esté constituida y acreditada en autos, o hasta que conste el cumplimiento de las medidas acordadas para evitar o paliar los perjuicios a que se refiere el apartado precedente. 3. Levantada la medida por sentencia o por cualquier otra causa, la Administración, o la persona que pretendiere tener derecho a indemnización de los daños sufridos, podrá solicitar ésta ante el propio órgano jurisdiccional por el trámite de los incidentes, dentro del año siguiente a la fecha del alzamiento. Si no se formulase la solicitud dentro de dicho plazo, se renunciase a la misma o no se acreditase el derecho, se cancelará la garantía constituida».*

Al respecto conviene recordar la **exención de caución** prevista en la Ley 52/1997, de 27 de noviembre, de Asistencia Jurídica al Estado e Instituciones Públicas. En efecto, el artículo 12 establece que *«el Estado y sus Organismos autónomos, así como las entidades públicas empresariales, los Organismos públicos regulados por su normativa específica dependientes de ambos y los órganos constitucionales, **estarán exentos de la obligación de constituir los depósitos, cauciones, consignaciones o cualquier otro tipo de garantía previsto en las leyes**. En los Presupuestos Generales del Estado y demás instituciones públicas se consignarán créditos presupuestarios para garantizar el pronto cumplimiento, si fuere procedente, de las obligaciones no aseguradas por la exención».* Esta previsión legal de exención es también aplicable a las Comunidades Autónomas, *ex Disposición Adicional Cuarta.*

A título ilustrativo, este precepto ha sido acogido por distintas administraciones autonómicas, como la **Administración Regional Manchega** tal y como dispone la Disposición Adicional Primera de la Ley 5/2013, de 17 de octubre, de Ordenación del Servicio Jurídico de la Administración de la Junta de Comunidades de Castilla-La Mancha; también por la **Administración Regional Murciana**, según la Disposición Adicional Primera de la Ley 4/2004, de 22 de octubre, de Asistencia Jurídica de la Comunidad Autónoma de la Región de Murcia.

El **fundamento** de esta exención a las administraciones públicas, en palabras de Edmundo Bal Francés, no es otro que la **solvencia de asegurada de las entidades públicas** para hacer frente, en su caso, del pago de una sentencia condenatoria dado que parece absolutamente evidente que las administraciones públicas van a ser siempre solventes.

En cuanto al **cumplimiento de la medida cautelar** se regula en el artículo 134 de la Ley reguladora de la Jurisdicción, el cual dispone: *«El auto que acuerde la medida se comunicará al órgano administrativo correspondiente, el cual dispondrá su inmediato cumplimiento, siendo de aplicación lo dispuesto en el capítulo IV del Título IV, salvo el artículo 104.2 2. La suspensión de la vigencia de disposiciones de carácter general será publicada con arreglo a lo dispuesto en el artículo 107.2. Lo mismo se observará cuando la suspensión se refiera a un acto administrativo que afecte a una pluralidad indeterminada de personas».*

3. PÉRDIDA SOBREVENIDA DEL OBJETO EN LA PIEZA CAUTELAR

En el incidente cautelar se pudiera plantear que recaiga sentencia en el procedimiento principal íntegramente desestimatoria para la parte actora sin que se haya resuelto la pieza de medidas cautelares solicitadas en el inicio del mismo.

Si la finalidad de las medidas cautelares es asegurar la efectividad de la tutela judicial que pudiera otorgar una eventual sentencia estimatoria, sin embargo, si ya se ha dictado sentencia íntegramente desestimatoria, es decir, si el juzgador se ha pronunciado sobre el fondo del asunto confirmando la totalidad del acto administrativo, avalándolo judicialmente, entendemos que, al dictarse primero la sentencia que el auto, la primera debe prevalecer sobre el segundo y debe declararse en el auto una pérdida sobrevenida de la medida cautelar solicitada de contrario, toda vez que con la misma quedan desvirtuados los requisitos para la adopción de medidas cautelares.

Debemos tener en cuenta la jurisprudencia al respecto de nuestro Tribunal Supremo, aplicada, recientemente, en un supuesto de técnica procesal análogo, por parte de la Sala de lo Contencioso-Administrativo del Tribunal Superior de Justicia de Murcia, en su Sentencia de 19 de julio de 2021, nº 446/2021, recurso 115/2021, «*La consecuencia será que el **objeto de este recurso ha perdido, de forma sobrevenida objeto, puesto que, recaída sentencia en la instancia, en los autos principales, ya no puede discutirse en la vía cautelar la ejecución del acto dictado por la Administración.** Así, viene reiterando el Tribunal Supremo, en sentencias, entre otras, de 16 de febrero de 2009, 10 de diciembre de 2010, 13 de julio de 2011, 29 de septiembre de 2011, en las que se afirma que en los supuestos de haberse pronunciado sentencia, aunque ésta no sea firme por haber sido recurrida en casación, al ser susceptible de ejecución, carece de significado la suspensión de la ejecución del acto administrativo impugnado, ya que no se está ante la ejecutividad de éste, sino ante la ejecución de una sentencia recurrible en casación, de manera que, una vez pronunciada sentencia por la Sala de instancia, huelga cualquier consideración o resolución sobre la suspensión o no de la ejecución del acto, pues únicamente cabe solicitar la ejecución de la sentencia firme, o si ésta no lo fuese por haber preparado recurso de casación, pedir al Tribunal de instancia que acuerde su ejecución provisional o anticipada. En la de 20 de julio de 2016, igualmente del Tribunal Supremo, en su Sala Tercera, se dice que la medida cautelar de suspensión de la ejecutividad de los actos administrativos, objeto de impugnación en un proceso Contencioso-Administrativo, constituye una medida precautoria establecida para garantizar la efectividad de la resolución judicial que pueda recaer en el proceso principal, según se desprende de los artículos 129.1 y 132.1 de la Ley 29/1998, de 13 de julio, reguladora de la Jurisdicción Contencioso-Administrativa, lo que determina que cuando en el recurso contencioso-administrativo examinado haya recaído sentencia carezca de sentido acordar una medida cautelar o revisar su procedencia*».

Por tanto, en el supuesto que se dicte sentencia en el procedimiento plenario antes que auto en la pieza cautelar —de cognición limitada— **carece de sentido acordar la suspensión del acto administrativo, ya que no**

se está ante la ejecutividad de éste, sino ante la ejecución de una sentencia recurrible en apelación o, en su caso, casación.

Esta jurisprudencia se encuentra consolidada y aplicada por distintas Salas de lo Contencioso-Administrativo de los Tribunales de Justicia. En esta línea se posicionan, entre otros, los siguientes Tribunales —además del TSJ de Murcia—:

1) Sala de lo Contencioso-Administrativo del **Tribunal Superior de Justicia de Madrid**, en su Sentencia de 30 de septiembre de 2021, nº 1081/2021, recurso 1094/2021: «*la medida cautelar de suspensión de la ejecutividad de los actos administrativos, objeto de impugnación en un proceso contencioso-administrativo, constituye una medida precautoria establecida para garantizar la efectividad de la resolución judicial que pueda recaer en el proceso principal, según se desprende de los artículos 129.1 y 132.1 de la Ley 29/1998, de 13 de julio, reguladora de la Jurisdicción Contencioso— Administrativa, lo que determina que carezca de sentido acordar una medida cautelar o revisar su procedencia cuando en el recurso principal ha recaído sentencia*».

2) Sala de lo Contencioso-Administrativo del **Tribunal Superior de Justicia de La Rioja**, en su Sentencia de 19 de octubre de 2021, nº 334/2021, recurso 116/2021: «*esta misma Sala en numerosas sentencias y autos (por citar sólo algunos recientes, los de 7 de diciembre de 2006, 29 de junio de 2007, 4 de octubre de 2007 y el reciente Auto dictado el 18 de marzo de 2019, siendo ponente el Ilmo. Sr. Escanilla Pallas, en la Pieza Separada de Medidas Cautelares 37/2018, entre otros muchos) tiene declarado que "el recurso de casación pendiente contra el auto dictado en la pieza separada de medidas cautelares queda sin objeto una vez dictada sentencia, sea o no firme, en los autos principales"*».

3) Sala de lo Contencioso-Administrativo del **Tribunal Superior de Justicia de Andalucía**, en su Sentencia de 30 de junio de 2021, nº 1653/2021, recurso 3082/2019: «*Se ha dictado sentencia desestimatoria en los autos principales por el Juzgado de instancia; por lo que el presente recurso carece de objeto. Al respecto, la jurisprudencia está consolidada desde hace años. Así la Sentencia TS de 18 de abril de 2005 reitera la doctrina establecida por el Tribunal Supremo con respecto a la eficacia temporal de*

las medidas cautelares, que queda limitada hasta que se dicta sentencia en el recurso contencioso administrativo».

4) Sala de lo Contencioso-Administrativo del **Tribunal Superior de Justicia de Navarra**, en su Sentencia de 21 de mayo de 2021, nº 130/2021, recurso 154/2021: *«El procedimiento principal del que dimana esta pieza separada de medidas cautelares está definitivamente terminado con resolución judicial desfavorable a la actora, quedando firme la resolución de expulsión que en su día se dictó. Ello tiene una consecuencia procesal directa en relación con el presente recurso de apelación: la imposibilidad de examinar —aunque sea en la segunda instancia— la solicitud de medida cautelar que conceptualmente siempre es accesoria de un procedimiento principal, de manera que, terminado éste por sentencia o por resolución judicial equivalente, como es el caso, resulta impertinente e innecesario adoptar una medida que intente garantizar el eventual resultado favorable de la pretensión de fondo, cuando tal resultado ya no se va a producir».*

5) Sala de lo Contencioso-Administrativo del **Tribunal Superior de Justicia de Canarias**, en su Sentencia de 24 de marzo de 2021, nº 96/2021, recurso 273/2020: *«**sentencia que desestima el recurso principal** priva de objeto al presente recurso, toda vez que **carece de sentido que nos pronunciemos sobre si es o no ajustada a derecho la medida cautelar acordada en su momento**. La Sala Tercera del Tribunal Supremo viene señalando que la suspensión de la ejecutividad de los actos objeto de impugnación o la adopción de medidas cautelares positivas, es una medida precautoria establecida para garantizar la efectividad de la resolución judicial que en su día pueda recaer en el proceso principal, lo que hace que sea obvio que dicha decisión carezca de sentido cuando tal resolución ha recaído ya, como acontece en el presente caso».*

A nuestro parecer, y aunque pueda indudablemente entenderse que subsiste el interés del recurrente en que no se ejecute el acto y que —ciertamente— una sentencia estimatoria en la segunda instancia o en la casación pudieran hacer perder al proceso su finalidad legítima o causar daños o perjuicios de muy difícil reparación, no cabe pretender la adopción de medidas cautelares, y ello por las siguientes razones:

En primer lugar, resulta paradójico y contradictorio que siendo la medida cautelar adecuada para garantizar la efectividad del fallo hasta tanto devenga firme, ahora, nos encontremos con una medida cautelar que no asegura la efectividad del fallo, todo lo contrario, el fallo es contrario a lo decidido en el auto cautelar.

En segundo lugar, la presunción de legalidad y acierto del acto administrativo no obstante su impugnación se ha visto decisivamente reforzada cuando el órgano judicial competente ha decidido, en sentencia susceptible de impugnación, desestimar el recurso. La eventual medida cautelar que pudiera adoptarse no sería ya tanto de un acto administrativo, cuanto de una resolución judicial que ha afirmado, en el procedimiento correspondiente, su plena conformidad a derecho.

Si ello es así, el problema debe trasladarse, en su caso, a otro instituto procesal: la ejecución de la resolución no firme. Dicho en otros términos: la eventual inejecución hasta que recaiga resolución judicial firme no puede ventilarse en sede de un incidente de medidas cautelares, sino en el ámbito del cumplimiento de la sentencia recurrida en apelación o en casación que, recordemos, ha sido favorable a la Administración.

Según la jurisprudencia actual, el interesado no podría oponerse a la ejecución del acto ni a través de un incidente de medidas cautelares (pues la sentencia no firme ha confirmado expresamente su legalidad), ni en sede de ejecución de la sentencia (pues lo que se ejecuta en estos casos es el acto mismo, no la sentencia que desestima su impugnación).

La combinación de ambos criterios jurisprudenciales puede provocar al interesado cierta hilaridad: si pretende que el acto no se ejecute hasta la sentencia firme, se le responde que no «hay acto que suspender» sino, en su caso, ejecución de sentencia. Y si se opone a la ejecución (provisional) de esa misma sentencia, se le indicará que «lo que se ejecuta es el acto, no la resolución judicial» y que, por tanto, no existe en modo alguno «ejecución de sentencia», remitiéndole a lo que haga la Administración para llevar a efecto la actuación administrativa correspondiente.

Bibliografía

E. GARCÍA DE ENTERRÍA, «La batalla por las medidas cautelares». Derecho Comunitario Europeo y proceso contencioso-administrativo español, 2.a ed., Civitas, Madrid, 1995.

Juan Alfonso SANTAMARÍA PASTOR, «Tutela judicial efectiva y no suspensión en vía de recurso», en esta Revista Administración Pública, núms. 100-102 (1983), vol. II

DORESTES HERNÁNDEZ, J, «El Principio de Precaución, Convenio de Aarhus y las medidas cautelares en el procedimiento contencioso administrativo: comentario de los Autos de 4 de enero y 9 de marzo de 2017 de la Sección Segunda de la Sala de lo Contencioso Administrativo del Tribunal Superior de Justicia de Canarias (REC. 276/2015)», Actualidad Jurídica Ambiental, n. 69, 5 de junio de 2017.

Ana Belén CASARES MARCOS, «20 Años de la ley de lo Contencioso Administrativo», Actas del XIV Congreso de la Asociación Española de Profesores de Derecho Administrativo, 2019.

La autoevaluación de la contratación. Una fase postcontractual y transversal

María del Carmen Rodríguez Martín-Retortillo
Profesora interina de Derecho Administrativo en la
Facultad de Derecho de la Universidade da Coruña

1. INTRODUCCIÓN

La Contratación Pública en los últimos años, en concreto a partir de la Ley 9/2017, de 8 de noviembre, de Contratos del Sector Público, por la que se transponen al ordenamiento jurídico español las Directivas del Parlamento Europeo y del Consejo 2014/23/UE y 2014/24/UE, de 26 de febrero de 2014 (en adelante, LCSP), ha experimentado importantes avances en lo que respecta a la fase de preparación del contrato y especialmente en lo que se refiere a la fase de selección y de adjudicación por mor de las Directivas Europeas de contratación. Así, en la fase de preparación se han ido concretando los principios de la contratación (configurados por los Tratados y la Jurisprudencia del Tribunal de Justicia de la Unión Europea), la justificación de la necesidad del contrato, la planificación y programación de los contratos, las consultas preliminares y la visión estratégica de la contratación (carácter transversal de los criterios sociales, laborales y medioambientales).

En la fase de selección y adjudicación se han desarrollado los requisitos de aptitud para contratar (capacidad de obrar, solvencia económica y financiera, solvencia técnica o profesional, clasificación, prohibiciones de contratar y habilitación profesional) y los criterios de adjudicación.

Por lo que se refiere a la fase de ejecución del contrato, la normativa de contratos completada con los pliegos de cláusulas administrativas y de prescripciones técnicas, ha recogido los requisitos para determinar el control de la misma, destacando la importante labor del responsable del contrato en materia de seguimiento, comprobación e inspección y verificación de la calidad de la ejecución del contrato, así como las condiciones de ejecución.

Sin embargo, a nivel europeo la fase de ejecución no era objeto de regulación. Habría que esperar hasta 2014, momento en el que la Unión Europea, esencialmente en las Directivas llamadas de cuarta generación (Directiva 2014/23, 2014/24 y 2014/25) ha comenzado a recoger aspectos regulatorios de la fase de ejecución, centrándose especialmente con una regulación muy detallada en la modificación de los contratos.

No obstante, cabe apuntar que, aunque no se regula como tal, pues el contrato ya se ha extinguido, en el presente trabajo pretendemos referirnos a una fase, denominada de autoevaluación interna, que junto con las auditorías[1] o fiscalizaciones realizadas por órganos internos y externos conforman una visión reflexiva de carácter retrospectivo, es decir, del contrato ya ejecutado o en fase de ejecución[2].

---

[1]   Sobre las auditorías en la contratación por su interés cabe citar: RODRÍGUEZ CASTAÑO, A. R., «Auditoría de la contratación pública», en AA.VV., FUENTES ESCRIBANO, M. S. (Coordinadora), RODRÍGUEZ CASTAÑO, A. R. (Coordinador), *Manual de auditoría pública*, Lex Nova, 1ª edición, 2013; CUBILLO RODRÍGUEZ, C., «Fiscalización y auditoría de la contratación por el sector público», AECA, 2010; VALERO ESCRIBANO, J. I., «La Auditoría de Contratos del Sector Público en el Marco de la Nueva Ley 9/2017», *Revista Española de Control Externo*, vol. XX, nº 60, septiembre 2018, págs. 259-293. Por lo que respecta a la fiscalización, destacamos PARDELLAS RIVERA, J. M., «Los aspectos económicos, presupuestarios y de fiscalización de los contratos», en AA.VV., CAMPOS ACUÑA, M. C. (Dir.), *La nueva contratación pública en el ámbito local*, El Consultor de los Ayuntamientos, 2018.

[2]   La Ley Foral 2/2018, de 13 de abril, de Contratos Públicos de Navarra, en su redacción dada por la Ley Foral 17/2021, de 21 de octubre ha incluido un Artículo 108 bis (Informe de evaluación de la ejecución del contrato), con un ámbito más reducido del que proponemos, así señala:
«A la finalización del contrato, la unidad gestora emitirá de oficio un informe sobre la correcta ejecución del contrato y publicará dicho informe en el Portal de Contratación de Navarra. Los informes de correcta ejecución que se expidan al contratista principal recogerán los porcentajes de cesión y subcontratación que hubieran existido durante la ejecución del contrato y servirán para acreditar la solvencia en futuras licitaciones sin necesidad de requerir certificado específico al órgano de contratación.
La falta de publicación de este informe dará a entender que el órgano de contratación tiene reservas en relación con la correcta ejecución del contrato.
Esta obligación no afectará a los contratos adjudicados por el procedimiento especial para gastos de menor cuantía».
De igual modo, la Ley 12/2018, de 26 de diciembre, de contratación pública socialmente responsable de Extremadura, en su art. 40 (Evaluación y seguimiento), aunque con un ámbito más restringido, dispone:
«1. Sin perjuicio de las facultades atribuidas a los órganos de contratación para la preparación y aprobación de los correspondientes expedientes y para el control de la correcta ejecución de los contratos, la consejería competente en materia de hacienda, evaluará anualmente el cumplimiento de la presente ley en los aspectos relacionados con su ámbito competencial.
Idéntica evaluación realizará la consejería con competencias en materia de responsabilidad social en lo referente a la contratación socialmente responsable, el Instituto de la Mujer de Extremadura en lo relativo a la igualdad de mujeres y hombres y a la incorporación de la perspectiva de género en la contratación pública de la Junta de Extremadura y la consejería con competencias en medioambiente en lo relativo a su ámbito competencial.

Lo que se pretende exponer es que esta autoevaluación va más allá en algunos aspectos que las auditorías de los contratos, que se realizan esencialmente a posteriori o de las fiscalizaciones, aunque puede tener elementos comunes con estas, pero el objetivo de la autoevaluación es analizar no sólo aspectos de legalidad o eficiencia, sino buscar una mayor calidad y mejor gestión en el expediente futuro a través de aquellos aspectos de mejora que se puedan realizar.

Por ello la autoevaluación podíamos decir que busca una aproximación a la perfección al intentar mejorar en el futuro en aquellos aspectos en que realmente puede hacerse, analizando la experiencia del contrato en ejecución así como una vez finalizado, buscando reutilizar la experiencia del contrato anterior para contratos futuros, así como definir mejor, de forma más completa y clara el objeto, así como desarrollar y perfilar con mayor concreción los derechos y obligaciones de las partes, estudiar la documentación necesaria a presentar por los licitadores, analizando los criterios de adjudicación, concretando los que sean más ajustados y adecuados al contrato, determinando los resultados del anterior contrato, ponderando los criterios de adjudicación automáticos que se ajusten mejor a la finalidad del contrato, aplicando los criterios sociales y medioambientales que realmente estén vin-

---

2. La evaluación abarcará tanto las previsiones de los pliegos de los contratos como su aplicación en el procedimiento de adjudicación y en la propia ejecución del contrato. Con este fin, cada ejercicio presupuestario las consejerías remitirán a la consejería competente en materia de hacienda, antes del día 31 de enero del año siguiente, un informe detallado relativo a la aplicación de los criterios sociales en las diferentes fases de los procedimientos de contratación, en los términos previstos en esta ley.

3. El Registro de Contratos de la Comunidad Autónoma de Extremadura facilitará anualmente, al final del ejercicio presupuestario un informe relativo a la reserva de contratos que comprenda el importe adjudicado, el tipo de contratos y el sector de actividad, por cada una de los órganos de contratación sujetos a la presente ley. Dicho informe se remitirá a la consejería competente en materia de hacienda, con el objeto de hacer el cómputo global y trasladar los datos necesarios al órgano competente para realizar la propuesta de cifra reservada para el ejercicio siguiente.

4. Todos los informes que resulten de los diversos procedimientos de evaluación referidos en el presente artículo serán publicados anualmente, dentro del primer trimestre del año siguiente, en la web de contratación pública de la Junta de Extremadura, así como en el Portal de la Transparencia y la Participación Ciudadana de la Junta de Extremadura».

culados al objeto del contrato y especialmente su impacto sobre la sociedad, las empresas y trabajadores, y cómo pueden potenciarse con el nuevo contrato, estudiando las condiciones especiales de ejecución y cómo se desarrollaron en el contrato anterior. También buscando el perfeccionamiento de los medios de seguimiento y adecuado control de la correcta ejecución del contrato, mediante programas de mejora.

En definitiva, la autoevaluación no es por tanto exclusivamente un control de legalidad, sino que va más allá, pretende alcanzar una mejor gestión, conseguir una mayor calidad, tanto por parte de la Administración como por parte del contratista.

Es decir, una mejor gestión y una mayor calidad son unos de los ejes más importantes de la autoevaluación.

Por otra parte, la autoevaluación continua permite realizar un seguimiento a tiempo real del cumplimiento del contrato, como un apoyo al responsable del contrato, para conocer las incidencias del mismo y encontrar rápidas soluciones, mediante actuaciones ágiles.

Una buena ejecución del contrato tiene su origen en una buena fase de preparación del mismo y en una buena fase de selección y de ejecución.

Muchos contratos no llegan a buen término por una inadecuada preparación del mismo. Por ello cuando una Administración y demás entes del Sector Público va a realizar un contrato debe contar con una serie de premisas y condicionantes, tanto de tipo jurídico, como económico o técnico. Por ello, reflexionar sobre la preparación y ejecución de contratos anteriores ayuda a mejorar en el futuro y preparar mejor el nuevo contrato.

En muchas ocasiones cuando la Administración ha formalizado el acta de recepción de obras o suministros o ha dado su conformidad a la ejecución de un contrato de servicios y ha transcurrido el plazo de garantía, el expediente se archiva digitalmente, y ahí finaliza.

Tan sólo se vuelve a él cuando algún órgano externo de fiscalización (Tribunal de Cuentas u órgano equivalente de la Comunidad Autónoma), o algún órgano de los que se refieren los artículos 328 a 334 LCSP lo solicita, y en muchas ocasiones ha transcurrido mucho tiempo y los informes de estos órganos llegan en muchos casos años después de la finalización del contrato y no se pueden aplicar al contrato siguiente sus observaciones o sugerencias.

Sin embargo, la ventaja de la autoevaluación es que es inmediata y prácticamente a tiempo real, lo cual no quiere decir que no deba hacerse de manera minuciosa, reflexiva y profunda.

2. LA AUTOEVALUACIÓN

2.1 Momento en que debe realizarse

La autoevaluación entendemos que tiene que ser un proceso de análisis continuo y a tiempo real, pues se pueden ir incorporando determinada información y conclusiones a medida que se va ejecutando el contrato (carácter transversal). Las aplicaciones informáticas tienen que permitir que la información se integre a tiempo real, que fluya a todos los autoevaluadores para que dispongan de la información de lo más completa. Pensemos que esta herramienta será de especial utilidad para el responsable del contrato, pues le permitirá disponer de mejor información y de las observaciones y sugerencias de los demás autoevaluadores.

Por ello, debe realizarse en tres fases o momentos:

1º, A medida que se va desarrollando el contrato, donde en la plataforma de seguimiento se irán incorporando las observaciones y sugerencias oportunas,

el 2º, una vez finalizada la ejecución del contrato dentro del plazo máximo de un mes de la finalización del contrato

y el 3º, una vez finalizado el plazo de garantía, dentro de los 15 días siguientes para analizar si ha existido algún defecto en la obra, concesión, servicio o suministro realizado, y si se ha emitido el informe previo a la finalización del plazo de garantía y si el contratista subsanó los defectos, en su caso, o si fue necesario acudir a la ejecución subsidiaria.

El resultado y conclusiones finales se incorporarán a la base de datos y será una información muy importante para el futuro.

Donde se pretende poner el énfasis es en la necesidad de evaluar el contrato ya desde el inicio, es decir, una vez se vaya ejecutando, completando la información hasta su conclusión, procurando utilizar en la medida de lo posible sus conclusiones, aunque sean provisionales, para el nuevo contrato. En alguna situación tal vez no puedan extraerse conclusiones hasta la finalización del contrato, pero en otras sí, en función de la evolución del contrato.

La autoevaluación supone también un proceso de formación continua, una actualización permanente en las novedades normativas, incluidas las Directivas y Reglamentos Europeos, así como las Recomendaciones, también en la jurisprudencia europea y española, en las Resoluciones de los Tribunales Administrativos de Contratación, Dictámenes de órganos consultivos, Juntas consultivas de contratación, Consejo de Estado y Órganos equivalentes de las Comunidades Autónomas, Informes e Instrucciones de la Oficina Independiente de Regulación y Supervisión de la Contratación (OIReScon), fiscalizaciones del Tribunal de Cuentas Europeo, del Tribunal de Cuentas y órganos equivalentes de las Comunidades Autónomas. También deben tenerse en cuenta los estudios doctrinales realizados por especialistas en la materia. Por tanto, podemos preguntarnos cuál es la utilidad de la autoevaluación. Podemos adelantar una respuesta positiva y a ello nos vamos a referir, a continuación.

2.2 Evaluación continua del contrato

El motivo para autoevaluar el contrato es muy claro, pues si analizamos los aspectos más relevantes de la preparación, selección y adjudicación, así como su ejecución podríamos extraer conclusiones de gran interés en la mayoría de las cláusulas y requisitos de los contratos, y especialmente para los nuevos o futuros contratos. La autoevaluación completada con la evaluación externa enriquece el conocimiento y mejora de los futuros contratos, pues permite perfeccionar el futuro contrato y solventar las dificultades, aspectos o materias mejorables del contrato anterior. Incluso habrá información que podrá ser de utilidad para otros contratos de distinta naturaleza.

Otra de las ventajas que señalamos anteriormente es la inmediatez.

Para ello es imprescindible y absolutamente necesario disponer de unas bases de datos, herramientas y aplicaciones informáticas y metadatos que permitan hacer una autoevaluación con la mejor y más completa información disponible y con total accesibilidad, debiendo disponerse de gran parte de la información de forma automática, utilizando ya la ayuda de la inteligencia artificial, todo ello sin perjuicio de que el equipo evaluador analice los datos y saque las conclusiones del contrato anterior y los elementos de mejora del contrato o contratos futuros.

Además, es preciso adoptar una metodología que permita unificar los aspectos o parámetros que van a ser objeto de análisis, que puedan ser introducidos por diversos autoevaluadores para hacer los estudios comparativos.

2.3 Trasvase de datos

La información y análisis realizados pueden ser de utilidad para otros contratos de naturaleza distinta.

3. QUIÉN DEBE LLEVAR A CABO LA AUTOEVALUACIÓN

3.1 Órganos y personas que intervienen

Como hemos indicado, la autoevaluación es un proceso continuo y a tiempo real que requiere como premisas, en primer lugar, disponer de unas aplicaciones informáticas que recojan, canalicen, integren e interrelacionen toda la información del expediente, que permitan localizar toda la información, relacionarla y analizarla. En segundo lugar, que esa información se aporte por la persona u órgano que tenga responsabilidad o competencia sobre determinados aspectos de la tramitación (unidades gestoras o tramitadoras, unidades de contratación, asesorías jurídicas o Secretarías Generales en la Administración Local, interventores, Mesas de Contratación, Comités de expertos, responsable del contrato, etc), y, en tercer lugar, que se aporten por estas personas u órganos sus análisis de autoevaluación.

Entendemos por tanto que en este proceso tienen que intervenir los órganos, funcionarios y operadores económicos que intervienen en las distintas fases de la contratación.

En el cuadro que indicamos a continuación se describen algunas de las funciones que pueden contribuir a la evaluación del contrato, sin perjuicio de que puedan intervenir en otras distintas.

Órgano	Función preferente para la evaluación
Unidad gestora o proponente del contrato	Aspectos del Pliego o de ejecución, análisis de plazos de ejecución, plazos de pago
Unidad de contratación	Análisis del pliego, en especial documentación de los licitadores, criterios de adjudicación, publicaciones y plazos y aspectos jurídicos del contrato
Secretaría General o Asesoría Jurídica	Análisis del pliego, en especial documentación de los licitadores, criterios de adjudicación, plazos de formalización
Intervención	Aspectos económicos, presupuestarios y contables, en especial plazos de pago
Órgano de Contratación	Necesidad e idoneidad del contrato
Mesa de Contratación	Análisis de la documentación exigida y criterios de adjudicación
Comité de expertos	Sugerencias a la evaluación de los criterios de adjudicación
Licitadores	Dificultades observadas en la documentación a presentar, criterios de solvencia y de adjudicación
Adjudicatario	Especialmente las funciones de los licitadores sobre las cuestiones relacionadas con la ejecución del contrato
Responsable del contrato	Dificultades o mejoras necesarias para controlar la ejecución del contrato y problemas de ejecución
Coordinador de Seguridad y salud,	Dificultades o mejoras necesarias para ejecutar el contrato
Empresa control de calidad	Dificultades o mejoras necesarias para ejecutar el contrato
Representante de la Administración	Mejoras de ejecución
Representante de la Intervención	Cumplimiento de aspectos presupuestarios y contables y de cumplimiento técnico, económico y jurídico del contrato

3.2 Comisión de coordinación de la autoevaluación y seguimiento de los contratos

Sería muy necesario crear una comisión de autoevaluación en cada Administración o Entidad que integraría al personal que esté relacionado con las distintas fases de la contratación y que, mediante reuniones con cierta periodicidad, por ejemplo, quincenalmente, realice la autoevaluación y asuma además las funciones de seguimiento y supervisión de la ejecución del contrato.

4. ASPECTOS OBJETO DE EVALUACIÓN

4.1 Evaluación del Plan de Contratación

El art. 28.4 de la LCSP establece que «las entidades del sector público programarán la actividad de contratación pública, que desarrollarán en un ejercicio presupuestario o períodos plurianuales y darán a conocer su plan de contratación anticipadamente mediante un anuncio de información previa previsto en el artículo 134 que al menos recoja aquellos contratos que quedarán sujetos a una regulación armonizada».

El Plan es una herramienta muy adecuada para plasmar el principio de transparencia, pues la Administración da a conocer con la debida antelación cuál va a ser su actividad contractual y los operadores económicos tendrán conocimiento de cuál va a ser la misma.

Como señalábamos[3], «asimismo, consideramos que esa actividad de programación debe ser global y debe referirse a todo el ciclo de la contratación en sus diversas fases (…)».

4.2 Aplicaciones adecuadas

La Administración debe contar con los adecuados registros y aplicaciones informáticas que le permitan evaluar todos los datos e incidencias contractuales. Asimismo, es fundamental que la aplicación informática, integrada en la programación y en el Plan de Contratación avise automáticamente o pueda consultarse con la suficiente antelación, al menos con 4 meses de antelación de cuando finaliza un contrato y si es o no susceptible de prórroga, a fin de evitar perjuicios al interés público y poder siempre tramitar con tiempo suficiente las prórrogas o los nuevos contratos.

En muchas ocasiones las Administraciones han acudido a la tramitación urgente para paliar la falta de previsión y planificación, como han señalado

---

[3]   RODRÍGUEZ MARTÍN-RETORTILLO, M. C, «La planificación y programación de los contratos en la Ley 9/2017, de contratos del sector público», *Anuario da Facultade de Dereito da Universidade da Coruña*, Vol. 22 (2018), pág. 350.

reiteradamente el Tribunal de Cuentas y Órganos equivalentes de las Comunidades Autónomas.

Se deberá comprobar si las aplicaciones y sistemas de información utilizados para la instrucción de los procedimientos garantizan el control de los tiempos y plazos, la identificación de los órganos responsables y la tramitación ordenada de los expedientes, así como facilitar la simplificación y la publicidad de los procedimientos.

Entre los aspectos a analizar serán el grado de cumplimiento de este Plan, es decir, si se han contratado, iniciado y ejecutado los contratos previstos en el Plan, los motivos por los que no se han ejecutado algunos de los previstos, si han experimentado modificaciones y si se han cumplido las previsiones temporales, determinando el porcentaje de ejecución del Plan.

4.3 La necesidad del contrato

El art. 28 alude a la justificación de la necesidad e idoneidad del contrato[4].

Se deberá evaluar si la justificación de la necesidad e idoneidad del contrato alegada se corresponde con la realidad del contrato en ejecución o el resultado final.

4.4 Las consultas preliminares del mercado

Se regulan en el art. 115 LCSP.

---

[4] Art. 28.1 LCSP:
    «Las entidades del sector público no podrán celebrar otros contratos que aquellos que sean necesarios para el cumplimiento y realización de sus fines institucionales. A tal efecto, la naturaleza y extensión de las necesidades que pretenden cubrirse mediante el contrato proyectado, así como la idoneidad de su objeto y contenido para satisfacerlas, cuando se adjudique por un procedimiento abierto, restringido o negociado sin publicidad, deben ser determinadas con precisión, dejando constancia de ello en la documentación preparatoria, antes de iniciar el procedimiento encaminado a su adjudicación».

Tienen gran interés dado que permiten a las Administraciones Públicas y demás entes del Sector Público plantear con total transparencia la definición de determinados aspectos del contrato.

La evaluación debe consistir en determinar si el contrato hubiera sido conveniente someterlo a este trámite, caso de que no se haya hecho.

Se revisará si se utilizaron las preguntas adecuadas, en lo relativo al contenido y metodología, el número de participantes, así como la innecesariedad de alguna de las realizadas, y especialmente si se incorporaron o no, en todo o en parte, al pliego. Por último, comprobaríamos si se ha aportado un valor añadido al contrato en ejecución o ejecutado con las aportaciones de los operadores incorporadas.

4.5 Respecto a la autoevaluación del Pliego de cláusulas administrativas (PCAP)

4.5.1. Definición del objeto del contrato

Se verificará si la definición del objeto del contrato fue adecuada o si hubiera sido necesaria alguna mayor concreción o precisión, en función de la ejecución realizada.

Se analizará el procedimiento de adjudicación utilizado, valorando si fue el procedimiento más adecuado (art. 131 y concordantes).

4.5.2 El Presupuesto del contrato (arts. 100 a 102)

Se comprobará si la fijación del importe del contrato se definió correctamente o se ha constatado que existieron algunos elementos no tenidos en cuenta o se hicieron determinados cálculos de forma deficiente o incompleta.

4.5.3 La revisión de precios (arts. 103 a 105)

Se comprobará si la fórmula prevista fue la adecuada para mantener el equilibrio del contrato.

4.5.4 Código CPV

Se comprobará si el código CPV fue el adecuado para que los licitadores pudieran participar o su determinación inadecuada pudo conllevar una menor concurrencia (art. 2.4).

4.5.5 División en lotes (art. 99), y condiciones para participación de las PYMES

La división en lotes es fundamental para favorecer la concurrencia de las pequeñas y medianas empresas.

Se analizará si con la división en lotes o con la no división hubo una adecuada concurrencia y si los operadores manifestaron alguna observación respecto al contenido de los elementos o servicios que integran cada lote.

Se determinará cuál fue el grado de participación de las pequeñas y medianas empresas en el contrato.

4.5.6 Duración del contrato. Prórrogas (art. 29) y penalidades (art. 193)

Analizaremos si el plazo de ejecución o de duración previsto en el pliego era el adecuado o si hubo alguna disfunción motivada por su inadecuada o insuficiente determinación.

Se reflexionará sobre la duración del contrato y si las prórrogas eran necesarias y se ajustaban a la idoneidad de la ejecución. Se examinará si existieron retrasos en la ejecución del contrato y si estos fueron imputables a la Administración o al contratista.

Se comprobarán las causas por las que se han concedido ampliaciones de plazos.

Verificaremos si se tramitaron adecuadamente y en plazo las penalidades administrativas.

4.5.7 En el caso de las obras. Proyecto

Se comprobará si el proyecto fue supervisado adecuadamente y si dio lugar a algún modificado por defectos en el mismo u otras circunstancias. Asimismo, se verificará si el estudio geotécnico respondió a la realidad.

4.5.8 Autorizaciones, licencias, permisos y disponibilidad de terrenos

Se verificará si se cumplían los requisitos del replanteo y comprobación del replanteo.

Se comprobará si el contrato contaba con todas las autorizaciones, licencias y permisos. Asimismo, se verificará si existía disponibilidad de terrenos.

4.5.9 En caso de concesiones

Se analizará la efectividad del estudio de viabilidad.

4.5.10 La aptitud del contratista

Se examinará si los requisitos de solvencia fueron los adecuados, en especial si fueron lo suficientemente proporcionales a la naturaleza y cuantía del contrato y si fueron los más adecuados para favorecer la concurrencia, dentro del interés público.

4.5.11 Respecto a los criterios de adjudicación (arts. 145-146 LCSP)

Analizaremos si los criterios de adjudicación han sido los adecuados en función de la ejecución realizada, o si se debió de valorar algún otro aspecto o modificar los exigidos o redactarlos de otra manera y si los criterios de desempate fueron los más adecuados.

4.5.12 Exclusión de licitadores

Se estudiarán las causas de exclusión de licitadores.

4.5.13 Concurrencia

Se analizará si el número de licitadores fue amplio o hubo una mínima concurrencia. En el supuesto de que no se hubieran presentado licitadores se sondearán los motivos por los que no hubo participación.

4.5.14 Precio ofertado y ofertas anormalmente bajas

Se estudiarán las ofertas económicas presentadas y los porcentajes medios. Se analizarán las ofertas anormalmente bajas y si se justificaron o no las mismas. En el caso de aceptarse las bajas se verificará si se está haciendo un adecuado seguimiento y control de la ejecución.

4.6 Comité de expertos

Se analizará si la composición del Comité de expertos respondió al objeto del contrato y se determinará si hubiera sido conveniente incorporar algún otro especialista.

4.7 Documentación exigida a los licitadores

Se analizará si la documentación exigida en el sobre o archivo electrónico de juicios de valor fue la adecuada.

Se estudiará la procedencia geográfica de las empresas y su tipología (microempresa, pequeña o mediana empresa y macroempresa).

4.8 Variantes o mejoras

Se verificará si se cumplieron las variantes o mejoras ofertadas y su efecto beneficioso sobre el contrato.

4.9 Cláusulas sociales

Se comprobará si las cláusulas sociales cumplieron su función (criterios de adjudicación, condiciones de ejecución), midiendo el impacto producido.

4.10 Cláusulas medioambientales

Se comprobará igualmente si las cláusulas medioambientales cumplieron su función (criterios de adjudicación, condiciones de ejecución), midiendo el impacto producido.

4.11 Contratos reservados

Se analizará si el nuevo contrato puede tener encaje en los contratos reservados.

4.12 Condiciones de ejecución y adscripción de medios

Se determinará si las condiciones de ejecución (art. 202 LCSP) fueron las adecuadas y respondieron a los objetivos previstos.

Se verificará si los requisitos de adscripción de medios (art. 76.3 LCSP) fueron los necesarios, razonables, justificados y proporcionales a la entidad y características del contrato. Se evaluará si eran los precisos para la correcta ejecución del contrato.

4.13 Cumplimiento normativa laboral, social, medioambiental y de igualdad, protección de datos

Se verificará si se está haciendo un adecuado seguimiento del cumplimiento de la normativa laboral, en especial de convenios colectivos, normativa de seguridad social, tributaria, social, medioambiental y de igualdad y protección de datos.

4.14 Adjudicación, formalización y notificaciones y publicaciones. Renuncias

Se comprobará si el contrato se adjudicó y formalizó dentro de los plazos legales y si se registró y si se publicaron en plazo todos los actos de la licitación y adjudicación, así como las actas de la mesa de Contratación, en la correspondiente Plataforma de Contratación, Portal de transparencia y si se produjo la notificación a todos los licitadores. Se analizará si hubo renuncias de licitadores o desistimiento de la Administración y los motivos.

4.15 Prescripciones técnicas

Se verificará si las prescripciones técnicas definieron de manera clara, completa y adecuada las prestaciones a realizar y si surgieron dudas de interpretación.

Se comprobará qué omisiones, defectos o fallos se detectaron en el contenido o en la ejecución de las prescripciones técnicas.

Se analizará qué inconvenientes, obstáculos o dificultades se encontraron la Administración y los contratistas en las fases de preparación, selección y adjudicación y ejecución.

4.16 Control de calidad

Se analizará si el control de calidad funcionó correctamente y si como consecuencia de ello el contratista efectuó las correcciones o reparaciones necesarias.

4.17 Coordinación de seguridad y salud

Se analizará si la coordinación de seguridad y salud funcionó correctamente y si como consecuencia de ello el contratista efectuó las medidas correctoras requeridas.

4.18 El Responsable del contrato y el control de ejecución

Se estudiarán las funciones desarrolladas por el Responsable del contrato, así como el número de visitas o grado de seguimiento del cumplimiento del contrato realizadas o el porcentaje de las mismas.

4.19 Tareas críticas y subcontratación. Cesiones

Se determinará si se cumplieron por el contratista principal las tareas críticas exigidas en el pliego (arts. 75 y 215 LCSP) y si estaban debidamente justificadas, para que no representen un obstáculo a la subcontratación. Se verificará si los pagos a subcontratistas se hicieron en plazo. Se verificarán igualmente las circunstancias de las cesiones de contrato y si el cesionario cumplió adecuadamente el contrato.

4.20 Subrogaciones

Se comprobará si se efectuó adecuadamente la subrogación en los casos que proceda, de acuerdo con lo dispuesto en el art. 130 LCSP.

4.21 Incidencias contractuales

4.21.1 Suspensión

Se analizarán las causas de suspensión del contrato, su duración y si pudo evitarse.

Se verificará si la suspensión dio lugar al pago de indemnizaciones.

4.21.2 Modificación del contrato

Se estudiará si las modificaciones previstas se incluyeron en el contrato y si fue necesario proceder o no a su ejecución. Respecto a las modificaciones no previstas se analizarán las causas por las que se produjeron y si estuvieron debidamente motivadas[5] así como el incremento del contrato ocasionado.

4.22 Pagos

Se analizará si hubo correspondencia entre la prestación realizada y la forma de pago.

---

[5] RODRÍGUEZ MARTÍN-RETORTILLO, M. C., *La modificación del contrato de obras. Análisis histórico y regulación actual*, Tirant lo Blanch, 2020.

Se comprobarán los plazos de pago y, en el caso de demora, las causas que la motivaron, así como los intereses y gastos abonados.

4.23 Acta de recepción o de conformidad

Se comprobará si se formalizó la misma y sus resultados.

4.24 Certificación final (arts. 105, 242, 243, 256 LCSP)

Se analizará si se efectuó dentro de plazo y si se abonó igualmente dentro de plazo, así como las unidades o materias objeto de dicho incremento, así como su importe y porcentaje. Igualmente, en los supuestos de liquidación del contrato[6].

4.25 Resolución de contrato

Se estudiarán las causas de resolución del contrato y si pudieron evitarse.

4.26 Recursos e impugnaciones

Se analizará si se presentó el Recurso especial (arts. 44-60 LCSP), los motivos de interposición, y, en su caso, el recurso contencioso administrativo y las resoluciones recaídas.

4.27 El plazo de garantía

Se comprobará si se emitió el correspondiente informe previo a la devolución de garantía[7].

Se verificará si el contratista subsanó los defectos del contrato o si fue necesario acudir a la ejecución subsidiaria. Se comprobará si la devolución de garantía se efectuó sin demoras.

---

[6]   Arts. 29, 42, 69, 105, 111, 120, 133, 210, 214, 243, 246, 280, 295, 309 LCSP.

[7]   Arts. 110, 111, 210, 238, 243, 244, 256, 305, 311 LCSP.

5. ANÁLISIS DE LOS TIEMPOS DE TRAMITACIÓN Y DE EJECUCIÓN

Verificaremos cuál ha sido el tiempo que requirió la preparación del contrato, la selección y adjudicación, y la fase de ejecución.

Analizaremos las causas en los supuestos de retrasos para mejorar y reducir tiempos en los casos en que sea posible.

6. ENCUESTAS A LOS CIUDADANOS Y A LOS OPERADORES ECONÓMICOS, LICITADORES Y ADJUDICATARIO

Entendemos en virtud del principio de participación que se deben realizar encuestas a los ciudadanos sobre su percepción de la necesidad del contrato, su utilidad y su importe, entre otras cuestiones.

A los operadores económicos y licitadores, sobre las condiciones en que se formuló la licitación, el presupuesto, la documentación exigida, los criterios de adjudicación, los plazos de presentación de ofertas y de adjudicación.

Al adjudicatario además de lo indicado en el apartado anterior, se le preguntará sobre su percepción sobre las cláusulas del contrato y posibles dificultades de adjudicación.

7. INCORPORACIÓN DE INFORMACIÓN DE OTROS ORGANISMOS

Recientemente en un trabajo sobre sugerencias para una reforma de la Ley de Contratos[8] apuntábamos que hay determinada información de la contratación que es necesario e imprescindible conocer para diversas finalidades, por ejemplo, para su fiscalización y control, para conocimiento,

---

[8] RODRÍGUEZ MARTÍN-RETORTILLO, M. C., «Sugerencias para una reforma de la Ley de Contratos del Sector Público», *Contratación Administrativa Práctica*, Editorial Wolters Kluwer, n° 174, julio-agosto 2021, págs. 20-28.

para remitir a otros organismos, para llevar un mejor seguimiento, para su evaluación o a efectos meramente estadísticos. Por ello es muy relevante disponer de una información y base de datos lo más completa posible, que esté integrada y que los diversos órganos o entidades autorizadas o en ejercicio de sus funciones puedan acceder a la misma. Pero lo ideal es que en la medida de lo posible haya una única base de datos, pues en algunas bases se exige el presupuesto global del contrato, en otras el valor estimado, etc, en otras se piden las prórrogas o las modificaciones, resolución de contratos, contratos declarados desiertos, desistimientos, renuncias, etc, y en esa base pueden estar todos los datos integrados y que cada órgano pueda extraer los que resulten convenientes.

En relación con lo anteriormente expuesto, la propia Ley habla de la remisión de información a: 1° El Tribunal de Cuentas, en relación con la remisión de contratos de determinadas cuantías, modificaciones, prórrogas o variaciones de plazos, las variaciones de precio y el importe final, la nulidad y la extinción normal o anormal de los contratos indicados (Art. 335 de la LCSP); 2° Registro de Contratos (Art. 346 de la LCSP); 3° Plataforma de Contratación (Art. 347 de la LCSP) y perfil de contratante (Art. 63 de la LCSP); 4° Junta Consultiva de Contratación Pública del Estado, que deberá remitir un informe de licitaciones de todos los poderes adjudicadores cada tres años (Art. 328.4 de la LCSP); 5° Informe de la Oficina Independiente de Regulación y Supervisión de la Contratación (Art. 332.8 de la LCSP), e informes específicos sobre los procedimientos para la adjudicación de los contratos (Art. 336 de la LCSP); 6° Remisión de contratos de concesión al Comité Técnico de Cuentas Nacionales (Disp. Adicional 45ª y 46ª de la LCSP); 7° Comunicación de prohibiciones de contratar al Registro Oficial de Licitadores y Empresas Clasificadas (Arts. 73.2, 338 y 341 de la LCSP); 8° Información para la Estrategia Nacional de Contratación Pública (Art. 334 de la LCSP); 9° Consejo de Estado u órgano consultivo equivalente[9], para informe previo en determinadas modificaciones por razón de la cuantía y de resoluciones de contratos cuando se opone el contratista; 10° Además de la publicidad de determinados aspectos contractuales en el respectivo Portal de transparencia, de acuerdo con la normativa estatal o autonómica regu-

---

[9]   Arts. 121, 191.3, 195, 319, DF Sexta LCSP.

ladora de esta materia; 11° Así como información específica a la Comisión Nacional de los Mercados y la Competencia (en los supuestos recogidos en los Arts. 69.2; 132.3; 150; 332.6 y 7; 334.6 y 346.8 de la LCSP).

Por ello debería aprobarse un anexo a la Ley con toda la información común y específica necesaria para los diversos órganos y entes, en una única base de datos, o bien regularlo a nivel reglamentario[10].

Esa información debe poder reutilizarse e integrase para completar el proceso de autoevaluación, aunque en ocasiones estos informes se emiten por los citados órganos en unos casos con relativa celeridad y otros llevan más tiempo, pero esta información derivada de los informes de estos órganos es esencial para la autoevaluación, aunque ya muchos de ellos se realicen en una fase que denominamos postcontractual.

8. ESTADÍSTICAS

Toda esta información debidamente integrada e interrelacionada puede contribuir a la autoevaluación y a ponerla a disposición de los ciudadanos y operadores económicos, con excepción exclusivamente de aquella que esté sujeta a la normativa de protección de datos.

---

[10]　Además, añadíamos que «Asimismo, debería aclararse en el Art. 63.1 de la LCSP que además de que "toda la información contenida en los perfiles de contratante se publicará en formatos abiertos y reutilizables, y permanecerá accesible al público durante un período de tiempo no inferior a 5 años, sin perjuicio de que se permita el acceso a expedientes anteriores ante solicitudes de información", se regule que se conservará en archivo digital histórico toda la documentación de las licitaciones electrónicas, con carácter permanente, definitivo y sin limitación temporal y sin expurgos, correspondiente a los datos obrantes en las Plataformas de contratación. Igualmente deberían diseñarse las aplicaciones necesarias para la migración de la información a los expedientes y archivos de los órganos de contratación».

9. LA TRANSPARENCIA Y PUBLICIDAD DE LA AUTOEVALUACIÓN DEL CONTRATO

Entendemos que los principios de transparencia y publicidad son fundamentales en la contratación administrativa[11]. Por ello, esta autoevaluación del contrato deberá estar disponible en la Plataforma de Contratación y en el Portal de Transparencia y página web de la entidad.

10. CONCLUSIONES

Entendemos por todo lo expuesto la gran utilidad de la autoevaluación, que sirve para analizar y seguir la correcta ejecución del contrato tanto a tiempo real, y una vez finalizado, como la elaboración de conclusiones de mejora para contratos futuros, y la disposición de una información exhaustiva y completa de todos los expedientes de contratación. Todo ello encaminado a preparar, seleccionar y adjudicar y cumplir los contratos ateniéndose a la legalidad y a los principios de la contratación, pero también buscando la mejor calidad en la prestación o ejecución del contrato, mediante un adecuado y permanente control de su ejecución y siempre desde la eficacia, la eficiencia, la calidad y la celeridad.

Para ello es fundamental, como hemos indicado, disponer de unas aplicaciones y herramientas informáticas, la integración de datos de otros organismos y la utilización de instrumentos de inteligencia artificial[12], metadatos, algoritmos y big data que faciliten el trabajo a desarrollar.

Asimismo, es muy importante la implicación y predisposición de todas las personas que tienen que intervenir en la autoevaluación, tanto para incorporar la información y datos, como de las personas que tienen que analizarlos e incorporar los análisis y formular los informes de control y se-

---

[11]   Véase MORENO MOLINA, J. A., *Los principios generales de la contratación de las Administraciones Públicas*, Editorial Bomarzo, 2006, pág. 44, donde afirma que «la transparencia es un arma eficaz en la lucha contra la corrupción y los fraudes de todo tipo respecto de los fondos públicos».

[12]   Véase Recomendación de la UNESCO de 14 septiembre de 2021 sobre «la Ética de la Inteligencia Artificial (IA)», que figura en el anexo del documento 41 C/23.

guimiento a tiempo real durante la ejecución del contrato, así como las conclusiones una vez finalizado el contrato, que sean de utilidad para aplicar a futuros contratos desde esa perspectiva de mejora y calidad, en una filosofía de intentar siempre hacer cada vez mejor y más diligentemente la tramitación y ejecución de los contratos, teniendo como objetivo el mejor servicio a la sociedad y a los ciudadanos.

De igual modo, toda esta información puede servir para la adopción de medidas de lucha contra el fraude, la corrupción y los conflictos de intereses.

Bibliografía

CUBILLO RODRÍGUEZ, C., «Fiscalización y auditoría de la contratación por el sector público», AECA, 2010.

MORENO MOLINA, J. A., *Los principios generales de la contratación de las Administraciones Públicas*, Editorial Bomarzo, 2006.

PARDELLAS RIVERA, J. M., «Los aspectos económicos, presupuestarios y de fiscalización de los contratos», en AA.VV., CAMPOS ACUÑA, M. C. (Dir.), *La nueva contratación pública en el ámbito local*, El Consultor de los Ayuntamientos, 2018.

RODRÍGUEZ CASTAÑO, A. R., «Auditoría de la contratación pública», en AA.VV., FUENTES ESCRIBANO, M. S. (Coordinadora), RODRÍGUEZ CASTAÑO, A. R. (Coordinador), *Manual de auditoría pública*, Lex Nova, 1ª edición, 2013.

RODRÍGUEZ MARTÍN-RETORTILLO, M. C., *La modificación del contrato de obras. Análisis histórico y regulación actual*, Tirant lo Blanch, 2020.

RODRÍGUEZ MARTÍN-RETORTILLO, M. C., «La planificación y programación de los contratos en la Ley 9/2017, de contratos del sector público», *Anuario da Facultade de Dereito da Universidade da Coruña*, Vol. 22 (2018).

RODRÍGUEZ MARTÍN-RETORTILLO, M. C., «Sugerencias para una reforma de la Ley de Contratos del Sector Público», *Contratación Administrativa Práctica*, Editorial Wolters Kluwer, nº 174, julio-agosto 2021.

VALERO ESCRIBANO, J. I., «La Auditoría de Contratos del Sector Público en el Marco de la Nueva Ley 9/2017», *Revista Española de Control Externo*, vol. XX, nº 60, septiembre 2018.

La regulación del Real Decreto-Ley 3/2020 para la contratación en los sectores especiales

ANA MARÍA SABIOTE ORTIZ

Abogada de Uría Menéndez Abogados, S.L.P.

SUMARIO: 1. ORIGEN Y ANTECEDENTES DE LA NUEVA REGULACIÓN. 1.1 Introducción. 1.2 Vicisitudes de la transposición de la Directiva 2014/25/CE: el infructuoso proyecto de ley. 2. LA NUEVA REGULACIÓN PARA LA CONTRATACIÓN EN LOS SECTORES ESPECIALES. 2.1 Principales áreas con novedades con respecto a la Ley 31/2007. 2.2 Ámbito de aplicación. 2.2.1 Cómo se define el ámbito de aplicación. 2.2.2 Se delimitan en mayor medida los derechos exclusivos o especiales. 2.2.3 Actividades y contratos sujetos. 2.2.4 Las exclusiones. 2.3 Preparación y adjudicación de los contratos. 2.3.1 Principios de contratación, prácticas colusorias y prohibiciones de contratar. 2.3.2 Contenido mínimo de pliegos y contrato, procedimientos de contratación, duración de los contratos, y criterios de adjudicación. 2.4 Cumplimiento y efectos de los contratos: condiciones especiales, subcontratación y modificaciones. 2.5 Régimen de reclamación. 2.6 Otras novedades. 3. VALORACIÓN Y PERSPECTIVAS.

1. ORIGEN Y ANTECEDENTES DE LA NUEVA REGULACIÓN

1.1 Introducción

Con fecha 5 de febrero de 2020, se publicó en el Boletín Oficial del Estado el Real Decreto-ley 3/2020, de 4 de febrero, de medidas urgentes por el que se incorporan al ordenamiento jurídico español diversas directivas de la Unión Europea en el ámbito de la contratación pública en determinados sectores; de seguros privados; de planes y fondos de pensiones; del ámbito tributario y de litigios fiscales (el «Real Decreto-ley 3/2020»). Bajo este título, se incorpora a nuestro ordenamiento una variada selección de normas que poco o nada tienen que ver entre sí, excepto por el retraso en la transposición de las directivas europeas que las originan.

De entre el amplio objeto del Real Decreto-ley 3/2020, su Libro Primero centra el análisis de este trabajo. Este Libro Primero transpone a nuestro ordenamiento la Directiva 2014/25/UE del Parlamento Europeo y del Consejo, de 26 de febrero, relativa a la contratación por entidades que operan en los sectores del agua, la energía, los transportes y los servicios postales («Directiva 2014/25» o «Directiva de sectores especiales»), y la Directiva 2014/23/UE, del Parlamento Europeo y del Consejo, de 26 de febrero, relativa a la adjudicación de contratos de concesión («Directiva 2014/23» o «Directiva de concesiones»). La primera, la Directiva 2014/25, se transpone en su totalidad mediante este Real Decreto-ley 3/2020. La transposición de la Directiva de concesiones ya había tenido lugar mediante la Ley 9/2017, de 9 de noviembre, de Contratos del Sector Público («LCSP» o «Ley 9/2017»), limitándose únicamente el Real Decreto-ley a la incorporación de los aspectos del contrato de concesión que se refieren a los contratos en los llamados sectores especiales.

La Directiva de sectores especiales es la tercera del paquete que en 2014 aprobaron el Parlamento Europeo y el Consejo con la finalidad de renovar la contratación pública en la Unión para incorporar los objetivos de la llamada Estrategia Europea 2020. Junto con las ya citadas Directivas de sectores especiales y de concesiones (2014/23), la Directiva 2014/24/UE, del Parlamento y del Consejo, de 26 de febrero, sobre contratación pública («Directiva 2014/24» o «Directiva de contratación») completaba la renovación que la

Unión había emprendido en 2010 para impulsar la participación de pequeñas y medianas empresas en la contratación pública, fomentar la eficiencia del gasto público, y favorecer los objetivos sociales, laborales y medioambientales a través de la contratación de los poderes públicos.

La Ley 9/2017 y el Real decreto-ley completan para España la revisión y modernización de las normas sobre contratación pública impulsadas a nivel europeo.

La nueva Directiva en sectores especiales y, por ende, del Real decreto-ley 3/2020, mantiene la finalidad que ya justificó las anteriores directivas en sectores especiales (o excluidos) incorporadas al ordenamiento español por Ley 48/1998, de 30 de diciembre, y posteriormente, por Ley 31/2007, de 30 de octubre (esta última derogada por el Real decreto-ley): incorporar normas en materia de contratación por las entidades que operan en los sectores del agua, la energía, los transportes y los servicios postales por la influencia que las autoridades nacionales siguen manteniendo en el comportamiento de estas entidades, así como por el carácter cerrado de los mercados en que operan las entidades de estos sectores, debido a la concesión por los Estados Miembros de derechos especiales o exclusivos para el suministro, la puesta a disposición o la explotación de redes para la prestación del servicio de que se trate.

Pese a la liberalización de estos sectores, la influencia de los poderes públicos en el capital o representación, gestión o supervisión de las entidades operadoras y, en todo caso, el carácter cerrado de estos mercados, hacen aconsejable, en opinión de la Unión, mantener una mínima regulación de la contratación que permita garantizar su efectiva apertura a la competencia con un régimen singular pero menos estricto y rígido que el establecido en la Directiva de contratación para el sector público en general.

El régimen de la Directiva de sectores especiales no es aplicable a las Administraciones públicas en sentido estricto cuyos contratos, en todo caso, se rigen por la Directiva 2014/24 y 2014/23, y, en consecuencia, por la Ley 9/2017, cualquiera que sea el sector en el que contraten. En cambio, para los poderes adjudicadores que no tengan la condición de Administración pública, empresas públicas y resto de entidades públicas o privadas que actúen en estos sectores, la contratación se regirá por el nuevo Real decreto-ley 3/2020, como hasta entonces había sido con la Ley 31/2007, de 30 octubre.

1.2 Vicisitudes de la transposición de la Directiva 2014/25/CE: el infructuoso proyecto de ley

El Real decreto-ley 3/2020 culminó un tortuoso camino para la transposición de la Directiva 2014/25/UE.

La Directiva se transpuso con casi cuatro años de retraso con respecto a la fecha prevista, 18 de abril de 2016. El 7 de diciembre de 2017, la Comisión Europea inició el procedimiento para que el Tribunal de Justicia de la Unión Europea declarase que España había incumplido las obligaciones de transposición. La proximidad de una decisión del Tribunal sobre el procedimiento de incumplimiento y evitar las multas coercitivas sirvió al ejecutivo español para justificar el recurso a la figura del real decreto-ley, reservada constitucionalmente para razones de urgente y extraordinaria necesidad.

Lo sorprendente de esta tramitación es que el Real decreto-ley mantiene prácticamente los mismos términos del anteproyecto de ley elaborado ya en 2015, y que de hecho llegó a ser remitido a las Cortes Generales para su tramitación parlamentaria y aprobación definitiva por el procedimiento de urgencia el 25 de noviembre de 2016 (expediente 121/000003) junto con el anteproyecto que dio lugar finalmente a la Ley 9/2017. Sin embargo, el anteproyecto de ley sobre procedimientos de contratos en los sectores del agua, la energía, los transportes y los servicios postales caducó finalmente el 5 de marzo de 2019 sin que las Cortes Generales lo hubieran aprobado.

El recurso al real decreto-ley puede entenderse para evitar las multas coercitivas, tal y como quiere destacar la Exposición de Motivos de la norma que comentamos. Sin embargo, debe criticarse desde el punto de vista de la eficiencia administrativa, de las garantías parlamentarias y de la seguridad jurídica. Lo primero porque ha supuesto un empleo de recursos materiales y tiempo que podría haberse evitado con la mínima diligencia de impulsar la tramitación de aquel proyecto de ley en paralelo a lo que se hizo para el proyecto de ley de contratos del sector público que culminó con la Ley 9/2017. Desde el punto de vista de las garantías porque se ha sustraído del debate parlamentario una norma relevante para fomentar la transparencia, impulsar la participación de pequeñas y medianas empresas en la contratación del sector público, y hacerlo de manera ágil para los operadores, públicos y privados, incluidos en su ámbito de aplicación. Y, desde el punto de vista de la seguridad jurídica y la claridad normativa, porque, precisamente por su relevancia, el Real decreto-ley se está tramitando ahora como proyecto de ley (núm. expte. 121/000005), se han propuesto enmiendas y es esperable que se incluyan en el texto resultante modificaciones.

De hecho, la inseguridad jurídica generada por el retraso en la transposición dio lugar a varios informes de la Junta Consultiva de Contratación del Estado, de los órganos competentes en materia de recursos contractuales y de otros entes consultivos, para analizar la aplicación o efecto directo de las Directivas de contratación de 2014 mientras no se completaba la transposición, y una vez se había superado el plazo para ello (18 de abril de 2016). Esos informes se centraron especialmente en la Directiva sobre contratación y en la Directiva sobre concesiones, pero los mismos problemas y dudas sobre el alcance del efecto directo de las Directivas y su aplicación por los operadores en ausencia de transposición se plantearon también para la contratación en los sectores especiales[1].

Actualmente, el proyecto de ley (121/000005) se encuentra pendiente de informe de la Comisión de Hacienda y Función Pública desde el 21 de septiembre de 2021. Por tanto, es probable que la norma que comentamos se haya modificado en el momento en que este artículo vea la luz. Estas modificaciones son, además, esperables porque el Real decreto-ley se limitó a realizar una transposición lo más exacta posible de la Directiva 2014/25 sin las modulaciones y precisiones a las que la propia Directiva deja margen. Así lo explicita la Exposición de Motivos al justificar la utilización del real decreto-ley: «*debe señalarse que, aunque el contenido del real decreto-ley se ha elaborado a partir del texto aprobado por la Ponencia de la Comisión de Hacienda del Congreso* [texto aprobado sobre aquel proyecto de ley del año 2016 caducado] *se han excluido del mismo aquellas disposiciones que no encontraban justificación*

---

[1]   Recomendación de la Junta Consultiva de Contratación Administrativa del Estado a los órganos de contratación en relación con la aplicación de las nuevas Directivas de contratación pública, de 15 de marzo de 2016; Informe 17/2015, de la Junta Consultiva de Contratación Administrativa de la Comunidad Autónoma de Aragón, adoptado en su sesión del día 3 de diciembre de 2015; o Documento de estudio presentado y aprobado en reunión de Madrid, el 1 de marzo de 2016, por los tribunales administrativos de contratación pública sobre «Los efectos jurídicos de las directivas de contratación pública ante el vencimiento del plazo de transposición sin nueva ley de contratos del sector público».

directa en la transposición de las Directivas europeas». Otro efecto indeseable del uso del real decreto-ley: la transposición de la Directiva sin la concreción y margen de mejora y adaptación al ordenamiento nacional que permite este instrumento europeo.

2. LA NUEVA REGULACIÓN PARA LA CONTRATACIÓN EN LOS SECTORES ESPECIALES

2.1 Principales áreas con novedades con respecto a la Ley 31/2007

Ni la Directiva, ni, por tanto, el Real decreto-ley que la transpone con exactitud, suponen un cambio radical con respecto al régimen hasta entonces vigente definido en la Ley 31/2007. No obstante, sí contiene algunas novedades relevantes en las que debemos detenernos. De esas novedades algunas realmente lo son, y otras son traslación de criterios ya aquilatados por el Tribunal de Justicia de la Unión Europea cuya positivización, no obstante, dota de seguridad jurídica. Y, en general, las novedades lo son para este ámbito de contratos de sectores especiales, pero no en nuestro ordenamiento. La regulación que introduce el Real decreto-ley 3/2020 es para aproximarse a la Ley 9/2017 y extender parte de su régimen a los contratos que celebren las entidades en los sectores especiales.

Entre los aspectos que se regulan por primera vez debemos citar la inclusión del contrato de concesión en el ámbito de aplicación de la normativa sobre contratación en los sectores especiales así como o los efectos y extinción de los contratos dentro de su ámbito de aplicación. Hasta ahora la regulación de los contratos en sectores especiales se había limitado a la preparación y adjudicación, dejando plena libertad a las entidades contratantes para regular los efectos y extinción, excepto por alguna cuestión puntual como los límites de la subcontratación. El nuevo Real decreto-ley regula las modificaciones de estos contratos, el contenido mínimo de los pliegos, la utilización de condiciones especiales de ejecución, o la obligatoria división en lotes.

Además, se introducen otras novedades o precisiones en el ámbito de aplicación, se limita la duración de los contratos o la revisión de precios para algunas entidades contratantes, se detalla mucho más la preparación y adjudicación de los contratos, se impulsa el uso de medios electrónicos en este tipo de contratos, o las consultas preparatorias al mercado, se refuerzan las obligaciones de publicidad y transparencia, se modifica también el régimen de reclamación, introduciendo por primera vez la referencia expresa al arbitraje, y se extiende el ámbito de aplicación de las prohibiciones de contratar de la Ley 9/2017 respecto de todas las entidades contratantes, también las privadas, y no solo respecto de los poderes adjudicadores y empresas públicas, como hacía la Ley 31/2007.

Según hemos mencionado, en muchos de estos aspectos las novedades del Real decreto-ley 3/2020 lo son para asemejar su régimen al de la contratación pública en sentido estricto en el sentido que propugnaba el considerando (6) de la Directiva 2014/25: «*es conveniente que el concepto de contratación sea lo más cercano posible al aplicado con arreglo a la Directiva 2014/24/CE* [transpuesta por la Ley 9/2017] *teniendo debidamente en cuenta las especificidades de los sectores a los que se aplica la presente Directiva*». Muchas de las menciones que a continuación haremos son próximas a la regulación que de las mismas materias hace la Ley 9/2017. Con todo, la regulación en contratos de sectores especiales es por principio más laxa y menos estricta que la de los contratos del sector público. Sin embargo, se verá que la rigidez ha aumentado en algunos aspectos.

2.2 Ámbito de aplicación

2.2.1 Cómo se define el ámbito de aplicación

El ámbito de aplicación de la legislación de contratos de sectores especiales ha sido desde el origen de esta normativa uno de los aspectos que más dudas interpretativas ha planteado. El análisis debe hacerse en función de la entidad contratante, pero también según el ámbito en que esté actuando, el tipo de contrato y su valor estimado. Una vez realizado este cuádruple análisis puede llegar a determinarse si, en principio, para ese contrato concreto, la entidad debería seguir el procedimiento establecido en la legislación de contratos de sectores especiales. Antes de responder definitivamente, debe analizarse si el contrato está entre las exclusiones que también ha definido tradicionalmente la norma.

El Real decreto-ley 3/2020 mantiene este esquema. El artículo 5 define las entidades contratantes incluidas potencialmente en su ámbito de aplicación. Por entidad contratante han de entenderse los poderes adjudicadores que no tengan la condición de Administración pública y las empresas públicas, en el sentido definido en la Ley 9/2017. Además, se sujetan al Real decreto-ley las entidades distintas de las anteriores, pero sólo en la medida en que actúen en ejercicio de derechos especiales o exclusivos, según se define en el artículo 6 y el artículo 2, letras y) y z).

El nexo común a ambos supuestos es que la entidad sea titular de un derecho concedido por los órganos competentes de una Administración pública que tenga como efecto limitar el ejercicio de una actividad a un único operador económico (derecho exclusivo) o una serie de operadores económicos (derecho especial), y que en ambos casos afecte sustancialmente a la capacidad de los demás operadores económicos de ejercer una actividad. Hasta aquí no hay novedades con respecto a la Ley 31/2007.

2.2.2 Se delimitan en mayor medida los derechos exclusivos o especiales

Tal y como señala el considerando (20) de la Directiva 2014/25, el concepto de derechos exclusivos o especiales es fundamental para la definición del ámbito de aplicación de esta norma, y las entidades distintas de los poderes adjudicadores y las empresas públicas sólo deben sujetarse a la Directiva, y al Real decreto-ley, en la medida en que desarrollen una de las actividades cubiertas sobre la base de tales derechos. De ahí que la Directiva (artículo 4.3), y el Real decreto-ley (artículo 6.2), aclaren que no se considerarán derechos especiales o exclusivos aquéllos que se hayan concedido mediante un procedimiento basado en criterios objetivos que haya sido objeto de una publicidad adecuada, y que no contravengan el Derecho de la Unión Europea. En esta línea se había pronunciado el informe de la Junta Consultiva de Contratación Administrativa de Aragón número 12/2016, de 21 de junio, defendiendo que el derecho especial o exclusivo implica la existencia de un monopolio de explotación. Y éste es el sentido también del pronunciamiento del Consejo de Estado en su dictamen número 1115/2015, de 10 de marzo de 2016, sobre el anteproyecto de ley que pretendía transponer la Directiva y que caducó según hemos mencionado. Aquel dictamen del órgano consultivo destaca que los derechos exclusivos o especiales se refieren a sectores que no están abiertos a la competencia.

Con la misma intención de limitar la aplicación de la norma a aquellos casos en los que las entidades, distintas de las empresas públicas y los poderes adjudicadores, actúen en ejercicio de un derecho especial o exclusivo en el ámbito de las actividades que regula, el Real decreto-ley elimina el listado de entidades titulares de derechos exclusivos o excluyentes que la Ley 31/2007 establecía en su Anexo 1. Todas aquellas entidades tradicionalmente incluidas en ese Anexo 1 como titulares de derechos exclusivos o especiales y que estaban necesariamente sujetas a su ámbito de aplicación ahora sólo lo estarán si efectivamente actúan en ejercicio de un derecho exclusivo o especial, análisis que deberá hacerse caso por caso.

2.2.3 Actividades y contratos sujetos

Las entidades contratantes estarán sujetas al Real decreto-ley cuando el contrato en cuestión se celebre en el ámbito de una o más de las actividades contenidas en los artículos 8 a 14 del Real decreto-ley, esto es, agua (art. 8), gas y calefacción (art. 9), electricidad (art. 10), servicios de transporte (art. 11), puertos y aeropuertos (art. 12), servicios postales (art. 13) y prospección y extracción de petróleo, gas, carbón y otros combustibles sólidos (art. 14). La entidad contratante sólo estará sujeta a las normas de contratación del Real decreto-ley cuando actúe en estos sectores con el alcance estricto que definen esos artículos, no cuando el contrato se materialice para finalidades distintas.

Si la entidad actúa en ejercicio de sus derechos exclusivos o especiales, en el ámbito de los sectores que se definen en los artículos 8 y siguientes, el contrato estará sujeto al Real decreto-ley si es un contrato de obras, de suministro y de servicios con valor estimado igual o superior al del artículo 1.1 del Real decreto-ley[2], o si es un contrato de concesión de obras o de servicios en las actividades de los artículos 9 y siguientes con valor estimado igual o superior a 5.382.000 euros (art. 1.2 del Real decreto-ley). La deter-

---

[2]   Actualizado en sus umbrales por la Orden HFP/1499/2021, de 28 de diciembre.

minación de si nos encontramos ante uno de estos contratos típicos debe hacerse sobre la base de las definiciones del artículo 2 del Real decreto-ley.

En los contratos no incluidos en esos importes son de aplicación los principios del Tratado de Funcionamiento de la Unión Europea en materia de contratos públicos.

La novedad es la inclusión del contrato de concesión por primera vez en el ámbito de aplicación de la normativa sobre contratación en estos sectores. La definición del contrato de concesión es la de la Directiva 2014/23, y, por tanto, coincidente con la definición del contrato de concesión que realiza la Ley 9/2017: contrato que presente las mismas características que el contrato de obras, o de servicios, con la salvedad de que la contrapartida de las obras o de la prestación de servicios consista, o bien únicamente en el derecho a explotar la obra o el servicio, o bien en dicho derecho acompañado de un precio. En todo caso el derecho a explotar deberá implicar la transferencia al concesionario del riesgo operacional. Este último se define en el apartado h) del artículo 2 siguiendo la redacción literal de la Directiva. En esencia, el riesgo operacional coincide con nuestro tradicional riesgo y ventura[3].

La inclusión del contrato de concesión en el ámbito de la contratación en estos sectores es limitada. El artículo 1.2 del Real decreto-ley aclara los contratos de concesión que quedan en todo caso fuera de su ámbito de aplicación. Entre otros, contratos de concesión en las actividades en el sector del agua, o los contratos de concesión de servicios adjudicados a un operador económico sobre la base de un derecho exclusivo del que dicho operador goce cuyo otorgamiento se haya hecho respetando las normas comunes de acceso al mercado, entre otros.

2.2.4 Las exclusiones

El ámbito de aplicación se termina de definir con las exclusiones. Además de las mencionadas para el contrato de concesión (artículo 1.2), el Real

---

[3]   MAGIDE, Mariano. *Algunas reflexiones a la luz de la nueva Ley de Contratos del Sector Público, en particular sobre los contratos de concesión*, Actualidad Jurídica Uría Menéndez / ISSN: 2174-0828 / 46-2017 / 40-55.

decreto-ley realiza una regulación mucho más exhaustiva y pormenorizada de otras exclusiones ya existentes en la anterior normativa (artículos 17 a 26).

Algunos aspectos destacables de esta nueva regulación en materia de exclusiones pueden ser los siguientes.

Se mantiene la exclusión de actividades sometidas directamente a la competencia con algunas precisiones. Entre ellas, el artículo 17, apartado 2, aclara ahora que la evaluación de la competencia a que se hace referencia en este artículo se entenderá «*sin perjuicio de la aplicación del Derecho de la competencia*». Y añade que para evaluar si estamos o no ante esta exclusión, habrá de tenerse en cuenta el mercado para las actividades en cuestión y el mercado geográfico. A continuación, define qué ha de entenderse por «*mercado geográfico de referencia*» en términos muy similares a los que vienen usándose en el Derecho de la competencia. Por lo demás, se mantiene la obligación de informar a la Comisión Europea acompañando el criterio que sobre la efectiva liberalización de la actividad y la procedencia de exclusión de aplicación del Real decreto-ley tengan la Comisión Nacional de los Mercados y la Competencia, o el organismo autonómico equivalente.

Como ya hemos mencionado en el apartado anterior, todos los contratos que las entidades contratantes adjudiquen para fines distintos de la realización de las actividades de los artículos 8 a 14, quedan excluidos, como hasta ahora, de la legislación en contratos de sectores especiales, como también lo están aquellos contratos para el ejercicio de esas actividades en países terceros.

Adicionalmente a las del artículo 1.2 para el contrato de concesión, el artículo 20 del Real decreto-ley suma a las exclusiones aquellas concesiones cuyo objeto principal sea permitir a las entidades contratantes la puesta a disposición o la explotación de redes públicas de comunicaciones o la prestación al público de uno o varios servicios de comunicaciones electrónicas.

El artículo 23 añade algunos supuestos a las tradicionales exclusiones en los contratos para la defensa y la seguridad.

Siguiendo la Directiva, el Real decreto-ley 3/2020 se refiere por primera vez a los encargos a medios propios en el ámbito de los contratos en los sectores del agua, la energía, los transportes y los servicios postales. La regulación se hace remitiéndose al régimen de la Ley 9/2017 y, en concreto, a su artículo 32, de manera que las entidades contratantes que sean poderes adjudicadores podrán organizarse ejecutando de manera directa prestaciones propias de los contratos de obras, suministros, servicios y concesión que no impliquen el ejercicio de una potestad pública, a cambio de una compensación tarifaria, valiéndose de otra persona jurídica distinta a ellos, pública o privada, previo encargo a ésta, siempre que se cumplan los requisitos del artículo 32 de la Ley 9/2017. Recordemos que, entre otros, esos requisitos son: control de la entidad que encomienda sobre su medio propio, y que más del ochenta por ciento de la actividad del medio propio se realice para la entidad que lo controla.

El Real decreto-ley aclara ahora que los convenios quedan fuera de su ámbito de aplicación cuando se trate de un acuerdo entre dos poderes adjudicadores independientes. La aplicación de la exclusión se hace depender de tres requisitos: que el convenio se firme para lograr objetivos comunes con el objetivo de garantizar los servicios públicos que competen a ambos poderes; que la cooperación tenga como único propósito consideraciones de interés público; y que las entidades no tengan vocación de mercado, la cual se presumirá cuando realicen en el mercado abierto un porcentaje igual o superior al veinte por ciento de las actividades objeto de la colaboración. No se regula la exclusión para el resto de entidades contratantes, pero ha de entenderse que así es puesto que por definición un convenio difiere de los contratos típicos a los que aplica el Real decreto-ley.

Por último, puede mencionarse que el Real decreto-ley mantiene la exclusión de los contratos con empresas asociadas o conjuntas. Se mantiene el requisito del ochenta por ciento del promedio de volumen de negocios de la entidad asociada con la entidad contratante, y se añade que el cumplimiento de ese porcentaje en los últimos tres años quede reflejado en las cuentas anuales de la empresa asociada y sea objeto de valoración en el informe de auditoría. Además, se aclara que los contratos que celebren las empresas asociadas quedarán sometidos al Real decreto-ley en los términos que sean procedentes, de manera que no pueden entenderse excluidos por la exclusión previa de la adjudicación a la entidad asociada.

2.3 Preparación y adjudicación de los contratos

Las novedades consisten en una regulación más exhaustiva y detallada de los procedimientos de contratación y adjudicación, y un menor margen de maniobra para las entidades contratantes. No se alcanza el grado de detalle ni la rigidez de la legislación en materia de contratos de las Administraciones públicas, pero sí hay un mucho mayor detalle del procedimiento, y una aproximación al régimen de la Directiva 2014/24, y de la Ley 9/2017.

2.3.1 Principios de contratación, prácticas colusorias y prohibiciones de contratar

Con carácter previo a la regulación del procedimiento de licitación y adjudicación, el artículo 27 desarrolla en mayor medida los principios de la contratación que enunciaba el anterior artículo 19 de la Ley 31/2007. Los contratos que se adjudiquen y ejecuten en virtud del Real decreto-ley se ajustarán los principios de no discriminación, de reconocimiento mutuo, de proporcionalidad, de igualdad de trato, de transparencia y, añade el Real decreto-ley, de competencia.

En materia de competencia, el artículo 27.3 adelanta el principio que se desarrolla en el artículo 59, aproximándose de nuevo a la regulación de la Ley 9/2017. El artículo 59 encomienda a las entidades contratantes, a la Junta Consultiva de Contratación Pública del Estado (u órgano autonómico equivalente), y a los tribunales administrativos en materia de contratos, velar por la libre competencia durante todo el procedimiento de adjudicación debiendo dar parte a las autoridades en materia de competencia de cualesquiera hechos de los que tengan conocimiento que puedan constituir una infracción a la legislación de defensa de la competencia. El artículo 72 del Real decreto-ley prevé, como la Ley 9/2017, la suspensión del procedimiento de adjudicación cuando el órgano de contratación dé parte de indicios de prácticas colusorias en el procedimiento a las autoridades de competencia. Sin embargo, como en la Ley 9/2017, se remite a un futuro reglamento el procedimiento para materializar esta suspensión y sus efectos, reglamento que aún no se ha aprobado[4]. El artículo 31.5 del Real decreto-ley se ha-

---

[4]   Sobre este aspecto puede consultarse el informe de la Comisión Nacional de los Mercados y la Competencia de 22 de noviembre de 2018, INF/CNMC/085/2018 sobre el artículo 150 de la Ley 9/2017, de 8 de noviembre, de Contratos del Sector Público por la que se transponen al ordenamiento jurídico español las directivas del Parla-

ce eco de la presunción de la que parte la Ley 9/2017 en relación con las agrupaciones de empresarios y prevé la notificación de indicios de prácticas colusorias específicamente en el caso de empresas que concurran agrupadas en una unión temporal.

El resto del artículo 27 insiste en uno de los objetivos principales de la Directiva 2014/25: la incorporación de manera transversal y preceptiva de criterios sociales y medioambientales tanto en la preparación y adjudicación del contrato (apartado 2 del artículo 27), como en su ejecución (apartado 4 del artículo 27). El incumplimiento de estos criterios puede dar lugar a la imposición de penalidades.

La mayor regulación de la contratación en estos sectores se evidencia también en la inclusión por primera vez del régimen general de las prohibiciones de contratar para todas las entidades contratantes, no sólo para los poderes adjudicadores y empresas públicas. Las prohibiciones de contratar serán de aplicación obligatoria en los procedimientos de licitación sujetos al Real decreto-ley con el alcance y los efectos previstos en la Ley 9/2017. En los casos en que la entidad contratante sea una empresa que tenga derechos especiales o exclusivos, la prohibición de contratar será declarada por el titular del departamento, presidente o director del organismo que le hubiera concedido estos derechos.

2.3.2 Contenido mínimo de pliegos y contrato, procedimientos de contratación, duración de los contratos, y criterios de adjudicación

Por primera vez se establece el contenido mínimo de los pliegos (artículo 43.1) y del propio contrato (artículo 53).

Según hemos descrito en el apartado 1 de este trabajo, la Directiva quiere fomentar el uso de los criterios sociales, laborales y medioambientales en la contratación de estos sectores, y lo hace al incluirlos como criterios de

---

mento Europeo y del Consejo 2014/23/UE y 2014/24/UE. Este informe se emitió por la Sala de Competencia de la Comisión en respuesta a la solicitud de la Subsecretaría de Hacienda y Función Pública en relación con el desarrollo reglamentario del artículo 150 de la Ley 9/2017, equivalente al 72 del Real decreto-ley.

adjudicación y como condiciones especiales de ejecución, cuyo incumplimiento dará lugar a la imposición de penalidades.

El fomento de la participación de las pequeñas y medianas empresas está detrás de la obligada división en lotes de los contratos, salvo causa justificada, de forma paralela al régimen de contratación del sector público en general (artículo 52 del Real decreto-ley).

El Real decreto-ley 3/2020 contempla por primera vez la iniciativa privada en esta contratación, aunque de manera muy tímida, desaprovechando, en este punto, como sucedió en la transposición de las Directivas 2014/23 y 2014/24, la posibilidad de fomentar esa iniciativa en mayor medida. De este modo, el artículo 41 se limita a prever las consultas preliminares del mercado con operadores económicos acerca de sus planes y de los requisitos que exigirán para concurrir al procedimiento. No hay mención en el Real decreto-ley 3/2020 a la posibilidad de estudios de viabilidad o proyectos privados que puedan terminar canalizándose como contratos de concesión, que es a lo que se limitan, al menos, los artículos 28 y 247 de la Ley 9/2017. A nuestro juicio, el silencio del Real decreto-ley en este punto no debe entenderse como prohibición, de manera que nada impediría a las entidades contratantes lanzar un procedimiento para la celebración de un contrato de concesión de servicios u obras que se hubiera basado previamente en una propuesta del sector privado.

La Sección 3ª del Capítulo III del Título IV del Real decreto-ley regula ahora con detalle los tipos de procedimiento que la anterior Ley 31/2007 sólo enumeraba en el artículo 58 dejando libertad a las entidades contratantes en cuanto a su articulación, excepto en la aplicación del procedimiento negociado sin publicidad, que sólo podía aplicarse en los supuestos tasados del artículo 59. Ahora los artículos 81 y siguientes contienen una regulación más detallada, dejando libertad a las entidades contratantes para optar entre el procedimiento abierto, el restringido, de licitación con negociación, de diálogo competitivo y de asociación para la innovación, siempre que se haya efectuado una convocatoria de licitación previa. El procedimiento negociado sin publicidad sólo podrá usarse en los casos del artículo 85 del Real decreto-ley. Por tanto, a diferencia de lo que ocurre para los contratos del sector público (Ley 9/2017) que sólo podrán licitarse por procedimiento con negociación en los casos legalmente previstos, las entidades contratantes podrán recurrir al procedimiento de licitación con negociación con total libertad, debiendo únicamente justificar su elección en el expediente de contratación.

El Real decreto-ley mantiene la regulación de las técnicas de racionalización de la contratación, pero con mayor detalle. Se prevé la contratación conjunta esporádica y la contratación con intervención de entidades contratantes de diferentes Estados miembros (artículos 89 y 90). Los sistemas dinámicos de adquisición, las subastas electrónicas y los concursos de proyectos también se regulan con exhaustividad. La referencia a los acuerdos marco se encuentra en el artículo 92 que ahora limita su duración a los ocho años, salvo en casos excepcionales debidamente justificados.

La limitación de la duración de los contratos es una novedad relevante del Real decreto-ley que enlaza con la decisión del legislador europeo de regular por primera vez los efectos de los contratos en este ámbito. Además de los ocho años máximos del acuerdo marco, el artículo 54 extiende el régimen de duración de los contratos previsto en la Ley 9/2017 para las entidades contratantes pertenecientes al sector público. En el caso de los contratos de concesión, su duración se limita para todas las entidades contratantes, también las de naturaleza privada. Con carácter general, su plazo de duración se calculará en función de las obras y los servicios que constituyan su objeto sin que con carácter general se extienda más allá de cinco años, excepto para el caso en que de manera motivada la entidad contratante calcule de forma razonable un plazo mayor para recuperar las inversiones junto con un rendimiento sobre el capital invertido.

El artículo 66 del Real decreto-ley incorpora a la contratación en estos sectores la obligación de adjudicar utilizando una pluralidad de criterios con base en la mejor relación calidad-precio, y, como ocurre en la Ley 9/2017, excepcionalmente con arreglo a la mejor relación coste-eficacia, sobre la base del precio o coste según el ciclo de vida definido en el artículo 67. En los apartados 2 a 11 del artículo 66 se regula la aplicación de los criterios de adjudicación, así como algunos ejemplos de los criterios medioambientales o sociales que pueden utilizarse.

2.4 Cumplimiento y efectos de los contratos: condiciones especiales, subcontratación y modificaciones

El Título VI del Real decreto-ley supone, siguiendo la Directiva, lo que puede denominarse un cambio de paradigma para la contratación en estos sectores. Por primera vez, la legislación sobre esta materia regula algunos aspectos de la ejecución y extinción de los contratos.

La Directiva 2014/25 y el Real decreto-ley regulan con carácter imperativo y para todas las entidades contratantes, no sólo las del sector público, condiciones de ejecución del contrato de carácter social, ético, medioambiental o de otro orden (artículo 105).

La subcontratación, único aspecto de la ejecución sobre el que se pronunciaba la anterior normativa, se regula ahora con carácter más exhaustivo. Desaparece el límite del sesenta por ciento para la subcontratación, y, sólo, excepcionalmente cuando lo establezcan los pliegos en los supuestos de la letra d) del apartado 2 del artículo 107, podrá limitarse la subcontratación si la prestación o parte de la misma ha de ser ejecutada directamente por el contratista. Por lo demás, la subcontratación, aunque sin límite porcentual, ha de ajustarse a los términos del artículo 107, similares a las reglas de la Ley 9/2017. El incumplimiento de estas condiciones podrá dar lugar a la imposición de penalidades e incluso a la resolución del contrato.

El artículo 108 del Real decreto-ley prevé ahora, como hace la legislación de contratos del sector público, algunas disposiciones de obligado cumplimiento por los contratistas para los pagos a subcontratistas; y la comprobación de los pagos a subcontratistas por las entidades contratantes. La disposición adicional séptima completa el artículo 108 al regular los pagos directos a los subcontratistas cuando esté previsto en los pliegos y se cuente con la conformidad del contratista principal,

A nuestro juicio, especialmente relevante es la introducción en el Real decreto-ley, por imperativo de la Directiva, del régimen de modificación de los contratos del sector público. Es un condicionante y una limitación importante que, hasta ahora, no era de directa aplicación para los contratos en estos sectores y que, sin duda, impone una clara restricción a la libertad de actuación de las entidades contratantes.

Con la entrada en vigor del Real decreto-ley, las modificaciones de los contratos celebrados a su amparo sólo podrán ser modificados en los casos previstos en el pliego con las condiciones y requisitos de claridad y exactitud que establece el pliego (artículo 110 del Real decreto-ley), y con el límite máximo del veinte por ciento del precio inicial.

Fuera de los casos anticipados en los pliegos, los contratos sólo podrán modificarse en los casos del artículo 111, equivalentes a los de la legislación de contratos del sector público, es decir: cuando sea necesario añadir obras, servicios o suministros, no sea posible el cambio de contratista, y la modificación no alcance, aislada o conjuntamente con otras modificaciones, el cincuenta por ciento del precio inicial; por necesidades sobrevenidas e imprevisibles en el momento de la licitación siempre que se cumplan los requisitos del artículo 111.2.b); por cambio en la entidad contratista; o cuando las modificaciones no sean sustanciales.

En este último caso, la modificación tendrá que ser objeto de especial justificación y el apartado d) del artículo 111.2 define cuándo en todo caso debe presumirse que la modificación es sustancial. Entre otras causas, la modificación se entenderá sustancial cuando se introduzcan unidades de obra nuevas cuyo importe representaría más del cincuenta por ciento del presupuesto inicial del contrato, o se amplíe de forma importante el ámbito del contrato (alteración de la cuantía del quince por ciento del precio inicial, o de un diez por ciento, según se trate del contrato de obras o del resto de contratos).

Para los poderes adjudicadores se impone un condicionante adicional. Éstos deberán recabar autorización del Departamento ministerial, previo dictamen preceptivo del Consejo de Estado, en las modificaciones no previstas en los pliegos cuya cuantía, aislada o conjuntamente, sea superior a un veinte por ciento del precio inicial del contrato.

Las modificaciones deben publicarse en el perfil del contratante, y si se trata de modificaciones que añadan obras o se deban a circunstancias sobrevenidas e imprevisibles (apartados a) y b) del artículo 111.2) se publicarán adicionalmente en el Diario Oficial de la Unión Europea. La importancia de esta publicación se entiende también por la posibilidad de recurso contra la misma.

Las entidades contratantes mantienen la libre autonomía para determinar las causas y efectos de la resolución, excepto para las asociadas a las modificaciones. En los casos en que sea necesario llevar a cabo una modificación, y no se cumplan los requisitos de los artículos 110 y 111, las entidades contratantes podrán resolver el contrato.

2.5 Régimen de reclamación

El Real decreto-ley también incorpora novedades en el régimen de reclamación. La Ley 31/2007 ya había hecho la primera aproximación a la legislación de contratos del sector público en este punto, y los tribunales administrativos de recursos contractuales eran ya competentes para conocer las reclamaciones en materia de contratos de sectores especiales.

Ahora, el Real decreto-ley remite el régimen jurídico y procedimiento de las reclamaciones que se interpongan ante los tribunales administrativos a la Ley 9/2017, incluido el artículo 49 de esta última sobre adopción de medidas cautelares, y se asemejan los actos susceptibles de recurso bajo el Real decreto-ley a los actos administrativos (artículo 121.1 del Real decreto-ley).

Entre las actuaciones susceptibles de reclamación, el artículo 119 incorpora, como hizo la Ley 9/2017, las modificaciones basadas en el incumplimiento del Real decreto-ley, así como la formalización de los encargos a medios propios personificados y los contratos celebrados con empresas asociadas y conjuntas.

El Real decreto-ley difiere de la Ley 9/2017 en la solución extrajudicial de conflictos, que se regula en el artículo 123 para las diferencias que puedan surgir sobre los efectos, cumplimiento, y extinción de los contratos, no así para los aspectos de la preparación y adjudicación. Cuando el pliego no señale la composición del órgano arbitral, y no exista acuerdo sobre la misma entre la entidad contratante y el contratista, la competencia para resolver el arbitraje corresponderá al tribunal administrativo de recursos contractuales.

2.6 Otras novedades

La Directiva 2014/25 y el Real decreto-ley incorporan otras novedades, que pasamos a comentar brevemente.

Se fomenta el uso de los medios electrónicos que no estaba tan presente en la Ley 31/2007, como sí lo estaba en la legislación de contratos del sector público. Por eso el Real decreto-ley exige con carácter general que se dé acceso a los pliegos por medios electrónicos a través del perfil de contratante, e imponen que todas las entidades contratantes tengan un perfil de contratante alojado bien en la Plataforma de Contratación del Sector Público, o bien en otra equivalente. En el perfil del contratante así alojado habrá de darse publicidad a la práctica totalidad de los anuncios, los actos, resoluciones, etcétera, que se dicten a lo largo del procedimiento de contratación o durante la ejecución, por ejemplo para el caso de las modificaciones. La comunicación deberá ser electrónica, salvo las excepciones tasadas en el Real decreto-ley.

También se traslada a la legislación de contratos de sectores especiales el uso del documento europeo único de contratación, como declaración responsable que ha de servir de prueba preliminar del cumplimiento de los requisitos para contratar.

El fomento de los criterios medioambientales, sociales y laborales se materializa igualmente en la imposición a las entidades contratantes de rechazar ofertas durante el procedimiento de ofertas anormalmente bajas cuando se detecte que no cumplen esas obligaciones, pudiendo incluso no adjudicar el contrato a la mejor oferta cuando la misma no cumpla estas obligaciones.

Es importante destacar que la revisión de precios se limita de igual manera que en la Ley 9/2017 para las entidades contratantes que formen parte del sector público (artículo 53.3 del Real decreto-ley). A los contratos de estas entidades bajo el Real decreto-ley se debe aplicar el artículo 103 de la Ley 9/2017.

En materia de gobernanza, se reconoce la competencia de la Junta Consultiva de Contratación Pública del Estado, el Comité de Cooperación en materia de contratación pública y la Oficina Independiente de Regulación y de Supervisión de la Contratación, en los términos de la Ley 9/2017 ahora para abarcar también la contratación sujeta al nuevo Real decreto-ley (artículo 126 del Real decreto-ley).

3. VALORACIÓN Y PERSPECTIVAS

Cerramos este comentario a las novedades del Real decreto-ley con algunas ideas.

Debe esperarse que la nueva regulación en materia de contratos de los sectores especiales sufra algún ajuste como consecuencia de la aprobación del proyecto de ley[5] que se está tramitando actualmente, por lo que habrá de estarse atentos a posibles modificaciones en el corto plazo.

Con el texto vigente, el Real decreto-ley se ha limitado a transponer, sin muchas novedades, la Directiva 2014/25. El objetivo de la Directiva es el fomento de la contratación de las pequeñas y medianas empresas, y el incentivo de la aplicación de los criterios medioambientales, sociales y laborales. Ese propósito, compartido con las Directivas 2014/23 y 2014/24, aproxima la legislación de contratos en los sectores especiales a la Ley 9/2017.

El Real decreto-ley aclara algunos aspectos del ámbito de aplicación de esta normativa. Se definen con mayor concreción las exclusiones y desaparece el listado de entidades contratantes sujetas en todo caso a sus previsiones. Ahora bien, la nueva regulación es mucho más exhaustiva y resta libertad a las entidades contratantes en estos sectores, que ahora tienen que sujetar la adjudicación de sus contratos a normas de procedimiento mucho más tasadas, y, lo que es más novedoso, observar esta normativa también para algunos aspectos de la ejecución y efectos de los contratos, como sus modificaciones.

Debe llamarse la atención sobre la inclusión del contrato de concesión en los contratos de los sectores especiales, así como la aplicación de las prohibiciones de contratar a todas las entidades contratantes no sólo a las que

---

5   Como señala GIMENO FELIÚ, J. M., sería esperable que el proyecto de ley se aprovechara para «*una mejora técnica de la propia LCSP no solo para "cerrar" el tema de los contratos menores (y la simplificación de los procedimientos), sino para depurar conceptualmente cuando un negocio o relación jurídica tiene consideración de contrato público (o no). También se debe aclarar el ámbito del recurso especial para evitar problemas interpretativos sobre su alcance y preservar el "efecto útil" del derecho europeo, así como mejorar el sistema de gobernanza de contratación pública (la OIRESCON debe rediseñarse desde la óptica de autoridad independiente)*».

formen parte del sector público, y la limitación de las modificaciones también en este ámbito.

Bibliografía

BERMEJO VERA, José. *El régimen de contratación pública en los sectores especiales del agua, la energía, los transportes y los servicios postales*, Revista de Administración Pública, número 176 de 2008, págs. 115-159.

CODINA GARCÍA-ANDRADE, Xavier. *Los dos modelos de regulación de los acuerdos marco ante las nuevas Directivas*, Observatorio de Contratación Pública, 21 de julio de 2014.

GIMENO FELIÚ, José María. *La nueva regulación de la contratación en los sectores especiales. Novedades del Real Decreto Ley 3/2020*, Observatorio de Contratación Pública, 16 de marzo de 2020.

MAGIDE, Mariano. *Algunas reflexiones a la luz de la nueva Ley de Contratos del Sector Público, en particular sobre los contratos de concesión*, Actualidad Jurídica Uría Menéndez, número 46 de 2017, págs. 40-55.

SEGOVIA MARCO, Alicia, y PICÓ BARANDIARÁN, Elena. *El Real Decreto-Ley de Sectores Excluidos*, Actualidad Jurídica Uría Menéndez, número 53 de 2019, págs. 134-141.

Expoliación de bienes del patrimonio histórico español: las administraciones como posibles sujetos activos y las competencias del estado

Oscar Sáenz de Santa María Gómez-Mampaso

Abogado del Estado-Jefe en el Ministerio de Industria, Comercio y Turismo

SUMARIO: 1. INTRODUCCIÓN. 2. LA EXPOLIACIÓN: CONCEPTO Y ASPECTOS SUBJETIVO Y OBJETIVO. 3. ÁMBITO DE PROCEDIMIENTOS Y COMPETENCIA ESTATAL Y AUTONÓMICA. 4. PROCEDIMIENTO ESTATAL Y COMPETENCIA PARA RESOLVER EL MISMO. 5. EXPOLIACIÓN Y POSIBILIDAD DE CAMBIOS EN LA PROTECCIÓN PATRIMONIAL DE INMUEBLES.

1. INTRODUCCIÓN

Fuera de otros conceptos de expoliación, como en el caso del seguro, o del significado de expoliar para la RAE («*Despojar algo o a alguien con violencia o con iniquidad*») en el presente artículo nos centramos en el aspecto de la expoliación que se contempla incluso en la Constitución española, cuyo artículo 149.1.28ª reconoce como competencia estatal la defensa contra la expoliación del patrimonio cultural.

Y es lo cierto que la invocación de esta figura no es en absoluto frecuente, pero no lo es menos que cuando se menta la trascendencia mediática es enorme, como grandes son, igualmente, las pasiones que estos casos levantan.

Por citar algunos, sin ánimo de exhaustividad, polémicas como la del Claustro de Jerónimos y el Museo del Prado, el valenciano barrio del Cabanyal, el Archivo General de la Guerra Civil española, la Fragata Mercedes o el complejo Canalejas-Sevilla en Madrid capital, son ejemplos muy mediáticos del alcance de esta figura y del empleo de la misma para la recta protección del patrimonio cultural, o también, por qué no decirlo, de su uso para fines más políticos o, si se quiere, «arrojadizos».

De ahí que en no pocas ocasiones las Administraciones territoriales deban afrontar estas cuestiones, para algunas cual «patata caliente» que pasar a otras; para otras como herramienta jurídica cuyo empleo no les es posible, por aspectos competenciales, o que desearían usar de manera diversa a la prevista.

En cualquier caso, los mecanismos de defensa contra la expoliación, bien empleados, son herramientas útiles que, con la debida coordinación entre las Administraciones implicadas, bien pueden conducir a que estas situaciones se produzcan con dificultad, o a que se obstaculice a quien pretenda realizarlas; y, mal empleados, se convierten en llanas peleas de barro políticas, de incierto fin jurídico.

De todo ello, desde una perspectiva de las competencias estatales en la materia, trataremos en este artículo.

2. LA EXPOLIACIÓN: CONCEPTO Y ASPECTOS SUBJETIVO Y OBJETIVO

El artículo 4 de la Ley 16/1985, de 25 de junio, de Patrimonio Histórico Español (en adelante, LPHE) entiende por expoliación «*toda acción u omisión que ponga en peligro de pérdida o destrucción todos o alguno de los valores de los bienes que integran el Patrimonio Histórico Español o perturbe el cumplimiento de su función social*».

Tan amplia definición remite al empleo de otros conceptos, entre los que prima esencialmente el de Patrimonio Histórico y su contenido, que no se dilucida en este breve texto, pero entre los que también brillan otros como «valores» o «función social», de delimitación jurídica en absoluto sencilla.

Por otro lado, los aspectos subjetivo y objetivo del procedimiento de expoliación se regulan en el artículo 57 bis del Real Decreto 111/1986, de 10 de enero, reglamento de la anterior (RPHE).

Siguiendo estas normas, desde una perspectiva subjetiva, la expoliación puede causarla, por acción u omisión, cualquier sujeto de derecho, físico o jurídico, público o privado; y desde la objetiva, tal acción podrá ser material o física, pero también cabe que sea jurídica, incluso desde una perspectiva omisiva, cuando un instrumento jurídico del orden que sea pueda ser generador del peligro de pérdida o destrucción al que la expoliación se refiere.

Tanto el precepto legal como el del reglamento permiten entender que tales acciones u omisiones puedan ser realizadas, bien por el propio titular del bien, bien directamente o por omisión por las que se califican de «Administraciones competentes», incluso por omisión de acción, si media previo requerimiento del Ministerio competente en materia de cultura.

El que las diferentes Administraciones puedan ser sujetos activos de una expoliación es una posibilidad en absoluto inédita, pues ya se contempló en la Sentencia del Tribunal Supremo de 13 de marzo de 2008 (Sala de lo Contencioso-Administrativo, Sección 5ª, casación núm. 4048/2005), que con cita de la previa de 11 de diciembre de 2006 (Sala de lo Contencioso-Administrativo, Sección 7ª, casación núm. 5689/2001), señala que «*esta configuración amplia del concepto de expoliación obliga a admitir que el protagonista o autor del expolio puede ser un órgano administrativo*», añadiendo que «… *cuando se formula una denuncia en ese sentido ante la Administración del Estado ésta debe proceder con singular prudencia, especialmente cuando, como sucede en el caso que nos ocupa, de la propia denuncia se desprende que las obras que el denunciante califica de expolio se encuentran respaldadas por un proyecto promovido y aprobado por las Administraciones Local y Autonómica que tienen competencias para ello».*

En consecuencia, y respecto la vertiente subjetiva del procedimiento, el Tribunal Supremo reconoce la posibilidad de que los sujetos activos de la expoliación puedan ser incluso Administraciones públicas, mas añade a renglón seguido la obligada prudencia de la Administración estatal en estos casos, cuestión en la que luego se incidirá.

En lo que se refiere al objeto de la expoliación, el artículo 4 de la LPHE refiere como objetos de protección frente a la expoliación *«los bienes que integran el Patrimonio Histórico Español»*, definiéndose los mismos en el artículo 1.2 del mismo texto como *«los inmuebles y objetos muebles de interés artístico, histórico, paleontológico, arqueológico, etnográfico, científico o técnico»*, entre otros posibles (recordemos que el precepto habla incluso de «valores» y «función social») que no vienen al caso.

Como sin dificultad cabe extraer de los anteriores preceptos, la generalidad del concepto de Patrimonio Histórico español, que permite intervenir en un expediente de expolio, es amplísima, hasta el punto que tal concepto se condiciona por el «interés» que susciten los bienes en cuestión, sin que la ley ofrezca más especificaciones al respecto.

Ello obliga a entender que cualquier bien que revista ese «interés» podrá insertarse en el examen de un expediente de expoliación, mas tal circunstancia no implica prescindir del examen de cuáles han sido los instrumentos jurídicos que han suscitado tal interés.

En este sentido, resulta inicialmente clarificador lo señalado en la Sentencia del Tribunal Constitucional 17/1991, de 31 de enero, fundamentos séptimo y décimo, en relación con el alcance y extensión del concepto de expoliación:

> *«SÉPTIMO.- El recurso planteado por la Generalidad de Cataluña y el del Gobierno vasco cuestionan la constitucionalidad del concepto de expoliación utilizado por el art. 4 de la Ley, precepto que, sin duda, trata de intensificar la protección respecto de estos bienes enunciando una definición amplia del término.*

Dos son los argumentos utilizados a aquel fin. En primer lugar, el de que el concepto de expoliación, tal y como aparece definido en la Ley, excede del significado propio de la palabra "despojar con violencia o iniquidad" y se alega también que la extensión del concepto puramente gramatical a los supuestos en que se "perturbe el cumplimiento de la función social" del bien supone sobrepasar el título competencial específico que el Estado tiene constitucionalmente atribuido, o sea, la defensa contra la expoliación. El Abogado del Estado defiende la constitucionalidad del mismo partiendo precisamente de que las funciones de defensa contra la expoliación incluyen competencias de protección general y no sólo aquellos, relacionadas con la pérdida o destrucción violenta.

Resulta de especial aplicación al caso el criterio que este Tribunal ha tenido ocasión de señalar en anteriores resoluciones (STC 76/1983) según el cual el sistema de distribución de competencias entre el Estado y las Comunidades Autónomas configurado por la Constitución vincula a todos los poderes públicos de acuerdo con el art. 9.1 CE, y, en consecuencia, constituye un límite para la potestad legislativa de las Cortes Generales; por ello, el legislador estatal no puede incidir, con carácter general, en el sistema de delimitación de competencias sin una previsión constitucional o estatutaria, en este caso inexistente. De ahí que la cuestión se centre en determinar si el concepto de expoliación definido en el artículo cuarto de la Ley 16/1985 de 25 junio, supone per se, la invasión estatal en las competencias autonómicas cuando define que "a los efectos de la presente Ley se entiende por expoliación toda acción u omisión que ponga en peligro de pérdida o destrucción todos o algunos de los valores de los bienes que integran el Patrimonio Histórico Español o perturbe el cumplimiento de su función social". El reproche de inconstitucionalidad se dirige, como antes decimos, contra el último inciso "perturbe el cumplimiento de su función social".

Tal como hace el Abogado del Estado, hay que afirmar que la acepción constitucional del concepto expoliación no debe quedar limitada al estricto significado gramatical del término, como ocurre en general con los conceptos indeterminados, que rebasan su acepción literal para alcanzar el sentido que la experiencia les ha ido atribuyendo. Lo contrario supondría aquí restringir la competencia del Estado a las meras funciones de vigilancia, protección y represión contra los ataques físicos que dañen o destruyan el patrimonio o priven ilegalmente del mismo, competencia que en general ya le viene atribuida por el art. 149.1.6 CE como comprendida en las medidas de orden público, penales o civiles, en cuanto el despojo o destrucción violentos ya tengan transcendencia de infracción penal (art. 46 CE) o simplemente la de privación ilícita.

Pero algún mayor alcance habrá que atribuir al término que delimita, en el art. 149.1.28, la competencia para la defensa contra la expoliación, cuya mención en otro caso sería innecesaria. La utilización del concepto de defensa contra la expoliación ha de entenderse como definitoria de un plus de protección respecto de unos bienes dotados de características especiales. Por ello mismo abarca un conjunto de medidas de defensa que a más de referirse a su deterioro o destrucción tratan de extenderse a la privación arbitraria o irracional del cumplimiento normal de aquello que constituye el propio fin del bien según su naturaleza, en cuanto portador de valores de interés general necesitados, estos valores también, de ser preservados. Así, pues, la Ley llama perturbación del cumplimiento de su función social a la privación del destino y utilidad general que es propio de cada uno de los bienes, aunque materialmente el bien mismo permanezca. Cuestión distinta es la posible utilización de este concepto para dar cobertura a medidas concretas que excedan de lo que racionalmente debe integrar la protección de esos bienes en un significado finalista; su función social es determinada por el destino y utilidad que directamente deriva del carácter histórico-artístico propio y no por otro arbitrariamente asignado, aunque sea análogo. Una hipotética invasión competencial no vendría así dada por la utilización en el precepto de legal de la expresión "perturbe el cumplimiento de su función social", sino por una aplicación extensiva en cada caso, y es allí donde cabría remediarla. El precepto no resulta, pues, contrario a la Constitución según el sentido que se indica, y tanto menos cuanto que, en la parte no impugnada, respeta la acción protectora de las Comunidades Autónomas, a las que en primer lugar estimula, para autorizar la actuación de la Administración del Estado sólo en defecto de la de aquéllas.

(...)

DÉCIMO.- (...) La calificación formal como bienes de interés cultural de "los más relevantes" del Patrimonio Histórico Español (art. 1.3 de la Ley) constituye un requisito para que puedan gozar de singular protección y tutela (art. 9.1) y también por tanto para su defensa contra la exportación y la expoliación; pero lo es asimismo para la sumisión a un régimen singular derivado de su importancia cultural y que en su propia complejidad abarca medidas de estricta protección y defensa junto a otras que no lo son y tienen naturaleza jurídica variada.(...)».

Inicialmente el Tribunal Constitucional concibe la defensa contra la expoliación sólo de los bienes «más relevantes», como parece resultar de la paradigmática sentencia transcrita y resaltada, lo que circunscribiría en principio tales medidas respecto de bienes declarados como BIC.

Ahora bien, el concepto de expoliación no sólo delimita una competencia estatal, sino que, conforme sentó la posterior Sentencia del Tribunal Constitucional 122/2014, de 17 de julio, parece informar igualmente el ordenamiento autonómico, en la medida en que éste no puede hacer una protección menor de bienes respecto de la prevista en la norma estatal al poder incidirse con ello en expoliaciones legalmente amparadas en el ámbito autonómico. Así se extrae de la referida sentencia, que por tal motivo y al conferir una protección menor frente a la expoliación que la diseñada en la norma estatal, anuló determinados artículos de la Ley madrileña 3/2013.

Por otro lado, legal y doctrinalmente es pacífica la clasificación de bienes que integran tal patrimonio histórico desde aquellos que tienen un singular régimen de protección reconocido, tales como los BIC o los inventariados, hasta aquellos que, sin gozar de tales declaraciones, tienen un cierto nivel de protección como patrimonio histórico, bien reconocido por la propia LPHE en artículos puntuales (p.ej., patrimonio documental, bibliográfico, etnográfico, arqueológico, etc.), bien por instrumentos jurídicos «ad hoc» que puedan conferir tal protección por haberse reflejado, en su día, un «interés» que va más allá del nominal, convirtiéndose en un interés jurídico.

Por ende, cabría incluso entender que gozan de protección por revestir el «interés» al que la LPHE se refiere, aquellos bienes que ni ostentan declaración de BIC o están inventariados, ni gozan de declaración jurídica por instrumento de tal naturaleza, ostentando tal «interés» —merecedor de alguna suerte de protección— por circunstancias ajenas completamente a su declaración formal y expresa por un instrumento de alcance jurídico.

Como resulta evidente, la definición de tal «interés» será mayor cuanto más intensa sea la protección dispensada al bien de que se trate, y menor en la medida en que tal protección jurídica no exista, por más que subjetiva o incluso pericialmente pueda existir tal «interés».

Y de igual modo, el examen en un expediente de expoliación de las acciones u omisiones que puedan poner en peligro un bien que revista tal «interés» en abstracto, será de mayor o menor intensidad en la medida en que ese bien goce de protección jurídica expresamente reconocida, pudiendo incluso apreciarse la inexistencia de tal «interés», a efectos como indicamos de un expediente de expoliación, si el mismo descansa en apreciaciones puramente subjetivas que conciernan exclusivamente a quien las formula y no al interés general, incluso cuando quien lo haga sea un colectivo, en tanto en cuanto tales apreciaciones no supongan un «interés» que se justifique merecedor de una protección por entenderse que la misma beneficia a toda la colectividad, y no sólo a uno o varios individuos de la misma.

Quiere con lo anterior significarse que el concepto amplísimo de interés que emplea la LPHE para definir los bienes de Patrimonio Histórico español debe leerse en atención al «interés real» que tales bienes susciten, que se reflejará con mayor intensidad en el caso de estar en presencia de declaraciones jurídicas en tal sentido, y con menor en el caso de que éstas no existan y que el interés lo susciten apreciaciones subjetivas, o incluso puramente privadas. Ello por cuanto no pueden justificarse intervenciones tan intensas de las Administraciones en estos últimos casos, sobre todo por cuanto las mismas paulatinamente perderían de la objetividad que permiten tener declaraciones de «interés» mediante instrumentos jurídicos concretos.

Así las cosas, en un expediente de expoliación el examen de la naturaleza de los bienes a proteger deberá atender primariamente a la existencia o no de declaración jurídica que refleje tal protección de los bienes estudiados, de modo que la intensidad del examen de la puesta en peligro de los mismos vendrá definido por los aspectos del bien declarados expresamente de interés y protegidos en tales instrumentos, y en menor medida —incluso en ninguna— cuando ante la inexistencia de declaración jurídica alguna el interés se refiere a apreciaciones subjetivas, que no resultan merecedoras de una protección tan intensa.

Así, la protección a dispensar en un expediente de expoliación a bienes inmuebles no declarados como BIC, pero que puedan gozar de cierta protección de otro orden como por ejemplo la urbanística, paisajística, turística, etc. dependerá, en suma, de los valores que hayan determinado tal protección jurídica, debiendo tenerse presente que, si tales valores implican algún «interés» de los que refiere la LPHE, los mismos deberán ser tenidos en cuenta como tales.

Tal examen de cuál es el alcance de ese interés, puramente técnico, deberá partir de las medidas de protección previstas para los bienes de los que quiera predicarse una expoliación, y conectarse incluso con la protección de otro orden (urbanística, etc.) en tanto la misma coadyuve a entender que lo que se examina reviste el «interés» a que la LPHE se refiere al momento de definir los bienes integrantes del Patrimonio Histórico que pueden ser puestos en peligro y, como corolario, merecedores de examen en un expediente de expolio.

Y en cualquier caso no podrá aplicarse el esquema de protección de un BIC, previsto particularmente para el mismo, a bienes inmuebles que no ostentan tal declaración pero que puedan estar sujetos a otro tipo de protección (en el manido ejemplo que venimos empleando, la urbanística). Dicho sea en otros términos, no cabrá extender el régimen de protección de determinados inmuebles a otros que claramente no gozan de tal protección, o con la misma intensidad, siendo las declaraciones existentes a este efecto de interés jurídico y determinantes a la hora de poder apreciarse si ha existido o no expolio.

3. ÁMBITO DE PROCEDIMIENTOS Y COMPETENCIA ESTATAL Y AUTONÓMICA

Lo primero que conviene dejar sentado es que las competencias de las diferentes Administraciones encargadas de examinar si en un caso concurre o no expoliación se conectan, pero sus procedimientos son independientes los unos respecto de los de las otras, y precisamente lo son en aplicación del principio de competencia que para cada una de ellas rige.

En lo que afecta al procedimiento estatal, habrá que estar a lo que establece el artículo 57 bis del RPHE.

Y en lo que afecte a los autonómicos, a su legislación respectiva, de imposible cita en este texto.

En consecuencia, la falta de cumplimentación o las fallas de procedimiento autonómico tendrán los efectos que a tal fin se prevean en la legislación autonómica, o incluso las consecuencias que por «omisiones» puedan resultar para la Administración que los haya omitido, mas tales faltas o fallas no inciden en la tramitación del procedimiento estatal, que es independiente del autonómico.

Dicho en otros términos, los procedimientos autonómicos no son un «requisito de procedibilidad» del estatal, dado que sus requisitos tendrán efectos en el ámbito competencial de la Comunidad Autónoma de que se trate, mas no inciden en el ámbito competencial que al Estado corresponde.

El entramado normativo y procedimental estatal y autonómico delimitará el ámbito competencial en que deberán desenvolverse Estado y Comunidad Autónoma, por un lado, y delimitados tales ámbitos, por otro, se definirán los procedimientos que a cada Administración separadamente incumben, de modo que dentro de ellos cada Administración se regirá por su propia norma, sin que la respectiva a cada una de ellas afecte —salvada su constitucionalidad, eso sí— a los procedimientos que a la otra incumben, por ser de su exclusiva competencia.

A estos efectos, resulta de interés volver a la STC 17/1991, de 31 de enero, que en lo competencial deslinda el asunto de la expoliación indicándonos (tercer fundamento de derecho) que «*Debe, pues, afirmarse la existencia de una competencia concurrente del Estado y las Comunidades Autónomas en materia de cultura con una acción autonómica específica, pero teniéndola también el Estado "en el área de preservación del patrimonio cultural común, pero también en aquello que precise de tratamientos generales o que haga menester esa acción pública cuando los fines culturales no pudieran lograrse desde otras instancias" (STC 49/1984 ambas citadas). (…)*» así como que «*Hay que agregar que la delimitación de las competencias exclusivas autonómicas permite al Estado regular aquellas materias que no hayan sido estatutariamente asumidas por cada una de ellas. Por último, la atribución de competencia exclusiva al Estado para la "defensa del patrimonio cultural, artístico y monumental español contra la exportación y la expoliación y respecto de museos, archivos y bibliotecas de titularidad estatal sin perjuicio de su gestión por las Comunidades Autónomas" (art. 149.1.2 CE) comporta la necesidad de regular el ámbito concreto de esa actividad de protección y, en relación con la misma, aquellos aspectos que le sirven de presupuesto necesario*». Concluye esta sentencia sosteniendo la existencia de competencia estatal exclusiva, aun concurrente con las de las Comunidades Autónomas, cuando refiere que «*Existe en la materia que nos ocupa un título de atribución al Estado definido en el art. 149.1.28 CE al que se contrapone el que atribuye competencias a las Comunidades fundado en los Estatutos de Autonomía. De ahí que la distribución de competencias Estado-Comunidades Autónomas en cuanto al Patrimonio Cultural, Artístico y Monumental haya de partir de aquel título estatal pero articulándolo con los preceptos estatutarios que definen competencias asumidas por las Comunidades Autónomas en la materia*».

También el séptimo fundamento de derecho de esta misma sentencia, antes transcrito, tiene incidencia en la cuestión, dado que como hemos resaltado está en el ánimo del procedimiento de expoliación el que la administración por parte del Estado de medidas de actuación se produzca sólo en defecto de actuación de la Comunidad Autónoma (así lo prevé el art. 4 de la LPHE y el art. 57 bis. 5 del RPHE).

Además, y como ya hemos indicado, la STC 122/2014, de 17 de julio, en la que precisamente se enjuició la constitucionalidad de una Ley autonómica (la madrileña 3/2013), anuló determinados preceptos de la misma al no respetar el nivel mínimo de protección contra la expoliación que emana de la LPHE.

En suma, y a la vista de lo expuesto, podemos concluir que la normativa autonómica no puede concebirse como un complemento de la norma estatal, ni tampoco entender que la falta de observancia de un trámite autonómico suponga una infracción procedimental del procedimiento de competencia estatal que para la expoliación prevé el art. 57 bis del Real Decreto 111/1986.

Al contrario, los trámites que pueda prever la ley autonómica deben entenderse insertos en dicho ámbito competencial y tendentes a la adopción de medidas previas a las que el Estado pueda adoptar en materia de expoliación, y por lo tanto con la finalidad de que tales administraciones regionales, y con ellas incluso las locales, puedan anticiparse a los requerimientos que, al amparo del art. 57 bis, pueda el Estado hacerles.

Mas su incumplimiento, como decimos, no tiene efectos en el procedimiento estatal; los tendrá, en su caso y según se prevea normativamente, en los procedimientos autonómicos correspondientes, mas no cabe concebir los trámites propios de procedimientos autonómicos como requisito de procedibilidad de los estatales.

4. PROCEDIMIENTO ESTATAL Y COMPETENCIA PARA RESOLVER EL MISMO

Si bien el artículo 57 bis del Real Decreto 111/1986 expresa unos inequívocos términos de «Orden Ministerial» y «Ministro», habrá que estar en cualquier caso a la concreta estructura del departamento encargado de la protección del patrimonio histórico y, en particular, a la posible existencia de Secretarías de Estado que hurten esta primigenia competencia al Ministro, bien como propia, bien por delegación.

Lo que en cualquier caso se contempla en tal precepto es el dictado de un acto administrativo con forma de Orden, y de las medidas complementarias al mismo, no tanto el de una disposición general que como tal deba dictarse por un Ministro, de manera que cabe incluso pensar en el dictado no de una orden sino de una resolución suscrita por otro órgano de rango inferior al Ministro, y por competencia propia o por delegación, siempre según se prevea en el Real Decreto de estructura del departamento al que se encomiende la protección del patrimonio histórico, y siempre previa instrucción del expediente y elevación de la oportuna propuesta por el órgano gestor competente.

Sobre el procedimiento de expoliación, parcas son las pautas que ofrece el artículo 57 bis del RPHE, y la práctica respecto de estas denuncias resulta variada, sin que quepa hablar de un procedimiento nítidamente definido, y sin que tampoco haya desarrollo reglamentario adicional al previsto en el RPHE que imponga actuación alguna de necesario seguimiento fuera de lo que en el mismo se indica.

Respecto de lo previsto en el RPHE, la parte expositiva del Real Decreto 64/1994, por el que se introdujo el artículo 57 bis del RPHE, señala a efectos interpretativos que «*el art. 57 bis viene a desarrollar la competencia estatal sobre expoliación, desarrollo ausente en el Real Decreto 111/1986. Se ha redactado este art. 57 bis de modo que las potestades de la Administración General del Estado sólo se ejerciten en caso de que otros poderes públicos —y singularmente las Comunidades Autónomas— no adopten medidas suficientes para evitar la expoliación. En este sentido, el nuevo art. 57 bis parte del principio de intervención mínima, pero sin menoscabo de los títulos estatales sobre la materia*».

El propio artículo que referimos —de mejorable redacción, y que damos por reproducido sin perjuicio de citar puntualmente partes del mismo— establece, resumidamente, las siguientes pautas de actuación:

a) Posibilidad de traslado («*puede ser trasladada urgentemente*») de denuncias relativas a bienes del artículo 4 de la LPHE a Instituciones consultivas de Patrimonio Histórico Español (punto 1).

b) Sumisión del procedimiento a los principios de celeridad y eficacia, entendida ésta como la necesidad de sopesar «*en cada caso concreto si de la intervención de la Administración General del Estado se deducen o pueden deducirse consecuencias positivas inmediatas y efectivas para la real protección del bien*» (punto 5, letra a).

c) Inhibición estatal «*cuando la Comunidad Autónoma haya adoptado o esté adoptando las medidas de protección previstas en la Ley 16/1985 o en su propia legislación, y el Ministerio de Cultura estime que son adecuadas y suficientes para la recuperación del bien*» (punto 5, letra b).

d) Descartado lo anterior, trámite de obtención de la *«información su-ficiente para entender que un bien está siendo expoliado o se encuentra en peligro de serlo»* (punto 2, inciso inicial)

e) En caso afirmativo (cuando la *«información suficiente»* pueda arrojar la posible existencia de tal peligro), se seguirán los siguientes trámites (los tres primeros corresponden al inciso intermedio y final del punto 2, el último al punto 3):

   i)   Inicio de un expediente de oficio o a instancia de particulares.

   ii)   Audiencia a la Comunidad Autónoma.

   iii)   Declaración *«por Orden Ministerial la situación en que se encuentra el bien citado y las medidas conducentes a evitar la expoliación»*. Orden que, como hemos indicado, debe concebirse como acto adminis-trativo y no como disposición.

   iv)   Ejecución de tales medidas por el titular del bien, la *«Administra-ción competente»* en su defecto, y a falta de actuación por ésta por el propio Ministerio (en los términos previstos en el referido punto 3).

f) A modo de *«medidas provisionales»* previas a la adopción de las definiti-vas resultantes del procedimiento descrito en la letra e) anterior, cabe seguir las reglas que marca el punto 4 del artículo.

Ordenadas así las pautas del procedimiento de expoliación, interpreta-das a la luz del principio de intervención mínima que recalcó la parte expo-sitiva de la norma que lo introdujo, y que bebe claramente de lo declarado en la STC 17/91, nos encontramos en consecuencia con un procedimiento particular, tamizado por tal principio, revestido de una eminente aprecia-ción de orden técnico y, en suma, difícilmente estandarizable para todo caso que pueda plantearse, toda vez que las soluciones a adoptar pueden variar mucho de un caso a otro dependiendo de las circunstancias concretas que se reflejen en cada uno de ellos.

Diversas son las sentencias de la Audiencia Nacional y del Tribunal Su-premo (incluso de algún Tribunal Superior de Justicia) que se han dictado sobre el procedimiento de expoliación, con resultados también diversos so-bre cada caso.

Resulta no obstante de interés la transcripción de lo señalado en la Sentencia del Tribunal Supremo de 11 de diciembre de 2006 (Sala de lo Contencioso-Administrativo, Sección 7ª, casación núm. 5689/2001), en particular sobre el alcance de la actuación del Ministerio ante una denuncia por expoliación, cuando indica en su Fundamento de Derecho Sexto, insistiendo en la prudencia que antes se ha comentado, que «... *cuando se formula una denuncia en ese sentido ante la Administración del Estado ésta debe proceder con singular prudencia, especialmente cuando, como sucede en el caso que nos ocupa, de la propia denuncia se desprende que las obras que el denunciante califica de expolio se encuentran respaldadas por un proyecto promovido y aprobado por las Administraciones Local y Autonómica que tienen competencias para ello*». Añade el mismo fundamento que «*Sucede, sencillamente, que la Sala de instancia ha considerado justificado el proceder de la Administración, que lo que hizo ante todo fue recabar información y una vez recibida ésta no entendió que un bien merecedor de protección estuviese siendo expoliado o se encontrase en peligro de serlo*», añadiendo en el siguiente párrafo que «*Y aunque la Sala de instancia no lo dice de manera expresa, aquella alusión que se hace en la sentencia a la preclusión de los plazos tanto para las reclamaciones en la fase de publicidad como para los recursos contra la aprobación definitiva del proyecto de obras es una clara indicación de que la falta de aquellas impugnaciones en el seno del procedimiento destinado al efecto y ante las Administraciones competentes para ello, o ante el órgano judicial al que corresponda su revisión en vía jurisdiccional, no puede suplirse mediante la formulación de una denuncia por expoliación ante la Administración del Estado*».

La sentencia anterior confirma, en consecuencia, el ámbito prudente en que debe moverse este procedimiento cuando, como antes vimos, se cita como sujetos activos de un expolio a otras Administraciones, sobre todo por cuanto la denuncia por expoliación puede acabar convirtiéndose en un cauce torcidamente impugnatorio cuando no se han empleado por quienes la promueven los que en derecho procedían, y confirma igualmente su tratamiento caso por caso y, en atención a las pautas procedimentales antes ofrecidas, que implican que antes de la apertura del procedimiento en sí debe haber un trámite previo de información por el que se decida si se abre o no el expediente por expoliación.

5. EXPOLIACIÓN Y POSIBILIDAD DE CAMBIOS EN LA PROTECCIÓN PATRIMONIAL DE INMUEBLES

Por último, mediando Administraciones públicas es posible que éstas promuevan cambios normativos o en la protección de inmuebles, lo que las puede colocar, según qué perspectiva contemple el caso, en una situación delicada cuando lo que de estos cambios de protección resulta es la posibilidad de daños al patrimonio histórico.

Respecto de la posibilidad de cambio de la protección patrimonial dispensada a bienes inmuebles resultan paradigmáticas las sentencias dictadas por el Tribunal Supremo en relación con el asunto del Claustro de Los Jerónimos y la ampliación del Museo del Prado, en el que el entonces Ministerio de Educación y Cultura era parte abiertamente interesada, dado que incluso se enjuiciaba un Acuerdo del Consejo de Ministros.

Así, la Sentencia del Tribunal Supremo de 18 diciembre 2002 (Sala de lo Contencioso-Administrativo, Sección 5ª, recurso contencioso-administrativo núm. 1402/2000), una de las dos dictadas en el asunto de Los Jerónimos, indica respecto de tal posibilidad de cambio lo siguiente:

> «NOVENA.- Explicitado todo lo anteriormente expuesto, procede entrar en el verdadero núcleo de la cuestión planteada, que no es otro que el de la posible conjugación entre el dictado normativo de las Leyes, estatal y autonómica madrileña, de Protección del Patrimonio Histórico Artístico, de 25 de junio de 1985 y 9 de julio de 1998 respectivamente y los intereses histórico-culturales del Museo del Prado de relevancia universal y cuya adecuada propagación, contemplación y mantenimiento, necesitan ser concretados en la ampliación de sus instalaciones, nada menos que alrededor de un 50% de la extensión actualmente existente.
>
> Los artículos 18 y 19 de la Ley 16/1985 de 25 de junio establecen que un inmueble declarado de interés cultural es inseparable de su entorno, no procediendo su desplazamiento o remoción, ni realizarse obra interior o exterior que afecte directamente al bien inmueble, mientras que el artículo 39.2 y 3 del mismo texto legal, ponen de relieve que los poderes públicos procuraran la conservación y mejora de los bienes declarados de interés cultural, a través de su consolidación y rehabilitación o restauración evitándose la reconstrucción.
>
> Los artículos 32.2 y 17 de la Ley 10/1998 de la Comunidad de Madrid, ponen su acento en la protección del entorno de los bienes inmuebles de interés cultural y de la visualización de los mismos.
>
> DÉCIMO.- En virtud de RD de 15 de julio de 1925 fue declarado el Claustro de los Jerónimos monumento histórico-artístico de interés cultural y por D. de 28 de

septiembre de 1995 de la Comunidad Autónoma de Madrid, bien de interés cultural con categoría de monumento la Iglesia de San Jerónimo el Real.

La Sala entiende que no existe la vulneración de la normativa antecitada, tal como alega la parte recurrente.

El artículo 39.2 de la Ley 16/1985, expresamente autoriza la rehabilitación de los bienes inmuebles, y no su reconstrucción. La rehabilitación implica la posibilidad del previo desmontaje o demolición, siempre que esos mismos elementos previamente desmontados sean reintegrados en el mismo lugar de ubicación y sin añadidos o agregados que desnaturalicen el contenido original o primitivo del inmueble, mientras que la reconstrucción supone esa adición de elementos nuevos y distintos como parte integrante del propio bien.

Parece indudable que la propia rehabilitación del inmueble en los términos expresados, simplemente supone una técnica de conservación y mejora expresamente autorizada en el artículo 39 antecitado.

Menos aun cabe hablarse de infracción de los artículos 18 y 19 de la propia Ley 16/85, al respetar el acto recurrido la misma ubicación de la arquería del Claustro, sin existencia de desplazamiento significativo del mismo, ni inseparabilidad de su entorno siendo de recalcar que el Convenio para la salvaguarda del patrimonio Arquitectónico de Europa, de 3 de octubre de 1985, establece que con respecto del carácter arquitectónico e histórico del Patrimonio se debe fomentar la utilización de bienes protegidos, teniendo en cuenta las necesidades de la vida contemporánea, y la adaptación, cuando ésta se demuestre apropiada, de las edificaciones antiguas para nuevos usos. Es de destacar a estos efectos que la arquería del Claustro se encontraba en una evidente condición de deterioro y degradación, que por si misma, justificaba suficientemente el desmontaje de esa arquería».

Y en la otra sentencia de igual fecha relativa al mismo Claustro (también de la misma Sección 5ª de la Sala de lo contencioso del Tribunal Supremo, recurso contencioso–administrativo núm. 1369/2000) se contienen pronunciamientos de relevante interés:

«DÉCIMO.- Considera la parte demandante que el Acuerdo del Consejo de Ministros es ilegal porque la Ley 16/1985 del Patrimonio Histórico español garantiza una intangibilidad total de los bienes de interés cultural por lo que no se puede actuar sobre el Claustro como Monumento ni sobre el entorno de protección de la Iglesia porque dichos bienes constituyen una riqueza colectiva del pueblo español y deben estar adecuadamente al servicio del mismo.

No se puede aceptar que los bienes de interés cultural sean intangibles, contra todos y contra todo, porque eso iría en contra de su conservación.

El artículo 36 de la LPH establece la obligación de conservación de los bienes que integran el Patrimonio Histórico español y declara que la utilización de los bienes de interés cultural quedará subordinada a que no se pongan en peligro los valores que aconsejan su conservación.

La norma esencial a traer a colación es el artículo 19.3 de la LPH que prohíbe "toda construcción que altere el carácter de los inmuebles a que hace referencia este artículo o perturbe su contemplación". Dicha norma debe interpretarse en forma conjunta con el artículo 39.2 de la misma Ley cuando dispone que en el caso de bienes inmuebles las obras de conservación, consolidación y mejora irán encaminadas a su conservación, consolidación y rehabilitación y evitarán los intentos de reconstrucción, salvo cuando se utilicen partes originales de los mismos y pueda probarse su autenticidad. Concluye que si se añadiesen materiales como partes indispensables para su estabilidad o mantenimiento, las adiciones deberán ser reconocibles y evitar las confusiones miméticas.

La sentencia de esta Sala de 16 de octubre de 2000, a propósito del intento de reconstrucción del Teatro romano de Sagunto ha interpretado el precepto que acabamos de transcribir señalando que establece el límite positivo de que las intervenciones en los inmuebles vayan dirigidas a su conservación, consolidación y rehabilitación y otro limite negativo que radica en evitar su reconstrucción, aunque con la excepción de que se utilicen partes originales de los Monumentos y pueda probarse su autenticidad.

El proyecto autorizado por el Consejo de Ministros no pretende, en modo alguno, la reconstrucción del antiguo Monasterio de los Jerónimos, demolido en torno a los años 1854-1860, ni la reconstrucción de sus galerías claustrales, también desaparecidas, sino la edificación de un edificio enteramente nuevo con un lenguaje arquitectónico contemporáneo en el que se integrará la totalidad de las arcadas que subsisten del antiguo patio con caracteres netamente diferenciados de los del resto del edificio, por lo que la actuación escapa al límite negativo del artículo 39.2 que se acaba de indicar. El artículo citado se debe interpretar, además, a la luz del artículo 11 del Convenio de Granada de 3 de octubre de 1985, para la Salvaguardia del Patrimonio Arquitectónico de Europa en vigor para España y publicado en el BOE de 30 de junio de 1989 EDL 1989/12811 Ese Convenio que vincula a España y forma parte de nuestro ordenamiento (artículo 96.1 CE EDL 1978/3879) integra el bloque normativo de las Leyes estatal y autonómica y establece la obligación de fomentar tanto el uso de los bienes de interés cultural con arreglo a las necesidades de la vida contemporánea como la adaptación, cuando convenga, de los edificios antiguos para nuevos usos.

La obra se encuentra, por el contrario dentro de los límites positivos de su conservación y rehabilitación ya que viene a rehabilitar íntegramente el claustro ya conservarlo cumpliendo la función que como tal claustro le corresponde, integrado en un edificio que lo rodea. El informe emitido por la "Real Academia de Bellas Artes S." el 3 de diciembre de 2001 valora positivamente la actuación al manifestar que la reposición del patio a su anterior emplazamiento garantizará la futura contemplación del monumento conforme al proyecto de D. Rafael.

El artículo 18 de la LPH establece que no se podrá proceder al desplazamiento o remoción de un bien de interés cultural. La invocación del artículo carece de relieve porque consta demostrado en autos que las arcadas del claustro no se desplazarán significativamente de su ubicación actual sino que se volverán a montar en el mismo sitio en que se encontraban, como se manifiesta en el citado informe de la "Real Academia de Bellas Artes S.".

UNDÉCIMO.- Como se ha anticipado, la parcela en la que se ubican los restos del Claustro y el Atrio de los Jerónimos sí aparecen protegidos como entorno de la Iglesia de San Jerónimo el Real, por el plano anexo al citado Decreto 250/1995, de 28 de septiembre, de la Consejería de Educación y Cultura de la Comunidad de Madrid.

Dicha protección tampoco puede ser considerada como causa invalidante del Acuerdo del Consejo de Ministros que se impugna en el recurso que se examina ya que el artículo 33 de la Ley 10/1998, de Patrimonio Histórico de la Comunidad de Madrid sólo establece una prohibición relativa de modificar las alineaciones, rasantes, parcelación o edificabilidad características de los entornos de protección de los bienes de interés cultural. Es suficiente aprobar los instrumentos de planeamiento urbanístico que desarrollen el régimen de protección para enervar la prohibición que contiene el expresado artículo 33 de la Ley de la Comunidad de Madrid y a eso tiende precisamente el Acuerdo del Consejo de Ministros impugnado aquí, cuando ordena la iniciación del procedimiento de revisión del planeamiento. El informe de la Comunidad Autónoma de Madrid de 3 de septiembre de 1998, a que ya se hizo referencia, es prueba de lo que se acaba de afirmar, sin que se afirme —por cierto— en él la contradicción con la Ley 10/1998, de la Comunidad Autónoma, que se defiende en la demanda.

La alegada destrucción del Atrio carece de consistencia a la luz de las pruebas existentes en autos. El espacio que forma actualmente dicho Atrio adyacente a los restos del antiguo claustro ha sido históricamente un espacio construido hasta la demolición del antiguo Monasterio de los Jerónimos a mediados del siglo XIX. El estado y uso de simple aparcamiento que muestran las pruebas existentes en autos demuestran que puede ser alterado en ejecución del Acuerdo que se impugna».

Todo ello sirva a los efectos de insistir, como se señaló en el anterior punto 2 de este artículo, en que la posibilidad de apreciar expoliación en cada caso descansará en un ámbito extremadamente técnico, que se verá necesariamente constreñido al ámbito de la propia declaración de protección que afecte a cada tipo de bienes, sin que pueda extenderse un nivel de protección más riguroso a aquellos inmuebles que no gocen de la protección cultural requerida para poder aplicarles parámetros de protección que no les sean propios.

Y en cualquier caso, desde una perspectiva jurídica, no puede dejar de tenerse en consideración la posibilidad de modulación, modificación o concreción en la protección dispensada a estos inmuebles, admitida sin género de dudas por el Tribunal Supremo en atención a las circunstancias concurrentes, más teniendo en consideración los principios de prudencia, eficacia e intervención mínima que deben regir a la hora de abordar denuncias de expoliación, y con mayor motivo si se dirigen contra Administraciones públicas.

Bibliografía

Patrimonio histórico y expoliación: variaciones y paradojas. Juan Manuel Alegre Ávila. Catedrático de Derecho Administrativo de la Universidad de Cantabria. Revista española de Derecho Administrativo núm. 189/2018 parte Crónica. Editorial Civitas, S.A., Pamplona. 2018.

La consagración del principio de precaución como norma central de «gestión de riesgos» durante la pandemia

Borja Sánchez Barroso
Profesor Colaborador Asistente
Universidad Pontificia Comillas, ICADE

SUMARIO: 1. CENTRALIDAD DEL PRINCIPIO DE PRECAUCIÓN DURANTE LA CRISIS PROVOCADA POR LA COVID-19. 2. CONSIDERACIONES GENERALES SOBRE EL PRINCIPIO DE PRECAUCIÓN. 3. EL CONTENIDO HABITUALMENTE ASOCIADO AL PRINCIPIO DE PRECAUCIÓN: UNA VERTIENTE SUSTANTIVA DEL PRINCIPIO. 4. LA OLVIDADA DIMENSIÓN FORMAL O PROCEDIMENTAL DEL PRINCIPIO DE PRECAUCIÓN. 4.1 Identificación de un peligro. 4.2 Evaluación del riesgo. 4.3 Gestión del riesgo en sentido estricto.

1. CENTRALIDAD DEL PRINCIPIO DE PRECAUCIÓN DURANTE LA CRISIS PROVOCADA POR LA COVID-19

La larga duración de la pandemia quizás haya hecho olvidar sus inicios en España y las primeras medidas adoptadas. En aquel momento (e incluso después), la nota predominante en torno a la COVID-19 era la incertidumbre. Por ejemplo, en la valoración de la declaración del brote como Emergencia de Salud Pública de Importancia Internacional (ESPII), emitida por el Ministerio de Sanidad el 31 de enero de 2020, ya se indicaba que «*aún existen mucho desconocimiento e incertidumbre acerca del 2019 (n-CoV)*» (Ministerio de Sanidad, 2020, 1). El informe de la misión de la Organización Mundial de la Salud (OMS) en China para evaluar la respuesta al coronavirus, elaborado entre el 16 y el 24 de febrero, también señalaba que, pese a los numerosos conocimientos adquiridos sobre el virus en un corto espacio de tiempo, seguían existiendo «lagunas de conocimiento esenciales [*key knowledge gaps*]» (OMS, 2020a, 16). En un sentido similar, el Informe n° 3 de situación COVID-19 en España a 28 de febrero de 2020, afirmaba que «*las encuestas de casos son todavía incompletas y hasta el momento no existe suficiente información sobre las características clínicas o los factores de riesgo y enfermedades de base que podrían estar asociados a la infección por SARS-CoV-2*» (CNE, 2020a, 5)[1].

Estas incertidumbres se trasladaron a las medidas adoptadas a nivel internacional y nacional frente a la pandemia, cambiantes en corto espacio de tiempo. Si el 5 de enero de 2020 la OMS no recomendaba ninguna medida específica para viajeros y reafirmaba las medidas básicas frente a cualquier gripe o infección respiratoria (OMS, 2020b), y el 23 de enero no alcanzaba un consenso suficiente para declarar la situación como ESPII, el 30 de enero ya elevaba el riesgo mundial a alto y procedía a tal declaración (OMS, 2020c). De forma paralela, en España, es notoria la divergencia entre las primeras declaraciones informales del director del Centro de Coordinación

---

[1]   La expresión citada se mantuvo hasta el Informe n° 12, de 20 de marzo de 2020. A partir del Informe n° 13, de 23 de marzo, aparece una expresión alternativa, que vuelve a subrayar las incertidumbres subsistentes: los resultados reflejados en los informes son provisionales y «*deben interpretarse con precaución*» (por todos, CNE, 2020b, 9-10).

de Alertas y Emergencias Sanitarias, D. Fernando Simón, acerca del bajo impacto local esperado, y el impacto final de la crisis sanitaria, social y económica finalmente acaecida, de una magnitud sin precedentes en la historia reciente[2].

Ante esta situación, no es de extrañar el protagonismo que ha tenido el llamado «principio de precaución» a la hora de adoptar medidas de protección frente al coronavirus, especialmente de naturaleza restrictiva[3]. En efecto, como se verá más adelante, este principio busca precisamente permitir o imponer a los poderes públicos la adopción de medidas preventivas incluso cuando no exista certeza científica suficiente sobre el riesgo enfrentado. De esta forma, el «principio de precaución» ha sido empleado para legitimar la adopción de medidas en numerosos instrumentos jurídicos:

- En los Decretos de prórroga del estado de alarma, especialmente durante la llamada «fase de desescalada»[4];

---

[2] Las incertidumbres se han hecho notar también en la mayoría de las medidas concretas empleadas para minimizar el riesgo, tanto en España como en otros países, caracterizadas por su adopción improvisada, tardía y muchas veces contradictoria (como ejemplo, puede citarse el uso de mascarillas, que ha pasado por todas las fases posibles —desde no recomendado a obligatorio para toda la población—). La incertidumbre existente en los primeros momentos no impide afirmar que ciertas medidas hubieran sido necesarias en cualquier escenario, como la activación inmediata de los planes nacionales de respuesta a emergencias o las medidas de distanciamiento social, individuales y colectivas (CEPCE, 2020, 1-2 y 12).

[3] La incertidumbre científica es la que distingue al principio de precaución de otros principios que le son próximos, como el de prevención (GODARD, 2003, 1245; GONZÁLEZ VAQUÉ, 1999, 12).

[4] Véanse por ejemplo el Real Decreto 537/2020, de 22 de mayo, cuya exposición de motivos señala que «En concreto, atendiendo al principio de precaución que debe guiar la actuación de los poderes públicos en la gestión del riesgo sanitario, resulta necesario mantener la limitación a la libertad de circulación en los términos previstos en el vigente Real Decreto 463/2020, 14 de marzo, si bien modulados conforme a lo previsto en este real decreto de prórroga, y por las órdenes, resoluciones, disposiciones e instrucciones interpretativas dictadas al amparo de las habilitaciones contenidas en el citado real decreto». En idéntico sentido, el Real Decreto 555/2020, de 5 de junio.

– En normas estatales y autonómicas para la adopción de medidas de protección frente a la COVID-19, durante y después de los distintos estados de alarma declarados[5];

– En normas y recomendaciones emanadas de las autoridades de la Unión Europea[6]; o

– En intervenciones oficiales de las autoridades encargadas de gestionar la pandemia, en particular desde el Ministerio de Sanidad[7].

También ha sido invocado por los Tribunales para analizar la validez de diversas medidas restrictivas, aunque con muy diferente intensidad y eficacia (en parte por la propia evolución de la pandemia y la progresiva reducción de las incertidumbres científicas existentes, pero también por la diversidad de formulaciones tradicionalmente asociadas al principio de precaución, como señalaremos en apartados posteriores). Pueden citarse por ejemplo:

– Definiciones muy exhaustivas del principio de precaución, en su doble vertiente sustantiva y procedimental, para justificar medidas restrictivas, como en la primera resolución judicial sobre la COVID-19

---

[5] Por todas, entre las primeras, puede verse la Orden SND/422/2020, de 19 de mayo (*«Asimismo, es necesario seguir un principio de precaución que permita continuar por la senda de la reducción de los casos de contagio de la enfermedad en nuestro país, principalmente cuando no se dispone de otras medidas como la vacunación»*). Entre las segundas, por ejemplo, véanse el artículo 4 del Decreto-ley de Canarias 11/2021, de 2 de septiembre; o el artículo 9 de la Orden de 8 de noviembre de 2020 de Andalucía.

[6] Entre otros ejemplos, *vid.* Reglamento (UE) 2021/953 de 14 de junio de 2021 (considerandos 7 y 13); o la Recomendación (UE) 2020/2243 de 22 de diciembre de 2020 (*«Los Estados miembros también deberían desincentivar, con arreglo al principio de precaución, todos los viajes no esenciales hacia y desde el Reino Unido hasta nuevo aviso»*).

[7] Véase por ejemplo la intervención del Excmo. Sr. Ministro D. Salvador Illa de 5 de mayo de 2020 (*«El principio de cautela y precaución que ha sido la hoja de ruta desde el minuto cero del Gobierno de España»*) o la comparecencia de la Excma. Sra. Ministra Dña. Carolina Darias ante la Comisión de Sanidad y Consumo del Congreso de los Diputados de 25 de marzo de 2021 (*«La declaración de actuaciones coordinadas que les acabo de citar de 10 de marzo recomienda asimismo dos medidas preventivas fundamentales para este periodo. En primer lugar, por el principio de precaución, no bajar el nivel de alerta en el que se encuentra cada comunidad autónoma, aunque los indicadores de cada comunidad sean favorables desde las dos semanas previas al inicio de la Semana Santa. Por tanto, mantener las medidas establecidas en ese momento o aumentarlas si la evolución de los indicadores así lo exigiese»*).

(el Auto del Juzgado de lo Contencioso-Administrativo nº 1 de Tenerife 84/2020, de 27 de febrero, que ratificó las medidas adoptadas por las autoridades canarias en relación con los huéspedes de un hotel en el que se había detectado un caso positivo de coronavirus[8]);

— Referencias al artículo 26 de la Ley 14/1986 General de Sanidad, referido según la doctrina mayoritaria al «principio de precaución», aunque sin citar expresamente el principio (por ejemplo, en la Sentencia del Tribunal Supremo de referencia sobre la ratificación judicial de medidas sanitarias, STS 719/2021 de 24 de mayo);

— Referencias a un concepto genérico de precaución, que sería insuficiente para justificar la adopción de algunas medidas restrictivas (por ejemplo, restricciones de acceso a locales o toques de queda adoptados por diversas Comunidades Autónomas sin la cobertura del estado de alarma)[9] ; o

— Referencias al principio de precaución en relevantes votos particulares, que echan de menos su aplicación en la decisión mayoritaria, como sucede en la Sentencia del Tribunal Constitucional 148/2021, que declaró parcialmente nulo el Real Decreto 463/2020 por el que se declaró el primer estado de alarma frente a la COVID-19 en España)[10].

Ante la multiplicación de las menciones al principio de precaución durante la crisis provocada por la COVID-19, y la heterogeneidad de dichas menciones, se impone aclarar mínimamente el contenido de este principio, en lo cual centraremos la presente contribución.

---

[8] Disponible en https://www.poderjudicial.es/cgpj/es/Poder-Judicial/Noticias-Judiciales/El-juez-ratifica-las-medidas-frente-al-coronavirus-en-el-hotel-de-Tenerife.

[9] Entre otras, *vid.* STS 788/2021, de 3 de junio («[…] *justificación pasa por acreditar que tales medidas son indispensables para salvaguardar la salud pública, tal como hemos dicho que es preciso hacer en la sentencia nº 719/2021. No bastan meras consideraciones de conveniencia, prudencia o precaución*»).

[10] Véanse los votos particulares formulados por los Excmos. Sres. Magistrados D. Juan Antonio Xiol Ríos y Dña. María Luisa Balaguer Callejón.

2. CONSIDERACIONES GENERALES SOBRE EL PRINCIPIO DE PRECAUCIÓN

El principio de precaución ha sido desde su origen fuente de un gran número de controversias, entre otros sobre su pertinencia, su alcance, su eficacia o su definición[11]. Sin embargo, se ha ido asentando en numerosos ordenamientos jurídicos y ha cristalizado, como veremos, en otras normas jurídicas de diversa naturaleza. Dichas normas suelen hacer referencia a tres elementos:

(i) la percepción de un riesgo relevante (por su gravedad o especial naturaleza) como presupuesto inicial de la norma;

(ii) la constatación de cierto grado de incertidumbre científica en torno a dicho riesgo[12]; y

(iii) el establecimiento de medidas generales de gestión de riesgo (o la legitimación para su adopción posterior en cada caso concreto) para minimizar o evitar aquellos riesgos inciertos que resulten inaceptables.

Según la definición y combinación de los tres elementos anteriores, la doctrina mayoritaria agrupa las formulaciones del principio de precaución en dos grandes categorías: las versiones «débiles» y las versiones «fuertes» del principio (Sunstein, 2005, 18; Esteve Pardo, 2004, 196). Algunos au-

---

[11]   Se han llegado a identificar cerca de veinte formulaciones diferentes del principio, en más de cincuenta instrumentos normativos o documentos oficiales de distinto alcance (SANDIN, 1999, 902-905; PEEL, 2005, Apéndice B). Tras su reconocimiento formal en los ordenamientos internos alemán y sueco, este principio se expandió muy rápidamente al Derecho internacional del medio ambiente, donde fue consagrado definitivamente en el Principio 15 de la Declaración de Río sobre el Medio Ambiente y el Desarrollo, que muchos consideran su definición de referencia. En España, uno de los autores que mejor ha analizado el principio es CIERCO SEIRA (2004).

[12]   La incertidumbre científica no conoce una definición unitaria en el ámbito jurídico. En general, la incertidumbre científica suele asociarse a dos tipos de situaciones: (a) el desconocimiento parcial de determinadas características esenciales del riesgo (probabilidad, magnitud, cercanía, etc.) o de su propia existencia; y (b) la manifestación de discrepancias en el seno de la comunidad científica sobre las circunstancias anteriormente mencionadas, que puede concretarse en la aparición de una o varias posiciones minoritarias (STIRLING, 1999, 17).

tores amplían estas categorías a tres, ya sea mediante la inclusión de una versión «debilísima» (Morris, 2000, 14) o de una versión «intermedia» del principio, que parece haber hecho cierta fortuna (Wiener y Rogers, 2002, 320-321).

En el ámbito de la Unión Europea y en el ordenamiento jurídico interno español, se ha desarrollado lo que la doctrina llamaría una «versión fuerte» del principio[13]. Ello ha provocado la aparición de un gran número de reglas que desarrollan el principio de precaución en una dirección similar: ante la apreciación de un «riesgo incierto», la regla legitima o impone que los poderes públicos adopten las medidas de gestión necesarias —que no se especifican— para reducir el riesgo a un nivel aceptable para la sociedad.

Estas normas se han extendido más allá de la protección del medio ambiente para regular otro tipo de riesgos (contra la salud pública, la seguridad alimentaria, la seguridad de los productos, etc.), hasta hacer que el principio de precaución sea reconocido como un verdadero principio general del Derecho, como ha vuelto a demostrar la crisis de la COVID-19[14]. En caso de duda, estas normas imponen a los poderes públicos optar por un exceso de protección antes que por una protección insuficiente (Bodansky, 1994, 203). Especialmente si la lesión en que el riesgo se concretaría es considerada como potencialmente irreversible, como ha sucedido en numerosos momentos de la pandemia.

---

[13] En realidad la concepción del principio como una versión fuerte se refiere en este caso a su exhaustiva concreción a través de numerosas reglas jurídicas (en el sentido estricto del término empleado por R. Dworkin). En un sentido parcialmente coincidente, SORO MATEO (2017, 135 y ss.).

[14] En el ámbito de la Unión Europea, *vid.* Sentencia del TPICE de 26 de noviembre de 2002, caso Artegodan, apartado 184; o la reciente Sentencia del TGUE de 17 de marzo de 2016, caso Zoofachhandel Züpke, apartado 51. En el ordenamiento jurídico interno español, *vid.* Sentencias de la Sala de lo Contencioso-Administrativo (Sección 3ª), de 16 de junio de 2006 y de 30 de octubre de 2006.

3. EL CONTENIDO HABITUALMENTE ASOCIADO AL PRINCIPIO DE PRECAUCIÓN: UNA VERTIENTE SUSTANTIVA DEL PRINCIPIO

En general, la dimensión sustantiva del principio de precaución aboga por transformar la posición que el riesgo desempeña para la sociedad, de forma que los poderes públicos no se encuentren únicamente en posición reactiva frente al mismo, sino que ayuden también a canalizar, a institucionalizar, las diferentes propuestas que la sociedad puede formular[15]. Esto se traduce en una subordinación de los criterios científicos y económicos a otros bienes y valores proclamados por el ordenamiento jurídico y defendidos por la sociedad, de forma tal que las consideraciones científicas y económicas, que no deben desaparecer y que siguen sirviendo de base a gran parte de los planteamientos, adquieran una posición más equilibrada dentro del proceso global de toma de decisiones en relación con actividades que, en alguna de sus vertientes, puedan suponer riesgos inaceptables para la sociedad. En definitiva, el principio trataría de materializar el conocido aforismo *in dubio pro securitate*. Promueve optar, ante la duda, por el mayor nivel de protección posible, a la espera de nuevas informaciones.

Hasta ahora, tanto en la doctrina como en las resoluciones de los Tribunales, existe poco consenso sobre esta dirección, si no es en un sentido muy general, que prácticamente puede asimilarse a la prevención en sentido amplio, entendida como la necesidad de evitar la producción de posibles daños antes de que se produzcan. Sí parece más relevante esta dimensión sustantiva para el legislador y la Administración, pues sirve para justificar la adopción de muchas de sus medidas.

Aunque las instituciones y la jurisprudencia nacionales y europeas han dejado abierta esta cuestión, y solo sugieren posibles direcciones que el principio de precaución puede adoptar, la anticipación al riesgo y la subordi-

---

[15] Para algunos autores alemanes, el *Vorsorgeprinzip* [principio de precaución] consiste precisamente en que los poderes públicos dejen de ser reactivos frente al riesgo para ser, sobre todo, anticipativos (BENDER, SPARWASSER & ENGEL, 2000, 30). En España, A. Cortina se ha referido a la necesidad de un cambio de *actitud*, de *ethos*, frente a la naturaleza y otros bienes jurídicos, en lo que algunos han llegado a ver una nueva *espiritualidad* ligada al principio de precaución (CORTINA, 2004, 7, 11, 16).

nación de los criterios científicos y económicos a la protección jurídica de determinados bienes y valores, puede traducirse en tres enfoques complementarios. En ellos, el Derecho orienta a la ciencia a la vez que la Ciencia informa al Derecho:

(i)   la necesidad de investigar en profundidad no sólo las hipótesis más probables, sino también las hipótesis más pesimistas en cuanto a la existencia y la magnitud del riesgo enfrentado, a fin de poder adoptar posteriormente medidas basadas en peores escenarios posibles según el estado actual de los conocimientos científicos;

(ii) la necesidad de investigar medidas que no sólo reduzcan el riesgo enfrentado a un nivel aceptable sino que busquen reducirlo a la menor entidad posible, en lo que se conoce como el enfoque ALARA por sus siglas en inglés (*as low as reasonably achievable*), a fin de permitir a los poderes públicos un abanico más amplio de decisión;

(iii) la necesidad de actuar sobre la base de un conocimiento científico lo más actualizado y completo posible, así como de promover una reevaluación constante del conocimiento científico para tomar conciencia de posibles cambios en el nivel de riesgo incluso después de haber adoptado las primeras medidas de protección frente al mismo[16].

En todo caso, el valor de la precaución (como dimensión sustantiva del principio de precaución) no determina el nivel exacto de riesgo que resulta aceptable en cada caso, aunque sí asume que el nivel de riesgo cero resulta imposible. Lo que promueve es que, al menos, los beneficios derivados de la adopción de medidas de protección superen los riesgos creados por la propia actuación de los poderes públicos, es decir, que la actuación de las autoridades al desarrollar este principio no agrave la lesión del bien jurídico que se busca proteger.

---

[16]   Estos enfoques ya fueron mencionados en la importante Comunicación de la Comisión Europea sobre el principio de precaución, de 2 de febrero de 2000.

4. LA OLVIDADA DIMENSIÓN FORMAL O PROCEDIMENTAL DEL PRINCIPIO DE PRECAUCIÓN

Pese a las numerosas menciones al principio de precaución, y a su vertiente sustantiva (para anticipar la adopción de medidas restrictivas), pocos instrumentos jurídicos han puesto el foco sobre la dimensión formal o procedimental de este principio. Como veremos, esta dimensión implica una aproximación estructurada a los distintos riesgos por parte de los poderes públicos, con exhaustivo análisis del contexto científico y amplia justificación de las medidas adoptadas. Se trata de una dimensión ausente, por ejemplo, en el Real Decreto 463/2020 que declaró el primer estado de alarma sin mencionar ningún informe científico para justificar las medidas adoptadas (solo se cita la declaración de pandemia mundial por parte de la OMS, el 11 de marzo de 2020). O en los diversos Decretos-Leyes, Órdenes (estatales y autonómicas) y Acuerdos del Consejo Interterritorial del Sistema Nacional de Salud, posteriormente publicados en el BOE, que rara vez contienen una justificación exhaustiva de las medidas restrictivas empleadas en cada momento[17]. Tampoco ha resultado especialmente relevante en la mayoría de las resoluciones judiciales relativas a la COVID-19, con una estimable excepción en el primer auto dictado por el Juzgado de lo Contencioso-Administrativo nº 1 de Tenerife al inicio de la pandemia, ya citado anteriormente[18].

---

[17] Si bien los requisitos de evaluación *ex ante* para la elaboración de disposiciones generales no han cesado de aumentar en los últimos tiempos, como refleja el detallado Real Decreto 931/2017 de 27 de octubre por el que se regula la Memoria de Análisis de Impacto Normativo, muchas de estas normas no contemplan su realización, permiten omitirla en caso de urgencia o directamente se aprueban en la práctica sin haberla realizado.

[18] *«El recurso al principio se inscribe, por tanto, en el marco general del análisis de riesgo (que incluye, al margen de la evaluación del riesgo, la gestión del riesgo y la comunicación del riesgo) y, más concretamente, en el marco de la gestión del riesgo que corresponde a la fase de toma de decisiones. El principio de precaución solo se puede invocar en la hipótesis de un riesgo potencial, y que en ningún caso puede justificar una toma de decisión arbitraria El recurso al principio de precaución debe guiarse por tres principios específicos: ★ una evaluación científica lo más completa posible y la determinación, en la medida de lo posible, del grado de incertidumbre científica; ★ una determinación del riesgo y de las consecuencias potenciales de la inacción; ★ la participación de todas las partes interesadas en el estudio de medidas de precaución, tan pronto como se disponga de los resultados de la evaluación científica o de la determinación del riesgo»* (F. J. 3).

Esta ausencia resulta especialmente llamativa, si se tiene en cuenta que la dimensión procedimental del principio de precaución es la que más había desarrollado la jurisprudencia europea y la doctrina hasta ahora[19]. Esta dimensión implica una aproximación al riesgo dividida en dos o tres fases: (i) la identificación y análisis del posible riesgo, calificada generalmente como fase de «evaluación científica»; y (ii) la adopción de una decisión específica sobre cómo enfrentarlo por parte de los poderes públicos, calificada como fase de «gestión del riesgo». Las analizaremos brevemente a continuación, teniendo en cuenta que cuanto más se ha desarrollado esta dimensión procedimental, esto es, cuanta mayor ha sido la estructuración del proceso de toma de decisiones frente al riesgo, más fácil y exhaustivo ha resultado el posterior control judicial de la aplicación del «principio de precaución».

4.1 Identificación de un peligro

La fase de identificación de peligros es un elemento que «*precede lógica y cronológicamente*» a la evaluación de riesgos[20]. Consiste en determinar «*los efectos potencialmente peligrosos que se derivan de un fenómeno*»[21] o de concretar los efectos nocivos ya apreciados (daños como los provocados por el coronavirus al inicio de la pandemia) para tratar de aislar posteriormente sus causas. Según la jurisprudencia europea, esta primera fase «*no requiere mayores explicaciones*»[22], aunque lo cierto es que muchas veces se confunde con la siguiente fase de evaluación científica del riesgo (especialmente debido al primer elemento de esta última, que también se conoce como la identificación

---

[19]   Vid. Comunicación de la Comisión europea de 2 de febrero de 2000, págs. 13-17; Sentencia del Tribunal General (Sala Primera ampliada) de 17 de mayo de 2018, BASF Agro c. Comisión (en adelante, Sentencia BASF Agro), apartado 60. Un documento pionero a estos efectos fue el Informe de la Consulta Mixta FAO/OMS de Expertos sobre la aplicación del análisis de riesgos a cuestiones de normas alimentarias de 13 a 17 de marzo de 1995, dentro del marco de elaboración del Codex Alimentarius. La necesaria estructuración de la gestión del riesgo también se encuentra expresamente manifestada, por ejemplo, en la formulación del principio de precaución reflejada en el artículo 5 de la Carta del Medioambiente francesa.

[20]   Comunicación de la Comisión europea de 2 de febrero de 2000, pág. 13.

[21]   Ídem.

[22]   Vid. Sentencia BASF Agro, apartado 60.

del peligro). En realidad, se trata de una fase esencial a la que no siempre se otorga la importancia que merece, pese a que puede justificar por sí misma la adopción de alguna medida cautelarísima en los casos de mayor urgencia. La identificación de los bienes jurídicos amenazados —como la salud pública en el caso de la COVID-19, pero también, por ejemplo, el adecuado funcionamiento de los hospitales y el sistema de salud en su conjunto— resulta una dimensión clave para la aplicación del principio de precaución y la determinación de los distintos escenarios y medidas posible que se deben analizar.

4.2 Evaluación del riesgo

En segundo lugar, tras la identificación de dichos peligros, la fase de evaluación científica del riesgo consiste en analizar a partir de *«datos científicos fiables»* y mediante un *«razonamiento lógico»* cuál es *«la posibilidad del acontecimiento* [los efectos nocivos identificados anteriormente] *y la gravedad del impacto de un peligro sobre el medio ambiente o sobre la salud de una población dada, incluida la magnitud del posible daño, su persistencia, reversibilidad y efectos posteriores»*[23]. Esta fase debe llevarse a cabo por órganos o autoridades de naturaleza científica[24], que deben expresar además sus *«puntos de vista* [...] *sobre la fiabilidad de la evaluación y las incertidumbres que se mantienen»*, así como, en caso necesario, *«la identificación de problemas que necesiten una investigación científica más amplia»*[25]. Es esta dimensión la que menos reflejado se ha visto en las diversas normas adoptadas frente al coronavirus, especialmente durante

---

[23]   Vid. Comunicación de la Comisión europea de 2 de febrero de 2000, pág. 14.

[24]   La jurisprudencia europea es especialmente clara a este respecto: *«Al tratarse de un procedimiento científico, la institución debe encomendar a especialistas científicos la evaluación científica de los riesgos»* (vid. Sentencias del Tribunal de Primera Instancia de las Comunidades Europeas de 11 de septiembre de 2002, Pfizer y Alpharma c. Consejo, apartados 157 y 170 respectivamente; o Sentencia del TGUE de 9 de septiembre de 2011, caso Francia/Comisión, apartado 73). Suele añadirse que *«la evaluación científica de los riesgos debe basarse en los mejores datos científicos disponibles y debe llevarse a cabo de manera independiente, objetiva y transparente»* (vid. Sentencia BASF Agro, apartados 64 y 66). El TJUE ha estimado, sin embargo, que no era obligatorio consultar a estos efectos a los comités científicos especializados insertos en la propia estructura institucional de la Unión Europea y previstos precisamente a estos efectos.

[25]   Vid. Comunicación de la Comisión europea de 2 de febrero de 2000, pág. 14.

el primer estado de alarma: la transparencia y la expresa motivación de las normas constituyen aspectos complementarios, pero fundamentales, de la evaluación de riesgo anterior a cada medida de protección.

Esta segunda fase ha sido dividida a su vez en cuatro etapas intermedias[26]:

(i) la identificación del peligro, que consiste en «*determinar los agentes biológicos, químicos o físicos que pueden tener efectos adversos*», en este caso el coronavirus SARS-COV-2[27]. Se trata de una etapa similar a la anterior identificación general de un peligro, pero de forma mucho más precisa y llevada a cabo por organismos científicos, que tratan de precisar el peligro en cuestión;

(ii) la caracterización del peligro, que implica «*determinar, en términos cuantitativos o cualitativos, la naturaleza y gravedad de los efectos adversos asociados con los agentes o la actividad que los causa*»[28]. Se trata de precisar por medio del método científico la magnitud de la lesión esperada (para los riesgos inciertos) o la magnitud que ciertos efectos presentes pueden llegar a alcanzar (para las causas inciertas);

(iii) la evaluación de la exposición, que consiste en «*evaluar cuantitativa o cualitativamente la probabilidad de exposición al agente estudiado*»[29]. Esta evaluación no debe centrarse únicamente en las características del agente potencialmente lesivo (su distribución, los rasgos relevantes para su análisis, su concentración, etc.), sino también en la exposición real de la población a sus efectos; y

(iv) la caracterización del riesgo, consistente en una «*estimación cualitativa o cuantitativa, teniendo en cuenta las incertidumbres inherentes, [de] la probabilidad, la frecuencia y la gravedad de los potenciales efectos adversos que*

---

[26] Ídem.

[27] Ibíd., pág. 29.

[28] Ello implica también intentar establecer «*la relación entre la cantidad de sustancia peligrosa y el efecto que produce*», ya sea respecto de una nueva sustancia, o respecto de un fenómeno ya observado y una causa que se sospecha, como en el caso del coronavirus y los aerosoles (ídem).

[29] Ídem.

pueden incidir sobre el medio ambiente o la salud»[30]. Aunque la Comunicación y la jurisprudencia señalan que esta caracterización «*depende en gran medida de las incertidumbres, variaciones, hipótesis de trabajo y conjeturas que se hayan formulado en cada fase del proceso*» y «*se establece basándose en los tres elementos anteriores*», no queda claro en qué se diferenciaría esta etapa de las anteriores, si no es como mero resumen final de las mismas o agregación de los resultados obtenidos.

No obstante, la fase de evaluación del riesgo suscita algunas dudas. Por un lado, no queda claro si la realización de esta evaluación científica es un requisito indispensable en todos los casos para aplicar medidas al amparo del principio de precaución, incluso en caso de urgencia[31]. Por otro lado, ni

---

[30]   Curiosamente, la Comunicación de 2 de febrero de 2000 y la jurisprudencia posterior que la cita mencionan como parte de esta fase que «*cuando los datos disponibles son inadecuados o no concluyentes, un planteamiento prudente y cauteloso de la protección del medio ambiente, la salud o la seguridad podría consistir en optar por la 'hipótesis más pesimista'; la acumulación de dichas hipótesis produce una exageración del riesgo real, pero a la vez infunde cierta seguridad de que no será infravalorado*» (Sentencia BASF Agro, apartado 63 y Comunicación de 2 de febrero de 2000, pág. 29). En realidad, la decisión de optar por la hipótesis más pesimista o por otras no debería corresponder a esta fase de evaluación, ni dejarse en manos de los organismos científicos encargados de llevarla a cabo. Se trata de una decisión político-jurídica, que idealmente debería adoptar el Poder legislativo o, en caso de no hacerlo, los titulares del Poder ejecutivo.

[31]   La Comunicación de 2 de febrero de 2000 parecía responder negativamente a esa duda, señalando que debe llevarse a cabo solamente «*cuando sea posible*». También señala que «*deberán hacerse todos los esfuerzos posibles*» para ello o que deberá «*intentarse completar estas cuatro fases*» de la evaluación antes de adoptar una decisión (pág. 14). Sin embargo, la jurisprudencia europea se ha pronunciado en sentido opuesto. Ha señalado por ejemplo que, aunque una evaluación científica completa resulte imposible, «*los especialistas científicos* [deben realizar] *una evaluación científica de los riesgos a pesar de la incertidumbre científica subsistente, de modo que la autoridad pública competente disponga de una información lo bastante fiable y sólida como para permitirle comprender todas las implicaciones de la cuestión científica planteada y determinar su política con conocimiento de causa*» (vid. Sentencias Pfizer y Alpharma, apartados 160-163 y 173-176 respectivamente; y Sentencia del TGUE de 9 de septiembre de 2011, caso Francia/Comisión, apartado 77). En otras palabras, «*la realización de una evaluación científica de los riesgos es un requisito previo para la adopción de cualquier medida preventiva*» (Sentencias Pfizer y Alpharma, apartados 155 y 168 respectivamente). De forma similar, se ha señalado que «*solo cabe adoptar una medida preventiva si, a pesar de que la existencia y el alcance del riesgo no han sido "plenamente" demostrados con datos científicos concluyentes, dicho riesgo resulta no obstante*

la Comisión ni la jurisprudencia europea han especificado cuáles serían las consecuencias de no llevar a cabo las cuatro etapas señaladas para esta evaluación o llevarlas a cabo de forma defectuosa, aunque parece que el control y las consecuencias de estas circunstancias serían limitadas[32].

4.3 Gestión del riesgo en sentido estricto

En tercer y último lugar, la aplicación del principio de precaución y otras normas asociadas a él culminaría con una fase de gestión del riesgo en sentido estricto. Existen discrepancias sobre el contenido exacto de esta fase. Para la Comisión europea, por ejemplo, esta fase estaría compuesta de dos etapas diferentes: (i) la determinación del nivel de riesgo que se considera aceptable a la luz de la evaluación científica realizada, lo que determina la decisión de si deben o no adoptarse medidas y (ii) la identificación de las medidas que se deben adoptar, en caso de decidir actuar[33]. En cambio, para la jurisprudencia, la determinación del nivel de riesgo aceptable correspondería a la fase anterior, de evaluación del riesgo en sentido amplio (dividida entonces en evaluación científica propiamente dicha y determinación del nivel de riesgo aceptable), mientras que la fase de gestión del riesgo sólo consistiría en la elección de las medidas que se deben adoptar para minimizar o eliminar el riesgo en cuestión[34].

---

suficientemente documentado sobre la base de los datos científicos disponibles en el momento de la adopción de esa medida» (Sentencia BASF Agro, apartados 67-69).

[32]   Los órganos judiciales no pueden sustituir la apreciación de los comités científicos por la suya propia. Más aún, el control judicial sólo se ejercería sobre la regularidad del funcionamiento de los citados comités (cuando se encuentre regulada), así como sobre la coherencia interna y la motivación de su dictamen. En relación con este último aspecto, el Tribunal sólo podría comprobar *«si el dictamen contiene una motivación que permita apreciar las consideraciones en las que se basa y si establece una relación comprensible entre las comprobaciones médicas y/o científicas y las conclusiones a las que llega»* —principales informes y dictámenes en los que se basa, precisión de las razones por las que se aparta de ellos si lo hace, expresión del grado de incertidumbre científica existente, etc.- (Sentencia del TPICE de 26 de noviembre de 2002, Artegodan c. Comisión, apartado 200).

[33]   Vid. Comunicación de 2 de febrero de 2000, págs. 15 y ss.

[34]   Vid. Sentencia BASF Agro, apartado 74, con cita de la Sentencia del TJUE de 12 de abril de 2013, Du Pont de Nemours c. Comisión, apartado 148.

Esta fase de gestión en sentido estricto, que en realidad debería ser de canalización institucionalizada de cada riesgo, es especialmente relevante: en ella se materializan las decisiones políticas adoptadas por el legislador o por la Administración, en la dirección apuntada por la dimensión sustantiva del principio de precaución —anticiparse al riesgo, priorizando la seguridad y el interés colectivo—, dentro del margen de libre configuración que la propia Constitución les reconoce. Pero siempre sobre la base fijada en la identificación y evaluación científica anterior de cada riesgo, debidamente relejada por los poderes públicos como antecedentes necesarios de sus normas y decisiones.

Solo aquí puede culminar válidamente la aplicación del principio de precaución y el resto de normas que lo desarrollan. Más allá de la dimensión sustantiva del principio, estos hitos formales o procedimentales son la verdadera garantía para la adopción de medidas restrictivas de derechos no arbitrarias, informadas y fundamentadas según el conocimiento científico más adecuado y actualizado posible. Una atención reforzada de los Tribunales a estos aspectos formales, echados en falta hasta ahora en la fase de control de las medidas adoptadas frente a la COVID-19, sería ciertamente bienvenida en el futuro.

Bibliografía

BENDER, B., SPARWASSER, R. & ENGEL, R. (2000). Umweltrecht: Grundzüge des öffentlichen Umweltschutzrechts (4ª ed.). C. F. Müller

BODANSKY, D. (1994). The precautionary principle in US environmental law. En Interpreting the Precautionary Principle (203-228). Routledge

Centro Nacional de Epidemiología CNE (2020a). *Informe sobre la situación de COVID-19 en España nº 3.* Disponible en https://www.isciii.es/QueHacemos/Servicios/Vigi lanciaSaludPublicaRENAVE/EnfermedadesTransmisibles/Paginas/InformesCO-VID-19. aspx (última consulta 31-01-2022)

Centro Nacional de Epidemiología CNE (2020b). *Informe sobre la situación de COVID-19 en España nº 19.* Disponible en https://www.isciii.es/QueHacemos/Servicios/Vigi lanciaSaludPublicaRENAVE/EnfermedadesTransmisibles/Paginas/InformesCO-VID-19. aspx (última consulta 31-01-2022)

CEPCE (2020). *Outbreak of novel coronavirus disease 2019 (COVID-19): increased transmission globally - fifth update.* Disponible en https://www.ecdc.europa.eu/en/publications-data/rapid-risk-assessment-outbreak-novel-coronavirus-disease-2019-covid-19-increased (última consulta 31-01-2022)

CIERCO SEIRA, C. (2004). El principio de precaución: reflexiones sobre su contenido y alcance en los Derechos comunitario y español. *Revista de Administración Pública*, (163), 73-126

CORTINA, A. (2004). Fundamentos filosóficos del principio de precaución. En Principio de precaución, biotecnología y Derecho (3-16). Comares

ESTEVE PARDO, J. (2004). La operatividad del principio de precaución en materia ambiental. En El principio de precaución y su proyección en el derecho administrativo español (191-214). Consejo General del Poder Judicial.

GODARD, O. (2003). Le principe de précaution comme norme de l'action publique, ou la proportionnalité en question. *Revue économique*, *54*(6), 1245-1276

GONZÁLEZ VAQUÉ, L. (1999). La aplicación del principio de precaución en la legislación alimentaria: ¿una nueva frontera de la protección del consumidor? *Estudios sobre consumo*, (50), 9-26

Ministerio de Sanidad (2020). *Valoración de la declaración del brote de nuevo coronavirus 2019 (n-CoV) una Emergencia de Salud Pública de Importancia Internacional (ESPII)*. Disponible en https://www.sanidad.gob.es/profesionales/saludPublica/ccayes/alertasActual/nCov/documentos/Valoracion_declaracion_emergencia_OMS_2019_nCoV.pdf (última consulta 31-01-2022)

MORRIS, J. (2000). Defining the precautionary principle. En Rethinking Risk and the Precautionary Principle (1-22). Butterworth-Heinemann

Organización Mundial de la Salud (2020a). *Declaración sobre la segunda reunión del Comité de Emergencias del Reglamento Sanitario Internacional (2005) acerca del brote del nuevo coronavirus (2019-nCoV)*. Disponible en https://www.who.int/es/news/item/30-01-2020-statement-on-the-second-meeting-of-the-international-health-regulations-(2005)-emergency-committee-regarding-the-outbreak-of-novel-coronavirus-(2019-ncov) (última consulta 31-01-2022)

Organización Mundial de la Salud (2020b). *«Immunity passports» in the context of COVID-19*. Disponible en https://apps.who.int/iris/handle/10665/331866?locale-attribute=es& (última consulta 31-01-2022)

Organización Mundial de la Salud (2020c). *Declaración sobre la segunda reunión del Comité de Emergencias del Reglamento Sanitario Internacional (2005) acerca del brote del nuevo coronavirus (2019-nCoV)*. Disponible en https://www.who.int/es/news/item/30-01-2020-statement-on-the-second-meeting-of-the-international-health-regulations-(2005)-emergency-committee-regarding-the-outbreak-of-novel-coronavirus-(2019-ncov) (última consulta 31-01-2022)

PEEL, J. (2005). The precautionary principle in practice: environmental decision-making and scientific uncertainty. The Federation Press.

SANDIN, P. (1999). Dimensions of the precautionary principle. *Human and Ecological Risk Assessment: an international journal*, *5*(5), 902-905

SORO MATEO, B. (2017). Construyendo el principio de precaución. *Revista Aragonesa de Administración Pública*, (49-50), 87-151

STIRLING, A. (1999). On Science and Precaution In the Management of Technological Risk - Volume I: A Synthesis Report of case studies. European Science and Technology Observatory ESTO.

SUNSTEIN, C. R. (2005). Laws of Fear: beyond the precautionary principle. Cambridge University Press.

WIENER, J. B. & ROGERS, M. (2002). Comparing precaution in the United States and Europe. *Journal of Risk Research*, 5(4), 317-349

La libertad de educación en la LOMLOE: estudio de la programación de la oferta educativa y de la educación diferenciada

Luis Sánchez Socías
José Mateu Isturiz
Abogados del Estado (exc.), abogados

1. PLANTEAMIENTO

A partir de la Sentencia del Tribunal Constitucional (STC en abreviatura) 5/1981, de 13 de febrero, es habitual en la doctrina afirmar que el modelo educativo de la Constitución de 1978 (CE en adelante) es mixto y flexible, de modo que no hay contraposición entre los derechos a la educación y a la libertad de enseñanza, ya que el artículo 27 consigue expresar un auténtico derecho a la educación en libertad. En desarrollo de este sistema educativo plural, la Ley Orgánica 8/1985, de 3 de julio, reguladora del derecho a la educación (LODE en lo sucesivo), introdujo en nuestro ordenamiento la figura de los conciertos educativos. En su Preámbulo, dicha norma calificó este art. 27 como «un marco de compromiso y concordia», y se refirió al régimen educativo español como «un sistema de carácter mixto o dual», basado en la coexistencia de centros de titularidad pública y de iniciativa social, que manifiestan el ejercicio de un derecho fundamental y el pluralismo educativo.

La nueva ley educativa española, 3/2020, de 29 de diciembre, por la que se modifica la Ley Orgánica 2/2006, de 3 de mayo, de Educación (LOMLOE en adelante), conocida como «Ley Celaá», habla en su preámbulo de una «formación integral» orquestada a partir de cinco enfoques que a continuación se enuncian de manera resumida: los Derechos de la Infancia según lo establecido en la Convención de los Derechos del Niño de Naciones Unidas; la igualdad de género; que todo el alumnado tenga garantías de éxito en la educación; atender a los Objetivos de Desarrollo Sostenible (ODS) según lo establecido en la Agenda 2030; y atender al cambio digital que se está produciendo en nuestras sociedades.

Este programa, que puede ser compartido sin dificultad, se traduce en una serie de concreciones que no suscitan el mismo respaldo. Entre ellas, destaco el enorme protagonismo que da a la educación pública y la invocación de la equidad e inclusión como políticas educativas para promocionar determinadas ideas[1]. En el debate entre un modelo de escuela plural o un

---

[1]   El Preámbulo recuerda que «La Ley 14/1970, de 4 de agosto, General de Educación y de Financiamiento de la Reforma Educativa (LGE) y la Ley Orgánica 8/1985, de 3 de julio, reguladora del Derecho a la Educación (LODE) declararon la educación como servicio público», para más adelante exponer que «En el título II de la LOE sobre

modelo de pluralidad de escuelas, toma partido por la primera opción, y lo hace de una manera tan extrema que se puede decir que pretende una escuela única, pública y laica, basada en la premisa del monopolio estatal de una educación moralmente neutra. Pienso que no es exagerado afirmar que el propósito de la LOMLOE es que las instituciones escolares de iniciativa social, que la doctrina y jurisprudencia han venido considerando complementarias de la red pública, tiendan a desaparecer, pasando por de pronto a ser subsidiarias de la red de centros públicos. Simplificando, se podría decir que quiere que los fondos públicos tiendan a dirigirse a los centros públicos, porque la educación gratuita en manos privadas solo busca el lucro.

En nuestra opinión, esta línea argumental, tan ajena a la colaboración público-privado que ha permitido el desarrollo de las sociedades occidentales, desconoce el carácter prestacional del derecho a la educación y la propia libertad de enseñanza. Al poner las bases de lo que puede desembocar a medio plazo en un monopolio educativo público, la LOMLOE se decanta por una interpretación tan partidista del artículo 27 de la Constitución, que rompe el arduo consenso que hizo posible la redacción de este precepto[2], desdibuja el derecho de los padres a elegir un centro de iniciativa social, y conlleva el riesgo de adoctrinamiento[3]. Y esto en un contexto de fuerte descenso de la natalidad y de casi plena escolarización en las etapas obligatorias.

Equidad en la educación se pretende subrayar que la educación pública constituye el eje vertebrador del sistema educativo».

[2]   Cfr. SIMÓN YARZA, F., «Los conciertos en la LOMLOE. Ruptura de un consenso constitucional», en *Revista General de Derecho Constitucional* 35 (2021). También VIDAL PRADO, C., El diseño constitucional de los derechos educativos ante los retos presentes y futuros, en *Revista De Derecho Político*, 1(100), 2017, págs. 739–766. https://doi.org/10.5944/rdp.100.2017.20716

[3]   Cfr. la definición de adoctrinamiento que hace IBÁÑEZ-MARTÍN, J. A.: cualquier acción que, desde el poder político o desde la actividad educadora, busca imbuir en el otro determinadas ideas, o conseguir que el otro desarrolle ciertas conductas, usando los medios que estén a su alcance y poniendo todo su interés en destruir en el otro la posibilidad de que el seguimiento de tales ideas o conductas sea la consecuencia de una reflexión personal razonablemente informada, ante el temor de que tal reflexión conduzca a consecuencias diversas de las deseadas por quien adoctrina, en «La enseñanza de la filosofía y el cultivo de la inteligencia. Una segunda mirada al Sentido Crítico y

En esta colaboración nos vamos a centrar en lo que consideramos que son los dos puntos centrales del debate sobre la libertad de educación en este momento: la regulación de la programación de la oferta educativa y la financiación de la educación diferenciada por sexos[4]. Conectan inmediatamente con dos apartados del art. 27 CE, el 5 (*Los poderes públicos garantizan el derecho de todos a la educación, mediante una programación general de la enseñanza, con participación efectiva de todos los sectores afectados y la creación de centros docentes*) y el 9 (*Los poderes públicos ayudarán a los centros docentes que reúnan los requisitos que la ley establezca*), pero han de tomarse igualmente en consideración el resto de apartados del mismo art. 27, dada la «estrecha conexión» que todos ellos presentan «derivada de la unidad de su objeto» (STC 86/1985, de 10 de julio, FJ 3).

El tratamiento de estos dos temas en la LOMLOE es diferente, porque mientras la programación queda en manos de la comunidad autónoma correspondiente, lo que es coherente con el esquema competencial y la distribución del gasto público en educación[5], la educación diferenciada es directa e inmediatamente discriminada, al prohibirse la financiación con fondos públicos de los centros que sigan este método pedagógico.

El Preámbulo de la LOMLOE explica que «En el título IV de la LOE, sobre centros docentes, se establece que la programación de la red de centros debe asegurar la existencia de plazas públicas en todas las áreas o zonas

---

al Adoctrinamiento», en *Revista Española de Pedagogía*, año 79, nº 278, enero-abril 2021, págs. 42-43.

[4] En esta apreciación, coincido con lo que dijo NUEVO LÓPEZ, P., en la mesa 2 del XVIII Congreso de la Asociación de Constitucionalistas de España, dedicado a «Educación y Libertades en la democracia constitucional», que tuvo lugar en formato virtual durante los días 11 y 12 de marzo de 2021. Cfr. http://www.cepc.gob.es/blog/educaci%C3%B3n-y-libertades-educativas

[5] En 2017, el gasto público en educación se elevó a 49.386,2 millones de euros; de ellos, 6.179,4 millones de euros se dedican a financiar la enseñanza privada concertada, lo que representa un 12,5% del gasto público en educación y un 14,3% del gasto de las Administraciones educativas. Prácticamente la totalidad del importe destinado a conciertos y subvenciones corresponde a gasto efectuado por las comunidades autónomas, representando solo un 0,3% el del Ministerio de Educación. Cfr. https://sede.educacion.gob.es/publiventa/sistema-estatal-de-indicadores-de-la-educacion-2020/espana-organizacion-y-gestion-educativa/23979

de escolarización o de influencia que se establezcan, una vez considerada la oferta existente de centros públicos y privados concertados. Asimismo, a fin de garantizar los derechos y libertades de todos los interesados, los principios de programación y participación deben ser tenidos en cuenta en la confección de la oferta de plazas en centros educativos». Esta es la motivación de la nueva redacción del artículo 109, que analizaré más adelante.

Por lo que se refiere al segundo de los temas, el Preámbulo de la LOMLOE dice que «adopta un enfoque de igualdad de género a través de la coeducación y fomenta en todas las etapas el aprendizaje de la igualdad efectiva de mujeres y hombres, la prevención de la violencia de género y el respeto a la diversidad afectivo-sexual, introduciendo en educación secundaria la orientación educativa y profesional del alumnado con perspectiva inclusiva y no sexista», pero no hay una justificación específica de la prohibición de destinar fondos públicos al sistema de educación diferenciada que impone la nueva redacción de la disposición adicional 25. Esto puede deberse a que es muy difícil justificar la grave irregularidad institucional que constituye el hecho de que el legislador orgánico de 2020 contradiga frontalmente la doctrina de dos sentencias de 2018 del máximo intérprete de la Constitución.

Antes de abordar los temas indicados, es oportuno advertir que la mayor presencia de la escuela de titularidad pública no significa un mejor cumplimiento de la Constitución y del fin primordial de la educación, que es el desarrollo de la personalidad del menor de edad como titular del derecho a la educación en libertad. Consideramos un sesgo ideológico suponer que sólo las iniciativas públicas de centros escolares garantizan, *per se*, la formación de ciudadanos comprometidos con los valores democráticos y el bien común.

Una expansión de la red pública tampoco significa un mejor modelo educativo de neutralidad multicultural abierto a todos los valores, porque «la educación no puede ni debe ser neutra. La educación neutral se ha revelado, especialmente en la actualidad, como un axioma falso. La propia afirmación de la existencia de una educación que se dice neutra esconde en sí misma una opción ideológica concreta, una acción educativa conforme a una opción ideológica específica. No hay acción educativa que no comprenda en sí misma un conjunto de valores o creencias. (…) Educar es hacer al hombre más hombre, hacer más humano al hombre, que llegue a ser persona en su plenitud, acompañar al niño, al adolescente, en ese camino personal hacia el ser persona»[6].

2. PROGRAMACIÓN DE LA OFERTA EDUCATIVA

2.1 Modificaciones normativas

Tanto la LOMCE de 2013 como la LOMLOE de 2020 han modificado parcialmente la LOE de 2006, que sigue siendo la ley educativa vigente. Los principales cambios en esta materia se ven al comparar las sucesivas redacciones del artículo 109.

Cuadro comparativo del artículo 109. Programación de la red de centros

LOE 2006	LOE 2013 (LOE + LOMCE)	LOE 2020 (LOE+LOMLOE)
1. En la programación de la oferta de plazas, las Administraciones educativas armonizarán las exigencias derivadas de la obligación que tienen los poderes públicos de garantizar el derecho de todos a la educación y los derechos individuales de alumnos, padres y tutores.	1. En la programación de la oferta de plazas, las Administraciones educativas armonizarán las exigencias derivadas de la obligación que tienen los poderes públicos de garantizar el derecho de todos a la educación y los derechos individuales de alumnos **y alumnas**, padres, **madres y** tutores **legales**.	1. En la programación de la oferta de plazas, las Administraciones educativas armonizarán las exigencias derivadas de la obligación que tienen los poderes públicos de garantizar el derecho de todos a la educación, **mediante una oferta suficiente de plazas públicas, en condiciones de igualdad** y los derechos individuales de alumnos y alumnas, padres, madres y tutores legales. **En todo caso, se perseguirá el objetivo de cohesión social y la consideración de la heterogeneidad de alumnado como oportunidad educativa.**

---

[6] MURGOITIO GARCÍA, J. M., «El sistema educativo, entre el monopolio y la libertad escolar: escuela plural o pluralidad de escuelas», *Ius Canonicum*, vol. 58, 2018, pág. 89.

LOE 2006	LOE 2013 (LOE + LOMCE)	LOE 2020 (LOE+LOMLOE)
2. Las Administraciones educativas programarán la oferta educativa de las enseñanzas que en esta Ley se declaran gratuitas teniendo en cuenta la oferta existente de centros públicos y privados concertados y, como garantía de la calidad de la enseñanza, una adecuada y equilibrada escolarización de los alumnos con necesidad específica de apoyo educativo. Asimismo, las Administraciones educativas garantizarán la existencia de plazas públicas suficientes especialmente en las zonas de nueva población.	2. Las Administraciones educativas programarán la oferta educativa de las enseñanzas que en esta Ley se declaran gratuitas, teniendo en cuenta **la programación general de la enseñanza**, las consignaciones presupuestarias existentes y el principio de economía y eficiencia en el uso de los recursos públicos y, como garantía de la calidad de la enseñanza, una adecuada y equilibrada escolarización de los alumnos **y alumnas** con necesidad específica de apoyo educativo, tomando en consideración la oferta existente de centros públicos y privados concertados y la demanda social. Asimismo, las Administraciones educativas garantizarán la existencia de plazas suficientes.	2. Las enseñanzas reguladas en esta Ley se programarán por las Administraciones educativas teniendo en cuenta la oferta existente de centros públicos y **la autorizada en los centros** privados concertados, **asegurando el derecho a la educación y articulando el principio de participación efectiva de los sectores afectados como mecanismo idóneo para atender adecuadamente los derechos y libertades y la elección de todos los interesados. Los principios de programación y participación son correlativos y cooperantes en la elaboración de la oferta** que conllevará una adecuada y equilibrada escolarización del alumnado con necesidad específica de apoyo educativo, como garantía de la equidad y calidad de la enseñanza.
		3. **En el marco de la programación general de la red de centros de acuerdo con los principios anteriores, las Administraciones educativas programarán la oferta educativa de modo que garanticen la existencia de plazas públicas suficientes**, especialmente en las zonas de nueva población.
3. Las Administraciones educativas deberán tener en cuenta las consignaciones presupuestarias existentes y el principio de economía y eficiencia en el uso de los recursos públicos.		4. Las Administraciones educativas deberán tener en cuenta las consignaciones presupuestarias existentes y el principio de economía y eficiencia en el uso de los recursos públicos.
		5. **Las Administraciones educativas promoverán un incremento progresivo de puestos escolares en la red de centros de titularidad pública.**

El estudio de los antecedentes permite concluir que en el n. 1 de este art. 109, la LOMLOE pretende configurar el derecho de todos a la educación en condiciones de igualdad como un elemento limitativo del acceso de los centros privados a la financiación pública, de modo que introduce una barrera basada en unas condiciones de igualdad que no explica ni siquiera mínimamente.

En el apartado 2, la nueva regulación:

a) Sustituye «oferta existente de centros [...] privados concertados» por «oferta [...] autorizada en los centros privados concertados». No es claro el motivo de esta sustitución. Los centros privados están sometidos al régimen de autorización. Y simultáneamente a la solicitud de autorización, o una vez transcurridos cinco años, pueden optar al concierto (cfr. art. 23 y disposición adicional 5ª LODE). Parece demasiado forzado entender que permitiría excluir de la programación las plazas ofertadas por centros privados que solicitan simultáneamente autorización y concierto hasta que no hayan sido autorizados, porque supondría dejar sin contenido la DA 5ª LODE. Pero lo que no permite de ninguna manera es marginar las plazas ofertadas por centros concertados, correspondiente a niveles o unidades no concertados todavía, pero que llevan autorizados cinco o más años.

b) Sustituye «programarán la oferta educativa de las enseñanzas que en esta Ley se declaran gratuitas», que figuraba en la versión original de la LOE, por «las enseñanzas reguladas en esta ley se programarán por las administraciones educativas», con lo que pretende debilitar la afirmación de gratuidad de los centros privados y, consiguientemente, su acceso al concierto.

c) Introduce la frase «asegurando el derecho a la educación». Cabe entender que se equipara la garantía del derecho a la educación con la satisfacción de las necesidades de escolarización *cuantitativas*. A efectos de entender mejor el concepto, es habitual distinguir entre necesidades de escolarización cuantitativas, que atienden exclusivamente al número de demandantes, y necesidades de escolarización cualitativas, que atienden al contenido o dirección de su demanda. Es decir, a si va dirigida a centros públicos o centros concertados. De nuevo, persigue preterir esta segunda.

d) Introduce la frase «y articulando el principio de participación efectiva de los sectores afectados como mecanismo idóneo para atender adecuadamente los derechos y libertades y la elección de todos los interesados». Debo poner de manifiesto que el mecanismo de la participación no puede restringir el contenido prestacional del derecho a la educación gratuita; no es en sí mismo un mecanismo del que quepa presumir, por su simple concurrencia, la atención o satisfacción adecuada de los derechos y libertades y la elección de los interesados. Ni mucho menos sustituir tales derechos. Una cosa es un derecho de participación, y otra un derecho de prestación (o el contenido prestacional de una libertad o de un derecho).

e) Introduce la frase «Los principios de programación y participación son correlativos y cooperantes en la elaboración de la oferta». Esta frase figura casi literalmente en la Exposición de Motivos de la LODE, que explica que «contribuyen a satisfacer las exigencias que del texto constitucional se derivan para el gasto público: por un lado, que por su distribución sea equitativa y que se oriente a financiar la gratuidad —y a ello se dirige la programación—; por otro, optimizar el rendimiento educativo del gasto y velar por la transparencia de la Administración y calidad de la educación, lo que se asegura a través de la participación. En el ámbito educativo, ese control social y esa exigencia de transparencia han sido encomendados, más directamente que a los poderes públicos, a padres, profesores y alumnos, lo que constituye una preferencia por la intervención social frente a la intervención estatal».

f) Desvincula la «adecuada y equilibrada escolarización del alumnado con necesidad específica de apoyo educativo» de la garantía de la calidad de la enseñanza, a diferencia de la LOE de 2006 y 2013.

g) Elimina la referencia a la «demanda social», difuminando los legítimos intereses de los ciudadanos en la programación de la enseñanza, que resultan del art. 27.5 CE.

El apartado 3 supone una vuelta a la redacción originaria de la LOE de 2006, pero ampliada, porque parece referirse únicamente a la satisfacción cuantitativa de necesidades de escolarización y a la exclusiva creación de plazas públicas para atenderla. Pero no llega a decir que la única garantía sea la de las plazas públicas, quizá para evitar la inconstitucionalidad. El apartado 5, por su parte, busca también una manera de dar prioridad a las plazas públicas, que no es totalmente excluyente de las plazas concertadas.

El nuevo marco normativo se completa con la desaparición del inciso del artículo 116.1 LOE que prohibía que «la libertad de elección de centro por su carácter propio» pueda suponer una discriminación en el acceso al concierto. En contraste, la nueva redacción del artículo 116.2 LOE da prioridad en el acceso al concierto a los centros «que fomenten la escolarización de proximidad», como si lo más próximo hubiera de ser siempre lo más deseable para las familias.

2.2 Justificación

2.2.1 La explicación de un sector de la doctrina

En el planteamiento inicial recogimos la pobre explicación que ofrece el Preámbulo de la LOMLOE de estas innovaciones. Podemos encontrar una justificación en las tesis de la profesora Valero[7], cuando afirma que «no existe un derecho constitucional a la libre elección de centro educativo, sino que esta sería una facultad derivada del derecho a elegir la formación religiosa y moral acorde con las convicciones paternas. Estaríamos ante una libertad pública y no ante un derecho de prestación, de forma que las familias pueden mostrar su preferencia por un centro educativo y ésta debe ser considerada por los poderes públicos pero sin ser vinculante, estando habilitados para limitar esta libertad si principios prioritarios como la equidad o la igualdad de oportunidades lo requiriesen».

Apoyándose en datos extraídos de informes elaborados por la Organización para la Cooperación y el Desarrollo Económicos y de la Comisión Europea contra el Racismo y la Intolerancia del Consejo de Europa sobre España, Valero defiende que una mayor capacidad de elección de los padres es correlativa al agravamiento de la desigualdad en los sistemas educativos y a una mayor polarización de los estudiantes por factores socioeconómicos, étnicos o de nacionalidad. También apunta las advertencias de la Comisión Europea y del Comité de Derechos del Niño sobre la segregación escolar, dado que según algunos estudios nuestro país es el sexto más segregado de

---

[7]   Expuestas en la mesa 2 del Congreso de la Asociación de Constitucionalistas de España, *cit.*

Europa, lo que conectó con que solo Malta y Bélgica nos superan en número de centros concertados, y con que el gasto público destinado a la financiación de la educación concertada aumentó un 28,4% entre 2006 y 2016.

La visión del art. 27 CE recién expuesta, que casi anula la dimensión prestacional del art. 27 CE, tendrá su contestación en los argumentos de los recursos de inconstitucionalidad formulados con el art. 109 LOE+LOMLOE. Del incremento de gasto público para financiar las preferencias de los ciudadanos también ocuparé en los siguientes apartados; baste decir ahora que sólo representa un crecimiento del 1,8% del gasto público total en educación, que en esos diez años pasó del 10,9% al 12,7%. A continuación me voy a centrar en la crítica a la enseñanza concertada por la segregación socioeconómica que inevitablemente produciría. Según determinada lectura de los informes citados, la principal manera de combatir la segregación sería reducir la libertad de elección de los padres, y en concreto planificar la oferta educativa para que disminuya el volumen de la educación concertada, por sus «efectos perversos».

2.2.2 Los supuestos «efectos perversos» de la educación concertada

Básicamente, la explicación es la siguiente: los colegios concertados tienen en la práctica un efecto segregador, porque al establecer una serie de barreras para la admisión (algunas económicas, pero no solo), disuaden a las familias con menos renta, de las que habitualmente procede el alumnado más difícil. Así, se forman dos circuitos paralelos: los estudiantes desfavorecidos se concentran en los centros públicos, mientras los más aventajados acuden a los concertados y privados.

Esta tesis se presenta apoyada en algunos datos, que tergiversan una realidad más compleja. Efectivamente, el nivel medio de renta familiar es mayor en el conjunto de las escuelas concertadas que en las públicas. Además, aquellas tienen menor porcentaje de alumnos inmigrantes y con necesidades educativas especiales[8]. Para sacar conclusiones, conviene considerar, en primer lugar, que los factores indicados obedecen más a la localización

---

[8]   Cfr. PÉREZ GARCÍA, SERRANO MARTÍNEZ y URIEL JIMÉNEZ, *Diferencias educativas regionales, 2000-2016, Condicionantes y resultados*, Fundación BBVA, 2019.

del centro que a la titularidad. La pública es prácticamente la única escuela a la que tienen acceso las poblaciones pequeñas. Los centros públicos están representados en las localidades de menos de 10.000 habitantes cuatro veces más que los privados[9]. Este factor parece más relevante que una supuesta mayor presencia de la escuela pública en las zonas con una concentración de pobreza relevante.

En segundo término, los datos de los informes PISA de 2009, 2012 y 2015 demuestran que la red pública también segrega: los que se sitúan en zonas de alto nivel de renta apenas escolarizan a alumnos vulnerables, y viceversa. Según un estudio reciente, del total de la segregación socioeconómica que se da en la Comunidad de Madrid, que tiene el índice de segregación escolar más elevado de Europa después de Hungría (es el 0,36, por encima de la media española de 0,31 y de la Unión Europea de 0,28), en el informe PISA 2015 solo el 28% es «inter-redes» (es decir, se explica por el diferente perfil familiar entre los centros públicos, por un lado, y los concertados y privados, por otro), mientras que el restante 72% se produce «intra-redes»[10] .

En tercer lugar, las diferencias entre las dos redes son pequeñas en los niveles medios de renta familiar. Por ejemplo, en 2017 en el País Vasco, que es la Comunidad Autónoma con mayor porcentaje de alumnado en centros concertados, el 49,1%, el porcentaje del alumnado de cada nivel de ISEC (índice socioeconómico y cultural de las familias) en las redes escolares queda recogido en el siguiente gráfico[11]:

Disponible en https://www.fbbva.es/wp-content/uploads/2019/05/DE_2019_Ivie_Diferencias_educativas.pdf.

[9]   Cfr. https://www.te-feccoo.es/2019/06/26/la-escuela-rural-presente-y-futuro. El 31,8% de los alumnos está en localidades de menos de 10.000 habitantes. De cada 100 centros públicos, 42,3 están en localidades de menos de 10.000 habitantes. De cada 100 centros privados, solo 9,9 están en localidades de menos de 10.000 habitantes. Más de la mitad de los centros privados (52,1%) de ellos están en ciudades de más de 100.000 habitantes.

[10]   Publicado por *Save The Children* en 2019, pág. 45: https://www.savethechildren.es/sites/default/files/imce/docs/mezclate_conmigo-anexo_cm.pdf,

[11]   Consejo Escolar de Euskadi. La educación escolar en Euskadi 2015/2017. https://consejoescolardeeuskadi.hezkuntza.net/documents/17937/5271916/INFOR-

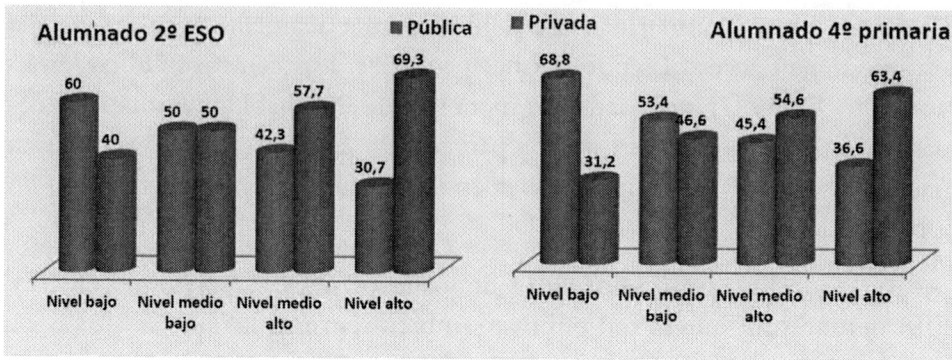

2.2.3 ¿Produce la educación concertada una «segregación estructural»?

He expuesto que en los centros escolares, tanto públicos como concertados, hay una cierta segregación en los recursos económicos de los padres de los alumnos, que es mayor en la concertada pero esto no obedece a la titularidad. ¿Cuáles serán las causas más relevantes de la «segregación estructural» de nuestro sistema educativo? Pensamos que dos: otorgar excesiva importancia a la proximidad a la hora de la admisión en los centros, y la infrafinanciación con fondos públicos de la enseñanza concertada respecto de la enseñanza pública. Esta segunda causa es más directamente consecuencia de la política educativa, porque el lugar de residencia está muy unido a las disponibilidades económicas de la familia. En cambio, la política de destinar a los centros concertados unas cantidades insuficientes, obliga a que los alumnos hayan de aportar las cuotas necesarias para la sostenibilidad de tales centros.

Estas segregaciones estructurales pueden tener mayor o menor solución. La primera consiste en que el Estado acerque la cantidad destinada a un alumno de la concertada a lo que se destina a un alumno de la pública. Según el Sistema estatal de indicadores de la educación (SEIE) 2021, el gasto público por alumno en centros públicos en la Enseñanza no universitaria, en el año 2018 es de 5.968 euros[12]. El SEIE no facilita el gasto público por alumno de la

ME+2015–17.pdf/e7086084–f8eb–fb6c–773a–61bc275882ba

[12] https://sede.educacion.gob.es/publiventa/sistema-estatal-de-indicadores-de-la-educacion-2021/espana-organizacion-y-gestion-educativa/25274.

red concertada, lo que no deja de ser sospechoso. Las estimaciones del Departamento de Educación Vasco son que en 2018 el gasto público por alumno de la red concertada habría sido de 3.769 euros, cantidad que en el País Vasco es menos de la mitad del gasto por alumno de la red pública.

Es obvio que la cantidad destinada a los alumnos de la pública siempre será algo superior a la de la concertada, entre otras razones porque el Estado está obligado a proporcionar escuelas en lugares de pocos alumnos, que serían inviables para centros concertados. Pero es poco razonable acusar a los centros concertados de fomentar esa segregación cuando se les niegan los recursos públicos que necesitan.

La segregación estructural debida al criterio de la proximidad es más difícil de combatir. En efecto, Estados Unidos, a principios de los años 70 quiso evitar esa segregación, en este caso racial, a través del *busing*, obligando a alumnos a trasladarse a otros barrios distantes de donde vivían. Esta política pasó a ser muy minoritaria con el cambio de siglo, porque se dejó de imponer a quienes no rechazaban la integración racial pero sí la obligación de acudir a lejanos centros, distintos de los deseados. Ciertamente la segregación racial en Estados Unidos tiene un contexto diferente a la segregación socioeconómica europea. Lo que nos interesa destacar es que sustituir las decisiones familiares por planificaciones públicas responde, en el fondo, a una perspectiva que da más importancia a las ideologías que a las legítimas elecciones de las familias.

2.2.4 El papel de los criterios seguidos para los procesos de admisión

Hay acuerdo en que un papel muy relevante en toda esta cuestión corresponde a las normas que regulan los procesos de admisión en los centros sostenidos con fondos públicos. Ya se ha señalado que la proximidad al centro escolar es un criterio que tiene sus luces y sus sombras. Otro de los criterios actuales del Mecanismo de Boston (sistema aplicado en España para la asignación de los estudiantes en los centros públicos y concertados) es la presencia de algún familiar en el centro. Este factor puede perjudicar a los alumnos inmigrantes, cuando se escolarizan de golpe.

En última instancia, para fomentar que el alumnado de la red concertada fuera más diverso en términos socioeconómicos, hay estudios que muestran que la Administración tiene muchas palancas de actuación[13], por lo que parece una simplificación excesiva y partidista centrarse en atacarla. Hay dos sugerencias para aumentar la diversidad socioeconómica del alumnado en la concertada que han funcionado en otros países. Concretamente, cabría estudiar una nueva gestión de la «matrícula viva» (con frecuencia de origen extranjero y escolarización tardía), que suele enviar a ese alumnado a centros educativos que ya sufren problemas de segregación, así como mejorar la información y el acompañamiento a las familias en el proceso de elección. También, en una sociedad plural, es razonable estimular el papel del ideario del centro, que no se limita a manifestar si es de carácter confesional o laico, sino que suele incluir opciones pedagógicas, como una especial dedicación a los idiomas, al deporte, a la enseñanza a través del ordenador o de la clase presencial y el libro de texto, etc.

2.2.5 El incremento de gasto público destinado a la enseñanza concertada

Según los datos de 2020 del SEIE[14], el gasto de las Administraciones educativas dedicado a la enseñanza concertada ha pasado de 4.717,2 millones de euros en el 2006 a 6.056,4 millones de euros en el 2016, incrementándose, por tanto, en 1.339,2 millones de euros. Este dato es elocuente, pero parece insuficiente para usarlo como argumento contra un aumento «indebido» de la enseñanza concertada, porque ésta no ha ganado cuota de mercado. Casi en los mismos diez años analizados, la escuela concertada ha pasado de acoger al 26,1% de los alumnos en 2007 al 25,5% en 2017. El porcentaje de la pública se ha mantenido exactamente igual: 67,2%. Por otra parte, estas cifras dan la razón a los titulares de los centros concertados cuando sostienen que la educación privada sostenida con fondos públicos es más barata para el

---

[13]   Por ejemplo, Save The Children y ESADEECPOL proponen medidas para reducir la segregación escolar garantizando la libertad de elección de centro. Proponen, entre otras medidas, modificar el algoritmo de asignación de plazas o tener en cuenta el nivel de vulnerabilidad de los colegios de cara a su financiación. Cfr. https://www.savethechildren.es/notasprensa/save-children-y-esadeecpol-proponen-medidas-para-reducir-la-segregacion-escolar

[14]   cfr. https://sede.educacion.gob.es/publiventa/sistema-estatal-de-indicadores-de-la-educacion-2020/espana-organizacion-y-gestion-educativa/23979;

Estado. Acogen a uno de cada cuatro de los estudiantes, pero reciben 12% del gasto público.

Es claro que convendría desglosar los conceptos del incremento y el significado de su evolución. Por ejemplo, en algunas Comunidades Autónomas se ha aproximado el sueldo de los profesores a lo que cobran los que tienen plaza en la red pública, y la mejora de los módulos económicos de la concertada ha consistido en incluir figuras que ya existen en la otra red (como las de orientador y consultor, o aumentar el coeficiente de sustituciones) y mejorar la financiación de la Formación Profesional. Es igualmente claro que se precisa diferenciar las etapas educativas, porque a medida que se asciende, el gasto por alumno crece, lo que significa que el mayor gasto público puede reflejar el crecimiento vegetativo. Y también porque por niveles de enseñanza, el mayor incremento en el gasto medio por alumno durante el período 2006 a 2016, se ha dado en la Educación Infantil, de 4.057 a 4.731 euros, lo que supone un aumento del 16,6%, y en la Educación Primaria, de 4.508 a 4.985 euros, un 10,6% más.

2.2.6 Evitar la simplificación partidista

Una baja diversidad escolar puede convertirse en un problema para la igualdad de oportunidades y la eficiencia del sistema educativo, generando mayor fracaso y abandono en el alumnado y mayores dificultades de gestión en los centros educativos de alta complejidad. Disminuir la segregación escolar es un objetivo legítimo, pero esto no debe hacerse a costa de descalificar la enseñanza concertada, que es algo que funciona razonablemente bien, es eficiente y manifiesta un alto grado de libertad ciudadana. Además, parece más eficaz abordar el asunto en toda su complejidad, sin atajos que pueden responder a prejuicios ideológicos.

2.3 Los recursos de inconstitucionalidad

En la edición de este Anuario de 2021, expusimos nuestra postura sobre la inconstitucionalidad inmediata de la nueva regulación. Después de su publicación, la LOMLOE ha sido recurrida por representantes de dos Grupos Parlamentarios del Congreso de los Diputados. Pasamos a resumir los argumentos de los recursos de inconstitucionalidad y hacer algunas consideraciones sobre la dificultad que presenta el enjuiciamiento por parte del Tribunal Constitucional.

2.3.1 Los argumentos de los recurrentes

Los recurrentes consideran que la existencia de una red de centros concertados complementaria —y no subsidiaria— de los centros de titularidad pública es una «garantía esencial» del derecho a la educación y para la efectiva realización de principios estructurales de nuestro sistema democrático, como son el pluralismo, la tolerancia y la mentalidad abierta y respeto a las creencias de los padres, que resulta de los arts. 16, 20, 22 y 27 de la Constitución.

Se apoyan en que el Tribunal Constitucional ha dicho que el derecho a la educación «supone la inexistencia de un monopolio estatal docente» y «la existencia de un pluralismo educativo institucionalizado» (STC 5/1981, FJ 5 a). El sistema educativo cumple esta exigencia de pluralismo a través de la red de centros privados concertados. El nuevo art. 109 LOE, sin embargo, suprime expresamente la garantía de suficiencia de plazas concertadas en la programación educativa, lo que permite que la Administración educativa pueda ir incrementando plazas en los centros públicos, y correlativamente suprimiendo unidades en centros privados concertados a pesar de que la demanda se mantenga o incluso aumente. Y de esta manera «derogar el sistema de conciertos previsto en la ley», como recoge la sentencia del Tribunal Supremo 1180/2016, de 25 de mayo.

Para subrayar que los padres deben tener capacidad de elegir, invocan la doctrina del Tribunal Europeo de Derechos Humanos en sus sentencias Osmanoglu y Kocabas c. Suiza (2017), Folgero y otros c. Noruega (2007), Wunderlich c. Alemania (2019) y Kjeldsen, Busk Madsen y Pedersen c. Dinamarca (1976).

2.3.2 La constitucionalidad de la LOMLOE, ¿significaría que la enseñanza concertada pasa a ser subsidiaria de la pública?

Para que el art. 109 LOE+LOMLOE fuera declarado inconstitucional, tendría que darse una incompatibilidad con el contenido esencial del artículo 27 CE, lo que es complicado dado el carácter «vaporoso» de la redacción concreta del precepto. De lo que he expuesto se desprende sin dificultad el propósito del legislador orgánico, pero puede entenderse que unas normas tan inconcretas no llegan a constituir una vulneración constitucional. Esta podría apreciarse en el desarrollo que haga el Estado o, sobre todo, cada Comunidad Autónoma, pero no en la ley orgánica, que admitiría una interpretación conforme a la Constitución. También podría el Tribunal aplicar su doctrina sobre su misión en el control de la constitucionalidad de las leyes, que califica de objetiva y abstracta. Objetiva, porque no tiene en cuenta las intenciones o finalidades del autor de la norma. Abstracta en el sentido de enjuiciar la norma, y no las consecuencias de su aplicación.

Una sentencia interpretativa o un pronunciamiento sobre la no inconstitucionalidad objetiva del art. 109 LOE lo que harían sería confirmar que la LOMLOE no tiene el significado legal que le atribuyen los recurrentes, pero ninguna de las dos opciones avalaría por si misma que las Administraciones educativas puedan considerar la red de centros concertados subsidiaria de la pública.

Es claro que la LOMLOE prioriza la creación de centros públicos, pero no lo es que permita el acceso al concierto, o su renovación, sólo cuando no haya oferta suficiente de plazas públicas. Si la nueva regulación fuera declarada constitucional sería porque no hace que los centros de iniciativa social pierdan el acceso a la financiación pública a medida en que se vaya incrementando una oferta pública de plazas no demandada por los padres. En definitiva, pensamos que si el Tribunal Constitucional no establece expresamente otra cosa, las actuaciones administrativas que postergaran la financiación pública de la enseñanza privada que cuente con respaldo de las familias, serían contrarias a la libertad de educación.

2.4 Ideas para frenar la preterición de la enseñanza concertada

Mientras se pronuncia el Tribunal Constitucional, la planificación educativa de alguna Comunidad Autónoma puede no respetar el bloque de constitucionalidad de la libertad de educación. Esbozamos a continuación algunas ideas para reaccionar contra las propuestas o decisiones que no respeten que las dos redes de enseñanza obligatoria gratuita son complementarias, o que hagan un uso discriminatorio de los fondos públicos.

a) El artículo 27.5 de la Constitución prevé la participación efectiva de los sectores afectados. La LOMLOE no ha modificado el artículo 27 LODE, que dispone:

> *1. Los Poderes públicos garantizarán el ejercicio efectivo del derecho a la educación mediante una programación general de la enseñanza, con la participación efectiva de todos los sectores afectados, que atienda adecuadamente las necesidades educativas y la creación de centros docentes.*
> *2. A tales efectos, el Estado y las Comunidades Autónomas definirán las necesidades prioritarias en materia educativa, fijarán los objetivos de actuación del período que se considere y determinarán los recursos necesarios, de acuerdo con la planificación económica general del Estado.*
> *3. La programación general de la enseñanza que corresponda a las Comunidades Autónomas en su ámbito territorial comprenderá en todo caso una programación específica de los puestos escolares en la que se determinarán las comarcas, municipios y zonas donde dichos puestos hayan de crearse.*
> *La programación específica de puestos escolares de nueva creación en los niveles obligatorios y gratuitos deberá tener en cuenta en todo caso la oferta existente de centros públicos y concertados.*

El contenido práctico de esta participación no se agota en las diversas previsiones normativas sobre la audiencia de los representantes de las familias, profesores y titulares de centros. Estos representantes pueden mostrar las razones de su desacuerdo cuando las actuaciones de programación menoscaben el pluralismo educativo o supongan un incremento de gasto público contrario a la eficiencia, y pedir que sean adecuadamente recogidas en las actas correspondientes. La efectividad de la participación no exige que la administración educativa tenga que atender necesariamente las peticiones de la demanda social, pero parece claro que una línea de conducta que muestre un desconocimiento no argumentado de estas solicitudes, sería contraria dimensión prestacional del artículo 27 de la Constitución.

b) En Educación Infantil habrá que invocar el art. 15.2 LOE, que establece:

> *El segundo ciclo de la educación infantil será gratuito. A fin de **atender las demandas de las familias**, las Administraciones educativas garantizarán una oferta suficiente de plazas en los centros públicos y concertarán con centros privados, en el contexto de su programación educativa.*

c) En el nuevo escenario, cobran especial protagonismo algunos de los derechos que reconoce el art. 4.1 LODE, en la redacción dada por la disposición final primera de la LOMLOE:

> *Los padres, madres o tutores, en relación con la educación de sus hijos e hijas o pupilos y pupilas, tienen los siguientes derechos:*
>
> *a) A que reciban una educación, con la máxima garantía de calidad, conforme con los fines establecidos en la Constitución, en el correspondiente Estatuto de Autonomía y en las leyes educativas.*
>
> ***b) A escoger centro docente tanto público como distinto de los creados por los poderes públicos.***
>
> ***c) A que reciban la formación religiosa y moral que esté de acuerdo con sus propias convicciones.***
>
> *d) A estar informados sobre el progreso del aprendizaje e integración socioeducativa de sus hijos e hijas.*
>
> *e) A participar en el proceso de enseñanza y aprendizaje de sus hijos e hijas.*
>
> *f) A participar en la organización, funcionamiento, gobierno y evaluación del centro educativo, en los términos establecidos en las leyes.*
>
> *g) A ser oídos en aquellas decisiones que afecten a la orientación académica y profesional de sus hijos e hijas.*
>
> *2. Asimismo, como **primeros responsables de la educación de sus hijos e hijas o pupilos y pupilas**, les corresponde: (...).*

d) Y todo en el contexto del art. 9.2 de la Constitución, que obliga a los poderes públicos a «promover las condiciones para que la libertad y la igualdad del individuo y de los grupos en que se integran sean reales y efectivas; remover los obstáculos que impidan o dificulten su plenitud y facilitar la participación de todos los ciudadanos en la vida política, económica, cultural y social». Muestra que para lograr los fines propios del Estado social, se tienen que combinar los principios de solidaridad, igualdad y libertad.

3. LA FINANCIACIÓN DE LA EDUCACIÓN DIFERENCIADA

3.1 La educación diferenciada por sexos no discrimina

La controversia sobre la educación diferenciada está presente en el debate educativo desde hace años de forma diversa en cada país. En España está especialmente ideologizado, y algunos quieren vincularlo a una opción religiosa. Lo cierto es que en el mundo anglosajón (Gran Bretaña, Australia, Canadá y Estados Unidos de América, con más de un millar de centros públicos con esta oferta educativa), en los países nórdicos (el modelo educativo *Hjalli* con aulas single-sex, que tiene como objetivo liberar a los niños de los roles de género tradicionales, nació en Islandia, y en Finlandia el 8% de los alumnos acuden a estas escuelas), y en otros muchos países (Sudáfrica, Japón, Francia, Bélgica, República Federal de Alemania, y Corea del Sur que tiene 1.483 escuelas diferenciadas, de las cuales 703 son del sistema público), es una opción pedagógica que responde a múltiples motivaciones, no necesariamente religiosas.

La educación diferenciada por sexos, que representa menos del 1% del sistema educativo en nuestro país, ha sido considerada conforme con la Constitución en las SSTC 31/2018, FJ 4.a), y 74/2018, FJ 4.c), como emanación de la libertad de enseñanza del art. 27.1 CE y del derecho de los padres a elegir el centro y tipo de formación de sus hijos (art. 27.3). El Tribunal Constitucional considera que es un modelo educativo que, en sí mismo, no causa discriminación; responde a un método pedagógico que considera esta opción educativa más eficaz que otras; es respetuosa con la Constitución y con los tratados internacionales firmados por España contra la discriminación; en el caso de producirse diferencias de trato vedadas constitucionalmente, no pueden atribuirse al modelo en sí, sino que serían imputables al concreto centro escolar. En consecuencia, deja la puerta abierta a su financiación pública siempre que se imparta en «condiciones de equiparabilidad» para ambos sexos.

No obstante, como esas sentencias han contado con varios votos particulares, la mesa 3 del XVIII Congreso de la Asociación de Constitucionalistas de España, bajo el título «Educación e igualdad. Dos visiones generales y una solución conciliadora desde la igualdad y la libertad» se hizo eco de este debate[15].

---

[15]   Cfr. http://www.cepc.gob.es/blog/educaci%C3%B3n-e-igualdad.-dos-visiones-generales-y-una-soluci%C3%B3n-conciliadora-desde-la-igualdad-y-la-libertad

De acuerdo con la postura del Tribunal Constitucional, el profesor Vidal[16] recordó el informe del Comisionado para los Derechos Humanos del Consejo de Europa sobre la necesidad de demostrar un daño real vinculado a diferenciaciones escolares, y que no hay evidencia científica que acredite la inadecuación para educar para la igualdad de los modelos de educación diferenciada. Señaló que si bien este modelo pedagógico no incluye la sociabilización en igualdad en las aulas y recreos, debe permitirse como un ideario más, siempre y cuando no incurra en discriminación real. En cuanto a la financiación, reconoció que no existe un derecho al concierto, pero negar su financiación pública para solucionar un hipotético problema de discriminación, produce inmediatamente una auténtica discriminación, pues se imposibilita el acceso a determinados centros a aquellas familias con menor nivel socio-económico, mermando por tanto su igualdad y su libertad de elección. En efecto, las ayudas del art. 27.9 CE conciernen «muy especialmente (a las familias) con menor capacidad económica» (STC 74/2018, FJ 4).

Por su parte, la profesora Navas expuso las razones por las cuales no comparte el pronunciamiento sobre la constitucionalidad del modelo, aludiendo principalmente a que con ello se salva la igualdad formal pero no la material, que el legislador debe promover a través de medidas correctoras e incentivadoras. No es lo mismo «no impedir» que «favorecer» la igualdad entre hombres y mujeres como valor y principio rector; en cualquier caso, será tarea del legislador (y no del Tribunal Constitucional) decidir y situarse sobre ese espacio que media entre no impedir la consecución de los fines educativos relacionados con la igualdad y favorecer la realización plena de esa igualdad.

La solución conciliadora del profesor Salazar partió de que la misión del Estado debe consistir en conciliar los diversos intereses de la ciudadanía que lo legitima, ejerciendo menos de militante y más de mediador; abierto a las diferentes posturas y acercando a las partes a una solución común. El tono general de las intervenciones de la mesa le llevó a apuntar una cierta coincidencia en que el derecho a la educación en igualdad y la libertad de enseñanza se limitan recíprocamente. Teniendo en cuenta que la educación,

---

[16] Cfr. también «Educación y valores superiores del ordenamiento: igualdad y libertad», en *IgualdadES*, 4, (2021), págs. 266 ss. https://doi.org/10.18042/cepc/IgdES.4.09

en un sistema democrático, se refiere tanto a la satisfacción de necesidades formativas para el libre desarrollo de la persona (dimensión individual) como a la contribución al desarrollo socio-económico y la consecución de valores y objetivos constitucionales (dimensión colectiva), es harto difícil esclarecer dónde acaba un derecho y empieza otro. Además, quizás por el carácter inherentemente no neutral de la educación, en tanto que se nutre de entendimientos y visiones sobre la vida en sociedad y el desarrollo de la persona, íntimamente ligados a posturas culturales, ideológicas y religiosas específicas, en ocasiones, bien distintas, concluyó que convenía pecar más bien por exceso de precaución a favor de respetar diferentes propuestas educativas y, por ende, el pluralismo y la libertad, al menos hasta que encontremos una fórmula verdaderamente consensuada.

Para lograr este consenso hay que superar visiones tradicionales de los roles de cada sexo. En nuestros días, la opción pedagógica por la educación personalizada diferenciada parte de que hombres y mujeres son iguales y, al mismo tiempo, diferentes. Es una gran conquista que en los países desarrollados nadie dude hoy de que hombres y mujeres somos iguales en humanidad, dignidad y derechos. A la vez, son claras las diferencias y el desarrollo personal que se observa entre hombres y mujeres, en particular durante sus años de formación[17].

---

[17]   En España hay diferencias en el fracaso escolar: en el curso 2017/18, el 16,5% de las chicas finalizan la ESO sin el título de Graduado, tasa alta pero muy inferior al 24,8% de los chicos. Estas diferencias también las hay en el equivalente a 4° de Primaria, como ponen de manifiesto los resultados de las pruebas TIMSS de matemáticas y ciencias. En ese curso 2017/18, en la UE-23 la diferencia es de 11 puntos a favor de los chicos y en la OCDE de 9. Cfr. SEVILLA, CUEVAS-RUIZ Y SANZ, «Última evidencia sobre la brecha de género en el rendimiento en matemáticas derivada de la intersección entre la psicología social y la economía», en *Indicadores comentados sobre el estado del sistema educativo español*, Fundación Europea Sociedad y Educación y Fundación Ramón Arces, Madrid, 2021, págs. 158-165. En esta misma línea de diferencias en los resultados educativos, en una reciente publicación, *Igualdad en cifras MEFP 2021. Aulas por la igualdad*, puede verse cómo crece la brecha de sexo de curso en curso durante toda la primaria y las diferencias en los resultados académicos del Alumnado por sexo, cfr. https://www.educacionyfp.gob.es/dam/jcr:8d11c459-d25f-4113-a53b-5b97a91dd8cb/cifrasmefp2021.pdf. También es distinto el porcentaje de alumnado que se encuentra matriculado en el curso teórico correspondiente a su edad, (https://www.educacionyfp.gob.es/inee/dam/jcr:bab14b88-d4e6-444c-963f-

El informe educativo anual de la OCDE publicado en 2021 incidió en el debate sobre si la igualdad de oportunidades en la educación, que hasta ahora se ha centrado en las alumnas, debería incluir también a los alumnos. Se cuestiona: ¿Por qué los chicos repiten curso más que las chicas?, y expone que los chicos maduran más tarde que las chicas, leen menos, hacen menos deberes, juegan más a videojuegos, son más movidos en clase y tienen menos clara la importancia que tendrán los estudios para su futuro. Además, les faltan referentes masculinos en una escuela cuyo profesorado es mayoritariamente femenino[18]. Este Panorama de la Educación pone de manifiesto que comprender que hay diferencias, vengan de donde vengan, en la posición y la respuesta de chicos y chicas en los centros educativos, parece la primera premisa para conseguir una escuela que quiere ser inclusiva y respetuosa de la diversidad.

3.2 La nueva disposición adicional 25ª y su falta de justificación

Con una redacción muy distinta a la del proyecto de ley, bajo la rúbrica de «Fomento de la igualdad efectiva entre hombres y mujeres», la DA 25 pasa a disponer:

> *1. Con el fin de favorecer la igualdad de derechos y oportunidades y fomentar la igualdad efectiva entre hombres y mujeres, los centros sostenidos parcial o totalmente con fondos públicos **desarrollarán el principio de coeducación en todas las etapas educativas**, de conformidad con lo dispuesto por la Ley Orgánica 3/2007, de 22 de marzo, para la igualdad efectiva de mujeres y hombres, **y no separarán al alumnado por su género**.*
> *2. Con objeto de favorecer la igualdad de derechos y oportunidades y, para garantizar la efectividad del principio contenido en el apartado l) del artículo 1, los centros educativos incorporarán medidas para desarrollar la igualdad efectiva entre hombres y mujeres en los respectivos planes de acción tutorial y de convivencia.*

223bee06b48c/2015-r1.1-idoneidad.pdf); recoge la evolución desde 2003 de los datos a los 8, 10, 12 años...

[18] cfr. https://sede.educacion.gob.es/publiventa/panorama-de-la-educacion-indica-dores-de-la-ocde-2021-informe-espanol/espana-estrategias-y-politicas-educativas-organizacion-y-gestion-educativa/25373

3. Los centros educativos deberán necesariamente incluir y justificar en su proyecto educativo las medidas que desarrollan para favorecer y formar en igualdad en todas las etapas educativas, incluyendo la educación para la eliminación de la violencia de género, el respeto por las identidades, culturas, sexualidades y su diversidad, y la participación activa para hacer realidad la igualdad.

4. En todo caso, las Administraciones educativas impulsarán el incremento de la presencia de alumnas en estudios del ámbito de las ciencias, tecnología, ingeniería, artes y matemáticas, así como en las enseñanzas de formación profesional con menor demanda femenina. Del mismo modo, las Administraciones educativas también promoverán la presencia de alumnado masculino en aquellos estudios en los que exista de forma notoria una mayor matrícula de mujeres que de hombres.

Las medidas incentivadoras de los nn. 2-4, se explican en buena medida por si mismas. Pero la prohibición del n. 1 —única parte del precepto impugnado ante el TC— no tiene justificación alguna en el texto legal. En nombre de la igualdad, se suprime la financiación pública de un modelo vigente en numerosos países y con una larga tradición en nuestro país privando a las familias de menos recursos de la capacidad de elegir esta opción para la educación de sus hijos y recortando el pluralismo educativo. Este n. 1 no impulsa un modelo de educación —la coeducación—, sino que expulsa una alternativa del sistema educativo gratuito, que es legítima según acaba de declarar el máximo intérprete de la Constitución. Ciertamente las SSTC 31/2018 y 74/2018 no fueron adoptadas por unanimidad, pero contradecir una interpretación constitucional que tiene el valor de cosa juzgada y vincula a todos los poderes públicos (cfr. art. 38.1 de la Ley Orgánica del Tribunal Constitucional), y hacerlo, además, sin atreverse a exponer sólidos argumentos jurídicos y pedagógicos, constituye un funcionamiento muy anormal del Estado de Derecho.

La tramitación parlamentaria muestra también esta falta de justificación. La exclusión del concierto de los centros de educación diferenciada se debe al acuerdo entre los grupos parlamentarios de Unidas Podemos y PSOE. La enmienda 420 dio lugar a la enmienda conjunta 983, que se presentó con el siguiente texto: «La nueva redacción de los apartados 1 y 3 sirve para poner fin a los conciertos con centros privados que aplican la segregación por sexo (apartado 2.1.2 del acuerdo de coalición) así como impedir la creación de centros que vayan en contra de los derechos humanos, la igualdad y los principios establecidos en la Constitución». En esta línea tan gruesa están también varias alegaciones de la Abogacía del Estado en los recursos de inconstitucionalidad contra el precepto. Para defender su adecuación a la Constitución, invoca algunos estudios que evidenciarían que las aptitudes de mujeres y hombres «no vienen marcadas por la naturaleza, sino que es la sociedad la que las determina», lo que justifica la coeducación como «acción educativa intencional» para hacer de la sociedad española una sociedad más justa e igualitaria, libre de estereotipos sexistas, libre de violencia de género y donde se eduque en la corresponsabilidad entre mujeres y hombres y, en fin, para erradicar la desigualdad de género, objetivos todos ellos «imposibles» de alcanzar en una escuela diferenciada por sexos.

Lo excesivo de esta argumentación queda en evidencia cuando se comprueba que en las «Orientaciones internacionales: violencia de género en el ámbito escolar»[19], elaboradas por la UNESCO y la ONU Mujeres para ayudar a los ministerios de educación y demás personas vinculadas al sector educativo a conocer mejor el fenómeno y buscar soluciones en materia de prevención y respuestas eficaces al respecto, no se menciona la educación diferenciada por sexos. Es una desmesura relacionarla con esta lacra social. Por otra parte, la abrumadora presencia mayoritaria de la coeducación desde hace 50 años en España, no ha conseguido que llegue a ser percibida como el mejor sistema posible para atajar la violencia de género, como tampoco se ha conseguido en Estados Unidos, donde hace pocos años se han introducido numerosas escuelas y clases de un solo sexo como expresión de su eficacia.

3.3 Argumentos de los recursos de inconstitucionalidad

La disconformidad con la Constitución de la exclusión de toda ayuda pública a la educación diferenciada por sexos es contraria a la libertad de enseñanza (art. 27.1 CE), al derecho al ideario del centro privado como derivación de la libertad de crear centros docentes (art. 27.6), al correlativo derecho de los padres a elegir la formación religiosa y moral de sus hijos (art. 27.3 CE y art. 14.3 de la Carta de Derechos Fundamentales de la Unión Europea) y a la obligación de «ayudar» a los centros docentes del art. 27.9 en régimen de igualdad y sin discriminación.

---

[19]   https://unesdoc.unesco.org/ark:/48223/pf0000368125

Este art. 27.9 CE, como dimensión prestacional del derecho a la educación, no genera un «derecho a la subvención», pero tampoco puede interpretarse como una «afirmación retórica» que permita al legislador que en su libertad de configuración contraríe la fuerza vinculante de la Constitución establecida en el art. 9.1, como recogen las SSTC 77/1985, FJ 11 y 86/1985, FJ 3, además de las SSTC 31/2018, FJ 4 b), y 74/2018, FJ 4 b). Recuerdan que las ayudas públicas previstas en el artículo 27.9 CE han de ser configuradas en el respeto al principio de igualdad, sin que quepa justificar un diferente tratamiento entre modelos pedagógicos, en orden a su percepción.

3.4 La inexplicable ausencia de un régimen transitorio

La posición expresada por el Tribunal Constitucional en las sentencias de 2018 citadas, aconseja, como mínimo, ser enormemente prudente en la aplicación temporal de la DA 25ª, pues lo esperable es que sea anulada.

Las circunstancias en las que LOMLOE ha sido aprobada (durante el estado de alarma, con escaso debate, participación y consenso político), pueden ser la causa de que no contenga ninguna previsión respecto al calendario de la aplicación de la DA 25ª a los centros con educación diferenciada. Esta Ley entró en vigor el 19 de enero de 2021, pero la DA 5ª establece el calendario para sus principales modificaciones, y sin embargo no se refiere a la DA 25ª.

Tampoco lo hacen sus disposiciones transitorias, si bien en el debate parlamentario fue rechazada una enmienda que propugnaba la supresión inmediata del concierto a los centros que no separasen al alumnado por su sexo. Este deliberado silencio, unido al carácter de legislación básica, pero sin rango de ley orgánica, de la DA 25ª, deja un amplio margen a las Comunidades Autónomas para establecer una aplicación transitoria gradual que sea coherente y respetuosa con el resto de los principios y normas que rigen nuestro sistema educativo. Pienso que el calendario autonómico es exigido por los principios de seguridad jurídica y confianza legítima, en particular tras las dos sentencias de 2018.

Entre las condiciones a las que se sujeta la sucesión de normas, además de las relacionadas con la seguridad jurídica en su vertiente de certeza del Derecho (STC 51/2018, SSTC 150/1990, de 4 de octubre, FJ 8; 142/1993, de 22 de abril, FJ 4; 212/1996, de 19 de diciembre, FJ 15, y 104/2000, de 13 de abril, FJ 7), está el respeto del principio de seguridad jurídica en su vertiente de confianza legítima, que constituye «un valor central del ordenamiento jurídico» (STC 121/2016, FJ 5). Estos principios, junto con la garantía de continuidad en la escolarización hasta la finalización de la enseñanza obligatoria (art. 87.4 LOE, tal como es interpretado por las SSTC 14/2018 y 30/2018), recomiendan una aplicación progresiva de la DA 25ª, que minimice el impacto de la decisión sobre el alumnado y las familias, y reconozca la labor que han venido desempeñando los centros educativos, sin dar lugar a situaciones injustas o irreversibles.

La progresividad también parece lo mejor para atender al interés superior el menor, que deberá primar sobre cualquier otro interés legítimo que pudiera concurrir en la aplicación de las normas y en la adopción de medidas que puedan afectarle (cfr. art. 2.4 de la LO 8/2015). Sería una manera de aplicar la «necesidad de estabilidad de las soluciones que se adopten para promover la efectiva integración y desarrollo del menor en la sociedad, así como de minimizar los riesgos que cualquier cambio de situación material o emocional pueda ocasionar en su personalidad y desarrollo futuro» (art. 2.3.d).

Cuando toque la renovación del concierto, esta DA aboca a los centros de educación diferenciada a escoger entre su transformación en centros mixtos, si es que quieren mantener los conciertos, o continuar como centros privados, con una previsible pérdida del alumnado de familias que opten por la educación gratuita. Cualquiera de las dos posibilidades exige tiempo:

a) si pasan a recibir alumnos de los dos sexos, han de modificar su organización, profesorado y proyecto educativo (cfr. art. 121 LOE), y probablemente su ideario o carácter propio, además de adaptar físicamente sus instalaciones a las exigencias del Real Decreto 132/2010, de 12 de febrero, de requisitos mínimos de los centros docentes, asumiendo los costes e inversiones correspondientes;

b) si continúan en su situación actual, es preciso recolocar a los alumnos de las familias que no puedan hacer frente a las cuotas que tendrán que fijar.

En este segundo caso, por los motivos expuestos, parece razonable:

a) Que la renovación del concierto contemple un periodo transitorio de uno o dos cursos, de acuerdo con los plazos del calendario de implantación de la LOMLOE que fija su a la DA 5ª.

b) La aplicación progresiva y gradual de la extinción del concierto, curso a curso, y empezando desde el primer curso que sea diferenciado, de manera que se garantice la continuidad del alumno en el centro de educación diferenciada hasta la finalización de la enseñanza obligatoria.

La temporalidad en el empleo como rasgo sistémico del sector público español a la luz del derecho comunitario: evolución jurisprudencial y nuevas incógnitas

ENRIQUE SOLER SANTOS
Letrado de la Comunidad de Madrid (exc.)
Letrado de la Junta de Andalucía (exc.)
Letrado de la Junta de Comunidades de Castilla-La Mancha
Consejo Superior de Letrados CC.AA.

SUMARIO: 1. UNA CASCADA DE PRONUNCIAMIENTOS PREJUDICIALES. 2. LAS RESTRICCIONES PRESUPUESTARIAS COMO JUSTIFICACIÓN DEL INCUMPLIMIENTO DEL PLAZO TRIENAL PARA LA EJECUCIÓN DE LAS OFERTAS PÚBLICAS DE EMPLEO EN LA JURISPRUDENCIA NACIONAL. 2.1 El incumplimiento del plazo trienal para la ejecución de las ofertas públicas de empleo. 2.2 El cumplimiento de las sucesivas leyes de Presupuestos Generales del Estado. 3. UN PUNTO DE INFLEXIÓN EN LA JURISPRUDENCIA EUROPEA: *ROMA LOCUTA... ¿CAUSA FINITA?* 4. EXTRAPOLACIÓN DEL NUEVO CRITERIO DEL TRIBUNAL DE JUSTICIA DE LA UNIÓN EUROPEA EN CADA ORDEN JURISDICCIONAL EN FUNCIÓN DE LA DIVERSA NATURALEZA DE LAS RELACIONES DE EMPLEO PÚBLICO. 4.1 La Sala de lo Social. 4.2 La Sala de lo Contencioso-Administrativo. 5. LAS CONSECUENCIAS DEL ABUSO EN EL CASO DE LOS FUNCIONARIOS INTERINOS: EFECTIVAS, SUFICIENTEMENTE DISUASORIAS Y COMPATIBLES CON LOS PRINCIPIOS CONSTITUCIONALES DE MÉRITO Y CAPACIDAD. 5.1 La postura del Tribunal de Justicia de la Unión Europea: la determinación de las concretas medidas compete a las autoridades nacionales. 6. LA INDEMNIZACIÓN DE DAÑOS Y PERJUICIOS COMO MEDIDA EFICAZ Y SUFICIENTEMENTE DISUASORIA CONTRA EL ABUSO, DENTRO DE LOS LÍMITES DE UN SISTEMA PURAMENTE RESARCITORIO. 7. PREGUNTAS SIN RESPUESTA: LA RENOVADA DOCTRINA *CILFIT*.

1. UNA CASCADA DE PRONUNCIAMIENTOS PREJUDICIALES

En los últimos años hemos asistido a una cascada de pronunciamientos del Tribunal de Justicia de la Unión Europea sobre la interpretación y el alcance de las obligaciones impuestas a los Estados Miembros por la Directiva 1999/70/CE, del Consejo, de 28 de junio de 1999, relativa al Acuerdo Marco sobre el Trabajo de Duración Determinada, y en concreto por su cláusula 5, apartado 1, que obliga a los Estados Miembros a adoptar medidas eficaces y suficientemente disuasorias para prevenir el abuso en la concatenación o sucesión de relaciones laborales temporales.

Debe partirse de dos importantes premisas: la primera, que el Acuerdo Marco se aplica tanto al personal funcionario como al personal laboral sin especiales diferencias a nivel europeo, pero sin soslayar tampoco las que pueda consagrar el ordenamiento interno; y la segunda, que en lo relativo a la temporalidad el Acuerdo Marco no contiene disposiciones o previsiones dotadas de eficacia directa.

Efectivamente, el Acuerdo Marco no recoge la tajante distinción del Derecho español entre, por una parte, el personal funcionario, regido por una relación estatutaria jurídico-administrativa nacida con el acto de nombramiento y residenciable ante la jurisdicción contencioso-administrativa, y por otra parte el personal laboral, cuya relación nace de un contrato y se rige por la normativa legal y los convenios colectivos de aplicación en cada caso, correspondiendo el conocimiento de las controversias que surjan a la jurisdicción social.

El Acuerdo Marco, por el contrario, hace referencia a relaciones laborales en sentido lato o amplio, incluyendo tanto las funcionariales como las laborales propiamente dichas. Así resulta de la sentencia del Tribunal de Justicia de la Unión Europea de 14 de septiembre de 2016, C-16/15, en la que se dispone la aplicación del Acuerdo Marco con independencia de *la calificación del contrato en Derecho interno*, esto es, con indiferencia de si la relación con la Administración es de Derecho laboral o de Derecho administrativo; en los mismos términos se pronuncia la sentencia del Tribunal de Justicia de la Unión Europea 22 enero 2020, C-177/18, apartados 39 a 41.

Sin embargo, que el Acuerdo Marco no contemple esta distinción no significa que el Tribunal de Justicia de la Unión Europea no haya dado relevancia jurídica a las diferencias de régimen jurídico que consagra la legislación española.

Así, la sentencia del Tribunal de Justicia de la Unión Europea, Sala Segunda, de 19 de marzo de 2020, al resolver una cuestión prejudicial en la que se consultaba sobre la pretensión de que se reconociese la indefinición o fijeza al personal estatutario temporal de los servicios de salud que hubiesen concatenado sucesivos nombramientos en abuso o fraude, afirma en su apartado 130: «*No obstante, de la información facilitada por el juzgado remitente se desprende con claridad que tal transformación está excluida categóricamente en virtud del Derecho español, ya que el acceso a la condición de personal estatutario fijo solo es posible a raíz de la superación de un proceso selectivo*».

La segunda premisa de la que debe partirse es que el Acuerdo Marco no contiene, en materia de medidas para evitar el abuso de la temporalidad, disposiciones susceptibles de eficacia directa. Recordemos que, mientras que los Reglamentos son directamente aplicables, las Directivas imponen a los Estados la obligación de lograr un resultado, con libertad en cuanto a la elección de los medios, y por tanto, sin perjuicio de la responsabilidad del Estado por un eventual incumplimiento, solo son susceptibles de aplicación directa por los órganos judiciales cuando contienen disposiciones incondicionales y suficientemente precisas, y solo para ser exigidas por los particulares frente al Estado, no a la inversa, ni entre particulares, en lo que se ha llamado la eficacia directa «vertical ascendente».

Y en este sentido, ya la Sentencia del Tribunal de Justicia de la Unión Europea de 15 de abril de 2008, asunto Impact, recogía en su apartado 80: «*la cláusula 4, apartado 1, del Acuerdo Marco (relativa a la prohibición de discriminación entre trabajadores con un contrato de duración determinada y trabajadores fijos) es incondicional y lo suficientemente precisa para que un particular pueda invocarla ante un tribunal nacional, lo que, en cambio, no sucede en el caso de la cláusula 5, apartado 1, de dicho Acuerdo marco (que recoge la obligación de los estados de establecer medidas efectivas para prevenir abusos como consecuencia de la utilización sucesiva de contratos o relaciones laborales de duración determinada)*».

De esas dos premisas puestas en conexión se infieren los siguientes axiomas:

- que el Acuerdo Marco impone a los Estados la obligación de establecer medidas efectivas para prevenir abusos en la utilización sucesiva de relaciones temporales de trabajo, tanto propiamente laborales como funcionariales y estatutarias;

- que dichas medidas deben ser efectivas y suficientemente disuasorias;

- que dichas medidas no están predeterminadas por el Acuerdo Marco, ni puede fijarlas el propio Tribunal de Justicia de la Unión Europea en aplicación directa de la cláusula 5 del mismo;

- que el Acuerdo Marco no se opone a que tales medidas previstas en el Derecho interno puedan ser distintas para el personal laboral y para el personal funcionario, a pesar de que el propio Acuerdo Marco no consagre tal distinción;

- que el Derecho español proscribe terminantemente el acceso a la condición de personal funcionario de carrera sin la previa superación de un proceso selectivo basado en los principios constitucionales de mérito y capacidad.

El Tribunal de Justicia de la Unión Europea, en definitiva, deja un cierto margen de maniobra al Estado para que, en aplicación de la cláusula 5 del Acuerdo Marco, regule y aplique medidas efectivas y suficientemente disuasorias para prevenir la sucesión o concatenación abusiva de relaciones de trabajo temporales.

2. LAS RESTRICCIONES PRESUPUESTARIAS COMO JUSTIFICACIÓN DEL INCUMPLIMIENTO DEL PLAZO TRIENAL PARA LA EJECUCIÓN DE LAS OFERTAS PÚBLICAS DE EMPLEO EN LA JURISPRUDENCIA NACIONAL

2.1 El incumplimiento del plazo trienal para la ejecución de las ofertas públicas de empleo

Tanto el Tribunal de Justicia de la Unión Europea como nuestros órganos jurisdiccionales internos han constatado que nuestra legislación, aunque no establece un número máximo de relaciones sucesivas, sí que define de forma tasada los presupuestos legales para que las entidades del sector público puedan concertar y mantener tales relaciones temporales, que tienen en principio carácter excepcional. La legislación española, por tanto, podría entenderse que contiene medidas efectivas y suficientemente disuasorias para prevenir el abuso si fuese objeto de un cumplimiento sistemático y riguroso.

¿Pero es que no lo es? Al parecer, no. En términos muy elocuentes afirma la Sala de lo Contencioso-Administrativo de nuestro Tribunal Superior de Justicia de Castilla-La Mancha en su sentencia 187/2021, de 23 de julio de 2021:

> *«De la doctrina del Tribunal de Justicia de la Unión Europea se desprende claramente que las medidas establecidas en la legislación española para limitar el abuso de la temporalidad (como la convocatoria de pruebas selectivas, dentro de unos plazos determinados, desde que una plaza se cubre temporalmente, o la necesidad de crear una plaza si se comprueba que las necesidades son permanentes) serían suficientes solo con que la Administración tuviera a bien cumplir con la Ley, cosa que evidentemente no hace».*

Por su parte, la sentencia del Tribunal de Justicia de la Unión Europea, Sala Segunda, de 19 de marzo de 2020, se refiere al *«problema estructural en el sector público de la sanidad española, que se traduce en un elevado porcentaje de empleados públicos temporales»* y señala como causa de dicho problema estructural al *«incumplimiento de la obligación legal de proveer los puestos temporalmente cubiertos por dicho personal mediante el nombramiento de empleados públicos con una relación de servicio de duración indefinida».*

Ciertamente, la Ley del Estatuto Básico del Empleado Público, cuyo texto refundido fue aprobado mediante el Real Decreto Legislativo 5/2015, de 30 de octubre (BOE nº 261, de 31 de octubre), dispone, en su artículo 70: «*1. Las necesidades de recursos humanos, con asignación presupuestaria, que deban proveerse mediante la incorporación de personal de nuevo ingreso serán objeto de la Oferta de empleo público, o a través de otro instrumento similar de gestión de la provisión de las necesidades de personal, lo que comportará la obligación de convocar los correspondientes procesos selectivos para las plazas comprometidas y hasta un diez por cien adicional, fijando el plazo máximo para la convocatoria de los mismos. En todo caso, la ejecución de la oferta de empleo público o instrumento similar deberá desarrollarse dentro del plazo improrrogable de tres años».*

Tanto el Tribunal de Justicia de la Unión Europea como nuestros tribunales nacionales han constatado el incumplimiento sistemático de este plazo trienal. Pero, ¿a qué se ha debido este incumplimiento? ¿Equivale en todo caso el incumplimiento de dicho plazo, *per se*, al abuso en la concatenación de relaciones temporales?

2.2 El cumplimiento de las sucesivas leyes de Presupuestos Generales del Estado

El retraso en la organización de los procedimientos de selección se explica por el cumplimiento de obligaciones legales derivadas, en particular, de las leyes de presupuestos adoptadas a raíz de la crisis económica de 2008, las cuales establecían restricciones presupuestarias y, en este contexto, prohibían, entre los años 2009 y 2017, ejecutar ofertas de empleo público a todas las Administraciones Públicas.

Así, el artículo 23.Uno de la Ley 26/2009, de 23 de diciembre, de Presupuestos Generales del Estado para el año 2010, el artículo 23.Uno de la Ley 39/2010, de 22 de diciembre, de Presupuestos Generales del Estado para el año 2011, el artículo 23.Uno.2 de la Ley 2/2012, de 29 de junio, para el año 2012, el artículo 23.Uno.2 de la Ley 17/2012, de 27 de diciembre, para el año 2013, el artículo 21.Uno.2 de la Ley 22/2013, de 23 de diciembre, para el año 2014, y el artículo 21.Uno.2 de la Ley 36/2014, de 26 de diciembre, para el año 2015, por poner solo algunos ejemplos, solo autorizaban la incorporación de nuevo personal en determinados sectores tasados.

En vista de este imperativo legal, el Tribunal Supremo, a partir de su sentencia de 24 de abril de 2019 (rec. 1001/17) venía interpretando la obligación del artículo 70 del Estatuto Básico del Empleado Público en términos flexibles, sin equiparar la vulneración de dicho plazo máximo con el abuso en la concatenación: *«el plazo de tres años a que se refiere el artículo 70 del Estatuto Básico del Empleado Público referido, no puede entenderse en general como una garantía inamovible pues la conducta de la entidad empleadora puede abocar a que antes de que transcurra dicho plazo, se haya desnaturalizado el carácter temporal del contrato de interinidad, sea por fraude, sea por abuso, sea por otras ilegalidades, con las consecuencias que cada situación pueda comportar; al igual que en sentido inverso, el plazo de tres años no puede operar de modo automático».*

Por su parte, la sentencia de la Sala de lo Social del Tribunal Supremo n° 395/2019, de 23 de mayo, señalaba que «(...) *la aplicación de la anterior doctrina obliga a estimar el recurso porque no se aprecia irregularidad alguna en el proceder de la Administración, porque las convocatorias para cubrir las ofertas de empleo quedaron paralizadas por la grave crisis económica que sufrió España con esa época y que dieron lugar a numerosas disposiciones limitando los gastos públicos*».

En similares términos se pronuncia la sentencia de 23 de mayo de 2019 (RJ 2019, 2407) (recurso n° 1.756/18), a cuyo tenor: «[...] *el artículo 70 del Estatuto Básico del Empleado Público impone obligaciones a las administraciones públicas, pero no establece que la superación del plazo de tres años suponga la novación de los contratos de interinidad por vacante, ni tampoco que este tipo de contratos tenga una duración máxima de tres años, plazo que viene referido sólo a la ejecución de la oferta de empleo público. Como hemos dicho ese plazo no puede entenderse como una garantía inamovible, por cuanto serán las circunstancias del caso las que autoricen el acortamiento del plazo [...] pero, también, su prolongación [...]. Así lo ha entendido, también, la sentencia del Tribunal de Justicia de la Unión Europea de 5 de junio de 2018 (TJCE 2018, 65) (C-677/16)*».

Se venía admitiendo, en síntesis, que el incumplimiento del plazo del artículo 70 del Estatuto Básico del Empleado Público no implicaba necesariamente abuso o fraude, al hallarse justificado por las restricciones presupuestarias.

3. UN PUNTO DE INFLEXIÓN EN LA JURISPRUDENCIA EUROPEA: *ROMA LOCUTA... ¿CAUSA FINITA?*

Sin embargo, el Tribunal de Justicia de la Unión Europea ha rechazado este esquema argumentativo, entendiendo que las restricciones presupuestarias no pueden justificar el incumplimiento del plazo para la ejecución de la oferta de empleo público si no existen otras medidas eficaces y suficientemente disuasorias para prevenir el abuso.

La sentencia de la Sala Séptima del Tribunal de Justicia de la Unión Europea de 3 de junio de 2021 (asunto C-726/19), remitiéndose a su vez a la sentencia de 25 de octubre de 2018, Sciotto, C-331/17, dispone en sus apartados 91 a 93: «*es necesario recordar que, según reiterada jurisprudencia, aunque las consideraciones presupuestarias pueden fundamentar elecciones de política social de un Estado miembro e influir en la naturaleza o el alcance de las medidas que pretende adoptar [...] no pueden justificar la falta de cualquier medida preventiva contra la utilización abusiva de sucesivos contratos de trabajo de duración determinada [...].*

De ello se desprende que, si bien consideraciones puramente económicas pueden justificar la adopción de leyes de presupuestos que prohíban la organización de procesos selectivos en el sector público, dichas leyes no pueden restringir ni incluso anular la protección de que gozan los trabajadores con contrato de duración determinada [...].

[...] la cláusula 5, apartado 1, del Acuerdo Marco debe interpretarse en el sentido de que consideraciones puramente económicas, relacionadas con la crisis económica de 2008, no pueden justificar la inexistencia, en el Derecho nacional, de medidas destinadas a prevenir y sancionar la utilización sucesiva de contratos de trabajo de duración determinada».

Tras considerar todo ello, la sentencia determina que no se ajusta a la normativa comunitaria la jurisprudencia nacional española que permite, por una lado, la renovación de contratos de duración determinada, sin indicar un plazo preciso de finalización, y, por otro lado, prohíbe tanto la asimilación de esos trabajadores a «trabajadores indefinidos no fijos», considerando como causas justificativas de la utilización sucesiva de contratos de trabajo de duración determinada, las de carácter puramente económico relacionadas con la crisis económica de 2008.

Por tal causa, el Tribunal Supremo ha vuelto a variar su doctrina para acomodarse a este último pronunciamiento del Tribunal de Justicia de la Unión Europea. Nótese, sin embargo, que este pronunciamiento se refiere a la caracterización del abuso, y en tal sentido no distingue entre personal funcionario y personal laboral; pero no se ocupa de la determinación de las consecuencias de ese abuso, materia en la que, como hemos visto, el Tribunal de Justicia de la Unión Europea no invade las competencias de los Estados para elegir los medios mediante los que hacer efectivas las obligaciones de la Directiva, siempre que se consagren medidas efectivas y suficientemente disuasorias.

Por tanto, el legado de esta última sentencia del Tribunal de Justicia de la Unión Europea sobre el plazo del artículo 70 del Estatuto Básico del Empleado Público ha sido recogido de manera diversa por la Sala de lo Social y la de lo Contencioso-Administrativo.

4. EXTRAPOLACIÓN DEL NUEVO CRITERIO DEL TRIBUNAL DE JUSTICIA DE LA UNIÓN EUROPEA EN CADA ORDEN JURISDICCIONAL EN FUNCIÓN DE LA DIVERSA NATURALEZA DE LAS RELACIONES DE EMPLEO PÚBLICO

4.1 La Sala de lo Social

A partir de su sentencia de 28 de junio de 2021 (rec. 3263/2019), la Sala acomoda su jurisprudencia a los precitados criterios del Tribunal de Justicia de la Unión Europea:

> *«... aun cuando el contrato de trabajo de interinidad por vacante haya cumplido los requisitos [...] una situación en la que un empleado público nombrado sobre la base de una relación de servicio de duración determinada [...] ha ocupado, en el marco de varios nombramientos o de uno sólo durante un período inusual e injustificadamente largo, el mismo puesto de trabajo de modo ininterrumpido durante varios años y ha desempeñado de forma constante y continuada las mismas funciones, cuando el mantenimiento de modo permanente de dicho empleado público en esa plaza vacante se deba al incumplimiento por parte del empleador de su obligación legal de organizar un proceso selectivo al objeto de proveer definitivamente la mencionada plaza vacante, ha de ser considerada como fraudulenta; y, en consecuencia, procede considerar que el personal interino que ocupaba la plaza vacante debe ser considerado como indefinido no fijo. Con carácter general no establece la legislación laboral un plazo preciso y exacto de duración del contrato de interinidad por vacante, vinculando la misma al tiempo que duren dichos procesos de selección conforme a lo previsto en su normativa específica. La Sentencia del Tribunal de Justicia de la Unión Europea de 3 de junio de 2021, citada, nos indica la necesidad de realizar una interpretación conforme con el Acuerdo Marco sobre el trabajo de duración determinada incorporado como Anexo a la Directiva 1999/70/CE; y, especialmente, nos compele a aplicar el derecho interno de suerte que se satisfaga el efecto útil de la misma.*
>
> *En cumplimiento de tales exigencias esta Sala estima que, salvo muy contadas y limitadas excepciones, los procesos selectivos no deberán durar más de tres años a contar desde la suscripción del contrato de interinidad, de suerte que si así sucediera estaríamos en presencia de una duración injustificadamente larga».*

Resta por determinar si, por ejemplo, el haber actuado la Administración de manera diligente para proveer a la cobertura de la vacante, incluyendo la plaza en concursos de traslados o concursos permanentes de traslados, a falta de la posibilidad de convocar procesos selectivos, puede considerarse una de las contadas y limitadas excepciones en las que, según la Sala de lo Social del Tribunal Supremo, podría superarse sin reproche jurídico el citado plazo trienal.

En el Pleno no Jurisdiccional de la Sala de lo Contencioso-Administrativo del Tribunal Superior de Justicia de Castilla-La Mancha de 1 de julio de 2021 se acordó que no se pueden equiparar a los procesos selectivos los concursos de traslado, y de manera más específica los concursos permanentes de traslado, y en esta línea se han pronunciado las sentencias de la Sala de los últimos meses.

Sobre esta cuestión se encuentran pendientes ante el Tribunal Supremo varios recursos de casación para la unificación de doctrina.

4.2 La Sala de lo Contencioso-Administrativo

Por su parte, esta Sala ha aprovechado el revuelo mediático producido por el nuevo criterio en cuanto a la constatación del abuso para recalcar que ello no supone ningún cambio jurisprudencial en cuanto a las consecuencias jurídicas de dicho abuso, de las que se encuentra absolutamente proscrita, en particular, la pretensión de indefinición o fijeza, bajo cualquier nombre que pueda dársele en el *petitum*.

Así, la sentencia del Tribunal Supremo, Sala de lo Contencioso-Administrativo, nº 901/2021, cas. 8327/2019, de 23 junio de 2021, se remite a sus sentencias anteriores *«sin que haya razones para alterar o matizar el juicio de esta Sala expuesto en esas sentencias»* y fija la siguiente doctrina casacional:

> *«hemos de reiterar la doctrina jurisprudencial establecida en nuestra sentencia de 26 de septiembre de 2018, cit., declarando que en un caso como el que enjuiciamos, en que se ha producido una utilización abusiva de los nombramientos de personal estatutario eventual [...] la misma solución jurídica aplicable no es la conversión del personal estatutario temporal de carácter eventual de los servicios de salud en personal indefinido no fijo, aplicando de forma analógica la jurisprudencia del orden social [como había determinado el Tribunal Superior de Justicia de Galicia en la sentencia casada, en la que entendía la aplicación correcta del nuevo criterio del Tribunal de Justicia de la Unión Europea] sino, más bien, la subsistencia y continuación de tal relación de empleo, con todos los*

derechos profesionales y económicos inherentes a ella, hasta que la Adminis-
tración sanitaria cumpla en debida forma lo que ordena la norma».

Retomando la elocuente cita de la precitada sentencia 187/2021 de la Sala de lo Contencioso-Administrativo del Tribunal Superior de Justicia de Castilla-La Mancha, de 23 de julio, la constatación del abuso *«no permite, según el propio Tribunal de Justicia de la Unión Europea dice expresamente, exigir del Juez que dicte una sentencia contra legem —o incluso contra constitutionem, como hemos visto— declarando sin más que el funcionario temporal pasa a ser funcionario de carrera».*

Lo cual nos lleva de vuelta al punto de partida, es decir, al reconocimiento por parte del Tribunal de Justicia de la Unión Europea, por todas, en la precitada Sentencia de 19 de marzo de 2020, de que la transformación de personal interino en personal funcionario de carrera por el mero transcurso del tiempo *«está excluida categóricamente en virtud del Derecho español, ya que el acceso a la condición de personal estatutario fijo solo es posible a raíz de la superación de un proceso selectivo».*

La sentencia del Tribunal de Justicia de la Unión Europea de 3 de junio de 2021, por tanto, es novedosa en cuanto que fija que el mero transcurso del plazo de tres años sin ejecución de la OEP constituye en sí misma un abuso, sin que puedan invocarse en descargo de la Administración razones presupuestarias. Es también pacífico que en el ámbito laboral la constatación del abuso conduce ineluctablemente al reconocimiento de la condición de personal indefinido no fijo.

Pero parece igual de claro que no se ha debilitado la convicción con la que el propio Tribunal de Justicia de la Unión Europea y nuestro Tribunal Supremo han sostenido que, en el ámbito funcionarial, la consecuencia del abuso no puede ser la conversión de interinos en funcionarios de carrera sin la previa superación de un proceso selectivo.

5. LAS CONSECUENCIAS DEL ABUSO EN EL CASO DE LOS FUNCIONARIOS INTERINOS: EFECTIVAS, SUFICIENTEMENTE DISUASORIAS Y COMPATIBLES CON LOS PRINCIPIOS CONSTITUCIONALES DE MÉRITO Y CAPACIDAD

5.1 La postura del Tribunal de Justicia de la Unión Europea: la determinación de las concretas medidas compete a las autoridades nacionales

Hay que partir, en primer lugar, de que el Acuerdo Marco no impone un único remedio posible, correspondiendo la determinación del mismo a las autoridades nacionales.

Ya la Sentencia del Tribunal de Justicia de la Unión Europea de 21 de noviembre de 2018, De Diego Porras, C-619/17, disponía en su apartado 86 que la cláusula 5 del Acuerdo marco no establece qué sanciones concretas imponer cuando se comprueba la existencia de un abuso, sino que tal función corresponde a las autoridades nacionales.

Y en el apartado 87 añade que «*la cláusula 5 del Acuerdo Marco no impone a los Estados miembros una obligación general de transformar en contratos por tiempo indefinido los contratos de trabajo de duración determinada*».

Véanse, en el mismo sentido, las sentencias del Tribunal de Justicia de la Unión Europea de 14 de septiembre de 2016, Martínez Andrés y Castrejana López, C-184/15 y C-197/15, (apartado 36), de 7 de septiembre de 2006, Marrosu y Sardino, C-53/04, (apartado 51); de 7 de septiembre de 2006, Vassallo, C-180/04, (apartado 36), y de 3 de julio de 2014, Fiamingo y otros, C-362/13, C-363/13 y C-407/13, (apartado 62).

Esta jurisprudencia, que inicialmente se refería a relaciones de carácter laboral, ha sido después planteada respecto del personal estatutario.

Es de destacar en este sentido la reciente sentencia del Tribunal de Justicia de la Unión Europea, Sala Segunda, de 19 de marzo de 2020, viene a dar respuesta a los asuntos acumulados C-103/18 (Domingo Sánchez Ruiz) y C-429/18 (Berta Fernández Álvarez y otras).

En ambos casos, se solicitaba la condición de empleado público fijo o, con carácter subsidiario, de empleados públicos con un estatuto similar para los recurrentes, que ostentaban la condición de personal estatutario temporal del Estatuto Marco.

En esta sentencia se fija lo siguiente:

> «*La cláusula 5 del Acuerdo Marco sobre el Trabajo de Duración Determinada, celebrado el 18 de marzo de 1999, que figura en el anexo de la Directiva 1999/70, debe interpretarse en el sentido de que incumbe al órgano jurisdiccional nacional apreciar, con arreglo al conjunto de normas de su Derecho nacional aplicables, si la organización de procesos selectivos destinados a proveer definitivamente las plazas ocupadas con carácter provisional por empleados públicos nombrados en el marco de relaciones de servicio de duración determinada, la transformación de dichos empleados públicos en "indefinidos no fijos" y la concesión a estos empleados públicos de una indemnización equivalente a la abonada en caso de despido improcedente constituyen medidas adecuadas para prevenir y, en su caso, sancionar los abusos derivados de la utilización de sucesivos contratos o relaciones laborales de duración determinada*».

b) La postura del Tribunal Supremo: las medidas en Derecho español.

Nuestro Tribunal Supremo, en su sentencia de 26 de septiembre de 2018, recurso 1305/2017, en la que se resuelve el asunto «Castrejana López», una vez resuelta la cuestión prejudicial mediante la sentencia precitada, aclara cuáles son las concretas consecuencias previstas en el Derecho español para sancionar el abuso:

> «*Las consecuencias jurídicas concretas derivadas de la situación de abuso apreciada en el caso de autos deben ser, así y a juicio de este Tribunal Supremo, las siguientes:*
> *1ª La relación de empleo como personal estatutario temporal [...] subsiste y continúa, con todos los derechos profesionales y económicos inherentes a ella, hasta que la Administración sanitaria [...] cumpla en debida forma lo que ordena la [...] Ley 55/2003, de 16 diciembre, Estatuto Marco del Personal Estatutario de los Servicios de Salud.*
> *Ha de ser así, porque tal consecuencia es la única que, amén de ser proporcionada al propio actuar de la Administración, es igualmente lo bastante efectiva y disuasoria como para garantizar la plena eficacia del Acuerdo marco.*
> *En este orden de cosas, una consecuencia que consistiera sólo en el reconocimiento de un derecho al resarcimiento de los daños y perjuicios que pudiera haber causado el abuso, no sería lo bastante disuasoria como para garantizar*

esa plena eficacia, por razón del quantum reducido que en buena lógica cabría fijar para la eventual indemnización.

2ª El estudio cuya realización impone aquella norma, debe valorar, de modo motivado, fundado y referido a las concretas funciones desempeñadas [...] si procede o no la creación de una plaza estructural, con las consecuencias ligadas a su decisión, entre ellas, de ser negativa por no apreciar déficit estructural de puestos fijos, la de mantener la coherencia de la misma, acudiendo a aquel tipo de nombramiento cuando se de alguno de los supuestos previstos en ese artículo 9.3, identificando cuál es, justificando su presencia, e impidiendo en todo caso que perdure la situación de precariedad de quienes eventual y temporalmente hayan de prestarlas.

3ª Junto con esas consecuencias jurídicas, no habría cabido negar, de entrada, que además pudiera proceder el reconocimiento de un derecho indemnizatorio. Pero este reconocimiento depende de las circunstancias singulares del caso; debe ser hecho en el mismo proceso en que se declara la existencia de la situación de abuso; y sólo habría podido ser hecho si la parte actora, además de deducir tal pretensión:

a) hubiera invocado en el momento procesal oportuno qué daños y perjuicios, y por qué concepto o conceptos en concreto, le fueron causados; y

b) hubiera acreditado por cualquiera de los medios de prueba admitidos en derecho, la realidad de tales daños y/o perjuicios, de suerte que sólo pudiera quedar para ejecución de sentencia la fijación o determinación del quantum de la indemnización debida.

En esta línea, el concepto o conceptos dañosos y/o perjudiciales que se invoquen deben estar ligados al menoscabo o daño, de cualquier orden, producido por la situación de abuso, pues ésta es su causa, y no a hipotéticas "equivalencias", al momento del cese e inexistentes en aquel tipo de relación de empleo, con otras relaciones laborales o de empleo público».

6. LA INDEMNIZACIÓN DE DAÑOS Y PERJUICIOS COMO MEDIDA EFICAZ Y SUFICIENTEMENTE DISUASORIA CONTRA EL ABUSO, DENTRO DE LOS LÍMITES DE UN SISTEMA PURAMENTE RESARCITORIO

De este modo, las consecuencias del abuso en el Derecho interno español, que el Tribunal Supremo ha considerado efectivas y suficientemente disuasorias, son las siguientes: el mantenimiento de la relación de servicio interina, el estudio de la procedencia de la convocatoria del correspondiente proceso selectivo o de la necesidad estructural de crear la plaza correspondiente y el abono, en su caso, de la indemnización que proceda, con arreglo a las reglas siguientes:

- Se deberá atender a las circunstancias singulares de cada caso.

- Se requiere que se indiquen qué daños y perjuicios se han sufrido, y por qué conceptos concretos.

- Se deberá acreditar y probar la realidad y efectividad de esos daños y perjuicios.

- Se podrá fijar en ejecución de sentencia el *quantum*, pero siempre que sea mediante una simple operación aritmética, pues la concreción y efectividad de los daños y los elementos necesarios para el cálculo de la indemnización deberán introducirse en el procedimiento mediante la demanda y recogerse en la sentencia.

- No se puede fijar la indemnización por referencia a hipotéticas equivalencias con otras relaciones laborales o de empleo público que prevén indemnizaciones por motivo de cese o finalización de la relación de trabajo.

- No se podrá reconocer un derecho indemnizatorio a futuro derivado del hipotético cese.

La cuestión de la indemnización está aún por perfilar jurisprudencialmente; entre otras cosas, porque buena parte de las demandas de las que han tenido ocasión de conocer nuestros tribunales se centraban casi exclusivamente en argumentar en favor del reconocimiento de la condición de funcionarios de carrera, o asimilados a los mismos, mientras que en punto a la pretensión resarcitoria contenían apenas algunas vaguedades y reivindicaciones genéricas e inconcretas. Así lo recoge, por ejemplo, la precitada sentencia 187/2021 de la Sala de lo Contencioso-Administrativo del Tribunal Superior de Justicia de Castilla-La Mancha: «*Tanto en vía administrativa como en vía judicial, la pretensión indemnizatoria por responsabilidad patrimonial es absolutamente genérica, en el sentido de que no especifica el menoscabo o daño producido hasta el momento, ni los que supuestamente vayan a producirse a futuro, no siendo admisibles, en palabras del TS, hipotéticas "equivalencias"*».

La pretensión indemnizatoria, en definitiva, es una medida contemplada en el Derecho interno, es decir, que se rige en último término por las reglas generales de la responsabilidad patrimonial de la Administración en cuanto a los requisitos de daño efectivo, nexo de causalidad y cuantificación económica, así como en cuanto a las reglas generales del *onus probandi*. Solo serán indemnizables los daños efectivos, acreditados y cuantificables, pues nuestro sistema indemnizatorio es puramente resarcitorio, a diferencia de otros ordenamientos a nivel comparado en los que se contempla la figura de los daños punitivos o ejemplarizantes.

7. PREGUNTAS SIN RESPUESTA: LA RENOVADA DOCTRINA *CILFIT*

Como se ha indicado, quedan algunas incógnitas sin despejar, como la relativa a si la inclusión diligente de una plaza en los concursos permanentes de traslados excluye el abuso, a pesar de haberse sobrepasado el plazo trienal para la ejecución de la oferta de empleo público, o los elementos y requisitos de la indemnización de daños y perjuicios, sobre las que están pendientes recursos de casación ante ambas Salas y que podrían llegar a suscitar una nueva intervención prejudicial del Tribunal de Justicia de la Unión Europea.

Sin embargo, la sentencia de la Sala de lo Contencioso-Administrativo del Tribunal Supremo de 15 de noviembre de 2021 (rec. 6360/2019), relativa también a la aplicación del Acuerdo Marco, aunque a la cláusula 4 en este caso, nos recuerda: «en este punto entra en juego la llamada "doctrina del acto claro y del acto aclarado", establecida en su día por la sentencia Cilfit de 6 de octubre de 1982 (C-283/81): el deber de planteamiento de cuestión prejudicial cesa allí donde el significado y alcance de la norma de la Unión Europea es inequívoco (claro), o ha sido ya objeto de interpretación por el Tribunal de Justicia de la Unión Europea (aclarado)».

No es casual dicho recordatorio, sino que obedece a que el propio Tribunal de Justicia de la Unión Europea parece evidenciar en fechas recientes el propósito de darle aplicación con renovado vigor a esta clásica doctrina, no siempre observada por los tribunales nacionales en el planteamiento de cuestiones prejudiciales.

No en vano la sentencia de 6 de octubre de 2021, dictada por la Gran Sala en el asunto C-561/19 (Consorzio Italian Management / Rete Ferroviaria Italiana SpA), hace una revisión en profundidad de tal doctrina que fundamenta el siguiente fallo:

> «El artículo 267 TFUE debe interpretarse en el sentido de que un órgano jurisdiccional nacional cuyas decisiones no sean susceptibles de ulterior recurso judicial de Derecho interno debe cumplir con la obligación de plantear al Tribunal de Justicia una cuestión relativa a la interpretación del Derecho de la Unión que se le haya sometido, salvo que constate que dicha cuestión no es pertinente, que la disposición del Derecho de la Unión de que se trate ya ha sido interpretada por el Tribunal de Justicia o que la interpretación correcta del Derecho de la Unión se impone con tal evidencia que no deja lugar a ninguna duda razonable».

Aunque el fallo parece reiterar la doctrina *Cilfit* en sus términos tradicionales, no pueden obviarse indicios de una cierta tendencia a aplicarla con un mayor rigor del que se venía acostumbrando.

Es ilustrativo de esta tendencia que el Abogado General Bobek, en sus Conclusiones presentadas el 15 de abril de 2021 en el mismo asunto C-561/19, propusiera al Tribunal de Justicia de la Unión Europea revisar esta doctrina *Cilfit*, entendiendo que las cuestiones prejudiciales deberían plantearse solo cuando la respuesta no se pueda deducir de la jurisprudencia del Tribunal de Justicia de la Unión Europea ya existente.

En lo que aquí nos ocupa, cabe preguntarse si acaso esta nueva puesta en valor de la doctrina *Cilfit* anticipa que la cascada de pronunciamientos prejudiciales sobre la cláusula 5 del Acuerdo Marco toca a su fin. De ser así, ¿acertaremos a despejar a nivel doméstico las últimas incógnitas pendientes?

El derecho a la ciudad y agenda urbana: una aproximación a propósito de la ordenanza de movilidad sostenible de Madrid de 21/09/ 2021

José Luis Villegas Moreno

Profesor de Derecho Administrativo Facultad de Derecho. UPComillas de Madrid. Miembro del Comité Científico de la Organización Iberoamericana de Cooperación Intermunicipal (OICI)

SUMARIO: 1. INTRODUCCIÓN. 2. APROXIMACIÓN AL DERECHO A LA CIUDAD. 2.1 Ciudad. 2.2 Derecho a la ciudad. 3. AGENDA URBANA Y DERECHO A LA CIUDAD. 4. MOVILIDAD SOSTENIBLE Y DERECHO A LA CIUDAD. 5. ESTRATEGIA DE SOSTENIBILIDAD AMBIENTAL. 5.1 Breve apunte sobre la contaminación atmosférica en Madrid. 5.2 Madrid 360. 6. CONCLUSIÓN.

«Hace falta cuidar los lugares comunes, los hitos urbanos que acrecientan nuestro sentido de pertenencia, nuestra sensación de arraigo, nuestro sentimiento de estar en casa dentro de la ciudad que nos contiene y nos une». *(Laudato sí)*

1. INTRODUCCIÓN

En este trabajo abordamos un tema de Derecho Administrativo Municipal en conexión con la sostenibilidad y el medioambiente en el entorno local. El Derecho Administrativo da cobertura a este incipiente derecho social, ciudadano y urbano: el derecho a la ciudad. Este se desdobla en el derecho a la vida urbana y el derecho a la movilidad sostenible, lo que determinará un nuevo *status* ciudadano. El derecho a la ciudad ya es patrimonio del imaginario del municipalismo internacional[1]. Y este cometido lo pretendemos desarrollar en este trabajo con ocasión de la reciente Ordenanza de Movilidad sostenible de Madrid de septiembre de 2021, desde el anclaje del Derecho a la Ciudad y Agenda Urbana y sus desarrollos en el ámbito de las competencias municipales y su coherencia con el resto del ordenamiento jurídico.

En el contexto que se analiza se pondrá en valor la protección de la salud humana mediante la mejora de la calidad del aire, la protección de medio ambiente urbano y la mejora de la seguridad vial, como elementos esenciales de las políticas de desarrollo urbano.

2. APROXIMACIÓN AL DERECHO A LA CIUDAD

2.1 Ciudad

Según el objetivo 11 de los ODS[2] las ciudades son hervideros de ideas, comercio, cultura, ciencia, productividad, desarrollo social y mucho más.

---

[1]   GALCERAN-VERCHER, Marta: Emprendedores de normas: el municipalismo internacional y el derecho a la ciudad. *Revista CIDOB d' Afers Internacionals*, [en línea], 2019, nº 123.

[2]   www.onu.ods

Las ciudades han permitido a las personas progresar social y económicamente. Ahora bien, son muchos los problemas que existen para mantener ciudades de manera que se sigan creando empleos y prosperidad sin ejercer presión sobre la tierra y los recursos. Los problemas comunes de las ciudades son la congestión, la falta de fondos para prestar servicios básicos, la escasez de vivienda adecuada y el deterioro de la infraestructura[3].

Los problemas que enfrentan las ciudades se pueden vencer de manera que les permita seguir prosperando y creciendo, y al mismo tiempo aprovechar mejor los recursos y reducir la contaminación y la pobreza. El futuro que queremos incluye a ciudades de oportunidades, con acceso a servicios básicos, energía, vivienda, transporte y más facilidades para todos[4]. Es en las ciudades donde se ganará —o se perderá— la batalla por el desarrollo sostenible.[5]

EL Banco Mundial advierte que para velar por que las ciudades del mañana proporcionen oportunidades y mejores condiciones de vida para todos es fundamental comprender que el concepto de ciudades inclusivas implica una red compleja de múltiples factores espaciales, sociales y económicos[6]:

- *Inclusión espacial*: la inclusión urbana demanda proporcionar servicios asequibles, como vivienda, agua y saneamiento. La falta de acceso a infraestructura y servicios esenciales es una dificultad cotidiana que deben enfrentar muchos hogares desfavorecidos;

- *Inclusión social:* una ciudad inclusiva debe garantizar igualdad de derechos y participación para todos, incluidas las personas más marginalizadas. Recientemente, la falta de oportunidades de los pobres de las zonas urbanas y la mayor demanda de participación de aquellos socialmente excluidos han empeorado los disturbios sociales en las ciudades;

---

[3]   PAREJO ALFONSO, Luciano: Urbanismo y medio urbano bajo el signo del desarrollo sostenible, Revista Vasca de Administración Pública, N° 99-100, 2014.

[4]   www.onu.ods

[5]   www.onu.ods

[6]   https://www.bancomundial.org/es/topic/inclusive-cities

- *Inclusión económica*: generar empleos y darles a los residentes urbanos la oportunidad de disfrutar de los beneficios del crecimiento económico es un componente crucial de la inclusión urbana en general.

Las dimensiones espaciales, sociales y económicas de la inclusión urbana están estrechamente vinculadas y tienden a reforzarse entre sí. Cuando estos factores interactúan de una manera negativa, atrapan a las personas en la pobreza y la marginalidad. Por el contrario, si la interrelación es positiva, pueden mejorar la vida de las personas y disminuir la exclusión[7].

Tener una noción de ciudad como objeto del «derecho a la ciudad» es pertinente independientemente de todos los enfoques y dificultades que pueda presentar. Así en el contexto de los diferentes esfuerzos de la doctrina y las aproximaciones de carácter político y social, puede decirse que se pueden distinguir dos ámbitos: espacial e institucional[8]. La ciudad como espacio es concebida como espacio público, espacio de todos los encuentros, como espacio colectivo que pertenece a todos sus habitantes, como espacio colectivo, culturalmente rico y diversificado. La ciudad como institución se proyecta como marco institucional de ejercicio de la libertad y de la democracia, como realidad político administrativa, como gestión racionalizada del espacio público ciudadano[9]. Como pone de manifiesto Parejo la ciudad como estructura espacial y comunidad político-administrativa son consustanciales[10].

Como corolario de estas reflexiones se puede concluir que la ciudad también es objeto e instrumento del desarrollo humano sostenible.

---

[7] https://www.bancomundial.org/es/topic/inclusive-cities

[8] AVILA ORIBE, José Luis: Ciudadanía urbana, desarrollo sostenible y derecho a la ciudad, Tirant lo Blanch, 2018.

[9] AA.VV.: Las agendas urbanas y el gobierno de las ciudades. Transformaciones, desafíos e instrumentos (Directora María Rosario Alonso) Reus 2020.

[10] PAREJO ALFONSO, Luciano: reflexiones en torno a la ciudad y el Derecho Administrativo. Memorias del Congreso AEPDA: La ciudad del siglo XXI, desafíos y retos, 2020.

2.2 Derecho a la ciudad

ONU-Hábitat, el programa de las Naciones Unidas para los asentamientos humanos, elaboró la «Agenda del Derecho a la Ciudad. Para la implementación de la Agenda 2030 para el Desarrollo Sostenible y la Nueva Agenda Urbana»[11]. En este documento se concibe el derecho a la ciudad como el derecho que tienen todas las personas para «habitar, utilizar, ocupar, producir, transformar, gobernar y disfrutar ciudades, pueblos y asentamientos urbanos justos, inclusivos, seguros, sostenibles y democráticos, definidos como bienes comunes para una vida digna». En una mirada al derecho comparado encontramos que la Constitución del Ecuador de 2008 en el artículo 31 reconoce el derecho de las personas al disfrute pleno de la ciudad y de sus espacios públicos:

> «Las personas tienen derecho al disfrute pleno de la ciudad y de sus espacios públicos, bajo los principios de sustentabilidad, justicia social, respeto a las diferentes culturas urbanas y equilibrio entre lo urbano y lo rural. El ejercicio del derecho a la ciudad se basa en la gestión democrática de ésta, en la función social y ambiental de la propiedad y de la ciudad, y en el ejercicio pleno de la ciudadanía».

También destacamos el Estatuto de la Ciudad de Brasil de 2001 que en su apartado primero reconoce tal derecho al establecer:

> «Garantizar el derecho a contar con ciudades sustentables, entendido como el derecho a la tierra urbana, a la vivienda, al saneamiento ambiental, a la infraestructura urbana, al transporte y a los servicios públicos, al trabajo ya al esparcimiento, para las generaciones presentes y futuras».

Conforme a los documentos internacionales[12] y como pone de relieve Avila[13] el derecho a la ciudad tiene una doble naturaleza: a) El derecho a la ciudad desde una perspectiva de las condiciones adecuadas de vida en la

---

[11]   https://www.right2city.org/wp-content/uploads/2019/09/A6.1_Agenda-del-derecho-a-la-ciudad.pdf

[12]   Carta Europea de salvaguarda de los derechos humanos en la ciudad y Carta-Agenda mundial de los derechos humanos en la ciudad.

[13]   AVILA ORIBE, José Luis: Ciudadanía urbana, desarrollo sostenible y derecho a la ciudad, Tirant lo Blanch, 2018.

ciudad para la plena realización de sus habitantes. b) Como derecho de acceso a los bienes y servicios de la ciudad. El primer enfoque se centra en un contexto de derechos humanos en la ciudad. Así lo recoge la Carta Europea de Salvaguarda de los Derechos Humanos en la ciudad y la Carta-Agenda Mundial de los Derechos Humanos en la ciudad[14]. Se formula el derecho a encontrar las condiciones para su realización social, ecológica y política, que asegure condiciones adecuadas de vida y procure la convivencia entre todos sus habitantes y entre estos y las autoridades locales. En definitiva se aspira a la plena materialización de los derechos humanos en la ciudad en sintonía con el derecho al desarrollo y ciudades para todos[15]. La segunda visión tiende a ser más práctica y operativa y menos conceptual. Se trata de aspirar a los beneficios y ventajas de la ciudad a través de los bienes y servicios públicos que la ciudad presta y facilita[16] y que se redimensionan en la denominada ciudad inteligente o Smart citie[17].

Este derecho a la ciudad puede entenderse como un escenario compatible con el desarrollo urbano sostenible, como un nuevo paradigma[18]. Se explica como alternativa a la exclusión social, la injusticia, el desempleo, inseguridad, carencia de servicios públicos, pobreza y marginación en las ciudades[19].

El escenario para lograr internacionalmente que el derecho a la ciudad sea considerado como un nuevo derecho humano emergente está servido[20].

---

[14] https://uclg-cisdp.org/es/noticias/carta-europea-salvaguarda-los-derechos-humanos-ciudad

[15] World Urban Forum, Cities 2030, 2018.

[16] https://criticaurbana.com/critica-urbana-13-derecho-a-la-ciudad

[17] CERRILLO, Agustí: Los servicios de la ciudad inteligente. Memorias del Congreso AEPDA: La ciudad del siglo XXI: desafíos y retos, 2020.

[18] https://habitat3.org/

[19] VILLEGAS MORENO, José Luis: Las ciudades iberoamericanas: perfiles de sostenibilidad y resiliencia. Una mirada en perspectiva. Revista Provincia N° 39, CIEPROL-ULA, 2019.

[20] ZARAGOZA MARTÍ, María: El derecho a la ciudad como nuevo derecho humano emergente. https://revistes.upc.edu/index.php/CTV/article/view/8492

3. AGENDA URBANA Y DERECHO A LA CIUDAD

El 20 de octubre de 2016 la Conferencia de Naciones Unidas sobre Vivienda y Desarrollo Sostenible[21] —Hábitat III— adoptó en Quito la «Nueva Agenda Urbana», un documento con visión de futuro y orientado a la acción, que establece objetivos globales para el desarrollo urbano sostenible, reconsiderando la manera de construir, gestionar y vivir las ciudades, con la colaboración de todos los agentes interesados, partes implicadas y actores urbanos, tanto a nivel gubernamental como del sector privado.

La Declaración de Quito[22] contempla una Nueva Agenda Urbana reafirmando el compromiso mundial con el desarrollo urbano sostenible como un paso decisivo para el logro del desarrollo sostenible de manera integrada y coordinada a nivel mundial, regional, nacional, subnacional y local, con la participación de todos los actores pertinentes. La implementación de la Nueva Agenda Urbana contribuye a la aplicación y la ubicación de la Agenda 2030 para el Desarrollo Sostenible de manera integrada, y a la consecución de los Objetivos de Desarrollo Sostenible y sus metas —entre otros el Objetivo 11— de lograr que las ciudades y los asentamientos humanos sean inclusivos, seguros, resilientes y sostenibles.

Esta nueva Agenda urbana[23] en el contexto de las ciudades persigue como ideal:

- Una ciudad para todos, en cuanto a la igualdad en el uso y el disfrute de las ciudades y los asentamientos humanos, buscando promover la integración y garantizar que todos los habitantes, tanto de las generaciones presentes como futuras, sin discriminación de ningún tipo, puedan crear ciudades y asentamientos humanos justos, seguros, sanos, accesibles, asequibles, resilientes y sostenibles, y habitar en ellos, a fin de promover la prosperidad y la calidad de vida para todos. (el derecho a la ciudad»)

---

[21]   http://unhabitat.org/habitat-iii/

[22]   http://unhabitat.org/habitat-iii/

[23]   http://unhabitat.org/habitat-iii/

- Lograr ciudades y asentamientos humanos donde todas las personas puedan gozar de igualdad de derechos y oportunidades, con respeto por sus libertades fundamentales, guiados por los propósitos y principios de la Carta de las Naciones Unidas, incluido el pleno respeto del derecho internacional.

En este escenario destacamos El Foro Urbano Mundial que es un foro internacional que organiza la ONU cada dos años; en particular, el Programa de Naciones Unidas para los Asentamientos Humanos (ONU-Hábitat), y trata temas de urbanismo, especialmente al impacto de los asentamientos humanos y su rápido crecimiento en diversos ámbitos, como son la economía, la política, y el medio ambiente. La IX edición del Foro Urbano Mundial se celebró en febrero de 2018 en Kuala Lumpur bajo el lema «La ciudad como motor de desarrollo inclusivo»[24]. El próximo Foro Urbano Mundial se centrará en el futuro de las ciudades y está previsto realizarse en junio de 2022 en Katowice, Polonia.

ONU-Hábitat ha considerado importante la creación de la «Agenda del Derecho a la Ciudad. Para la implementación de la Agenda 2030 para el Desarrollo Sostenible y la Nueva Agenda Urbana»[25], con un enfoque referido a los derechos humanos. Es notorio que los ODS persiguen realizar los derechos humanos de todas la personas y lograr su igualdad. Además la Nueva Agenda Urbana se cimenta en la Declaración Universal de los Derechos Humanos. Esta Nueva Agenda Urbana es la guía global más importante que orienta de forma clara, cómo la urbanización bien planificada y gestionada puede ser una fuerza transformadora para acelerar el logro de los Objetivos de Desarrollo Sostenible (ODS).

El derecho a la ciudad permite una perspectiva de cristalización y realización de los derechos humanos en el territorio[26]. Estamos ante un derecho humano colectivo que contribuye a la armonización de todos los derechos civiles, políticos, económicos, sociales, culturales y ambientales. Hay entida-

---

[24]   https://elpais.com/elpais/2018/02/12/planeta_futuro/1518437187_505574.html

[25]   https://www.right2city.org/wp-content/uploads/2019/09/A6.1_Agenda-del-derecho-a-la-ciudad.pdf

[26]   https://www.right2city.org/wp-content/uploads/2019/09/A6.1_Agenda-del-derecho-a-la-ciudad.pdf

des como la Plataforma Global para el Derecho a la Ciudad[27] que tiene como finalidad la implementación del derecho a la ciudad a nivel internacional y monitorear su cumplimiento.

En España se ha elaborado la Agenda Urbana Española[28] (AUE) que es un documento estratégico, sin carácter normativo, que de conformidad con los criterios establecidos por la Agenda 2030, la nueva Agenda Urbana de las Naciones Unidas y la Agenda Urbana para la Unión Europea persigue el logro de la sostenibilidad en las políticas de desarrollo urbano. La Agenda Urbana Española también hace de guía en el camino para conseguir pueblos y ciudades más humanos. Ofrece un Decálogo de Objetivos Estratégicos para que todos los actores, públicos y privados, que intervienen en las ciudades y que busquen un desarrollo equitativo, justo y sostenible desde sus distintos campos de actuación, puedan elaborar sus propios Planes de Acción. La hoja de ruta de esta Agenda Urbana Española se ha trazado con el triple enfoque de sostenibilidad social, económica y medioambiental.

Cómo serán las urbes sostenibles del futuro es la pregunta del reciente monográfico del BBVA de 2022 pensando en 2050. Este documento reflexiona desde un escenario que tiene por finalidad mejorar la calidad de vida en las ciudades sin dejar a nadie atrás y sin impacto medioambiental, como uno de los objetivos de esta década decisiva para mitigar los efectos del cambio climático[29].

Ingentes desafíos y transformaciones están servidos para el gobierno de las ciudades y las agendas urbanas[30].

---

[27] https://www.uclg-cisdp.org

[28] https://www.aue.gob.es/

[29] https://www.bbva.com/es/sostenibilidad/monografico-de-bbva-la-ciudad-de-2050-como-seran-las-urbes-sostenibles-del-futuro/

[30] AA.VV.: Las agendas urbanas y el gobierno de las ciudades. Transformaciones, desafíos e instrumentos (Directora María Rosario Alonso) Reus 2020.

4. MOVILIDAD SOSTENIBLE Y DERECHO A LA CIUDAD

La movilidad urbana es un aspecto fundamental para que los ODS se realicen, se cumplan. EL ODS 11 busca «Lograr que las ciudades y los asentamientos humanos sean inclusivos, seguros, resilientes y sostenibles». Una de las metas, la 11.6 aspira hasta 2030, reducir el impacto ambiental negativo per cápita de las ciudades, incluso prestando especial atención a la calidad del aire.

La movilidad sostenible agrupa el conjunto de desplazamientos, tanto de pasajeros como de mercancías, que se realizan con la finalidad de recorrer la distancia desde el lugar de origen hasta el de destino reduciendo los efectos negativos en el medio ambiente. La movilidad que en la ciudad se considera sostenible abarca tanto el transporte público (autobuses eléctricos o cero emisiones, metro, tren o tranvía) como el privado (peatonal, bicicleta, patinete o vehículo eléctrico, entre otros)[31]. Los principales retos de las smart cities en materia de movilidad urbana son los referentes a la contaminación medioambiental y a la gran cantidad de tiempo que la ciudadanía pasa en el transporte para desplazarse a su lugar de trabajo. Las plataformas de gestión de tráfico, las apps de movilidad, la introducción de nuevos vehículos inteligentes y sostenibles —eléctricos, híbridos, conectados, autónomos, etc.— son algunos de los medios de una ciudad inteligente para elaborar un plan de movilidad urbana eficiente que dé respuesta a las necesidades a los ciudadanos y las empresas[32].

La movilidad sostenible promueve desplazamientos integrados en un sistema de transporte eficiente, inclusivo y responsable con el medioambiente. Entiende que los sistemas socioeconómicos y el intercambio de bienes y servicios que se producen en las ciudades se tienen que hacer desde una línea que asegure la calidad de vida de la ciudadanía sin comprometer el equilibrio medioambiental y las necesidades de las generaciones futuras. Además, la movilidad sostenible debe ser accesible y asequible para toda la ciudadanía, esto implica una mayor atención a todos los colectivos más vulnerables[33].

---

[31]   https://www.esmartcity.es/movilidad-sostenible

[32]   https://www.esmartcity.es/movilidad-sostenible

[33]   https://www.idencityconsulting.com/indicemovilidadsostenible/

La movilidad urbana es fundamental para lograr el cumplimiento de los Objetivos de Desarrollo Sostenible 2030 de Naciones Unidas. La movilidad urbana sostenible permite el efectivo desarrollo de los derechos individuales compatible con la protección de la salud y la integridad física de las personas, en concreto mediante la seguridad vial y las medidas para la mejora de la calidad del aire y la protección de medioambiente urbano. El espacio público facilita el ejercicio de derechos y libertades mediante la convivencia cívica en la que debe priorizarse la seguridad vial y la accesibilidad universal de todas las personas.

Eltis es el principal observatorio europeo sobre la movilidad urbana[34]. Su más reciente seguimiento destaca los nuevos servicios de movilidad para impulsar ciudades más saludables en alineación con los principios del Pacto Verde Europeo hacia la neutralidad climática en 2050[35]. El Informe elaborado por la Agencia Europea del Medio Ambiente denominado «El medio ambiente en Europa: Estado y perspectivas 2020», destaca que el sector del transporte es actualmente responsable de más de un cuarto de las emisiones de gases de efecto invernadero de la UE, y este porcentaje sigue aumentando a medida que la demanda crece y otros sectores reducen sus emisiones. Así pues, la transición a una movilidad más sostenible reviste una importancia fundamental e implica centrar la prioridad en los usuarios y ofrecerles alternativas más asequibles, accesibles, sanas y limpias.[36] Este informe identifica graves lagunas entre el estado del medio ambiente y los actuales objetivos de las políticas de la UE a corto y a largo plazo.

La movilidad urbana sostenible es uno de los principales retos que afrontan las ciudades de la UE y un motivo de preocupación para muchos de sus ciudadanos. Existen fuertes vínculos entre una movilidad urbana más sostenible y el crecimiento económico y la reducción de la contaminación del medio ambiente tal y como destaca el Informe especial «Movilidad urbana sostenible en la UE»[37].

---

[34] Su financiación corre a cargo de la Unión Europea en el marco del programa Energía Inteligente - Europa (EIE).https://www.eltis.org/es/content/acerca-de-eltis

[35] https://www.consilium.europa.eu/es/policies/green-deal/

[36] eea.europa.eu

[37] https://op.europa.eu/webpub/eca/special-reports/urban-mobility-6-2020/es/

La organización ecologista Greenpeace en el informe que ha llamado «Viviendo. Caminando. Respirando» que contiene su Ranking de Ciudades Europeas en Transporte Sostenible de 2021, destaca el problema que acecha a las grandes capitales europeas: la movilidad de sus ciudadanos ante el aumento desmedido de su población. El informe ha medido el rendimiento en movilidad urbana de 13 ciudades europeas: Berlín (Alemania), Londres (Reino Unido), Viena (Austria), Bruselas (Bélgica), Moscú (Rusia), Roma (Italia), Zurich (Suiza), París (Francia), Amsterdam (Países Bajos), Copenhague (Dinamarca), Oslo (Noruega), Budapest (Hungría) y Madrid (España). Para medir este rendimiento, Greenpeace ha analizado 21 indicadores relacionadas con las 5 grandes áreas de estudio del informe: Transporte Público; Seguridad Vial; Calidad del aire; Gestión de la movilidad; y Movilidad activa (caminar o ir en bicicleta). En el ranking, los mejores son Copenhague, en primer lugar, Amsterdam, en segundo y Oslo, en tercer lugar. Los peores resultados fueron para: Londres, Moscú y Roma (en el peor resultado). Madrid no aparece en los extremos, ni mejor ni peor.

El Índice de Movilidad Sostenible de las ciudades de españolas 2021[38] concluye que las ciudades españolas continúan avanzando hacia la consolidación de una movilidad sostenible que impulse mejoras en habitabilidad, medio ambiente, salud y seguridad. En concreto, el grado de cumplimiento medio obtenido es de un 50,8%. Encabezan el índice Madrid (63,65%), Barcelona (62,57%) y Bilbao (61,06%). Completan los 15 primeros puestos Zaragoza (60,84%), Valencia (60,07%), Pamplona (58,51%), Sevilla (57,70%), Santander (57,44%), Palma (57,26%), Logroño (57,17%), Albacete (56,98%), Burgos (56,51%), Málaga (56,50%), Alicante (56,08%) y Cádiz (56,04%).

El Pacto Mundial de Alcaldes por el Clima y la Energía está comprometido con este crucial asunto y tiene por finalidad el impulso de la movilidad sostenible poniendo especial énfasis en las buenas prácticas en las ciudades relacionadas con este compromiso[39].

---

[38] https://www.idencityconsulting.com/indicemovilidadsostenible2021/

[39] https://iuc-la.eu/pacto_de_alcaldes/

5. ESTRATEGIA DE SOSTENIBILIDAD AMBIENTAL

5.1 Breve apunte sobre la contaminación atmosférica en Madrid

La contaminación del aire es la mayor amenaza ambiental para la salud humana, según la Organización Mundial de la Salud. Muchas ciudades europeas están afectadas por la mala calidad del aire y suelen exceder los valores límite para la protección de la salud humana establecidos en la Directiva marco sobre la calidad del aire ambiente. El 96% de los ciudadanos de la UE que viven en zonas urbanas están expuestos a contaminantes del aire considerados por la Organización Mundial de la Salud (OMS) como perjudiciales para la salud[40].

De Montalvo[41] plantea que la implementación de las políticas de lucha contra la contaminación atmosférica tiene que tener como principal referente y fundamento la salud pública. Considera que la lucha contra la contaminación atmosférica y la protección del medio ambiente no han valorado principalmente el impacto de las mismas en la salud de las personas.

Madrid elevó en 2021 sus niveles de contaminación por NO2 e incumplió la directiva europea[42]. Ecologistas en Acción en su informe sobre la calidad del aire en Madrid durante 2021[43] analiza los registros recogidos por las 24 estaciones de medición de la contaminación repartidas por toda la capital. Está claro que en Madrid el factor más importante en el deterioro

---

[40] https://op.europa.eu/webpub/eca/special-reports/urban-mobility-6-2020/es/

[41] DE MONTALVO JAASKELAINEN, Federico: Contaminación atmosférica y salud pública: una visión del cambio climático y sus repercusiones en la salud desde el derecho, Revista Icade, 2012 (mayo-agosto); Medidas para la promoción de la salud pública desde una perspectiva jurídica: Información, incentivos y prohibiciones, en «Cambio climático y salud: adaptación a las olas de calor», Thomson-Aranzadi/Universidad Comillas, 2018.

[42] https://www.eldiario.es/madrid/somos/noticias/madrid-elevo-niveles-contaminacion-no2-e-incumplio-2021-directiva-europea_1_8627177.html

[43] https://www.ecologistasenaccion.org/186913/informe-la-calidad-del-aire-en-la-ciudad-de-madrid-durante-2021/

de la calidad del aire es el automóvil[44]. Este informe determina que los contaminantes más problemáticos en la ciudad de Madrid actualmente son: el dióxido de nitrógeno (NO2), las partículas en suspensión (PM10 y PM2.5, partículas menores de 10 o 2,5 micras, respectivamente), y el ozono troposférico (O3). Concluye el informe que año tras año se superan los valores límite de protección a la salud humana fijados por la legislación europea y los valores más exigentes recomendados por la Organización Mundial de la Salud (OMS), para dichos contaminantes. Como valoración final el informe dice que dado que la principal fuente de contaminación atmosférica en la ciudad de Madrid es el tráfico rodado, cualquier intento serio de reducir los niveles de contaminación pasa por disminuir el uso del automóvil en la ciudad dado que la principal fuente de contaminación atmosférica en la ciudad de Madrid es el tráfico rodado.

5.2 Madrid 360

Con el publicitado nombre de «Madrid 360» el Gobierno local pone en escena su estrategia de sostenibilidad ambiental[45]. Es la respuesta del Ayuntamiento de Madrid a los desafíos de la gobernanza sostenible de la ciudad con la finalidad de reducir las emisiones contaminantes y transformarla en una ciudad sostenible. Esta estrategia alineada con el Pacto Verde Europeo armoniza la lucha contra el cambio climático con el desarrollo económico impulsando la transición hacia sistemas de climatización eficientes, la renovación de flotas, el fomento del transporte público, la integración de todos los medios de transporte, el refuerzo de la seguridad vial y la innovación.

El instrumento normativo rector de esta estrategia es la Ordenanza de Movilidad Sostenible de Madrid de 21/09/ 2021 que está incardinada en el siguiente escenario normativo: Ley 2/2011, de 4 de marzo, de Economía Sostenible; ley 34/2007, de 15 de octubre, de Calidad del Aire y Protección

---

[44] 2020 y 2021 han sido años marcados por la emergencia sanitaria debida a la CO-VID-19, que han conllevado restricciones sin precedentes en la movilidad, a consecuencia de las cuales los datos de contaminación atmosférica registrados en los últimos dos años han marcado mínimos históricos desde que existen mediciones de la calidad del aire en la capital.

[45] https://madrid360.es/

de la Atmósfera; la Directiva de la Unión Europea 2008/50/CE, de 21 de mayo, relativa a la calidad del aire ambiente y a una atmósfera más limpia en Europa.

La respuesta del Ayuntamiento de Madrid a la contaminación atmosférica ha estado rodeada de diferentes polémicas. En 2017 se aprobó el Plan de Calidad del Aire de la ciudad de Madrid y Cambio Climático. Posteriormente en 2018 se aprobó la Ordenanza de Movilidad Sostenible que desarrollo el Plan de Calidad del Aire y creó la Zona de Bajas Emisiones «Madrid Central». Con el cambio de gobierno municipal en 2019 se dejaron de exigir las multas previstas en Madrid Central y eliminar las restricciones. Posteriormente el Juzgado 24 de lo Contencioso Administrativo paralizó la medida e impuso como medida cautelar provisionalísima suspender la moratoria de multas. En este período donde no se aplicaron las multas la contaminación subió notablemente en la zona Madrid Central.

Con este instrumento se trata de hacer compatible equilibradamente los diferentes espacios públicos urbanos con la garantía de la salud de las personas. Por ello uno de los objetivos fundamentales de esta ordenanza es la protección de la salud de las personas a través de la mejora sustancial de la calidad del aire, conforme a los planes de calidad del aire y cambio climático. Conectado a este primer objetivo encontramos un segundo referido a lograr la sostenibilidad medioambiental mediante el fomento del transporte público y la movilidad menos contaminante. Así las cosas, se aspira a la protección de la vida e integridad física y la salud de las personas a través de la mejora de la calidad del aire mediante la reducción de emisiones[46].

Se establece un modelo de movilidad urbana de bajas emisiones contaminantes. La restricción del tráfico persigue reducir la contaminación, sobre todo el NO_2. Según los índices de contaminación en Madrid[47] es notoria la necesaria la restricción del tráfico en las zonas diseñadas. Aunque es este uno de los contenidos más controvertidos de esta ordenanza. Esta restricción se desarrolla a través de las Zonas de Bajas Emisiones (ZBE) que tienen por finalidad reducir las emisiones de gases de efecto invernadero y de gases y

---

[46]   https://www.race.es/nueva-ordenanza-movilidad-sostenible-madrid

[47]   http://www.mambiente.munimadrid.es/

partículas contaminantes de los vehículos a motor con combustible fósil. También las ZBE producen cambios relevantes en la mayor participación de los modos más eficientes (transporte colectivo, alta ocupación) y de movilidad activa (bicicleta) en la disminución del uso del vehículo privado con baja ocupación. Indirectamente estas ZBE disminuyen la ocupación del espacio público por los vehículos privados. La Ley de Cambio Climático y Transición Energética[48] las define como «el ámbito delimitado por una Administración Pública, en ejercicio de sus competencias, dentro de su territorio, de carácter contínuo y en el que se aplican restricciones de acceso, circulación y estacionamiento de vehículos para mejorar la calidad del aire y mitigar las emisiones de gases de efecto invernadero, conforme a la clasificación de los vehículos por su nivel de emisiones de acuerdo con lo establecido en el Reglamento General de Vehículos vigente».

La ordenanza entiende como Zona de Bajas Emisiones de Especial Protección (en adelante, ZBEDEP) el ámbito territorial, conformado por el conjunto de vías públicas urbanas delimitadas conformando una continuidad geográfica, que presenten problemas agravados de contaminación medioambiental, en el que se implanten las medidas que resulten oportunas para proteger la salud humana (y/o la salud pública) y el medio ambiente, frente a la contaminación, y se posibilite el cumplimiento de los valores límite y los umbrales de calidad del aire[49].

Estas ZBE las recoge el artículo 21 bajo la denominación «Madrid Zona de Bajas Emisiones» que es la ordenación de tráfico, de carácter permanente, en el ámbito territorial constituido por la totalidad de las vías públicas urbanas del término municipal de la ciudad de Madrid, para proteger la salud humana y el medio ambiente, mediante la prohibición de acceso y circulación regulada.

Madrid 360 comprende la creación de zonas de bajas emisiones (ZBE) para mejorar la protección ambiental en los 21 distritos. Todo el término municipal ha sido declarado ZBE, si bien las restricciones circulatorias se irán aplicando de manera progresiva desde el 1 de enero de 2022 hasta 2025.

---

[48]   https://www.boe.es/diario_boe/txt.php?id=BOE-A-2021-8447

[49]   https://www.race.es/nueva-ordenanza-movilidad-sostenible-madrid

Madrid 360 incluye dos Zonas de Bajas Emisiones de Especial Protección (ZBEDEP), Centro y Plaza Elíptica, donde los problemas de contaminación son más acusados. En ellas, los comerciantes van a contar con los mismos derechos de acceso y circulación que los residentes. Además de estas dos ZBEDEP, Madrid ZBE limitará solo el acceso y circulación a los turismos con clasificación ambiental A (que carecen de distintivo ambiental), que representan, de media, el 14% de los vehículos que entran diariamente en la ciudad. Excepto aquellos vehículos que a fecha 1 de enero de 2022 estén domiciliados en Madrid en el Registro de Vehículos de la Dirección General de Tráfico y figuren en el padrón del Impuesto sobre vehículos de Tracción Mecánica que podrán pasar y circular por toda la ciudad hasta el 31 de diciembre de 2024, siempre que mantengan el cumplimiento simultáneo de ambos requisitos.

Además de la creación de las ZBE, que serán la herramienta que mayor impacto tendrá en la reducción de emisiones contaminantes del tráfico, se introducen medidas que aspiran a poner a la capital a la vanguardia de la sostenibilidad mediante el impulso de la micromovilidad y la movilidad ciclista, la creación de la tarifa dinámica del servicio de estacionamiento regulado (SER), las plazas de carga y descarga inteligente para vehículos de mercancías, las plazas de aparcamiento de alta rotación para reducir el tráfico de agitación y la configuración del municipio como un 'laboratorio' de la movilidad[50].

Con esta regulación, el Ayuntamiento de Madrid pretende otorgar una misma protección a los ciudadanos de todo el término municipal, determinando anillos territoriales para la aplicación progresiva de las restricciones a la circulación de turismos, y siempre ofreciendo alternativas para adaptarse a los cambios (impulso del transporte público y la micromovilidad, líneas de autobús gratuitas, ayudas, nuevas infraestructuras).

En el contexto institucional del Estado ha sido el Defensor del Pueblo quien ha criticado la ordenanza de movilidad y, especialmente, las zonas de bajas emisiones. En informe[51] enviado al Ayuntamiento considera que se

---

[50]   https://madrid360.es/

[51]   https://www.defensordelpueblo.es/noticias/nueva-ordenanza-movilidad/

produce una rebaja de la protección de la calidad del aire en la ciudad, ya que permite el acceso a las zonas de bajas emisiones y a las zonas de bajas emisiones de especial protección a vehículos particulares de empresas y autónomos, lo que supone un retroceso medioambiental.

La ordenanza que movilidad referida también establece que las autoridades locales puedan tomar medidas extraordinarias de tráfico durante episodios de contaminación atmosférica para proteger la salud humana y el medio ambiente. (Artículo 35).

En lo que se refiere a las restricciones que la ordenanza de movilidad sostenible contiene, un punto a valorar es la proporcionalidad de las cargas o restricciones que se establecen para los derechos de las personas. Pero esto escapa a este trabajo aunque será tratado en próxima investigación.

6. CONCLUSIÓN

El fundamento de la movilidad sostenible radica en el valor central de la calidad de vida de las personas. El derecho a la movilidad sostenible se configura como un nuevo derecho urbano y social emergente. Estamos en camino de una nueva modalidad urbana y sostenible en un contexto de nueva normalidad.

Todas las iniciativas para el logro de una movilidad sostenible están incardinadas en el derecho a la ciudad y en las mejores prácticas desarrolladas para implementar los principios de la nueva Agenda Urbana.

Las ciudades sostenibles tienen que ser el reflejo de los ODS de la Agenda 2030 de Naciones Unidas. Es en las ciudades donde se ganará —o se perderá— la batalla por el desarrollo sostenible.

Bibliografía

AA.VV.: Repensando la ciudad inteligente desde la innovación social digital ciudadana. Inap, Madrid 2019.

AA.VV.: Las agendas urbanas y el gobierno de las ciudades. Transformaciones, desafíos e instrumentos (Directora María Rosario Alonso) Reus 2020.

AA.VV.: La ciudad del siglo XXI, desafíos y retos. Memorias del Congreso AEPDA: 2020.

AA.VV.: Smart cities. Derecho y técnica para una ciudad más habitable.(José Luis Piñar, Director), Madrid, Reus 2017.

Agenda-del-derecho-a-la-ciudad.pdfhttps://www.right2city.org/wp-content/uploads/2019/09/A6.1

AVILA ORIBE, José Luis: Ciudadanía urbana, desarrollo sostenible y derecho a la ciudad, Tirant lo Blanch, 2018.

BBVA: La ciudad de 2050 como serán las urbes sostenibles del futuro. https://www.bbva.com/es/sostenibilidad/monografico-de-bbva-

Carta europea salvaguarda de los derechos humanos en la ciudad. https://uclg-cisdp.org/es/noticias/

CERRILLO, Agustí: Los servicios de la ciudad inteligente. Memorias del Congreso AEPDA: La ciudad del siglo XXI: desafíos y retos, 2020.

DE MONTALVO JAASKELAINEN, Federico: Contaminación atmosférica y salud pública: una visión del cambio climático y sus repercusiones en la salud desde el derecho, Revista Icade, 2012 (mayo-agosto).

DE MONTALVO JAASKELAINEN, Federico: Medidas para la promoción de la salud pública desde una perspectiva jurídica: Información, incentivos y prohibiciones, en «Cambio climático y salud: adaptación a las olas de calor», Thomson-Aranzadi/Universidad Comillas, 2018.

FORTÉS MARTÍN, Antonio: Los desplazamientos sostenibles en el derecho a la ciudad, Iustel 2021.

GALCERAN-VERCHER, Marta: Emprendedores de normas: el municipalismo internacional y el derecho a la ciudad. *Revista CIDOB d' Afers Internacionals*, [enlínea], 2019, nº 123.

PAREJO ALFONSO, Luciano: Reflexiones en torno a la ciudad y el Derecho Administrativo. Memorias del Congreso AEPDA: La ciudad del siglo XXI, desafíos y retos, 2020.

PAREJO ALFONSO, Luciano: Urbanismo y medio urbano bajo el signo del desarrollo sostenible, Revista Vasca de Administración Pública, Nº 99-100, 2014.

VILLEGAS MORENO, José Luis: Las ciudades iberoamericanas: perfiles de sostenibilidad y resiliencia. Una mirada en perspectiva. Revista Provincia Nº 39, CIEPROL-ULA, 2019.

World Urban Forum, Cities 2030, 2018. https://www.uclg.org/es/node/30484

ZARAGOZA MARTÍ, María: El derecho a la ciudad como nuevo derecho humano emergente. https://revistes.upc.edu/index.php/CTV/article/view/8492

Las fricciones entre la normativa estatal y autonómica en materia sancionadora. Comentarios en torno a la sentencia del Tribunal Supremo núm. 1164/2021, de 23 de septiembre

Helena Villena Romera
Abogada de Derecho Administrativo en Gómez-Acebo y Pombo

SUMARIO: 1. INTRODUCCIÓN. 2. DISTRIBUCIÓN DE COMPETENCIAS Y POTESTAD SANCIONADORA. 2.1 Competencias exclusivas y competencias compartidas. 2.2 La potestad sancionadora no constituye un título competencial autónomo. 2.3 Las Comunidades Autónomas y la potestad sancionadora. 2.4 La normativa de procedimiento administrativo común y la normativa autonómica en materia sancionadora. 2.5 La normativa de procedimiento administrativo común y la normativa especial en materia sancionadora. 3. FRICCIONES ENTRE LA NORMATIVA ESTATAL Y AUTONÓMICA EN MATERIA SANCIONADORA. 3.1 La potestad sancionadora en materia ambiental: el ejemplo arquetípico de conflicto competencial. 3.2 La supletoriedad de la normativa estatal en materia sancionadora a propósito de la Sentencia 90/2012 del Tribunal Constitucional. 3.3 La Sentencia del Tribunal Supremo núm. 1164/2021, de 23 de septiembre: a vueltas sobre las competencias de las Comunidades Autónomas en materia sancionadora y las reglas que éstas han de respetar en el ejercicio de la potestad sancionadora. 4. CONCLUSIONES.

1. INTRODUCCIÓN

El encaje de la potestad sancionadora en el reparto competencial que se establece en los artículos 148 y 149 de la Constitución Española y la convivencia entre la normativa estatal y autonómica en materia sancionadora ha requerido de numerosos pronunciamientos del Tribunal Constitucional y de los tribunales ordinarios.

Estos pronunciamientos han ido dando respuesta a algunos de los problemas interpretativos que han surgido en la práctica.

Ello en cuanto que es frecuente que tanto el Estado como las Comunidades Autónomas, al aprobar la regulación de aquellas materias cuya competencia asumen de acuerdo con lo establecido en la Constitución Española y en los Estatutos de Autonomía, no lleven a cabo una regulación íntegra y completa de la materia de que se trate, dejando lagunas normativas que especialmente afectan al ejercicio de la potestad sancionadora.

Así, se observa como, en la práctica, un elevado número de normas estatales o autonómicas no tienen un régimen sancionador autónomo que contemple las consecuencias de incumplir lo dispuesto en ellas o que, contemplándolo, no sea completo, por no incluir algunas cuestiones de trascendencia práctica relevante, especialmente en lo que a cuestiones procedimentales o formales respecta, como es el plazo máximo para resolver (la caducidad del procedimiento administrativo sancionador) o el plazo de prescripción de las infracciones. En otras ocasiones, lo dispuesto en la normativa estatal y autonómica directamente difiere.

La Sentencia que ha propiciado estas líneas, la Sentencia núm. 1164/2021 de la Sala de lo Contencioso-Administrativo del Tribunal Supremo, de 23 de septiembre de 2021 *(Tol 8611081)*, analiza uno de dichos problemas prácticos —la inconsistencia entre el cuadro sancionador establecido por una ley estatal posterior respecto del establecido en una ley autonómica previa— y nos sirve, además, para reflexionar sobre el régimen aplicable al ejercicio de la potestad sancionadora en términos generales, con particular detenimiento en las fricciones que aparecen entre las normas estatales y las autonómicas, siendo éste el fin que persigue el presente capítulo.

2. DISTRIBUCIÓN DE COMPETENCIAS
Y POTESTAD SANCIONADORA

Para poder comprender el papel que juega la Administración estatal y la autonómica en la definición del régimen sancionador resulta necesario repasar las competencias que cada una de dichas Administraciones puede asumir, el encaje de la potestad sancionadora en las mismas y las herramientas de las que partimos para solventar las fricciones que, en la práctica, se detectan.

2.1 Competencias exclusivas y competencias compartidas

El artículo 137 de la Constitución Española establece que el Estado español se organiza territorialmente en municipios, provincias y Comunidades Autónomas, gozando todos ellos de autonomía para la gestión de sus respectivos intereses.

Las Comunidades Autónomas son, por ende, autónomas en el sentido más puro de la acepción, en cuanto que son ellas quienes deciden cómo y cuándo ejercen sus competencias, con arreglo a la Constitución —y, especialmente, a su artículo 148, que establece sus competencias a asumir, como veremos— y a su propio Estatuto de Autonomía.

Bajo ese régimen de autonomía, la distribución de competencias ha sido una tarea harto complicada. La Constitución no estableció listas de competencias concretas a asumir en todo caso por las Comunidades Autónomas, sino que optó por otorgar un papel muy relevante a los Estatutos de Autonomía, que se sitúan como instrumento fundamental en la distribución de competencias dentro de los límites establecidos en los artículos 148 y 149 de la Constitución, lo que ha propiciado una cierta falta de uniformidad en las distintas Comunidades Autónomas.

Así, podríamos diferenciar entre las competencias que las Comunidades Autónomas pueden asumir y las competencias exclusivas del Estado.

Las competencias que las Comunidades Autónomas pueden asumir a través de sus Estatutos de Autonomía se listan en el artículo 148 de la Constitución Española, incluyendo materias como la ordenación del territorio, los montes o la gestión en materia de protección del medio ambiente.

Las materias de competencia exclusiva del Estado se listan en el artículo 149 de la Constitución Española, entre las que se incluyen las competencias en materia de sanidad exterior, de régimen minero y energético o de procedimiento administrativo común.

Ahora bien, debe tenerse en consideración que el artículo 148 de la Constitución Española lista materias que podrían calificarse de competencia compartida entre el Estado y las Comunidades Autónomas y otras que son competencia exclusiva de las Comunidades Autónomas. Al mismo tiempo, en el artículo 149 se listan materias que no son exclusivamente competencia del Estado, sino que aceptan una competencia compartida o concurrente con las Comunidades Autónomas.

A ello hay que sumar que hay materias cuya competencia no es atribuida por la Constitución Española ni al Estado ni a las Comunidades Autónomas y competencias que, atribuidas a las Comunidades Autónomas en el artículo 148 de la Constitución Española, no han sido asumidas por éstas a través de sus Estatutos de Autonomía.

Para ello, el apartado tercero del artículo 149 de la Constitución Española establece ciertas reglas para garantizar que ninguna competencia quede sin su titular correspondiente. Así, se contempla que las materias no atribuidas expresamente al Estado por la Constitución podrán ser asumidas por las Comunidades Autónomas en virtud de sus respectivos Estatutos y que las competencias que no se hayan asumido por las Comunidades Autónomas a través de sus Estatutos corresponderán al Estado, además de la regla conocida como *supletoriedad del derecho estatal*, esto es, el derecho estatal será, en todo caso, supletorio del derecho de las Comunidades Autónomas.

En los siguientes apartados analizaremos qué encaje tiene el ejercicio de la potestad sancionadora en el reparto competencial establecido en la Constitución Española y cómo puede ser ejercida tanto por las instituciones estatales como autonómicas.

2.2 La potestad sancionadora no constituye un título competencial autónomo

El Tribunal Constitucional viene declarando que *la potestad sancionadora no constituye un título competencial autónomo* —por todas, en Sentencia

156/1995, de 26 de octubre *(Tol 599945)*—. O, en otras palabras, *debe señalarse ante todo su carácter instrumental* [el de la potestad sancionadora] *respecto del ejercicio de las competencias sustantivas* —por todas, la Sentencia 124/2003, de 19 de junio de 2003 *(Tol 285454)*—. Veamos qué significa.

La potestad sancionadora se vincula a la competencia sobre la materia en cuestión. Es decir, las normas que tipifican infracciones y establecen sanciones deben ser parte de las normas que establecen las obligaciones y deberes cuyo incumplimiento se tipifica, de tal forma que figuren como complemento necesario de las normas que regulan la materia en cuestión.

Por tanto, la potestad sancionadora no constituye una materia en sí misma cuya competencia se atribuya al Estado o a las Comunidades Autónomas por mor de los artículos 148 y 149 de la Constitución Española. Al tener un carácter instrumental respecto de las competencias sustantivas que se atribuyen en dichos preceptos constitucionales, tanto las instituciones estatales como las instituciones autonómicas podrán ejercer la potestad sancionadora en las materias de sus respectivos ámbitos competenciales, bajo determinados requisitos y límites que se desgranan a continuación.

2.3 Las Comunidades Autónomas y la potestad sancionadora

El hecho de que la potestad sancionadora no constituya un título competencial autónomo y tenga un carácter instrumental determina que las Comunidades Autónomas puedan adoptar normas administrativas sancionadoras cuando tengan atribuida la competencia sobre la materia de que se trate, siempre bajo el debido respeto a las garantías constitucionales que aplican en el marco del Derecho administrativo sancionador y, en general, a los principios básicos del ordenamiento jurídico estatal —por todas, la Sentencia núm. 227/1988, de 29 de noviembre de 1988, del Tribunal Constitucional *(Tol 80074)*—.

Así, aquellas Comunidades Autónomas que hayan establecido su propia regulación en materia de —por ejemplo— ordenación del territorio *(vid.* artículo 148.1.3 de la Constitución Española) podrían establecer un régimen sancionador autónomo y propio que aplique en caso de incumplimiento de las obligaciones en materia de ordenación del territorio que establezcan.

Como ejemplo para ilustrar lo anterior sirve el Decreto Legislativo 1/2021, de 18 de junio, por el que se aprueba el texto refundido de la Ley de ordenación del territorio, urbanismo y paisaje de la Comunidad Valenciana *(Tol 8507769)* (en adelante, Decreto Legislativo 1/2021). Esta norma se aprueba a tenor de la competencia exclusiva que asume el gobierno autonómico en materia de ordenación del territorio y urbanismo de conformidad con el artículo 49.1.9 del Estatuto de Autonomía de la Comunidad Valenciana *(Tol 861072)* —y, como veíamos, con el artículo 148.1.3 de la Constitución—.

Pues bien, el Decreto Legislativo 1/2021 tiene como objeto la regulación de la ordenación del territorio valenciano y de la actividad racional del suelo (artículo 1), estableciendo, entre otros, qué actos se sujetan a licencia (artículo 232) o a declaración responsable (artículo 233) —y, por tanto, la regulación sustantiva de la ordenación del territorio— y, al mismo tiempo, su régimen sancionador, contemplando la imposición de sanciones como respuesta administrativa a la actuación ilegal (artículo 250), las infracciones y sanciones urbanísticas (artículo 264 y ss.), su prescripción (artículo 270 y 271), las circunstancias agravantes y atenuantes (artículo 272) y el plazo de caducidad del procedimiento (artículo 276).

Lo anterior podría llevar a pensar que las Comunidades Autónomas únicamente pueden establecer una regulación propia en materia sancionadora cuando establezcan la regulación general de la materia de su competencia.

Sin embargo, existen normas autonómicas en materia exclusivamente sancionadora. Como ejemplo podemos citar el Decreto 245/2000, de 16 de noviembre, por el que se aprueba el Reglamento para el Ejercicio de la Potestad Sancionadora por la Administración de la Comunidad de Madrid *(Tol 1141703)* (en adelante, Decreto 245/2000) o la Ley 2/1998, de 20 de febrero, de Potestad sancionadora de las Administraciones Públicas del País Vasco *(Tol 146288)* (en adelante, Ley 2/1998).

Si, tal y como se identificaba previamente, el procedimiento administrativo común se engloba dentro de las materias en las que el Estado ejerce una competencia exclusiva (artículo 149.1.18 de la Constitución), la mera existencia de normas autonómicas que únicamente establezcan el régimen aplicable al procedimiento administrativo sancionador (como el Decreto 245/2000 o la Ley 2/1998) plantea el interrogante de cómo tales normas encajan en el marco constitucional existente. La respuesta a este interrogante es el objeto del siguiente apartado.

2.4 La normativa de procedimiento administrativo común y la normativa autonómica en materia sancionadora

El régimen sancionador que pueda ser establecido por las Comunidades Autónomas no sólo estará limitado por los principios básicos del ordenamiento estatal sino que, además, habrá de ajustarse a las reglas del conocido como *procedimiento administrativo común,* cuya configuración es de competencia exclusiva estatal, según se establece en el artículo 149.1.18 de la Constitución Española.

A día de hoy, la regulación del procedimiento administrativo común se establece en la Ley 39/2015, de 1 de octubre, del Procedimiento Administrativo Común de las Administraciones Públicas *(Tol 5494102)* (en adelante, Ley 39/2015) y en la Ley 40/2015, de 1 de octubre, de Régimen Jurídico del Sector Público *(Tol 5494100)* (en adelante, Ley 40/2015).

El Capítulo III del Título Preliminar de la Ley 40/2015 establece los principios de la potestad sancionadora. Entre ellos, se encuentra el principio de legalidad (artículo 25 de la Ley 40/2015, en conjunción con el artículo 25.1 de la Constitución), que comprende una doble garantía; por un lado, una garantía formal —en cuanto que exige rango legal para la norma sancionadora— y, por otro, una garantía material —en cuanto que resulta necesaria la preexistencia de una norma que contenga la conducta ilícita y su correspondiente sanción—, tal y como establece el Tribunal Constitucional —por todas, su Sentencia núm. 133/1999, de 15 de julio de 1999 *(Tol 81187)*—.

Por tanto, la potestad sancionadora se podrá ejercer únicamente cuando haya sido expresamente reconocida en una norma con rango de ley y en aplicación del procedimiento previsto para su ejercicio, de acuerdo con lo establecido en la propia Ley 40/2015 y en la Ley 39/2015.

Así las cosas, el procedimiento que debe seguirse para el ejercicio de la potestad sancionadora será, en gran medida, el procedimiento administrativo común establecido en la Ley 39/2015, con las particularidades previstas para el procedimiento administrativo sancionador en la propia Ley 39/2015.

Ahora bien, lo anterior no implica que las Comunidades Autónomas no puedan establecer normas que regulen el procedimiento a seguir para ejercer la potestad sancionadora en sus respectivos territorios autonómicos, como serían el Decreto 245/2000 o la Ley 2/1998 que anteriormente citábamos.

El Tribunal Constitucional ha reconocido que la competencia estatal sobre el procedimiento administrativo común no obsta a la regulación de procedimientos por las Comunidades Autónomas en aquellos ámbitos o materias que sean de su competencia.

Para hacer compatible el artículo 149.1.18 de la Constitución Española con la afirmación anterior, el procedimiento administrativo común debe comprender la regulación de los principios que rigen en términos generales el procedimiento administrativo, sin perjuicio de que, como reconoce el propio artículo 149.1.18 de la Constitución Española, las Comunidades Autónomas puedan establecer particularidades propias de su organización interna.

Dicho en otras palabras, es perfectamente constitucional que las Comunidades Autónomas establezcan normas propias que regulen el procedimiento administrativo a seguir para ejercer la potestad sancionadora, siempre que respeten los principios recogidos en la legislación estatal y dicho procedimiento se emplee en el ámbito de sus competencias.

Para ilustrar lo anterior aprovechando los ejemplos que se exponían previamente cabe atender a lo dispuesto en la Exposición de Motivos de la Ley 2/1998. Allí se explica que dicha norma se dicta sobre la base de la competencia que la Comunidad Autónoma posee sobre ciertas materias, siempre con el límite que marcan las competencias del Estado sobre las bases del régimen jurídico de las Administraciones Públicas y sobre el procedimiento administrativo común, amén de lo establecido en el artículo 149.1 de la Constitución Española. Y, asimismo, se precisa que el régimen y el procedimiento que establezca será únicamente aplicable respecto de la potestad sancionadora que se ejerza en el territorio de la Comunidad Autónoma del País Vasco y en las materias en que las instituciones comunes de ésta tengan competencias normativas.

2.5 La normativa de procedimiento administrativo común y la normativa especial en materia sancionadora

Al margen del papel que las Comunidades Autónomas desempeñan en el ejercicio de la potestad sancionadora, hay otra cuestión que debe también considerarse para completar el análisis de las reglas que rigen su ejercicio. Se trata de la existencia de normativa especial que contiene su propio régimen sancionador autónomo.

Por ley especial debemos entender aquella que regula una materia determinada o que afecta sólo a ciertas instituciones o relaciones jurídicas. Por ejemplo, la ley que regula la gestión de los residuos a nivel estatal —la Ley 22/2011, de 28 de julio, de residuos y suelos contaminados *(Tol 2183893)*— es una ley especial porque sólo afecta a dicha materia determinada —la gestión de los residuos—.

Pues bien, para aquellas materias en que exista normativa especial, resulta de aplicación lo dispuesto en la Disposición adicional primera de la Ley 39/2015.

Dicha Disposición establece, por un lado, que los procedimientos administrativos regulados en leyes especiales por razón de la materia que no exijan alguno de los trámites previstos en la Ley 39/2015 o regulen trámites adicionales o distintos se regirán, respecto a éstos, por su ley especial; y, por otro lado, identifica una serie de actuaciones que se regirán en todo caso por su normativa específica y, tan solo supletoriamente, por lo dispuesto en la Ley 39/2015.

Bajo esas reglas, las leyes especiales —y sus normas reglamentarias de desarrollo— que se aparten de la Ley 39/2015 deben entenderse prevalentes con carácter general. No sería el caso de las normas reglamentarias que se aparten de lo dispuesto en la Ley 39/2015 y no tengan su apoyo en una norma especial con rango de ley.

Como puede apreciarse, el régimen que establece la Disposición adicional primera de la Ley 39/2015 no es más que la consecuencia directa de aplicar el conocido como *principio de especialidad normativa (lex specialis derogat legi generali)*, que exige la aplicación preferente de la norma reguladora de una materia en particular —de una especie de cierto género, dicen algunos autores como Norberto Bobbio— sobre la norma general que establece reglas comunes para todas las materias —la norma reguladora del género en su totalidad—.

Asimismo, la Disposición adicional primera de la Ley 39/2015 identifica una serie de actuaciones que, en todo caso, se regirán por su ley especial. Éstas engloban, a grandes rasgos, los procedimientos de aplicación de los tributos, actuaciones en materia de Seguridad Social, tráfico y seguridad vial y extranjería y asilo. En estos casos, su regulación especial (tanto con rango de ley como con rango reglamentario) debe entenderse como de aplicación preferente.

3. FRICCIONES ENTRE LA NORMATIVA ESTATAL Y AUTONÓMICA EN MATERIA SANCIONADORA

Partiendo del régimen legal ya expuesto, el presente apartado persigue exponer aquellas fricciones entre la normativa estatal y autonómica en materia sancionadora que quien escribe detecta con mayor asiduidad en la práctica.

3.1 La potestad sancionadora en materia ambiental: el ejemplo arquetípico de conflicto competencial

En materia de protección del medio ambiente, corresponde al Estado la competencia exclusiva para dictar las normas básicas. Ahora bien, ello sin perjuicio de las facultades de las Comunidades Autónomas de establecer normas adicionales de protección, tal y como se establece en el artículo 149.1.23 de la Constitución, y sin perjuicio de la competencia sobre la gestión en materia de protección del medio ambiente que pueda ser asumida por las Comunidades Autónomas, en virtud del artículo 148.1.9 de la Constitución.

Al amparo de dichos preceptos, las Comunidades Autónomas han ido asumiendo sus competencias en materia medioambiental bajo sus propios Estatutos de Autonomía.

Así, en palabras del Tribunal Constitucional, corresponde al Estado el establecimiento de la legislación básica sobre protección del medio ambiente, que puede ser complementada con normas adicionales establecidas por las Comunidades Autónomas cuando así lo prevean sus respectivos Estatutos de Autonomía —por todas, la Sentencia del Tribunal Constitucional núm. 149/1991, de 4 de julio de 1991 *(Tol 599944)*—.

Este reparto competencial entre el Estado y las Comunidades Autónomas ha dado pie a numerosas impugnaciones tanto en sede constitucional como ante los tribunales ordinarios de la jurisdicción contencioso-administrativa, incluyendo aquellas cuestiones que engloba el ejercicio de la potestad sancionadora.

Con ocasión de tales impugnaciones, el Tribunal Constitucional ha realizado una serie de precisiones de gran trascendencia en lo que al ejercicio de la potestad sancionadora respecta en materia medioambiental.

En primer lugar, el Tribunal Constitucional ha precisado que corresponde al Estado la tipificación de infracciones y sanciones que las Comunidades Autónomas pueden desarrollar a través de la tipificación de otras infracciones y sanciones que no contradigan las establecidas a nivel estatal, si bien podrán determinar el establecimiento de límites de protección más exigentes —en este sentido, la Sentencia núm. 102/1995, de 26 de junio de 1995, del Tribunal Constitucional *(Tol 82841)*—.

Así pues, las normas básicas estatales son *normas mínimas de protección* y, como tales, permiten que las Comunidades Autónomas dicten *normas adicionales o un plus de protección,* ello en cuanto que la función que cumplen no es la de *una función de uniformidad relativa* sino la de *ordenación mediante mínimos que han de respetarse en todo caso* —por todas, la Sentencia núm. 166/2002 dictada por el Tribunal Constitucional el 18 de septiembre de 2002 *(Tol 260559)-*

En cuanto a la competencia de la gestión de la protección del medio ambiente a asumir por las Comunidades Autónomas en sus respectivos Estatutos de Autonomía, el Tribunal Constitucional ha tenido asimismo la ocasión de precisar que ello se traduce en el ejercicio de las funciones de administración, inspección y de la potestad sancionadora —por todas, su Sentencia núm. 149/1991, de 4 de julio de 1991 *(Tol 599944)*—.

Por tanto, nos encontramos con un marco normativo en materia de régimen sancionador establecido a nivel estatal con carácter de mínimo y que puede ser desarrollado por las Comunidades Autónomas —para hacerlo más exigente— y con la atribución de la potestad sancionadora, partiendo de la aplicación de dicho régimen, a las Comunidades Autónomas.

Bajo este régimen competencial establecido en la Constitución Española y las precisiones realizadas sobre el mismo por el Tribunal Constitucional, se siguen a día de hoy produciendo conflictos en el marco del ejercicio de la potestad sancionadora en materia medioambiental.

Nos centraremos ahora en la elección de las normas procedimentales que se lleva a cabo por algunas Comunidades Autónomas en el marco del ejercicio de la potestad sancionadora que les es atribuida, habiéndose detectado que, en la práctica, surgen determinados problemas interpretativos en aquellos casos en los que las Comunidades Autónomas aplican normas estatales que no establecen un régimen completo e íntegro de la materia de que se trate, dejando lagunas normativas que afectan, por ejemplo, a los requisitos aplicables al procedimiento administrativo sancionador.

El ejemplo que mejor conoce quien escribe estas líneas se encuadra en el ejercicio de la potestad sancionadora atribuida a las Comunidades Autónomas para controlar el grado de cumplimiento de las Autorizaciones Ambientales Integradas por aquellas instalaciones que requieren este título ambiental para el ejercicio de su actividad.

La Autorización Ambiental Integrada, como título que aglutina determinados permisos ambientales exigibles a una misma instalación (vertidos, emisiones, entre otros), constituye un título regulado en una norma básica estatal, el Real Decreto Legislativo 1/2016, de 16 de diciembre, por el que se aprueba el texto refundido de la Ley de prevención y control integrados de la contaminación *(Tol 5920009)* (en adelante, Real Decreto Legislativo 1/2016).

El artículo 30 del Real Decreto Legislativo 1/2016, aplicando cuanto aquí se ha expuesto, contempla expresamente que las Comunidades Autónomas son las competentes para ejercer la potestad sancionadora. Su artículo 31 tipifica una serie de infracciones y su artículo 32 contempla las sanciones que dichas infracciones podrían llevar aparejadas.

Bajo este régimen, las Comunidades Autónomas tramitan procedimientos sancionadores frente a aquellas empresas que explotan instalaciones sin cumplir con lo dispuesto en su Autorización Ambiental Integrada, siendo muy frecuente, en experiencia de quien escribe, que recurran al tipo que se describe en el artículo 31.3.b) del Real Decreto Legislativo 1/2016, que considera infracción grave el incumplimiento de las condiciones establecidas en la Autorización Ambiental Integrada, sin que se produzca daño al medio ambiente o se ponga en peligro grave la seguridad o salud de las personas. Se trata, como puede apreciarse y si consideramos la envergadura de la Autorización Ambiental Integrada, de un tipo infractor que podría calificarse como «cajón de sastre», por la variedad de conductas que podrían encajar en el mismo (incumplimiento de algún parámetro máximo del vertido, incumplimiento de algún límite en emisiones, etc.).

Pues bien, debe ahora destacarse una particularidad en la regulación del régimen sancionador que contempla el Real Decreto Legislativo 1/2016: no fija un plazo máximo en que la Administración autonómica debe resolver el procedimiento administrativo sancionador incoado.

En este contexto, y de nuevo en experiencia de quien escribe, determinadas Administraciones autonómicas consideran aplicable en el marco de procedimientos sancionadores incoados al amparo del Real Decreto Legislativo 1/2016 el plazo para resolver establecido en otras normas ambientales autonómicas, aunque no las apliquen en el marco de la tramitación del procedimiento sancionador. Es decir, ocurre, en la práctica, que se incoan procedimientos administrativos sancionadores aplicando única y exclusivamente el Real Decreto Legislativo 1/2016 y que esta norma —básica y estatal— es la única que la Administración autonómica emplea, con la única excepción de la fijación del plazo máximo para resolver, para lo que se acude —y únicamente para ello— a otras normas ambientales —no aplicadas para sancionar— de carácter autonómico.

Piénsese, por ejemplo, en una instalación situada en la Comunidad de Madrid frente a la que se inicia un expediente sancionador por incumplir un determinado condicionado de su Autorización Ambiental Integrada otorgada al amparo del Real Decreto Legislativo 1/2016, como podría ser el límite máximo aplicable a un determinado parámetro, como el Nitrógeno total, que puede detectarse en su vertido.

La Administración autonómica madrileña, en el ejercicio de su potestad sancionadora, podría tratar de invocar el plazo de un año que se establece como máximo para dictar resolución en el procedimiento administrativo sancionador en el apartado 2 de la Disposición Adicional Séptima de la Ley 2/2002, de 19 de junio, de Evaluación Ambiental de la Comunidad de Madrid *(Tol 168927)* (en adelante, la Ley 2/2002).

Pues bien, si la incoación del expediente sancionador se basase en el Real Decreto Legislativo 1/2016 y la Ley 2/2002 únicamente fuese citada para señalar el plazo máximo para resolver el procedimiento, tal solución no sería, a juicio de quien escribe, la jurídicamente óptima. Dejando a un lado el hecho de que la Ley 2/2002 lleva años derogada casi en su totalidad desde la entrada en vigor de la Ley 4/2014, de 22 de diciembre, de Medidas de Madrid *(Tol 4591791)*, la decisión de invocar la misma para la determinación del plazo máximo para resolver por el motivo —evidente— de que dicho plazo resulta más beneficioso, debe apreciarse como contraria al régimen que veíamos previamente.

La única solución jurídica que, a juicio de quien escribe, resulta plausible consiste en acudir al plazo de tres meses establecido en el artículo 21.3 de la Ley 39/2015, por varios motivos.

En primer lugar, la Ley 39/2015 tiene carácter básico al dictarse en amparo de lo dispuesto en el artículo 149.1.18ª de la Constitución Española, que atribuye al Estado la competencia para dictar las bases del régimen jurídico de las Administraciones Públicas y la competencia en materia de procedimiento administrativo común, como veíamos anteriormente. El plazo de tres meses para resolver que recoge el artículo 21.3 de la Ley 39/2015 aplica siempre que «*las normas reguladoras de los procedimientos no fijen el plazo máximo*».

Así las cosas, y como veíamos previamente, no podrá apartarse la normativa reguladora de los procedimientos de los requisitos establecidos para el procedimiento administrativo común en la Ley 39/2015 salvo que la ley especial aplicable establezca el suyo propio (*vid*. Disposición adicional primera de la Ley 39/2015).

En este caso, la norma reguladora del procedimiento (el Real Decreto Legislativo 1/2016) no fija el plazo máximo para resolver, con lo que debería entenderse aplicable el plazo de tres meses previsto en el artículo 21.3 de la Ley 39/2015, que tiene, como se ha dicho, carácter básico.

Adicionalmente, como asimismo se exponía previamente, la competencia en materia de protección del medio ambiente se atribuye al Estado, sin perjuicio de que las Comunidades Autónomas puedan establecer normas adicionales de protección (artículo 149.1.23 de la Constitución Española) y de la competencia relativa a la gestión en materia de protección del medio ambiente que le es atribuida a las Comunidades Autónomas (artículo 148.1.9 de la Constitución Española).

Lo anterior significa, en palabras del Tribunal Constitucional y como hemos visto, que las Comunidades Autónomas pueden establecer normas adicionales de protección ambiental que, en todo caso, deberán ser más estrictas que las normas estatales, así como que las Comunidades Autónomas asumen las funciones de administración, inspección y el propio ejercicio de la potestad sancionadora.

Cabe al menos plantearse hasta qué punto la elección de un plazo para resolver un procedimiento administrativo sancionador manifiestamente superior al aplicable de considerar la normativa estatal con la —aparente— única intención de otorgar un mayor lapsus temporal a la Administración para cumplir con sus obligaciones en el marco del ejercicio de la potestad sancionadora es acorde y coherente con dicho marco constitucional.

Pues bien, conoce quien escribe que existen pronunciamientos de juzgados de lo contencioso-administrativo que avalan la elección de la Administración autonómica del plazo más amplio para resolver, aunque éste se establezca en una norma autonómica que ni tan siquiera es aplicada en el expediente sancionador, como ocurre en aquellos casos de incumplimientos de la Autorización Ambiental Integrada a los que únicamente aplica el Real Decreto Legislativo 1/2016.

Tales pronunciamientos citan como justificación una Sentencia dictada por el Tribunal Superior de Justicia de Madrid el 22 de julio de 2015, la Sentencia núm. 513/2015 *(Tol 5558156)* cuando lo cierto es que existe una diferencia fundamental entre el caso enjuiciado por el Tribunal Superior de Justicia entonces y el que aquí se plantea: la sanción cuya legalidad enjuició el Tribunal Superior de Justicia de Madrid se impone sobre la base del artículo 59.h), en relación con el artículo 58.a) de la Ley 2/2002, mientras que el caso que aquí se plantea parte de que la Ley 2/2002 no es la norma en la que se basa la tramitación del expediente sancionador, sino únicamente el Real Decreto Legislativo 1/2016.

Así las cosas, el presente apartado no persigue sino hacer reflexionar al lector sobre si esta elección de normas según su aplicación resulte más beneficiosa para la Administración podría constituir, además de una interpretación *in peius* de las normas proscrita en el procedimiento administrativo sancionador, una forma de proceder cuyo encaje constitucional resulta, al menos, dudoso.

3.2 La supletoriedad de la normativa estatal en materia sancionadora a propósito de la Sentencia 90/2012 del Tribunal Constitucional

Otro de los problemas que, en la práctica, se detecta deriva de que las Comunidades Autónomas, al aprobar la regulación de aquellas materias cuya competencia han asumido a través de sus Estatutos de Autonomía y de conformidad con el artículo 148 de la Constitución, no llevan a cabo una regulación íntegra y completa de la materia de que se trate, dejando lagunas normativas que, en ocasiones, afectan al ejercicio de la potestad sancionadora.

Uno de estos supuestos fue analizado por el Tribunal Constitucional, en Sentencia 90/2012, de 7 de mayo de 2012 *(Tol 2549780)*.

En dicha Sentencia, el Tribunal Constitucional se pronuncia sobre la sanción impuesta a una compañía por considerar subsumible su conducta en la infracción tipificada en una norma estatal —en ese caso, la Ley 24/2003, de 10 de julio, de la viña y del vino *(Tol 275507)*— y ello pese a que la normativa aplicable era una norma autonómica —en ese caso, la Ley 8/2005, de 10 de junio, de la viña y del vino de Castilla y León *(Tol 636775)*—.

El Tribunal Constitucional aprecia que la subsunción de la conducta en dicho tipo sancionador vulneró la garantía material del derecho fundamental a la legalidad sancionadora (artículo 25.1 de la Constitución) al no justificarse la aplicación al caso del indicado precepto de la ley estatal de la viña y del vino, sancionándose así una conducta que no constituye infracción administrativa en el territorio autonómico.

Asimismo, el Tribunal Constitucional aclara que la falta de predeterminación de la ilicitud de una conducta —esto es, la falta de establecimiento de tipos infractores— no es un defecto que deba resolverse o una laguna que se deba colmar, y ello pese a la regla de supletoriedad del derecho estatal que se establece en el artículo 149.3 de la Constitución y que mencionábamos antes.

Así, el Tribunal Constitucional ha tenido oportunidad de precisar que si el legislador autonómico no tipifica una concreta conducta al ejercer una determinada competencia no nos encontramos ante ninguna *laguna jurídica*, sino ante actuaciones lícitas que carecen de repercusiones jurídicas, dejando claro que *no es el particular quien deba padecer las consecuencias de una deficiente, incorrecta o incompleta tipificación de las mismas* [las infracciones] *por exigencia del artículo 25.1 de la Constitución Española*.

3.3 La Sentencia del Tribunal Supremo núm. 1164/2021, de 23 de septiembre: a vueltas sobre las competencias de las Comunidades Autónomas en materia sancionadora y las reglas que éstas han de respetar en el ejercicio de la potestad sancionadora

Finalmente, mención especial merece la Sentencia que ha propiciado estas líneas: la Sentencia núm. 1164/2021 de la Sala de lo Contencioso-Administrativo del Tribunal Supremo, de 23 de septiembre de 2021.

Esta reciente Sentencia, además de servirnos para reflexionar sobre el régimen que rodea al ejercicio de la potestad sancionadora, nos proporciona claridad sobre otro de los problemas cuya concurrencia se detecta en la práctica: qué ocurre con aquellos casos en los que una ley estatal posterior establece, con carácter básico, un cuadro sancionador que colisiona con el cuadro sancionador establecido previamente por una Comunidad Autónoma en el ejercicio de su competencia de desarrollo legislativo.

En particular, resuelve aquí en casación el Tribunal Supremo la cuestión consistente en determinar si la cuantificación de las multas a imponer por la comisión de infracciones en materia de comunicación audiovisual entra dentro del marco regulador establecido en las bases estatales —esto es, la Ley 7/2010, de 31 de marzo, General de Comunicación Audiovisual *(Tol 1799167)* (en adelante, Ley 7/2010)— o si la cuantificación de las multas es competencia de las Comunidades Autónomas, en el marco de su competencia de desarrollo legislativo.

Dicha Sentencia resuelve un recurso de casación interpuesto frente a una Sentencia dictada previamente por la Sala de lo Contencioso-Administrativo del Tribunal Superior de Justicia de Cataluña el 30 de septiembre de 2019, estimando parcialmente un recurso promovido frente a la imposición de dos sanciones a una compañía por importe de 500.001 euros cada una por la comisión de infracciones muy graves tipificadas en el artículo 57.6 de la Ley 7/2010 y en el artículo 132.a) de la Ley 22/2005, de 29 de diciembre, de Comunicación Audiovisual de Cataluña *(Tol 775991)* (en adelante, Ley 22/2005), por la prestación de servicios de comunicación audiovisual de televisión digital terrestre (TDT) sin disponer de la licencia requerida.

El Tribunal Superior de Justicia de Cataluña había decidido rebajar el importe de las sanciones impuestas a 300.000 euros argumentando que la Ley 22/2005 prevé para las infracciones muy graves sanciones de hasta 300.000 euros.

El Tribunal Supremo apreció que se equivocaba la Sala de instancia al aplicar la Ley catalana (la Ley 22/2005) en contra de lo dispuesto en la Ley estatal básica posterior (la Ley 7/2010). Ello en cuanto que la Ley 7/2010 tiene el carácter de ley básica estatal en la materia y, en consecuencia, la Comunidad Autónoma, al ejercer la potestad sancionadora —competencia de ejecución que le corresponde según estipula la propia norma estatal básica— estaba obligada a aplicar, como hizo, no el cuadro de sanciones previsto en la normativa autonómica (la Ley 22/2005) sino el contemplado con posterioridad en la normativa básica estatal (la Ley 7/2010) que, para las infracciones muy graves, establecía una sanción máxima de 1.000.000 de euros.

Así, razona el Tribunal Supremo, el cuadro sancionador de la ley estatal posterior desplazaba lo establecido en la ley catalana, que quedaba sin vigencia práctica desde la entrada en vigor de la Ley 7/2010.

Esta Sentencia pone de manifiesto que, establecido por el Estado con carácter básico un cuadro sancionador, el mismo es de aplicación necesaria por parte de las Comunidades Autónomas que ejerzan la competencia sancionadora en la materia, pues dicha competencia normativa básica desplaza las normas autonómicas que hubiesen contemplado previamente un cuadro sancionador distinto en el ejercicio de su competencia de desarrollo legislativo con anterioridad a la norma básica estatal.

4. CONCLUSIONES

Una vez aclaradas las cuestiones fundamentales sobre el encaje de la potestad sancionadora en el reparto competencial que se establece en los artículos 148 y 149 de la Constitución Española y la convivencia entre la normativa estatal y autonómica en materia sancionadora, siguen surgiendo problemas interpretativos en la práctica.

Los más asiduos en percepción de quien escribe estas líneas derivan de que es frecuente que, en la práctica, las normas estatales y autonómicas sobre competencias asumidas por el Estado y las Comunidades Autónomas dejen lagunas normativas que afectan a cuestiones tan importantes como, por ejemplo, las conductas que se consideran infracciones administrativas, el plazo de caducidad del procedimiento administrativo sancionador o el plazo de prescripción de las infracciones. O, incluso, que haya contradicciones entre normas estatales y autonómicas.

La Sentencia núm. 1164/2021 de la Sala de lo Contencioso-Administrativo del Tribunal Supremo nos sirve para dar respuesta a uno de ellos, al aclarar que el cuadro sancionador establecido por una ley estatal posterior desplaza al cuadro sancionador establecido por una norma autonómica previa.

Ahora bien, la reflexión que se realiza en el presente capítulo con ocasión de dicha Sentencia pone de relieve que existen otros problemas interpretativos cuya solución no es pacífica, como es el caso del plazo máximo para resolver a considerar en aquellos procedimientos sancionadores que se inician con base en una norma estatal de carácter básico (como podría ser el Real Decreto Legislativo 1/2016) que no identifica un plazo concreto y si, en esta situación, resulta procedente acudir a la normativa de procedimiento administrativo común básica (la Ley 39/2015) o a la normativa autonómica que —sin ser de aplicación al caso— pudiese guardar cierta relación aparente.